DER KUNST BROCKHAUS

Band 9

DER KUNST-BROCKHAUS

Aktualisierte Taschenbuchausgabe
in zehn Bänden

Band 9
Sat–Tip

B.I.-Taschenbuchverlag
Mannheim/Leipzig/Wien/Zürich

Redaktion der Taschenbuchausgabe:
Eberhard Anger M. A.

Layout: Gerd Schäfer

CIP-Kurztitelaufnahme der Deutschen Bibliothek
Der Kunst-Brockhaus: Aktualisierte Taschenbuchausg. in 10 Bd. - Mannheim; Wien, Zürich: BI-Taschenbuchverlag
ISBN 3-411-02930-7
Bd. 9. Sat–Tip. - 1987
ISBN 3-411-02939-0

Lizenzausgabe mit Genehmigung des
Verlages F. A. Brockhaus GmbH, Mannheim

Druck: Druckhaus Kaufmann, Lahr
Einband: Augsburger Industriebuchbinderei GmbH
Printed in Germany
Gesamtwerk: ISBN 3-411-02930-7
Band 9: ISBN 3-411-02939-0

Sat

Satavahana-Dynastie, ind. Herrscherhaus vom 2./1. Jh. v. Chr. bis 3. Jh. n. Chr. in Andhra, N-Deccan und Zentralindien, unter dessen Patronat die bed. buddhist. Kultanlagen von Bhaja, Pitalkhora, Karla, Sanchi, Amaravati u. a. entstanden.

Sati-Steine [Skt.], Erinnerungsmale an durch Selbstverbrennung getötete Witwen (nach Sati, der 1. Gattin Shivas, der Idealgestalt der ergebenen Ehefrau). Es sind meist flache Stelen mit stilisierten weibl. Figuren und kleinen Szenen in volkstüml. Stil.

Satrunjaya [-dʒ-], Hügel auf der Halbinsel Kathiavad in Gujarat, westl. Indien, mit weitläufigen, seit dem 11. Jh. ständig ausgebauten jinist. Tempelanlagen (insges. über 800 Haupt- und Nebenschreine in 11 Bezirken). Den künstler. Höhepunkt bilden die Tempel im Nagara-Stil der Solanki-Zeit (13. Jh.).

Satsuma-yaki, japan. Keramik, nach dem histor. Namen der Prov. Kagoshima benannt, wo es von korean. Töpfern seit dem Ende des 16. Jh. hergestellt wurde (v. a. Chaire). Die fein aquarellierte, elfenbeinfarbene Glasur, teils mit Bemalung in Muffelfarben und Gold, ist kennzeichnend für das Alt-S.-y. (Ko-S.-y.). Seit Ende des 19. Jh. werden auch Ausfuhrerzeugnisse gleichen Typs mit überladenem Farb- und Golddekor als S.-y. bezeichnet.

satt, Malerei: **1)** Bez. für reichl. Farbauftrag.
2) Bez. für volltonige, ungebrochene Buntfarben.

Sattler, Joseph, Maler, Zeichner, *Schrobenhausen 26. 7. 1867, †München 12. 5. 1931 als Prof. der Akad., einer der führenden Buchkünstler um 1900 (Schrift, Initialen, Buchschmuck und Illustrationen für seine Nibelungenausgabe, 1898–1903).

Saturn, lat. **Saturnus,** italische Gottheit, als ›Gott der Aussaat‹ gedeutet; wahrscheinlicher ist der Name jedoch etruskisch. S. besaß einen sehr alten Altar am Forum am Fuße des Kapitols; hier erhielt er schon früh einen Tempel, in dessen Keller während der Republik und in der Kaiserzeit der Staatsschatz aufbewahrt wurde (aerarium Saturni). Vom ursprünglichen Charakter des S. ist wenig bekannt. S. wurde schon früh mit dem griech. Kronos identifiziert. In Italien war der Kult vor allem auf Rom beschränkt; 217 v. Chr. wurde er nach griech. Muster umgestaltet. S. zu Ehren wurden die Saturnalien gefeiert.

Saturnrot, Maltechnik: Künstlerfarbe des Farbpigments →Bleimennige.

Satyrn [grch.], *Ez. der* **Satyr,** grch. Mythos: mit den Bergnymphen verschwisterte Fruchtbarkeitsdämonen, spätestens Ende des 7. Jh. v. Chr. in das Gefolge des Dionysos einbezogen. S. wurden im 7. und 6. Jh. als menschl. Gestalten, oft wild tanzend, dargestellt. Mit ihnen verwandt sind die **Silene,** menschlich gestaltete ithyphallische Naturdämonen mit Pferdeohren, Pferdeschweifen und Pferdebeinen. Die Silene verdrängten im 6. Jh. die S. und übernahmen deren Namen. Auch die auf der Peloponnes seit dem 7. Jh. v. Chr. verbreiteten, auf attischen Vasen seit dem 5. Jh. auftretenden

Satyrn: Schlafender Satyr, sogenannter Barberinischer Faun, um 220/10 (München, Glyptothek)

Mischgestalten aus Mensch und Bock (→Pan) wurden später S. genannt. Seit dem 5. Jh. gab es neben den bärtigen auch unbärtige, jugendl. S. Aus ihrer Vielzahl hebt sich der greise Silen (Papposilen) als Vater der Satyrkinder und Wärter des Dionysosknaben heraus.

Die lüsternen, neckischen und feigen Naturdämonen wurden im 5. Jh. v. Chr. zu Gegenbildern eines durch Kultur und Sitte veredelten Menschentums. Im 4. Jh. streiften sie die tier. Züge immer mehr ab; die Satyrjünglinge sind nur noch durch Spitzohren, Hörneransätze über der Stirn und Schwänzchen gekennzeichnet (röm. Kopie einer Statue des Praxiteles, Rom, Kapitolin. Museen). Der überfeinerten Welt des späten Hellenismus wurde das Satyrtreiben zum bukol. Idyll oder ausgelassenen erot. Spiel. In der Kunst der Neuzeit wurden S. und Silene, noch weniger unterschieden als in der Antike, als Begleiter der Venus, als Gefährten der Nymphen und als trunkene Silene dargestellt.

Satyros, grch. Bildhauer und Architekt des 4. Jh. v. Chr. aus Paros, neben PYTHEOS als Erbauer des Mausoleums von Halikarnassos (um 350 v. Chr.) genannt; andere Zuschreibungen (u. a. der ›Klagefrauensarkophag‹ aus Sidon, heute Istanbul, Archäolog. Mus.) sind rein hypothetisch.

Sauciere [zosj'ɛ: rə, frz.] *die,* auch **Schnabeltasse,** eine frühbronzezeitl. Gefäßform auf den Kykladen, Kreta, dem grch. Festland und in Kleinasien (Troja). Das Gefäß aus Metall (auch Gold) oder Ton hat über dem Fuß einen weiten, schüsselförmigen Körper und gegenüber dem elegant aufwärts geschwungenen Ausguß einen Henkel. Die keram. Beispiele sind meist mit matter Glasurfarbe (→Urfirnis) überzogen.

Sauciere: S. aus Raphina/Attika; 2. Hälfte des 3. Jahrtsd. (Athen, Nationalmuseum)

Säule, Baukunst: zylindr. oder schwach kegelstumpfförmige senkrechte Stütze, die eine auf ihr ruhende Last auf den Boden oder eine andere feste Unterlage überträgt. Sie steht meist frei, kann auch als **Halb-** oder **Dreiviertel-S.** in den Mauerverband einbezogen sein. Je zwei können als **Doppel-S.** oder **gekuppelte S.** auftreten oder, einander berührend, durch einen Knoten zu einer (roman.) **Knoten-S.** verbunden sein.

Die S. gliedert sich in Fuß (Basis), Schaft, Hals und Kopf (Kapitell, Knauf). Meist besteht sie aus Stein, seltener aus Holz. Steinerne S. sind entweder aus einem Stück gearbeitet (Monolith) oder aus mehreren (Trommeln) zusammengesetzt. Der Schaft weist bei einigen Formen in der Mitte eine Entasis auf; er ist glatt oder mit senkrechten Rillen versehen (kanneliert), auch gemustert oder spiralförmig gewunden **(gedrehte S.)** oder aus mehreren einzelnen S. zusammengebunden **(Bündel-S.).** Die Basis besteht meist aus einer quadrat. Platte (Plinthe) und einem wulstartigen oberen Teil. Von größter Vielfalt sind die Formen des →Kapitells. Die S. kann auch Träger von Standbildern **(Ehren-S., Triumph-S., Sieges-S.)** sein.

In Ägypten wurden seit Beginn des Alten Reiches S. aus Stein in Grabbauten verwendet, am Anf. noch nicht freistehend. In Kultbauten, die den Pyramiden der 5. Dynastie vorgelagert sind, begegnen dann mit S. umstandene Innenhöfe, und im Neuen Reich erhielten die Tempel zw. dem Hof und den eigtl. Kulträumen einen oder mehrere S.-Säle mit erhöhtem Mittelschiff; eines der großartigsten Beispiele ägypt. Baukunst ist der Große S.-Saal von Karnak mit 132 S., wobei die 12 S. des Mittelschiffs eine Höhe von 21 m und einen Umfang von über 10 m haben. Auch in den Felsgräbern des Mittleren und Neuen Reiches wurden S. verwendet. Die ägypt. S. lehnte sich an Pflanzenformen an: Der Schaft gibt den Stamm oder Stengel, das Kapitell die Knospe oder Blüte und bei Palmen-S. die Palmwedel wieder; häufigste Form ist die Papyrusbündel-S., seltener sind Palmen- und Lotos-S. sowie die Zeltstangen-S., die keine pflanzl. Vorbilder hatte. Die Tempel der griechisch-röm. Zeit Ägyptens bevorzugten Kapitelle, die aus versch. Pflanzenformen gemischt sind. I. d. R. wurden die S. bunt bemalt und mit Reliefdekoration versehen.

Im iran. Raum fallen v. a. die hohen, ungewöhnlich schlanken Säulen der Achaimenidenzeit auf, in Pasargadai (etwa 560–525 v. Chr.) mit unkanneliertem Schaft, dreistufiger Plinthe und waagerecht kanneliertem Torus (Kapitelle nicht erh.), in Persepolis (520–350 v. Chr.) mit kannelierten Schäften, glockenförmigen Basen und Kompositkapitellen (Lotosblüte, Palmwedel, gebündelte Doppelvoluten) oder Tierprotome-Kapitellen (meist Stiere). Vorbilder sind in ion. und syrohethit. (Doppelvolute) S. zu suchen, während die Kapitelle mit Protomen eine eigene Schöpfung der achaimenid. Kunst zu sein scheinen.

Die kretisch-myken. S. hatte einen sich nach unten verjüngenden Schaft, stand auf runder oder eckiger Plinthe und schloß mit einem polsterartigen Kapitell ab.

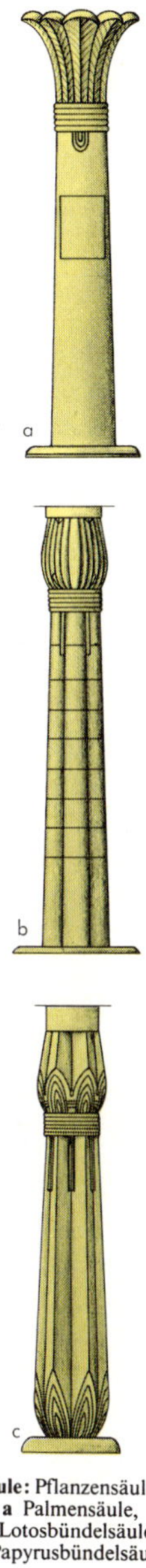

Säule: Pflanzensäulen
a Palmensäule,
b Lotosbündelsäule,
c Papyrusbündelsäule

Die grch. Baukunst bildete die 3 klass. →Säulenordnungen aus, die von den Römern im wesentlichen übernommen wurden, in der Kaiserzeit bevorzugt die korinth. Ordnung. Einzelstehende S. als Träger von Statuen, vorwiegend von Ehrendenkmälern, gab es in Griechenland v. a. in den Heiligtümern (Delphi, Olympia) und im Röm. Reich (Columna Minucia, Columna Rostra auf dem Forum Romanum; Trajans- und Mark-Aurel-S., ebenfalls Rom).

In frühchristl., aber auch noch in karoling. und otton. Zeit wurden antike S. als →Spolien verwendet. In der roman. Baukunst, wie schon in der Antike, war die S. nicht nur Stütze, sondern auch Zierglied (Eck-S. im Portalgewände, Zwerg-S. in Fensteröffnungen). Fußplatte und Wulst wurden gern durch Eckblätter miteinander verbunden. Auch erlebte die antike Bilder-S. eine Wiederbelebung (Bernwards-S., Hildesheim, St. Michael, heute im Dom). Als Baudekoration kamen →Bestiensäulen vor. In der Gotik wurde die S. mit →Diensten versehen oder durch →Bündelpfeiler ersetzt, deren einzelne schlanke S. mit Knospen- oder Blattkapitellen besetzt sind. Seit der Renaissance wurden die antiken S.-Formen wiederaufgenommen, die die neuere Baukunst – v. a. den Klassizismus – bis Ende des 19. Jh. beherrschten. Gewundene S. traten v. a. im Barock auf (Ciborium in St. Peter, Rom). Die moderne Baukunst bevorzugt als Stütze den Pfeiler.

Im vorkolumb. Amerika finden sich S. als Träger (heute nicht mehr erhaltener Dachkonstruktionen) vor und in Vorhallen der Paläste (z. B. Mitla), außerdem als Dekoration von Fassaden und Tempeleingängen, oft mit Reliefs verziert. In größerer Zahl finden sich S. oder S.-Reste in Tula und Chichén Itzá; auch plastisch in Form einer →Federschlange ausgearbeitet.

Über die S. in der indischen Kunst →Stambha.

Säulenbasilika, Baukunst: eine →Basilika, deren Hauptschiffwände auf Säulen ruhen, im Unterschied zur →Pfeilerbasilika.

Säulenfigur, vollplastisch gearbeitete Portalgewändefigur, die sich in der 2. H. des 12. Jh. aus den in die Stufen eingestellten Säulen und aus dem Figurenschmuck um den Trumeau entwickelte, v. a. an den Portalen der got. Kirchen (W-Portal der Kathedrale von Chartres, um 1150; W-Portal der Kathedrale von Senlis, um 1170). →Figurenportal.

Säulenheilige, Styliten, Mönchsasketen bes. des 4.–6. Jh. in Syrien und Palästina, die ihr Leben in Absonderung auf einer Säule verbrachten, um Gott näher zu sein. Oft wurden sie zum Ziel von Wallfahrten, so bes. SYMEON STYLITES D. Ä. (*386, †459), um dessen Säule sich das frühchristliche Wallfahrtheiligtum →Kal'at Sim'an bildete.

Säulen|ordnung, das Form- und Proportionssystem von Säule und Gebälk des antiken Tempels. Seit VITRUV unterscheidet man 3 Hauptordnungen mit einigen Nebenformen. Die **dorische S. (dorischer Baustil, dorische Ordnung)** hat verhältnismäßig gedrungene Säulen, die ohne Fuß (Basis) auf der obersten Stufe des Unterbaus (Stylobat) stehen. Der Schaft mit meist 20 flachen Kanneluren zw. scharfen Graten verjüngt sich

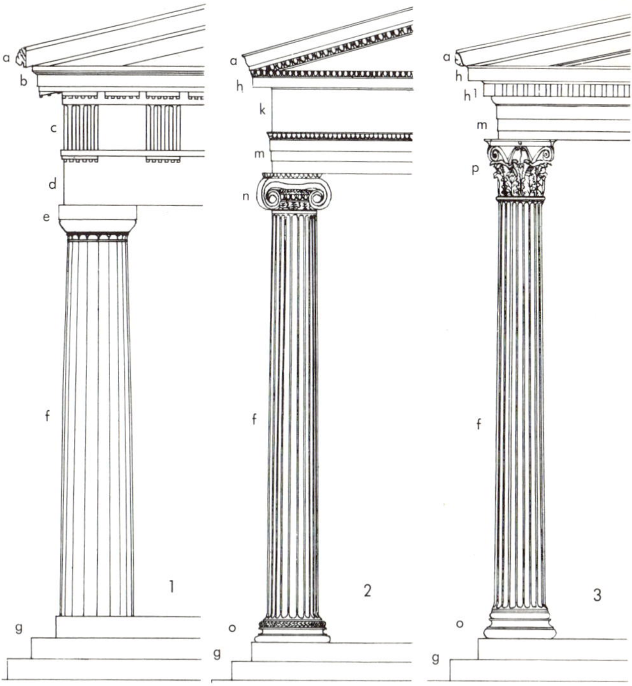

Säulenordnung: 1 Dorisch: Parthenon in Athen, 447/32 v. Chr.; Säule 10,4 m hoch. **2** Ionisch: Nordhalle des Erechtheions in Athen, um 407/06 v. Chr.; Säule 7,64 m hoch. **3** Korinthisch: Rathaus in Milet, um 175 v. Chr.; Säule 6,97 m hoch. a Giebelgesims mit Traufrinne (Sima); b dorisches Geison mit Tropfplatten (Mutuli und Guttae); c dorischer Fries (Triglyphen und Metopen); d dorischer Architrav (Epistyl), oben mit kantigem Gesims (Taenia) und Tropfleisten (Regulae und Guttae); e dorisches Kapitell; f Säulenschaft; g Krepis (Stufenbau; Oberstufe = Stylobat); h ionisches Geison: h^1 Zahnschnitt; k attisch-ion. Fries; m ionisch-korinth. Architrav (Epistyl) in drei Schichten (Fascien); n ionisches Kapitell; o attische Basis; p korinthisches Kapitell

nach leichter Schwellung (Entasis) nach oben. Das Kapitell besteht aus Hals (Hypotrachelion), einem kissenförmigen Teil (Echinus) und einer quadrat. Deckplatte (Abakus). Das Gebälk gliedert sich in den glatten Architrav (Epistyl), von kantiger Leiste (Taenia) abgeschlossen, unter der kurze Leistchen (Regulae) mit Stiften (Guttae) hängen, und den Fries mit den →Triglyphen und →Metopen. Darüber liegt das Gesims (Geison), unter dem flache Hängeplatten (Mutuli), wiederum mit Guttae, angebracht sind. Das an der Giebelseite ansteigende Geison ist ungegliedert, auf ihm ruht der Dachrand (Sima), der an den Langseiten des Daches als Traufrinne mit Wasserspeiern ausgebildet ist. Die Säule der in den frühgrch. Kolonien Kleinasiens entstandenen **ionischen S. (ionischer Baustil, ionische Ordnung)** hat eine reiche profilierte Basis, einen schlanken, wenig verjüngten Schaft mit meist 24 tiefen Kanneluren zw. flachen Stegen. Das Kapitell besteht aus einem als Eierstab gebildeten Echinus, darüber ein Polster, das an den Seiten in großen Spiralen eingerollt ist (Voluten) und einem ganz flachen Abakus. Der Architrav gliedert sich in 3 Schichten (Fasciae) und einen krönenden Eierstab; das Gesims hat einen kräftigen Zahnschnitt oder in Attika einen Fries, der Reliefs tragen konnte (in späthellenist. Zeit gab es Zahnschnitt und Fries zusammen). Die **korinthische S. (korinthischer Baustil, korinthische Ordnung)** ist eine Ableitung von der ionischen mit reicherem Kapitell (Akanthusblätter und Voluten) und mit ornamentgeschmücktem Gebälk; sie trat am Ende des 5. Jh. v. Chr. auf und wurde in der röm. Baukunst immer reicher ausgebildet. Ihre Spielart wiederum war die erst in der röm. Kaiserzeit entstandene **komposite S.** (größere Voluten, diagonal über dem Blattkranz des korinth. Kapitells angeordnet). Die vergröberte dorische S. in Etrurien galt in Rom als **tuskanische S.**

Saulieu [solj'ø], Städtchen im frz. Dép. Côte-d'Or, nördlich von Autun. Die ehem. Abteikirche St. Andoche (12. Jh.; Chor im 18. Jh. wiedererrichtet) besitzt hervorragende figürl. Kapitelle mit Darstellungen aus dem A. T. und N. T.

Saumur [som'yr], Stadt im frz. Dép. Maine-et-Loire, an der Mündung des Thouet in die Loire, 34 200 Ew. Urspr. im Besitz der Grafen von Blois, kam S. 1025 an das Haus Anjou und war am Ende des MA. ein bed. Handelsplatz. Die roman. Kirche Notre-Dame-de-Nantilly (urspr. 12. Jh., im 15. Jh. gotisch umgebaut) besitzt eine reiche Samml. frz. Wandteppiche des 15. bis 17. Jh. Im Schloß (14. Jh., später mehrfach umgebaut) Mus. des Arts Décoratifs (Möbel, Fayencen, Email- und Elfenbeinarbeiten) und Mus. du Cheval (Samml. von Pferdebildern, Zaumzeug, Steigbügeln u. a.).

Saura, Antonio, span. Maler, Graphiker, Schriftst., *Huesca 22. 9. 1930, Mitbegründer (1957) der Gruppe ›El Paso‹ in Madrid, die das Informel mit einer spezifisch spanischen, expressiven Dramatik verband. Seine Bilder stehen dem Abstrakten Expressionismus nahe, mit einem Hang zum Dämonischen, offen für sozialkrit. Themen. Er reduziert seine Farben bis auf Schwarz-Weiß-Kontraste und löst die menschl. Figur fast ins Abstrakte auf; seit den 1970er Jahren Bilderreihen aus der span. Kunstgesch. (v. a. von F. J. DE GOYA).

Sauschtatar, König von Mitanni (Mitte 15. Jh. v. Chr.), dessen Siegel (Abrollung auf einer Tontafel aus Nuzi erh.) den typischen Mitanni-Stil mit kompositorisch frei in den Raum gestellten Figurengruppen um ein Zentralmotiv (Flügeldämon) zeigt.

Sauvage [sov'a:ʒ], Frédéric Henri, frz. Architekt, *Rouen 10. 5. 1873, †Paris März 1932, schuf nach Bauten im Jugendstil Mietwohngebäude in Paris. Konstruktiv und formal an die Vorstellungen von A. PERRET anknüpfend, organisatorisch für kollektive Wohnformen konzipiert, werden S.s terrassierte Wohnhäuser zu Vorläufern der futurist. Entwürfe von A. SANT'ELIA.

HW: Terrassierte Arbeiterhäuser, Projekt Paris (1909); Magasins de la Samaritaine, Paris (mit F. JOURDAIN, 1926); Giant Hotel, Paris (Projekt 1927).

R. DELEVOY u.a.: H. S. 1873–1932 (Brüssel 1976).

Saverne [sav'ɛrn], →Zabern.

Savery, Roelant, niederländ. Maler, Zeichner, *Kortrijk 1576, begraben Utrecht 25. 2. 1639, seit 1619 tätig ebd., arbeitete seit 1604 für RUDOLF II. in Prag und seit 1614 für Kaiser MATTHIAS in Wien; Reisen durch Tirol und Böhmen regten ihn zu phantast. Berg- und Waldlandschaften unter dem Einfluß von G. VAN CONINXLOO an, meist mit bibl. und mytholog. Szenen sowie wilden und zahmen Tieren. Bes. in seinen Blumen- und Tierstücken machen sich Einflüsse von P. BRUEGEL D. Ä. und J. BRUEGEL D. Ä. bemerkbar.

Savina, Kloster in der Nähe von Herceg-Novi, an der Bucht von Kotor, Jugoslawien, mit zwei Kirchen; die ältere, aus dem 11. Jh., wurde im 17./19. Jh. erneuert und ergänzt (Fresken 15. Jh.). Die neuere ›Muttergotteskirche‹ (1777–99 gebaut) ist ein einschiffiger Bau mit halbrunder Apsis. Narthex mit dreigeschossigem Glockenturm. Im Innern Ikonostase von 1797. Im Kloster Schatzkammer mit bed. Samml.

Savoldo, Giovanni Girolamo, ital. Maler, *Brescia um 1480, †Brescia oder Venedig nach 1548; entwikkelte aus venezian. und lombard. Anregungen in seinen relig. Bildern und Porträts einen maler. Stil von gedämpfter Farbigkeit und metallisch schimmernder Lichtwirkung; charakteristisch ist die ausgeprägte Wiedergabe landschaftl. Motive.

Savonlinna, schwed. **Nyslott,** Stadt in SO-Finnland, auf mehreren Inseln und Halbinseln; 28200 Ew. Auf einer kleinen Insel im Stadtgebiet liegt die Festung Olavinlinna (Olofsborg), 1475–77 angelegt, die besterhaltene ma. Burg Finnlands und eine der größten Anlagen der nord. Länder, mit mehreren Innenhöfen und 3 mächtigen Rundtürmen; nach einem Brand als histor. Denkmal restauriert (1872–75); Museum.

Savonnerie-Teppiche [savɔnr'i-, frz. ›Seifensiederei‹], frz. Teppiche aus einer 1604 gegr. Manufaktur, die

Savonlinna: Burg Olavinlinna (Olofsborg); 1475–77

seit 1627 in einer ehem. Seifenfabrik in Chaillot (heute Paris) untergebracht war. Sie sind nach Art oriental. Knüpfarbeiten, mit Mustern im Zeitgeschmack hergestellt, so v. a. nach Entwürfen von C. LEBRUN und seinen Schülern. 1826 wurde die ›Savonnerie‹ mit der Pariser Gobelinmanufaktur vereinigt.

Sawankhalok, Kleinstadt in Thailand, 40 km nördlich von Sukhothai; namengebend für die (seladonartige) Keramik des 14./15. Jh. Hier tritt in der Keramik Südostasiens erstmals die Form des Kendi auf, ein bauchiges Gefäß mit einer Gießöffnung in Form einer weibl. Brust. Nördlich von S. die Ruinenstadt von →Si Sacchanalai.

Sawentar, Candi S. [tç-], hinduist. Heiligtum auf O-Java (KARTE indonesische Kunst), um 1200 errichtet; beispielhaft für die Architektur der ›Ostjavan. Periode‹, da sein Dach durch profilierte Bandgesimse gegliedert wird. Die Cella hat große erhöhte Tore und Nischen, über deren Sturz riesige Kala-Köpfe erscheinen.

Sawizkij, Savickij, Konstantin Apollonowitsch, russ. Genremaler, Graphiker, *Taganrog 6. 6. 1844, †Pensa 13. 2. 1905, Mitgl. der Peredwischniki, kam über Milieuschilderungen zu einer sozialkrit. Aussage (›Reparaturarbeiten an der Eisenbahnstrecke‹, 1874; Moskau, Tretjakow-Gal.). Der Alltag der unterdrückten und rechtlosen Bevölkerungsschichten blieb das Hauptthema seines Werkes; auch Porträts, Buchillustrationen.

Sawrassow, Savrasov, Aleksej Kondratjewitsch, russ. Landschaftsmaler, *Moskau 24. 5. 1830, †ebd. 8. 10. 1897, beteiligte sich an den Ausstellungen der Peredwischniki. Mit seiner schlichten, von äußerl. Effekten freien Darstellungsweise ist er der Begründer der lyrisch geprägten russ. Landschaftsmalerei.

HW: Die Saatkrähen sind gekommen (1871; Moskau, Tretjakow-Gal.).

Saxe ombré [saksɔ̃br'e, frz.], in der Porzellanmalerei Insekten oder Blumendekor, bei der der Schlagschatten mitgemalt ist, bes. in Meißen verwendet.

Sayil, archäolog. Fundort der Maya-Kultur im W des Bundesstaates Yucatán, Mexiko. Freigelegt sind ein Ballspielplatz und 2 größere Gebäudekomplexe im typ. Puuc-Stil (um 900 n. Chr.). Bei dem Großen Palast sind die beiden oberen Stockwerke jeweils nach hinten versetzt, an der Vorderseite führt eine breite Treppe zum obersten Stockwerk. Die Fassade des 1. Stockwerks ist in ihrer oberen Hälfte mit Chac-Masken und Säulen dekoriert, im unteren Teil wechseln tragende Säulen mit Mauerwerk und eingebundenen Säulen.

Sazava [s'a:zava], Ort in der ČSSR, südöstlich von Prag. Oberhalb des Flusses Sázava das 1039 gegr. Benediktinerkloster des Hl. Prokop, im MA. geistiges Zentrum Böhmens. Vom unvoll. got. Umbau (Anf. 14. Jh.) der Klosterkirche sind nur die Umfassungsmauern eines Schiffes und der Turm erh.; in der heute größtenteils barocken Kirche Prokop-Mus.

Sbeïtla, Stadt in Tunesien, rd. 40 km östlich von Kasserine, 8000 Ew., steht an der Stelle des röm. **Sufe-**

tula, einer unter den flav. Kaisern gegr. großen Stadt, heute ausgedehnter Ruinenbez., u.a. mit Forum, Tor des Antoninus Pius, Tempeln der Kapitolin. Trias (das Kapitol in Rom nachahmend), Theater, Thermen, Aquädukt, christl. Kirchen.

sc., sculps., auf graph. Blättern Abk. für →sculpsit.

Scaenae Frons, die reich gegliederte Fassade des Bühnengebäudes im röm. →Theater.

Scagliola [skaʎ'ɔːla, ital.], urspr. Bez. für jeden →Stuckmarmor, heute nur für die Stuckmarmorintarsie (Imitation der Pietra-dura-Technik). Die S.-Technik wurde im 16. Jh. in Italien entwickelt. In die geglättete Stuckmarmorfläche werden die Bild- oder Ornamentformen eingeschnitten, mit andersfarbigem Stuckmarmor ausgefüllt und eingeebnet. Mit jeder weiteren Farbe wird ebenso verfahren, bis das Bild fertig ist und endgültig geschliffen und poliert werden kann.

Scala Regia, →Vatikan.

Scala Sancta, →Lateranpalast.

Scaligergräber
in Verona; 14. Jh.

Scaliger-Gräber, die Grablege der Familie Della Scala (1259–1387 Stadtherren von Verona) in Verbindung mit der roman. Kirche S. Maria Antica in Verona. Das älteste Grabmal des MASTINO I. (1277) ist ein Wandnischengrab. Den Ruhm dieser Grablege begründeten die got. Grabmäler des 14. Jh., welche die Form des Tabernakels der frz. Hochgotik übernahmen, dieses im lombard. Geschmack mit Zierformen überhäuften und mit einer Reiterstatue des Beigesetzten krönten. Solche Baldachin-Grabmäler mit Reiterstandbildern waren in der ital. Kunst bis dahin unbekannt gewesen. Das Grabmal des bedeutendsten Scaligers, CANGRANDE I. (†1329), geht noch eine Verbindung mit der Architektur ein und ist als eine Art bekrönender Giebel über einem Seitenportal der Kirche angebracht. Die folgenden stehen frei außerhalb der Kirche, darunter das Tabernakel MASTINOS II. (†1351), das zu dessen Lebzeiten zw. 1340 und 1350 von einem mailänd. oder venezian. Bildhauer errichtet wurde, und das Prunkgrab des CANSIGNORIO von BONINO DA CAMPIONE (1375/76). Alle diese Grabmäler bilden den Toten zweimal ab, einmal auf einem Sarkophag ausgestreckt, einmal als bekrönendes Reiterstandbild.

Scamozzi, Vincenzo, ital. Baumeister, Architekturtheoretiker, *Vicenza um 1552, †Venedig 7. 8. 1616, führte die venezian. Baukunst in einem von J. SANSOVINO und A. PALLADIO abgeleiteten Klassizismus fort, den sein Lehrbuch ›Idea dell'architettura universale‹ 1615 in ganz Europa verbreitete.

HW: in Vicenza: Paläste Trissino-Trento (1577), Trissino-Baston (1592; heute Rathaus), Porto-Breganze (urspr. Entwurf von Palladio, um 1600); in Lonigo: Villa Pisani, ›La Rocca Pisana‹ gen. (Nachahmung von Palladios Villa ›Rotonda‹ bei Vicenza; 1576–78); in Venedig: Neue Prokuratien (1583 ff.), Vollendung der Markusbibliothek Sansovinos (1583–88). – Vollendung des Teatro Olimpico von Palladio in Vicenza (1584); Entwurf für den Salzburger Dom (1606/07; ausgeführt von S. SOLARI 1614–28).

Scarpa, Carlo, ital. Architekt, Designer, *Venedig 2. 6. 1906, † Sendai (Japan) 28. 11. 1978, war seit 1927 selbständig in Oberitalien tätig und v. a. mit Ausstellungs- und Geschäftseinrichtungen in Form der Integration neuer Gestaltungen in vorhandene Gebäude beschäftigt. S.s gestalter. Qualitäten, formal verwandt mit den Planungen von F. L. WRIGHT, der De-Stijl-Gruppe und anknüpfend an ital. Traditionen des Kunsthandwerks, entfalten sich v. a. beim differenzierenden Umgang mit vorhandenen Bauten, die S. als eigenständige Vorgaben für einen Kontrast mit neuen Einfügungen (Ergänzungen) betrachtete.

HW: Gestaltungen für die Biennale, ebd. (1941 ff.); Mus. di Castelvecchio, Verona (1958 ff.); Pinacoteca Querini Stampalia, Venedig (1961 ff.).

N. POZZA: C. S. (Vicenza 1974); C. S. a Castelvecchio, hg. v. L. MAGAGNATO, Ausst.-Kat., Verona (1982).

Sceaux [so], Stadt bei Paris, an der Seine; 1748–94 bestand hier eine Fayencemanufaktur. Um 1766 war sie im Besitz der Töpfer und Maler J. JULLIEN und S. JACQUES; in dieser Zeit wurde vermutlich auch Porzellan hergestellt.

Scena [ʃ'ɛ:na], ital. für →Schenna.

Schaber, Schab|eisen, Werkzeug des Kupferstechers in Form eines schwertförmigen **(Schwert-S.)** oder flachen Messers **(Flach-S.),** verwendet v.a. in der →Schabkunst zum Glätten der aufgerauhten Kupferplatte; auch zum Entfernen von Graten beim Kupferstich.

Schabkunst, Schabtechnik, Mezzotinto, Schwarzkunst, dem Kupferstich verwandtes Tiefdruckverfahren, bei dem der Künstler i. Ggs. zum festen Liniengefüge des Kupferstichs tonige Flächenübergänge von tiefem samtigem Schwarz bis zum hellen Weiß des Papiers abstufen kann. Voraussetzung ist das Aufrauhen der Kupferplatte mit dem →Wiegeeisen durch waagerecht, senkrecht und diagonal über die Platte geführte Schnitte. Dadurch entsteht ein dichtes Netz von Einschnitten, die den tiefschwarzen Grundton der Platte erzeugen. Mit →Schaber und →Polierstahl glättet der Künstler die Platte an den Stellen, wo er Lichter wünscht, d. h. er holt das Bild (die Darstellung) aus der Dunkelheit heraus. Die stärkste Helligkeit entsteht dort, wo die Platte ganz blank poliert ist. Je nach dem Glättegrad der Platte nimmt diese mehr oder weniger Druckfarbe an und gibt sie entsprechend abgestuft an das Papier ab. Von mehreren Platten lassen sich auch →Farbstiche anfertigen.

Die Entdeckung der S. gelang dem Amateur LUDWIG VON SIEGEN 1642 mit dem Porträt der Landgräfin Amelia Elisabeth von Hessen. Die Helldunkelwirkung der S. kam dem maler. Bedürfnis barocker Darstellungsweise entgegen und wurde bes. für Porträts und die Wiedergabe großer Gemälde angewendet. Im 18. Jh. erlebte die S. in England ihre höchste Blüte, daher nannte man sie auch **englische Manier.**

Schablonieren, Maltechnik: Verfielfältigung ornamentaler Formen durch eine Schablone. Die Formvorlage wird aus Blech oder Papier ausgeschnitten, wobei Stege, die die Binnenformen halten, stehen bleiben müssen. Die Schablone wird auf den Malgrund gelegt und mit Farbe übertupft, so daß die ausgeschnittene Figur als farbige Fläche zurückbleibt.

Schachbrettfries, Würfelfries, Baukunst: roman. Friesform mit vor- und zurückspringenden Würfeln.

Schachen, Jagdschloß König Ludwigs II. von Bayern südlich von Garmisch-Partenkirchen, Oberbayern, in 1866 m Höhe am Wettersteingebirge gelegen; schlichte Holzkonstruktion; im Obergeschoß ein großer ›oriental. (türk.)‹ Saal (1872/73) in verschwender. Pracht (Mus.).

Schachtelhalm, Zinnkraut, Maltechnik: Getrockneter und zu Bündeln gebundener S. wurde für den Feinschliff von Grundierungen wie auch zum Putzen von Zinn verwendet.

Schachtgrab, Grabtypus bes. des vorgeschichtl. Ägyptens und der frühmyken. Epoche Griechenlands (daher ›Schachtgräberzeit‹, 16. Jh. v. Chr., nach den S. in Mykene). Bei den ägypt. S. führte ein senkrechter Schacht in die Tiefe, von dem aus die eigtl. Grabkammer seitlich abzweigte; diese wurde nach der Bestattung zugemauert, der Schacht mit Steinen gefüllt und mit einem Steinmal gekennzeichnet. In Mykene fehlte eine Grabkammer; die Toten wurden mit fürstl. Beigaben auf dem Boden des Schachtes selbst bestattet und das Grab mit einer Holzdecke geschlossen. Über den Gräbern wurden z. T. reich verzierte steinerne Stelen (mit Relief und Bemalung) aufgestellt. Die reichen Funde aus myken. S. (bes. Goldschmuck, Gesichtsmasken, Waffen) befinden sich im Nat.-Mus. Athen.

Schackgalerie, Gemäldesamml. in München, hervorgegangen aus der Privatsamml. des Kunstsammlers, Schriftst. und Juristen ADOLF FRIEDRICH GRAF VON (1876) SCHACK (*1815, †1894), der in den 50er Jahren des 19. Jh. begann, eine Samml. von Gemälden zeitgenöss. Künstler wie A. BÖCKLIN, M. v. SCHWIND, VICTOR MÜLLER, F. v. LENBACH u. a. aufzubauen. Auf Anregung von Lenbach legte er außerdem zw. 1863 und 1880 eine der größten Kopiensamml. an (seit 1865 Besuchern zugänglich). Laut testamentar. Verfügung ging die Samml. in den Besitz des Dt. Kaisers über, der ihren Verbleib in München verfügte und das Gal.-Gebäude erwarb. 1907 wurde mit dem Neubau für die S. in der Prinzregentenstraße beg. (1909 eröffnet). 1932 wurde die Samml. als Eigentum des Preuß. Staates der Verwaltung der Staatl. Schlösser und Gärten in Berlin unterstellt, bis sie 1939 in die Bayer. Staatsgemäldesamml. übernommen wurde.

Schad, Christian, Maler, Graphiker, *Miesbach (Oberbayern) 21. 8. 1894, †Stuttgart 25. 2. 1982, lebte 1915–20 in Zürich, wo er der Dada-Gruppe nahestand und eine eigene Form des Photogramms entwickelte (›Schadographien‹), 1920–25 in Italien, seit 1928 in Berlin, wo er zum führenden Porträtisten der Neuen Sachlichkeit wurde. 1942 zog er nach Keilberg bei Aschaffenburg; hier entstanden expressive ›magische Bilder‹, ab 1960 auch wieder Photogramme.

C. S., Monographie und Œuvre-Kat., hg. v. G. A. RICHTER (1983).

Gottfried Schadow: Kronprinzessin Luise von Preußen und ihre Schwester Friederike; Marmor, 1795–97 (Berlin-Ost, Staatl. Museen)

Schädel, 1) Gottfried, Baumeister, *Wandsbek bei Hamburg nach 1680, †Kiew 21. 2. 1752, kam 1713 mit A. SCHLÜTER nach St. Petersburg und baute für den Fürsten MENSCHIKOW in monumentalen Barockformen v.a. Schloß Oranienbaum (1713–25), ferner – nach Teilnahme am Bau des Kreml in Moskau – in Kiew die Glockentürme des Höhlenklosters (1736–45) und der Sophienkathedrale.

2) Hans, Architekt, *Randersacker bei Würzburg 14. 2. 1910, erstellte Siedlungsbauten und städtebaul. Entwürfe, gab durch neue räuml. Konzeptionen (u.a. in Schalenbauweise), dem dt. Kirchenbau nach dem 2. Weltkrieg neue formale Anstöße.

HW: Kirche St. Kilian, Schweinfurt (1951); Kirche St. Josef, Hasloch a.M. (1956/57); Kirche Regina Martyrium, Berlin-Plötzensee (1961–63 mit F. EBERT).

Schadow [-do], **1)** Johann Gottfried, Bildhauer, Graphiker, Vater von 2) und 3), *Berlin 20. 5. 1764, †ebd. 27. 1. 1850, ebd. Schüler von J. P. A. TASSAERT, weitergebildet in Rom 1785–87 (A. TRIPPEL, Freundschaft mit A. CANOVA), seit 1788 Hofbildhauer in Berlin. 1790 bis 1800 entstanden seine bedeutendsten Werke: das Grabmal für den Grafen von der Mark (1790; Berlin, Dorotheenstädt. Kirche, heute Berlin-Ost, Staatl. Museen), die Quadriga (Viktoria auf dem Viergespann) auf dem Brandenburger Tor (Entwurf 1789; von E. JURY in Kupfer getrieben) und das Marmorstandbild Leopolds I. von Anhalt-Dessau (1800; Berlin-Ost, Lustgarten). Für sein Wohnhaus schuf S. 1805 2 Supraporten-Reliefs. Im gleichen Jahr wurde er Rektor (1815 Direktor) der Akad. der Künste in Berlin. – Im Rokoko wurzelnd, verband S. den Realismus J.-A. HOUDONS (Standbild Zieten, 1794; Berlin-Ost, Wilhelmsplatz) mit der Idealität A. Canovas (Marmorgruppe der Kronprinzessin Luise und ihrer Schwester Friederike, 1795–97; Berlin, ehem. Stadtschloß, heute Berlin-Ost, Staatl. Museen). – Er schuf weitere Denkmäler, ferner Grabmäler, Standbilder, Einzelfiguren und Gruppen sowie Porträtbüsten. S. war auch Radierer und Lithograph und veröffentlichte kunsthistor. und -theoret. Schriften. Zu seinen Schülern gehörten F. TIECK, C. D. RAUCH, K. und L. WICHMANN, sein Sohn RUDOLF und E. WOLFF.

WW: Marmorstatue Friedrichs d. Gr. (1793; Stettin); Grabmal F. B. v. Tauentziens (1795; Breslau); Bronzegruppe Friedrichs d. Gr. mit seinen Windspielen (1821; Sanssouci); Lutherdenkmal (1821; Wittenberg – galt als das erste bürgerl. Denkmal in Dtl.). – Porträtbüsten: Prinzessin Friederike (1794; Berlin-Ost, Staatl. Museen), 14 Büsten in der Walhalla bei Regensburg (1807–11) u.a.

Lit.: →Berliner Bildhauerschule.

2) Rudolf, gen. Ridolfo, Bildhauer, Sohn von 1), Bruder von 3), *Rom 9. 7. 1786, †ebd. 31. 1. 1822, Schüler seines Vaters, bildete sich in Rom bei B. THORVALDSEN und A. CANOVA weiter. S. schuf populäre, in zahlreichen Repliken verbreitete Werke in klassizist. Stil.

HW: Sandalenbinderin (1813; München, Glyptothek); Spinnerin (1817); Achilles verteidigt die sterbende Penthesilea (Modell 1821, von seinem Vetter E. WOLFF in Marmor ausgeführt).

3) Wilhelm von (1845), Maler, Sohn von 1), Bruder von 2), *Berlin 6. 9. 1788, †Düsseldorf 19. 3. 1862, schloß sich nach Studien in Berlin (F. G. WEITSCH) in

Rom (ebd. seit 1810) den Nazarenern an und war seit 1819 Prof. der Berliner, 1826–59 Direktor der Düsseldorfer Akad., die unter seiner Leitung zu den bed. Ausbildungsstätten in Europa gehörte (→Düsseldorfer Schule). – S. malte relig. Figurenbilder (Wandgemälde in der Casa Bartholdy, Rom, u. a.) und Porträts.

Lit.: →Düsseldorfer Schule.

Schäfer, Sammlung Georg Schäfer, Obbach bei Schweinfurt. G. SCHÄFER (*1896, †1975) baute einen älteren Kunstbesitz systematisch zu einer bed. (nicht öffentlichen) Samml. dt. Malerei und Graphik des 19. Jh. aus. Sie wurde 1966 bis 1968 in Sonderausstellungen bekannt gemacht. Weitere Ausstellungen (u. a. C. SPITZWEG und sein Malerkreis, F. G. WALDMÜLLER, A. v. MENZEL) folgten. Bestände der Samml. werden ständig im German. Nat.-Mus. in Nürnberg und in der Neuen Pinakothek in München gezeigt.

Schäfer, Karl, Baumeister, *Kassel 18. 1. 1844, †Karlsfeld bei Halle 5. 5. 1908, war 1871–77 Universitätsbaumeister in Marburg, 1877–85 Hilfsbaumeister am Ministerium für öffentl. Arbeiten in Berlin, seit 1878 Dozent (seit 1884 Prof.) für ma. Baukunst an der Bauakad. Berlin, 1894–1907 an der TH Karlsruhe. S. baute in historisierenden Formen (bes. der Gotik) v. a. die Univ. Marburg und widmete sich der Erneuerung ma. Bauten (W-Turm des Meißener Domes u. a.).

Schaffhausen, Hauptstadt des schweizer. Kt. S., am rechten Rheinufer, 34000 Ew.; ehem. Reichsstadt, seit 1501 Mitgl. der Eidgenossenschaft. Das Stadtbild wird von dem mächtigen Rundbau der Höhenfeste Munot beherrscht, die 1564–85 nach den Prinzipien der Befestigungslehre A. DÜRERS (1527) errichtet wurde. Unterhalb liegt das ehem. Benediktinerkloster Allerheiligen; an der Stelle einer frühroman. Basilika entstand das Münster (1103 gew.), das als erste Kirche der Hirsauer Bauschule folgte, eine dreischiffige flachgedeckte Säulenbasilika mit fünfgeschossigem, reich gegliedertem Turm; Kreuzgang (um 1100, im 15. Jh. erneuert); Klosterbauten 11.–16. Jh. (Mus. der Stadt S., u. a. ma. sakrale Kunst). Nördlich des Klosters liegt die Pfarrkirche St. Johann (gegr. 11. Jh., dreischiffiger spätgot. Neubau 1. H. 15. Jh., Anbau der äußeren Seitenschiffe 1515–17). Spätgot. Rathaus (1408–12) mit prachtvollem Renaissanceportal (1624) zum Ratssaal. Das Alte Zeughaus (1617) ist eines der besten Beispiele der dt. Renaissance in der Schweiz. Der ungewöhnl. Reichtum an Bürgerhäusern (16.–18. Jh.), viele davon mit charakterist. Erkerbauten, gibt der Stadt ein maler. Gepräge; ›Haus zum Ritter‹ mit bed. Fassadenmalerei von T. STIMMER (1570; am Haus Kopien, Originalteile im Mus. Allerheiligen).

Schaffner, Martin, Maler, Bildschnitzer, *um 1478/79, †Ulm zw. 1546 und 1549, seit 1499 ebd. (seit 1526 Stadtmaler). Von H. HOLBEIN D. Ä. wandte sich sein Stil um 1500 nachhaltig der Kunst A. DÜRERS und H. BURGKMAIRS D. Ä. zu. Er wurde nun von einer weichen, rötlichbraunen Farbigkeit bestimmt und überwand den Formenkanon der Spätgotik mit dem Kompositionselement des perspektivisch ausgeweiteten

Raumes. Sein Spätwerk zeigt eine harmon. Komposition in malerisch-lichten Tönen.

HW: Abschied Christi von Maria (1507/08; München, Bayer. Nat.-Mus.); Anbetung der Könige (1510–14; Nürnberg, German. Nat.-Mus.); Sippenaltar, gestiftet von der Familie Hutz (1521; Ulm, Münster); Altarflügel aus Kloster Wettenhausen (1523/24; München, Alte Pinakothek). – Porträts von Bernhard Besserer (1513; Berlin-West, Staatl. Museen) und Eitel Besserer (1516; Ulm, Stadtmus.).

Schaffrath, Ludwig, Maler, Glasmaler, Entwurfszeichner für Mosaik, *Alsdorf 13. 7. 1924, lebt in Alsdorf-Ofden, seit 1954 freischaffend; Lehraufträge in England, den USA, Australien und Japan.

HW: 32 Fenster im Kreuzgang am Dom in Aachen (1962 bis 1964); Fenster von St. Michael in Schweinfurt (1966/67), von St. Joseph (1970–75) und St. Hubertus (1981/82) in Aachen.

E. STEPHANY u. K. PFAFF: L. S., Glasmalerei u. Mosaik (1977).

Schäftlarn, Gem. südlich von München, Oberbayern, 4600 Ew. Die Kirche des Benediktinerklosters (762 gegr.) ist ein HW des höfisch beeinflußten Barock, 1733–60 nach Plänen von F. CUVILLIÉS D. Ä., J. M. FISCHER u. a. erbaut, Stuck und Fresken von J. B. ZIMMERMANN 1754–56, Altäre und Kanzel von J. B. STRAUB. Abteigebäude 1702–07 nach Plänen G. A. VISCARDIS.

Schaft|ring, Baukunst: →Wirtel.

Schahdad, Ruinenstätte eines ausgedehnten Gräberfeldes in Iran östlich von Kerman an der Wüste Lut (KARTE Alter Orient), das auf eine große und lange bestehende Stadt schließen läßt. Reiche Grabfunde aus der Zeit um 2000 v. Chr.: bemalte Keramik, Steingefäße, Beigaben aus Lapislazuli, Achat, Perlenschmuck, Steatitbüchsen und Terrakottastatuetten.

Schah-Name [›Buch der Könige‹], pers. Nationalepos des Dichters FIRDAUSI (†1020); es schildert in rd. 52000 Versen die Gesch. Irans von heroischer Vorzeit bis zum Fall des Sassanidenreichs in frühislam. Zeit. Die dichte Folge von Schlachten und Zweikämpfen, von Jagden, Festen und Liebesbegegnungen machte die Illustration des S.-N. zu einer dankbaren Aufgabe der Miniaturmaler. Die meisten illustrierten Hss. enthalten nur wenige Dutzend Bilder, doch gibt es Pracht-Hss. mit mehr als 200 Bildern, z. B. die etwa 1520–35 für Schah TAHMASP I. hergestellte Hs. mit 256 Bildern.

Schalcken, Godfried, holländ. Maler, Zeichner, Radierer, *Made (heute zu Oudenaarde) 1643, †Den Haag 13. oder 16. 11. 1706, Schüler von S. VAN HOOGSTRATEN und G. DOU; zunächst in Dordrecht tätig, 1692–97 in London, 1703 für den kurfürstl. Hof in Düsseldorf, danach in Den Haag; Porträtmaler des engl. und holländ. Adels, schuf auch Genreszenen mit Kerzenbeleuchtung.

Schallaburg, Burg bei Melk, NÖ, um 1100 gegr., 1576–1600 zum Renaissanceschloß ausgebaut; zweigeschossiger Laubenhof mit reichem Terrakottaschmuck, z. T. nach Stichen (u. a. von H. ALDEGREVER) angefertigt. Nach Restaurierung (1974) Ausstellungsräume.

Schall|arkarde, Baukunst: Turmöffnung, häufig mit eingestellter Mittelsäule, um den Klang der Glokken aus der Glockenstube ins Freie zu leiten.

Schalldeckel, der dachartige Überbau der Kanzel, der mit ihr eine dekorative Einheit bildet.

Schamschi-Adad I. , König von Assyrien (etwa 1813–1781 v. Chr.), Zeitgenosse HAMMURAPIS, eroberte u. a. Mari und setzte dort seinen Sohn JASMACH-ADAD als Regenten ein. S.-A. baute in Assur den großen Tempel des Stadtgottes neu auf, residierte aber wahrscheinlich in der Stadt Schubat Enlil (Tell Leilan?, NO-Syrien). Eine angeblich in Mardin (SO-Türkei) gefundene bruchstückhafte Siegesstele (heute Paris, Louvre) mit Darstellung der Unterwerfung eines Fürsten wird ihm zugeschrieben.

Schandau, Bad S., Stadt in der Sächs. Schweiz, Dt. Dem. Rep., 4200 Ew.; in der spätgot. Stadtkirche urspr. für die Dresdener Kreuzkirche geschaffener Altar aus Sandstein und einheim. Marmor (1574–79), ein HW der damaligen Dresdener Bildhauerschule.

Schanghai, engl. und amtlich chines. **Shanghai,** größte Hafen- und Industriestadt Chinas, etwa 10 Mio. Ew. Im 19. Jh. siedelten sich in den exterritorialen ausländ. Niederlassungen ausländ. Unternehmen und Banken an. Zeugnis aus dieser Zeit ist der ›Bund‹, die Uferstraße entlang des Huangp'u mit Hochhäusern westl. Stils aus der 1. H. des 20. Jh., z. B. das ehem. Gebäude der Zentralverwaltung des chines. Seezolls im Tudorstil mit 33 m hohem Turm und einer dem Londoner Westminsterturm nachgeahmten Glockenuhr. Am Bund liegt das 1952 gegr. Mus. für Kunst und Gesch. mit wertvollen Sammlungen zu allen Epochen und Gattungen chines. Kunst; südlich des Bundes die Altstadt mit engen Gassen. Nahe des Wu-hsing-Pavillons, eines in einem künstl. See gelegenen alten Teehauses mit Zugang über eine Brücke in Zickzack-Form, liegt der Park Yü-yüan, der im 16. Jh. nach dem Vorbild der Gärten von →Suchou angelegt wurde. Im SW der Lung-hua-Tempel mit siebenstöckiger Pagode aus der Sung-Zeit (960–1279). Im W der Tempel des Jadebuddha (19. Jh.); im N der Hung-k'ou-Park mit dem Grabmal des Schriftstellers Lu Hsün (*1881, †1936).

Schänis, Gem. im schweizer. Kt. St. Gallen, mit ehem. Benediktinerinnenkloster; die Klosterkirche, heute Pfarrkirche, eine dreischiffige, im Kern roman. Pfeilerbasilika (Anf. 12. Jh.) mit spätgot. Chor (1507), wurde 1778–81 barockisiert; rekonstruierte roman. Hallenkrypta mit Fragmenten karoling. Chorschranken (um 825).

Schaper, 1) Fritz, Bildhauer, *Alsleben/Saale 31. 7. 1841, †Berlin 29. 11. 1919, war nach Studien in Berlin (A. WOLFF) und Paris (Einfluß von J.-A. HOUDON, F. RUDE und J.-B. CARPEAUX) 1875–90 Lehrer an der Berliner Akad.; schuf dem Realismus der Rauch-Schule verpflichtete Werke, die z. T. auch neubarocke Elemente zeigen.

HW: Goethedenkmal (1880; Berlin-West, Tiergarten); Standbild Blüchers (1893; Kaub).

JUTTA V. SIMSON: F. S. (1976). Weitere Lit.: →Berliner Bildhauerschule.

2) Johann, Fayence-, Glasmaler, getauft Hamburg 10. 5. 1621, †Nürnberg 2. oder 3. 2. 1670, war ebd. um

1665 als Hausmaler tätig. Er dekorierte v. a. Gläser und Krüge in durchscheinender Emailmalerei; außerdem sind Arbeiten in Schwarzlot- und Goldmalerei mit staffierten Landschaften, Porträts und Emblemen erhalten.

Schapergläser [n. J. Schaper], Hohlglas, meist ›Nürnberger Becher‹ mit 3 Kugelfüßen mit feinem Schwarzlot- und Golddekor, die hauptsächlich in Nürnberg um 1660 hergestellt wurden. Die Technik der eingebrannten Schwarzlotmalerei wurde auch für Fayencen verwendet **(Schaperkrüge).**

Schapp, niederdt. für Schrank, bes. für die meist in der Diele aufgestellten repräsentativen Schränke des 17./18. Jh. (Hamburger Schapp).

Schärding, Stadt in OÖ, am Inn, 6200 Ew., bietet mit der zum größten Teil erh. Stadtmauer, mehreren Toren und vielen Bürgerhäusern (16.–19. Jh.) ein maler. Bild, bes. die ›Silberzeile‹ am Stadtplatz mit spätbarokken geschweiften Giebeln. Die Pfarrkirche (Mitte 14. Jh.) wurde nach schwerer Beschädigung im span. Erbfolgekrieg 1720–26 umfassend umgebaut.

Schardt, Johann Gregor von der, Bildhauer, *Nimwegen um 1530, †nach 1581, tätig in Italien und (in kaiserl. Diensten) in Wien, zuletzt in Nürnberg.

HW: Porträtbüsten (in bemalter Terrakotta) von W. Imhoff (1570) und seiner Frau (um 1580; beide Berlin-West, Staatl. Museen); Bronzestatue des Merkur (2 Ausführungen: Stockholm, Nat.-Mus. und Wien, Kunsthistor. Mus.).

Scharff, 1) Anton, Medailleur, *Wien 10. 6. 1845, †Brunn am Gebirge (bei Wien) 5. 7. 1903, leitete seit 1881 die Graveurakad. in Wien. Sein klarer, scharfer Realismus erneuerte die österr. Medaillenkunst.

2) Edwin, Bildhauer, Graphiker, *Neu-Ulm 21. 3. 1887, †Hamburg 18. 5. 1955, schuf in ausdrucksstark vereinfachten Formen Einzelfiguren (Torsi), Porträtbüsten, Tierplastiken (v. a. Pferde) und Reliefs. Er wandte sich später auch relig. Themen zu; außerdem Radierungen und Lithographien sowie Buchillustrationen.

Scharf|feuerfarben, für die Unterglasurmalerei zum Dekorieren von Fayence und Porzellan benutzte Farben, die bei den hohen Temperaturen des Garbrandes (Scharffeuer, 1100° C) beständig sind: Kobaltoxid für blaue, Kupferoxid für grüne und blaugrüne, Manganoxid für braune und violette, Eisenoxid für gelbe und braune Farbtöne.

Schar-i Sochta, Ruinenstätte in NW-Iran (KARTE Alter Orient) im Sistan-Becken am Rand des Hamun-e Hilmend-Sees. Ital. Ausgrabungen seit 1969 haben eine große Stadt mit 4 übereinanderliegenden Schichten freigelegt, die etwa 3100–1900 v. Chr. bewohnt wurde und als wichtige Station im Fernhandel anzusehen ist. Ein Palast in der jüngsten Schicht (IV) mit Wandmalereien enthielt auch Keramik der Induskultur. Schicht III bis II bezeugen für die alte Stadt die Verarbeitung von Edelsteinen und Lapislazuli im Zwischenhandel.

Scharl, Josef, amerikan. Maler dt. Herkunft, *München 9. 12. 1896, †New York 6. 12. 1954, emigrierte 1938 in die USA. S. hat in Porträts, Stilleben und Landschaften sowie in zeitkrit., von G. GROSZ beeinflußten Holzschnitten die vereinfachte Linien- und Farbensprache des Expressionismus zu ornamentaler Ausgewogenheit weiterentwickelt, ohne den Ausdruck zu verflachen. Seine anfänglich dumpfen Erdfarben entwikkelten sich zu leuchtenden Farben.

A. GREITHER u. A. ZWEITE: J. S., Ausst.-Kat., München (1983).

Scharoun [-r'un], Hans Bernhard, Architekt, *Bremen 20. 9. 1893, †Berlin 25. 11. 1972, war 1917–25 beim Wiederaufbau Ostpreußens tätig, lehrte 1926–32 an der Kunstakad. Breslau, 1947–60 Prof. an der TU Berlin. S. gehört zu den führenden Architekten des Neuen Bauens, dessen Prinzipien er mit Phantasie und Gestaltungskraft verwirklichte.

HW: Einfamilienhaus Weißenhofsiedlung, Stuttgart (1927); Wohnheim, Werkbundsiedlung, Breslau (1929); Lageplan und Miethausblocks, Berlin-Siemensstadt (1930); Landhaus Schminke, Löbau (1930); Haus Oskar Moll, Berlin-Grunewald (1933); Wohnhochhäuser Romeo und Julia, Stuttgart (1954–59); Siedlung Berlin-Charlottenburg-Nord (1956–61); Schule in Lünen (1956–62); Philharmonie Berlin-West (1960–63); Staatsbibliothek ebd. (Entwurf 1964; 1967–78 ausgeführt).

H. S. Bauten, Entwürfe, Texte, hg. v. P. PFANNKUCH (1975); P. B. JONES: H. S. (1980).

Scharrbilder, Erdzeichnungen in der Wüstenebene zw. Nazca und Palpa in S-Peru. Dargestellt sind geometr. Figuren, gerade Linien, Tiere, Pflanzen und Menschen von riesigen Ausmaßen: 4 m–10 km lange Linien, 4 m^2–1 km^2 große Flächen, Tierdarstellungen von 15–300 m Länge; zw. 16 und 66 cm breit und bis zu 1 Fuß tief. Erst aus der Höhe betrachtet sind die Darstellungen ganz zu erkennen, die durch Abtragen der oberen eisenoxidhaltigen und deshalb braunen Ober-

Scharrbilder: Luftaufnahme eines S. der Nazca; die dargestellte Spinne ist 46 m lang

fläche in der darunterliegenden hellen Erdschicht entstanden sind. Da sich auf Textilien und Keramik der Paracas- und der Nazca-Kultur (um 300 v. Chr.–900 n. Chr.) ähnl. Motive finden, werden die S. dieser Kulturepoche zugerechnet. Die Linien werden als Hilfsmittel zur Gestirnsbeobachtung gedeutet, die Tiergestalten mit Totem- oder Sternbildern in Verbindung gebracht.

MARIA REICHE: Peruan. Erdzeichen (1975).

Scharrieren [frz.], Bildhauer- und Steinmetzkunst: das Schlagen paralleler Furchen mit dem Meißel (Scharriereisen) in die Oberfläche von Werksteinen.

Scharruma, hethit. Gottheit hurrit. Ursprungs, Sohn des Teschup und der Chepat. In der Götterprozession der Hauptkammer des Felsheiligtums von Yazılıkaya folgt er auf einem Panther stehend seiner Mutter, trägt eine hohe Spitzmütze und in der Linken eine Axt.

Schattenbild: Goethe und Fritz von Stein (1783)

Schattenbild: Drache (chines. Scherenschnitt)

Schäßburg, rumän. **Sighişoara** [sigiʃo'ara], Stadt im Kr. Mureş in Siebenbürgen, Rumänien, 38 900 Ew. – Ältestes Bauwerk im Ortskern ist die Marienkirche des bereits im 13. Jh. bezeugten Dominikanerklosters; die heute bestehende Anlage ist jedoch barock (1677–78), enthält aber noch ma. Teile. Die stark befestigte Burg mit 14 noch erh. Türmen entstammt dem 14. Jh. Der Uhrturm über dem Haupttor der Stadt (aus dem 14. Jh.) erhielt seine heutige siebengeschossige Gestalt im 16. Jh.; die evang. Bergkirche wurde um 1484 voll.

Schatjọr, Šater [russ. ›Zelt‹], Bedachung eines Turms oder einer Kirche in der Form einer hohen, vier- oder achtflächigen Pyramide; verbreitet in der russ. Holzbaukunst bis Ende des 18. Jh. Im 16. und 17. Jh. wurden S. auch für die Bedachung steinerner Kirchen und Türme verwendet.

Schattenbild, Schattenriß, eine Darstellung, die den Gegenstand als Schatten wiedergibt, wie in der alten Kunst des Schattenspiels. Für die kurz nach Mitte des 18. Jh. in Europa aufkommenden Schattenrißporträts wurde die Bez. **Silhouette** gebräuchlich, benannt nach dem Finanzminister LUDWIGS XV., ÉTIENNE DE SILHOUETTE, dessen Sparmaßnahmen an Stelle der teuren Miniaturporträts das wohlfeile S. begünstigten. Eifrig gepflegt wurde die Porträtsilhouette bes. im Kreis um GOETHE, dem sie für physiognom. Studien dienten. Im 19. Jh. waren neben der Porträtsilhouette auch S. von Pflanzen und Tieren sowie genrehafte und humorist. Szenen beliebt. Meister des S. waren bes. P. KONEWKA, F. v. POCCI und K. W. DIEFENBACH. Hervorragende S. schufen auch P. O. RUNGE, M. v. SCHWIND, A. v. MENZEL.

Mit dem S. verwandt ist der **Scherenschnitt,** bei dem die Darstellung aus Papier oder ähnl. Stoff ausgeschnitten wird. Er wurde bes. in Persien gepflegt, wird bereits 1582 in der Türkei erwähnt und ist auch in Ostasien weit verbreitet. Zur Zeit seiner Anfänge in Europa schnitt man die Zeichnung mit Messer oder Schere aus weißem Papier oder Pergament aus und legte sie auf schwarzen oder farbigen Untergrund. In Süd-Dtl. arbeitete RWHUS (Rudolf Wilhelm Herr uf Stubenberg) Volks-

und Jagdszenen in phantasievoller, reichbewegter Darstellung (datiert 1653/54). In bayer. und österr. Frauenklöstern wurden im 17. und 18. Jh. Spitzenbilder mit ornamentalen und pflanzl. Motiven als Rahmung von Heiligenbildern gefertigt. Seit dem letzten Drittel des 18. Jh. setzte sich der aus schwarzem Papier geschnittene Scherenschnitt durch. In neuerer Zeit ist als Silhouettenkünstler bes. E. M. ENGERT hervorgetreten (›Schwabinger Köpfe‹, 1921).

E. BIESALSKI: Scherenschnitte u. Schattenrisse. Kleine Geschichte der Silhouettenkunst ([2]1978).

Schattenspielfiguren. Über indones. S. →Wayang.

Schattieren, Abtönen, Abstufen; in der Malerei und den graph. Künsten die Darstellung des Schattens, um die Körperlichkeit der Figuren und Gegenstände zu verdeutlichen.

In der Malerei geschieht das S. entweder durch Verdichten der Grundfarbe (häufig im MA. und Impressionismus) oder durch Changieren der Farbe (bes. im Manierismus und Jugendstil). Auch durch Vermischen mit dunkleren Farben oder durch reines Schwarz (Expressionismus) kann eine Schattierung erreicht werden.

Bei Handzeichnungen wird das S. mit versch. Mitteln erreicht: durch Punkte oder Häkchen, durch mehr oder weniger dichte, den Konturen parallellaufende Linien; ferner mittels vertikaler und diagonaler Strichlagen **(Schraffuren)** sowie deren Durchkreuzung (Kreuzlagen) und durch einfaches Anschwellenlassen einzelner Linien. Die Schattierung kann durch Pinsellavierung verstärkt oder auch ausschließlich hergestellt und durch Weißhöhungen (Aufsetzen von Lichtreflexen) intensiviert werden.

In der Druckgraphik spielt das S. mit oft recht komplizierten Strichsystemen, die bes. im Kupferstich virtuos gestaltet werden, eine hervorragende Rolle. Im Barock und auch im Impressionismus wird oft auf die Konturlinie ganz verzichtet und die Form nur durch Schattierung gestaltet.

Geschichte. Das S. war bereits in der Antike üblich **(Skiagraphie),** in klass. Zeit zur Modellierung von Figuren, in hellenist. Zeit auch, um räuml. Tiefe für die Gesamtkomposition zu schaffen. PLUTARCH schreibt die Erfindung der Schattenmalerei dem APOLLODOROS VON ATHEN und damit dem ausgehenden 5. Jh. v. Chr. zu, in welcher Zeit sie auch Eingang in die att. Vasenmalerei fand. S. verlor aber bald an Bedeutung, bis es von wenigen Künstlern des Trecento (z. B. GIOTTO) wieder aufgenommen wurde. Doch erst in der Renaissance wurde einer einheitl. Lichtquelle entsprechend das S. konsequent als formendes Element benutzt.

Schattner, Karljosef, Architekt, *Gommern bei Magdeburg 4. 8. 1924, ist seit 1957 als Leiter des Diözesanbauamtes in Eichstätt v. a. mit der Umgestaltung histor. Gebäude für die Zwecke der Kath. Univ. ebd. betraut. Nicht formales Anpassen an vorhandene Gebäudesubstanz, sondern selbstbewußter Kontrast in Formen, Material- und Konstruktionswahl wurde S. zum Mittel, histor. und neues Bauen als differenzierte architekton. Symbiose darzustellen.

HW in Eichstätt: Umbau der ehem. Domdechantei (1965–66); Renovierung des Bischöfl. Palais (1970/71); Umbau der Willibaldsburg zu einem Mus. (1973–76); Umbau der Sommerresidenz (1971 bis 1974); Diözesan-Mus. (1979–81).

G. KÜHNE: K. S. Eichstätt (1983).

Schatulle [mlat. scatola ›Schachtel‹], Behältnis aus Holz oder Leder für Schmuck u. ä. Kästchen dieser Art waren im MA. und später häufig Minnegaben (→Minnekästchen). Im MA. wurden Holz-S. mit durchbrochener Arbeit, Schnitzwerk und Bemalung, Leder-S. durch Blindpressung (12. und 13. Jh.), später durch Schnitt- und Treibarbeit verziert. Neben den intarsierten wurden seit dem 16. Jh. S. mit Wismutmalerei, im 18. Jh. mit Lackmalerei bevorzugt. Sie wurden häufig mit gemusterten Papieren ausgekleidet.

Schatzhaus, grch. **Thesauros,** kleiner, meist tempelartiger Bau in der grch. Antike, Aufbewahrungsort wertvoller Weihgaben, die von einzelnen Städten den großen Heiligtümern (Olympia, Delphi, →Siphnier-Schatzhaus) gestiftet wurden. Die Kuppelgräber in Mykene wurden wegen ihrer reichen Beigabenfunde früher fälschlich S. genannt (Schatzhaus des →Atreus).

Schatzkammer-Evangeliar, →Palastschule Karls des Großen.

Schätzwert, Wertangabe bei Versteigerungsgegenständen, die durch Schätzung ermittelt wird. Für die Bewertung bei Kunstwerken sind maßgeblich u. a. Qualität, Erhaltungszustand, Seltenheit, Authentizität, Rang des Künstlers, Stellenwert im Gesamtwerk des Künstlers, Technik, Format und Größe. Der S. wird vom Versteigerer oder Sachverständigen ermittelt und bekanntgegeben (z. B. im Versteigerungskatalog), aber nur als Anhaltspunkt für Kaufinteressenten, also weder als gesicherter Handelswert noch als Mindestpreis (→Limit).

Schäufelein, Schäuffelin, Hans, eigtl. H. **Scheufelin,** Maler und Zeichner für den Holzschnitt, *Augsburg zw. 1480 und 1485, †Nördlingen zw. 1538 und 1540, fand nach Ausbildung in der Werkstatt A. DÜRERS 1507–08 in der Werkstatt H. HOLBEINS D. Ä. zu seinem eigenen Stil, der die Formsprache Dürers mit Elementen Holbeins und H. BURGKMAIRS D. Ä. verbindet. Hier entstanden auch – z. T. im Auftrag Kaiser MAXIMILIANS I. für dessen ›Teuerdank‹ und ›Weißkunig‹ – bed. Holzschnitte. Seit 1515 war S. Stadtmaler in Nördlingen; im Rathaus ein bed. Wandbild. Von S. stammen auch Porträts, die früher Dürer zugeschrieben wurden.

HW: Altarbilder in Ober-St.-Veit bei Wien (1505), Niederlana (1509), Auhausen bei Nördlingen (1513), Ulm (1515), Nördlingen (Ziegleraltar, 1521; St. Georg u. Reichsstadtmus.), Christgarten bei Nördlingen (um 1525; München, Alte Pinakothek). – Fresko ›Die siegreiche Verteidigung der Stadt Bethulia‹ (1515; Nördlingen, Rathaus).

Schaumburg, Ortsteil von Rinteln, Ndsachs., mit großer, das Wesertal beherrschender Burganlage (im Kern 14. Jh.), deren Palas (›Schloß‹) ein vorzügl. Beispiel der Weserrenaissance um 1600 ist. Schloß-Mus.

Schauschga, von den Hethitern verehrte Göttin hurrit. Herkunft, der babylon. Ischtar vergleichbar. Auf den Felsreliefs mit Darstellung der Götterprozession in der Hauptkammer von Yazılıkaya erscheint sie als Liebesgöttin mit hieroglyph. Beischrift bei den weibl., als Kriegsgöttin, geflügelt und mit Spitzmütze (anstelle eines Polos), bei den männl. Gottheiten.

Schedoni [ske-], **Schidone** [ski-], Bartolomeo, ital. Maler, getauft Modena 13. 1. 1578, †Parma 23. 12. 1615, wo er seit 1597 vom Hof beschäftigt wurde. S. verschmolz Anregungen von L. CARRACCI und CORREGGIO. Der Helldunkelstil seiner Spätzeit übte starken Einfluß auf G. LANFRANCO aus und wurde durch dessen Vermittlung bedeutsam für die weitere Entwicklung der Malerei des Hochbarock in Rom.

HW: Malereien im Rathaus Modena (1607); Elemosina (Neapel, Palazzo Reale); Hl. Familie in der Werkstatt (ebd.); Grablegung (Parma, Pinakothek); Die drei Marien am Grabe (ebd.).

Scheer, Stadt an der Donau, Kr. Sigmaringen, Bad.-Württ. Auf einem Bergsporn über der Stadt liegen das spätgot. Schloß (1485–1505) und die im Kern got. Nikolauskirche mit Rokokoausstattung: Stuck und Seitenaltäre 1742–45 von J. A. FEUCHTMAYER, die gemalten Balustraden an den Hochschiffwänden 1747–52 von J. ESSPERLIN (*1707, †1775).

Scheffer [ʃɛfˈɛːr, frz.], Ary, niederländ.-frz. Maler, *Dordrecht 10. 2. 1795, †Argenteuil 15. 6. 1858, Schüler von P.-N. GUÉRIN in Paris, malte in gefühlvoll romant. Art literarisch empfundene Bilder aus Geschichte, Legende und Dichtung.

Scheffer von Leonhartshoff, Johann Evangelist, Maler, Graphiker, *Wien 30. 10. 1795, †ebd. 12. 1. 1822, schloß sich in Rom (1814–16) den Nazarenern an, malte relig. Darstellungen und Porträts. S. v. L. hinterließ zahlreiche, fein empfundene Zeichnungen.

S. v. L., Ausst.-Kat., Wien (1977).

Scheibe, 1) Emil, Maler, Graphiker, *München 23. 10. 1914, malt relig. Bilder, die das bibl. Geschehen in ein modernes Milieu übertragen; schildert außerdem die Bedrohung des Menschen durch Technik und Zivilisation. In den 1960er Jahren näherte er sich der Abstraktion (›Atomare Strukturen‹).

2) Richard, Bildhauer, *Chemnitz 19. 4. 1879, †Berlin (West) 6. 10. 1964, studierte Malerei in Dresden und München, ging 1900 in Rom mit seinem Freund G. KOLBE zur Bildhauerei über, wurde 1925 Prof. am Städelschen Kunstinstitut in Frankfurt a. M., 1935 an der Berliner Akad. In seinen Bildwerken ist lyr. Empfindungsausdruck mit traditionsgebundener Thematik vereinigt. Er schuf v. a. Akte (›Schwestern‹, 1934/35; mehrere Fassungen), Porträts (Selbstbildnisse, Büsten von K. Schmidt-Rottluff, M. Pechstein) sowie Ehrenmale (›Ehrenmal der Opfer des 20. Juli 1944‹, Berlin-West, 1954).

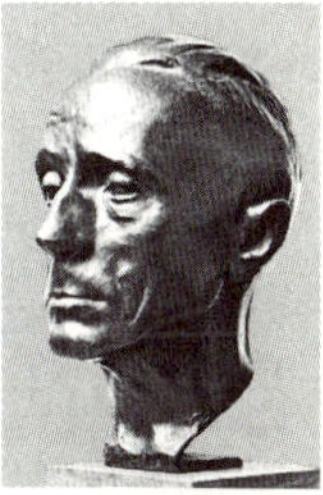

Richard Scheibe: Selbstporträt; Bronze, 1949 (Essen, Museum Folkwang)

Scheibenriß, Visierung, Entwurf für eine Glasmalerei, als künstler. Leistung häufig nicht von derselben Hand wie die Ausführung. Eine Blüte erlebte die Kunst des Reißens im 16. und 17. Jh.; die Entwürfe (viele nie ausgeführt) wurden zum Sammelobjekt.

Scheidbogen, Baukunst: im Kirchenraum die Bogenstellungen der Langhaus-Arkaden, die die Schiffe voneinander scheiden.

Schein|architektur, Baukunst: illusionist. Architektur, die zur Hervorrufung von Raumeindrücken der Wand aufgemalt oder im Relief aufgetragen ist. S. ist schon in Altägypten und in der pompejan. Wandmalerei bekannt; sie wird in der Hochrenaissance und im Barock zu einem wichtigen Mittel der Innendekoration.

Scheintür, eine in Nischen gegliederte, mit Darstellungen und Schriftzeilen geschmückte Kultstelle in ägypt. Grabbauten, vom Anf. des Alten Reiches bis in die Spätzeit belegt. Vor der S. wurden auf einer Opferplatte die Totenopfer niedergelegt; der Verstorbene sollte durch diese S. aus dem Jenseits hervortreten, um sie in Empfang zu nehmen, weshalb es auch rundplast. Darstellungen des Toten in der S. gibt.

Scheitel, Baukunst: der höchste Punkt eines Bogens; beim Gewölbe spricht man von Gewölbe-S.

Scheitelkapelle, Baukunst: die in der Mittelachse des Chors liegende Kapelle eines Kapellenkranzes, die durch Größe hervorgehoben sein kann und oft der Jungfrau Maria geweiht ist (Marienkapelle). Beispiele: Amiens; Lady Chapel in der Kathedrale von Salisbury.

Scheits, Matthias, Maler, Radierer, *Hamburg 1625 oder 1630, †ebd. um 1700, malte nach Ausbildung bei P. WOUVERMAN in kleinem Format Bilder mit relig. Motiven, ferner Genrebilder und Reitszenen. Sein Stil zeigt den Einfluß von A. v. OSTADE und D. TENIERS D. J. Für die Stiche der ›Sternschen Bibel‹ (Lüneburg 1672) schuf S. die Zeichnungen. – Sein Sohn Andreas (*Hamburg um 1655, †Hannover 1735) malte als hannoverscher Hofmaler (seit 1696/97) v. a. Porträts (u. a. G. W. LEIBNIZ).

Schelenburg, Wasserburg bei Bissendorf, Kr. Osnabrück, Ndsachs., eine ausgedehnte, maler. Anlage, bestehend aus mächtigem Wohnturm (12. Jh.) und Vierflügelbau im Stil der frühen Weserrenaissance (1528 bis 1532); Innenausstattung 18. und frühes 19. Jh.

Schellack [niederländ., zu schel ›Schuppe‹], **Stocklack, Körnerlack,** Maltechnik: harzartige Ausscheidung der ind. Lackschildlaus, die, aufbereitet in Spiritus, für Möbelpolituren und Fixative, in der Malerei zur Isolierung von Malgründen und zu Lüstern verwendet wird. Verseift dient S. als Bindemittel für wasserfeste Tusche. Spätestens seit dem 16. Jh. ist S. in Europa in Gebrauch.

Schemnitz, slowak. **Banská Štiavnica** [b'anska:ʃtj'aunjitsa], Stadt im Mittelslowak. Kr., ČSSR, 9400 Ew., ehem. Bergwerksort. – Das Alte Schloß, eine Renaissanceburg, entstand im 16. Jh. aus einer frühgot. Kirche (13./14. Jh.); im gut erh. Beinhaus (13. Jh.) ist heute ein Mus. Die St.-Nikolaus-Kirche, urspr. eine roman. Basilika (13. Jh.), wurde klassizistisch umgestaltet; got. Kirche von 1512, daneben die got. St.-Elisabeth-Kapelle (z. T. erh.). Die Neue Burg (Jungfernburg) wurde 1554–71 als Festungsanlage gegen die Türken gebaut. Am Markt barocke Bürgerhäuser.

Schenau, Johann Eleazar, eigtl. J. E. **Zeissig,** Maler, Radierer, *Großschönau 7. 11. 1737, †Dresden 23. 8. 1806, arbeitete 1756–70 bei G. WILLE in Paris und wurde 1774 in Dresden Prof. (später Direktor) der Akad. S. malte unter dem Einfluß von J.-B. CHARDIN und bes. von J.-B. GREUZE Genrebilder und Familienporträts. Von ihm stammen auch Entwürfe für die Porzellanmanufaktur in Meißen.

Schenck, Christoph Daniel, Bildhauer, *Konstanz vor dem 26. 8. 1633, †ebd. 1691, aus einer urspr. in Mindelheim beheimateten Bildschnitzer-, Bildhauer- und Elfenbeinschnitzerfamilie, schuf neben Großplastiken (Marmoraltar mit Christus-Thomas-Gruppe, 1680; Konstanz, Münster) Kabinettstücke aus Elfenbein und Buchsbaumholz. Sein religiös bestimmtes Werk steht am Anfang des Spätbarock.

Schenjang, Stadt in China, →Shenyang.

Schenna, ital. **Scena** [ʃ'ɛ:na], Gem. bei Meran, Südtirol, 2400 Ew.; im Oberdorf roman. Rundkirche St. Georg (13. Jh.; Fresken, um 1400; Flügelaltar, um 1500). **Schloß S.** (urspr. Burg, um 1350), nach 1844 von Erzherzog JOHANN VON ÖSTERREICH (in der neugot. St. Johannskapelle mit seiner Gemahlin ANNA PLOCHL beigesetzt) neu eingerichtet (Schloßmus.). Bei S. Schloß Goien (12. Jh., um 1600 umgebaut).

Scherawna, Žeravna, Ort in Bulgarien, im östl. Teil des Balkangebirges; im wesentlichen zur Zeit der bulgar. nationalen Wiedergeburt im späten 18. und frühen 19. Jh. entstanden. Gut erhaltenes Ensemble bulgar. Volksarchitektur, v. a. von Wohnbauten aus Holz, z. T. mit Steinsockel, mit reich geschnitztem Dekor außen und innen, und der Kirche St. Nikolaus (1834).

Scherben, Keramik: Bez. für alle gebrannten Rohstoffe (Ton, Kaolin), bevor diese glasiert werden.

Scherenschnitt, →Schattenbild.

Scherenstuhl, Stuhlform des 15.–17. Jh., eine Abwandlung des →Faltstuhls mit Rücken- und Armlehnen; häufig gepolstert.

Scherpenheuvel [sx'ɛrpənhø:vəl], frz. **Montaigu** [mɔ̃tɛg'y], Wallfahrtsort in der belg. Prov. Brabant mit siebeneckigem Grundriß, auf einem Hügel in der Mitte die Liebfrauenkirche (1609–22), ein klassizistisch-barocker Kuppelbau nach ital. Vorbildern; reicher Kirchenschatz.

Scheurich, Paul, Porzellanplastiker, Maler, Graphiker, *New York 24. 10. 1883, †Brandenburg/Havel 18. 11. 1945, entwarf für Porzellanmanufakturen graziös bewegte Figuren; trat auch als Illustrator und mit Entwürfen für Theaterausstattungen hervor.

Schewtschenko, Ševčenko, Taras, ukrain. Nationaldichter, Maler, *Morinzy (Gouv. Kiew) 9. 3. 1814, †St. Petersburg 10. 3. 1861, stand zunächst unter dem Einfluß des Klassizismus der St. Petersburger Akad., nahm ab 1846 soziale und patriot. Motive aus der Gesch. der Ukraine und deren Folklore auf; gilt als Begründer eines Krit. Realismus in der ukrain. Kunst.

Wegen seiner Aktivitäten in ukrain. revolutionären Kreisen erhielt S. 1847 Schreib- und Malverbot und wurde für 10 Jahre nach Sibirien verbannt.

Scheyern, Gem. bei Pfaffenhofen, Oberbayern, 3400 Ew. Die Burg der Grafen von S. (seit 1115 von Wittelsbach) wurde um 1123 Benediktinerkloster; Kreuzgang und Kirche stammen aus roman. Zeit (1215 gew.), letztere 1768/69 im Spätrokokostil stuckiert und mit Altären ausgestattet; Klostergebäude 1574–1634.

Schiavọne [skja-], Andrea, eigtl. A. **Mẹldolla,** kroat. Andrija **Mẹdulić** [-tsj], ital. Maler, Radierer, *Zara (Zadar) zw. 1510 und 1515, †Venedig 1. 12. 1563, neben TINTORETTO einer der führenden Maler des reifen Manierismus in Venedig; nachhaltig von PARMIGIANINO beeinflußt.

HW: Anbetung der Könige (Mailand, Pinacoteca Ambrosiana), Gang nach Emmaus (Venedig, S. Sebastiano), Hl. Familie (Dresden, Gemäldegal.), 3 Rundbilder in der Biblioteca Marciana in Venedig (1556/57).

F. L. RICHARDSON: A. S. (New York 1980).

Schibam, die jemenit. Stadt →Shibam.

Schick, Gottlieb, Maler, *Stuttgart 15. 8. 1776, †ebd. 11. 4. 1812, lebte nach Studien an der Karlsschule (F. HETSCH) ebd. und in Paris (J. L. DAVID, 1798–1802) in Rom. In subtiler Farbgebung malte S. in klassizist. Stil nach bibl. und mytholog. Motiven. Seine Porträts gehören zu den bed. Leistungen der dt. Kunst seiner Zeit (BILD Klassizismus).

HW: Eva (1800–05; Köln, Wallraf-Richartz-Mus.); Noahs Opfer (1804/05; Stuttgart, Staatsgal.); Apoll unter den Hirten (1806–08; ebd.). – Porträts: Heinrike Dannecker (1802; 2 Fassungen: Berlin-West, Staatl. Museen, Stuttgart, Staatsgal.); Frau v. Cotta (1802; Stuttgart, Staatsgal.); Die Töchter W. v. Humboldts als Kinder (1809; ehem. Tegel, Schloß, zerstört).

G. S. Ein Maler des Klassizismus, Ausst.-Kat., Stuttgart (1976).

Schickhardt, Heinrich d. J., Baumeister, *Herrenberg (Württ.) 5. 2. 1558, †ebd. 31. 12. 1634, seit 1596 württemberg. Hof- und Landbaumeister, nach Italienreise (1598–1600) seit 1600 Erster Baumeister des Hzgt. Württemberg. Ein HW des Schloßbaus der dt. Renaissance war sein ›Neuer Bau‹ in Stuttgart (1600–09; nach Brand 1778 abgebrochen). Von ihm stammt auch die regelmäßige Anlage von →Freudenstadt.

Schiebewand. Über die S. im japan. Haus →Fusuma.

Schiedam [sxi:d'am], Stadt in der niederländ. Prov. Südholland, 76000 Ew.; spätgot. St. Janskerk (15. Jh.) mit guter Ausstattung des 17. Jh. (Kanzel, Chorgitter); klassizist. St. Johannes de Doperkerk (1822–24); spätgot. Rathaus (Mitte 16. Jh., mehrfach verändert), Kornbörse (1786–92) im Louis-seize-Stil. Im klassizist. St. Jakobsgasthuis (1787) das Städt. Mus. (u. a. Kunst nach 1945, bes. Gruppe →Cobra).

Schieferweiß, Maltechnik: →Bleiweiß.

Schiele, Egon, österr. Maler, Zeichner, *Tulln a. d. Donau 12. 6. 1890, †Wien 31. 10. 1918, studierte 1906 bis 1909 an der Wiener Akad. Seine frühen Bilder sind dem Wiener Sezessionsstil, wie er v. a. von seinem

Egon Schiele: Umarmung; um 1917 (Wien, Österr. Galerie)

Freund G. KLIMT vertreten wurde, verpflichtet. Bereits 1908 vernachlässigte S. die dekorative Ornamentik des Jugendstils zugunsten einer entblößenden Expressivität und näherte sich damit O. KOKOSCHKA. Seine betont deformierenden Aktdarstellungen, zu seiner Zeit als Pornographie verurteilt, zeigen S. als Zeitgenossen S. FREUDS. Er schuf außerdem Porträts, v. a. Selbstbildnisse und Landschaftsdarstellungen (bes. das Motiv der alten Stadt).

HW: Poldi Lodzinski (1908; Winnipeg, Privatbesitz); Mutter und Tod (1911; Prag, Nat.-Gal.); Liebespaar (1913; Turin, Privatbesitz); Umarmung (um 1917; Wien, Österr. Gal.).

C. M. NEBEHAY: E. S. 1890–1918. Leben, Briefe, Gedichte (1979); E. S. Aquarelle und Zeichnungen, Ausst.-Kat., Hannover (1982).

Schierensee, Gut in der Gem. Westensee, Kr. Rendsburg-Eckernförde, Schlesw.-Holst., mit bemerkenswertem frühklassizist. Herrenhaus (1776–82); wertvolle originale Einrichtung.

Schiff, Baukunst: der von Stützen- oder Bogenstellungen abgetrennte Hauptraum bes. der Kirche, aber auch bei Profanbauten. Das **Mittelschiff** (Hauptschiff) wird von 2 oder mehreren **Nebenschiffen** (Seitenschiffen) begleitet. Ist das Mittelschiff erhöht und durch einen Obergaden belichtet, handelt es sich um ein basilikalisches System; ohne Lichtgaden spricht man von Pseudobasilika oder Staffelkirche. Sind alle Schiffe gleich hoch, spricht man von Hallenkirche. Das **Querschiff** (auch Querhaus genannt) läuft rechtwinklig zum Hauptschiff.

Schifferstadt, Stadt im Kr. Ludwigshafen, Rheinl.-Pfalz. Bei S. wurde 1835 zusammen mit Bronzebeilen der ›Goldene Hut‹ gefunden, ein mit geometr. Ornamenten verzierter zuckerhutförmiger Kegel aus Goldblech (heute Speyer, Histor. Mus. der Pfalz). Über den Verwendungszweck der bronzezeitl. Hohlkegel gibt es nur Vermutungen (Bekrönung von Altären oder Kultwagen).

Schilbach, Johann Heinrich, Maler, Kupferstecher, *Barchfeld (Werra) 1798, †Darmstadt 9. 5. 1851, seit 1828 ebd. Hoftheatermaler, malte, zeichnete und radierte ital. und heim. Landschaften.

Schildbogen, Baukunst: der Bogen an der Stelle, wo Wand und Gratgewölbe zusammentreffen, entweder am Obergaden oder in den Seitenschiffen.

Schildmauer, Baukunst: bes. hohe Schutzmauer einer Burg, um ungünstige Geländeverhältnisse auszugleichen.

Schildpatt *das,* getrocknete Hornplatten der Schildkröte (nd. schildpad). S. läßt sich heiß biegen und in Formen pressen. Durch Sägen, Schleifen und Polieren der ausgestanzten S.-Platten stellt man Luxusgegenstände her. – Schon im alten Griechenland und in Rom wurde S. verarbeitet; bevorzugt verwendete man es bes. für Einlagen in Holzgegenstände. Bis heute werden aus S. Dosen, Griffe für Bestecke und Zierkämme hergestellt. Goldschmiede kombinieren Gold mit S. (**Piquétechnik** [pik'e-]).

Schilhak-Inschuschinak, König von Elam, etwa 1150–1120 v. Chr., Gegner Babyloniens. Das aus der Zeit des Königs stammende Bronzemodell einer Opferzeremonie aus Susa (heute im Louvre) trägt den Namen des S.-I. und die Bezeichnung Sit Schamschi (›Sonnenaufgang‹).

Schiljardi, Gilardi, Dementij (Domenico) Iwanowitsch, russ.-ital. Architekt, *Montagnola (bei Lugano) 1788, †ebd. 28. 1. 1845, war 1810–30 in Rußland tätig, nach dem großen Brand von 1812 maßgeblich am Wiederaufbau Moskaus beteiligt.

Schilling, 1) Diebold, schweizer. Maler, Geschichtsschreiber, *um 1460, †Mailand um 1520, schuf für die von ihm im Auftrag des Luzerner Rates um 1508–13 verfaßte ›Luzerner Chronik‹ (Schweizerchronik) zus. mit dem Luzerner Maler HANS VON ARX 453 Bilder, die für die Kenntnis spätmittelalterl. Lebens in der Schweiz aufschlußreich sind.

2) Johannes, Bildhauer, *Mittweida (Sachsen) 23. 6. 1828, †Klotzsche bei Dresden 21. 3. 1910, Schüler von E. RIETSCHEL, F. DRAKE und E. HÄHNEL, war in Dresden seit 1868 Prof. an der Akad. Seine Werke setzen die klassizist. Rauch-Tradition fort.

HW: Niederwalddenkmal mit Standbild der Germania (1877 bis 1883).

Schindler, 1) Emil Jacob, österr. Maler, *Wien 27. 4. 1842, †Westerland (Sylt) 9. 8. 1892, bildete sich an der holländ. Malerei des 17. Jh. und bes. an den Werken der Schule von Barbizon. S. schuf stimmungsvolle Landschaften, oft in impressionist. Malweise.

2) Rudolph Michael, Architekt, *Wien 5. 9. 1887, †Los Angeles 22. 8. 1953, kam nach Ausbildung u. a. bei A. LOOS in Wien 1913 in die USA und arbeitete 1916–21 im Büro von F. L. WRIGHT. Nach der Trennung von Wright baute S. v. a. Einfamilienhäuser, in denen er die Betonskelettbauweise als eine offene und dynam. Raumstruktur meisterhaft anwandte.

Wörter, die man unter Sch vermißt, suche man unter Sh

Karl Friedrich Schinkel:
Neue Wache in Berlin; 1817/18

Schinkel, Karl Friedrich, Baumeister, Maler, *Neuruppin 13. 3. 1781, †Berlin 9. 10. 1841, dort Schüler von D. und F. GILLY, seit 1803 in Italien, von wo er über Paris 1805 nach Berlin zurückkehrte. Hier entwarf er v.a. Bühnenbilder, malte romantisch empfundene Landschaften, oft mit got. Kirchen, und beschäftigte sich mit architekton. Entwürfen in klassisch-antiken und got. Formen. Große Bauaufträge ließen ihn seinen reifen, aus der Antike entwickelten Stil finden. Zweckerfüllung mit harmon. Klarheit verbindend, sind seine Werke der reinste Ausdruck der dt. Klassik und ein Höhepunkt des europ. Klassizismus in der Baukunst. Zu seinen HW gehören in Berlin die Neue Wache (1817/18; BILD Architekturzeichnung; 1931 durch Ausbau des Innern von H. TESSENOW zum Ehrenmal umgestaltet), das Schauspielhaus am Gendarmenmarkt (1818–24), das Alte Museum (1822–30), in Potsdam die Nikolaikirche (1830–37); in got. Stilformen baute er die Werdersche Kirche (1825–28). Sein Wirken in der Oberbaudeputation in Berlin war von maßgebendem Einfluß im ganzen preuß. Gebiet, wo nach seinen Plänen und Richtlinien gebaut wurde (›Schinkel-Schule‹). Auch für das Ausland lieferte er Entwürfe (u.a. Königsschloß auf der Akropolis; Schloß Orianda auf der Krim). Seine Entwürfe für Handwerk und Gewerbe sollten zur ›Veredelung des Geschmacks‹ beitragen. Seit 1815 Leiter des Dekorationswesens der Hoftheater, entwarf S. bis 1830 zahlreiche Bühnendekorationen, u.a. zu W. A. MOZARTS ›Zauberflöte‹ (1816) und den Werken von G. SPONTINI. Im 2. Weltkrieg wurden viele seiner Bauten zerstört; Teile seines umfangreichen Nachlasses befinden sich in den Nationalgalerien von Berlin-Ost und Berlin-West.

Schrift: Das Architekton. Lehrbuch, hg. v. G. PESCHKEN (1979).
Aus S.s Nachlaß..., bearb. v. A. v. WOLZOGEN, 3 Bde. (1979); K. F. S., Lebenswerk, begr. v. d. Akad. des Bauwesens in Berlin, 22 Bde.

(1941 ff., bisher 14 Bde.; Tl.: Berlin, bearb. v. P. O. RAVE, 3 Bde., Nachdr. 1981); BRIGITTE STAMM: S. in Berlin und Potsdam (1981); ERIK FORSSMAN: K. F. S. Bauwerke und Baugedanken (1981); K. F. S., 1781–1841, Ausst.-Kat., Berlin-West (1982).

Schinto-Kunst, →Shinto-Kunst.

Schiras, Shiraz, Hauptstadt der Prov. Fars, SW-Iran, 1585 m ü. M.; 684 gegr., wurde im 9. Jh. Hauptstadt der Dynastie der Saffariden, die 875 die Freitagsmoschee erbauten; der heutige Bau (mit Iwanen) stammt aus dem 12.–13. Jh. Der Michrab-Saal soll noch Teile der urspr. Anlage bewahren. Ein schönes Mosaik aus glasierten Fliesen im Eingangstor ist 1565/66 datiert. Unter den Safawiden war S. Provinzhauptstadt (4-Iwan-Moschee, 1600, Michrab mit glasierten Ziegeln), unter der Zend-Dynastie (1750–94) Hauptstadt Irans; es entstanden zahlreiche Bauten, z. B. eine mächtige Zitadelle mit geometr. Ziegeldekor, ein Palast mit Basrelief und v. a. die Vakil-Moschee mit nur 2 Iwanen und einem Gebetssaal (mehrschiffig gewölbte Halle; die gewundenen Säulen tragen mit Akanthus geschmückte Kapitelle). Der farbige Fayence-Dekor (viel Gelb und ein sanftes Rosa herrschen vor) zeigt v. a. naturalist. Blumengirlanden, aber auch stilisierte Blütenbäume.

Schirgiswalde, Stadt südlich von Bautzen, Dt. Dem. Rep., an der Spree, 4400 Ew.; barocke Pfarrkirche (1739–41) mit reicher Ausstattung der Erbauungszeit; zahlreiche Laubenhäuser (2. H. 17. Jh.).

Schirm, als Herrschaftssymbol in Indien über den Häuptern von Buddha- und Götterfiguren sowie auf der Spitze der Stupas dargestellt (→Chattra).

Schirmer, Johann Wilhelm, Maler, Graphiker, *Jülich 7. 9. 1807, †Karlsruhe 11. 9. 1863, malte Landschaften in der Art von K. F. LESSING, dann frische realist. Studien nach heim. Motiven. Nach einer Italienreise findet sich eine stärkere Stilisierung der Landschaft (oft mit bibl. Staffage), im Spätwerk ein malerisch gelöster, fast impressionist. Stil. Seine Kunst vermittelte zw. Romantik und Realismus (A. BÖCKLIN, H. THOMA).

HW: Waldkapelle (1829; Köln, Wallraf-Richartz-Mus.); Grotte der Egeria (1841; Leipzig, Mus. der bildenden Künste); Stürmischer Abend (um 1860; München, Neue Pinakothek).

Schischkin, Šiškin, Iwan Iwanowitsch, russ. Landschaftsmaler, Graphiker, *Jelabuga 25. 1. 1832, †St. Petersburg 20. 3. 1898, schloß sich den Peredwischniki an, blieb aber in Verbindung mit der Akad. von St. Petersburg. S., dessen Anfangswerk unter dem Einfluß der Düsseldorfer Malerschule entstand, schuf nüchterne, dokumentarisch genaue Wiedergaben der russ. Natur (v. a. Waldlandschaften) und entfernte sich damit von der lyr. Richtung der russ. Stimmungslandschaft der 1870er und 1880er Jahre; auch Stift- und Federzeichnungen.

IRINA N. ŽUVALOVA: Šiškin (Leningrad 1971).

Schlachtenmalerei, →Historienmalerei.

Schlackenwerth, tschech. **Ostrov,** Stadt im Westböhm. Kr., ČSSR, 20300 Ew., ehem. Silberbergbau; Kirche Verkündigung Mariae (1384 beg., 1607 abgebrannt, 1631–36 wiederaufgebaut). Schloß und Garten barock ausgebaut unter Mitwirkung C. DIENTZENHOFERS; Sommerpalast, 1674–83 durch den Prager Baumeister A. LEUTHNER, heute Mus. der Prager Nat.-Gal.

Schlag|eisen, Flach|eisen, →Bildhauereisen.

Schlägl, Gem. im Mühlviertel, OÖ, mit 1218 gegr. Prämonstratenserstift. Die romanisch-got. Stiftskirche (13.–15. Jh.) wurde nach Brand (1626) frühbarock erneuert. In den Stiftsgebäuden (v.a. 17. Jh.) bed. kleine Gemäldesamml. (got. Tafelbilder, Gemälde des 17. und 18. Jh.).

Schlaglicht, wirkungsvolle, eng begrenzte Lichtpartie in einem Gemälde, bes. in der Helldunkelmalerei häufig verwendet (BILD Barock: Caravaggio).

Schlagmetall, Kompositionsgold, Maltechnik: zu Blättern geschlagene Legierungen von versch. Metallen, die spätestens seit dem 17. Jh. anstelle von echtem Blattgold und -silber verarbeitet wurden. S. gibt es in versch. Farben und Blattgrößen (bis 15 × 19 cm); es kann nur in Innenräumen verwendet werden und bedarf eines schützenden Überzuges.

Schlagschatten, der von einem Körper auf seine Standfläche oder Umgebung geworfene Schatten; er wurde zuerst von Malern des 15. Jh. wiedergegeben (J. VAN EYCK, K. WITZ).

Schlämmkreide, Brockenkreide, Maltechnik: ungemahlene, nur geschlämmte, d. h. von Unreinheiten befreite Kreide.

Schlangendrache, →Mischwesen.

Schlangengöttin, minoische Statuette aus Fayence (in ergänztem Zustand 29,5 cm hoch); zus. mit anderen kostbaren Funden kam sie in einer eingelassenen Steinkiste im Palast von Knossos zutage (BILD kretisch-mykenische Kunst). Dargestellt ist wahrscheinlich die große minoische Naturgöttin, die zum Ausdruck ihrer Macht in den erhobenen Armen Schlangen hält.

Schlaun, Johann Conrad, Baumeister, *Nörde (heute zu Warburg) 5. 6. 1695, †Münster 21. 10. 1773, stand im Dienst des Kurfürsten CLEMENS AUGUST von Köln, arbeitete 1720/21 bei B. NEUMANN und war nach Reisen (Italien und Frankreich 1722, München 1724) seit 1729 in Münster führend im Bauwesen tätig. Sein Baustil verbindet den bodenständigen Ziegel- und Hausteinbau mit der Bauweise F. BORROMINIS und dem frz. Klassizismus und entfaltet damit den westfäl. Barock zu einer Spätblüte.

HW: Jesuitenkolleg Büren (1719–28); Umbau von Schloß Brühl bei Bonn im Stil des röm. Barock (1725–28); Jagdschloß Clemenswerth bei Sögel (1740–47). – In Münster: Clemenskirche (1745–53), sein eigenes Wohnhaus (1753–56), Erbdrostenhof (1753–57) und Residenzschloß (1767–73, 1947–53 rekonstruiert).

J. C. S., 2 Bde., Ausst.-Kat., Bielefeld (1973); J. C. S., Ausst.-Kat., Bielefeld (1975).

Schlehdorf, Gem. am Kochelsee, Oberbayern. Das zw. 732 und 740 als Benediktinerkloster gegr., um 1140 als Augustiner-Chorherrenstift erneuerte Kloster St. Tertullin besitzt eine architektonisch beachtenswerte doppeltürmige Kirche, 1727–80 mit mehrfachen Unterbrechungen durch J. M. FISCHER u.a. erbaut; klassizistisch beeinflußte Innenausstattung.

Schleich, Eduard d. Ä., Maler, *Haarbach bei Landshut 12. 10. 1812, †München 8. 1. 1874, fand nach seinen ersten Landschaften unter dem Einfluß von K. ROTTMANN in Paris (1851) zu einem frischen maler. Realismus (Eindruck der Schule von Barbizon). Seine vom Naturausschnitt bestimmten Kompositionen und Bildformate aus dem bayer. Voralpengebiet halten bes. die Lichtwirkungen fest. Entscheidend war sein Einfluß auf die ihm folgende Münchner Landschaftsmalerei (→Dachauer Schule). – Auch sein Sohn Eduard d. J. (*1853, †1893) war Landschaftsmaler.

S. WICHMANN: E. S. der Ältere, Verz. der Ölgemälde und Zeichnungen (1982).

Schleiden, Stadt in der N-Eifel, NRW, 13 000 Ew. Die Pfarrkirche ist eine spätgot. Achteckpfeilerhalle (1505–25) mit ornamentalen Malereien in den Gewölben und guten Glasgemälden (1535); große Doppelorgel mit Rokokoprospekt (1770). Teile der ehem. Burg (12.–14. Jh.) wurden im 18. Jh. schloßartig umgestaltet.

Schleifen, Maltechnik: Glätten unebener Flächen mit Bims, Schleifpapier, Fischhaut, Schachtelhalm u. ä. Vor dem Farbauftrag werden Grundierungen von Bildern geschliffen, um Pinsel- und Werkzeugspuren zu tilgen. Bei Skulpturen ist das S. und ›Reparieren‹ (d. h. das Ausschneiden scharfer Formen aus der Grundierung) der letzte bildhauer., weil modellierende Arbeitsgang. Vor dem Polieren auch bei Holz, Stein, Elfenbein, Scagliola u. a. sind i. d. R. mehrere Arbeitsgänge mit immer feineren Schleifmitteln erforderlich.

Schleifkanne, sehr hohes, zylindr. oder konisches Schenkgefäß (16.–17. Jh.) aus Zinn, das wegen seines Gewichts bei Zunftfesten ›herangeschleift‹ werden mußte. Die S., v. a. in Schlesien hergestellt, ruht meist auf Löwenfüßen, hat einen oft reichverzierten Deckel und einen Henkel; die Gefäßwandung ist häufig graviert und hat einen kleinen Zapfhahn.

Schleißheim, Ortsteil von Oberschleißheim nördlich von München, Oberbayern, mit ehem. kurfürstl. Residenz. Das Alte Schloß (1616), 1944 zerstört, wurde wiederhergestellt. Das Neue Schloß (1701–27 von E. ZUCCALLI und J. EFFNER erbaut, z. T. durch L. v. KLENZE 1. H. 19. Jh. überarbeitet; Innenausstattung von J. B. ZIMMERMANN, C. D. ASAM, J. AMIGONI u. a.), mit 330 m Gesamtlänge ein HW des europ. Barock, enthält eine Zweig-Gal. der Bayer. Staatsgemälde-Samml. Am O-Ende des seit 1683 angelegten Parks liegt Schloß Lustheim (1684–88 von Zuccalli) mit der nach Dresden bedeutendsten Samml. von Meißener Porzellan.

Staatsgal. S., Verz. der Gemälde, bearb. v. J. G. v. HOHENZOLLERN (1980).

Schleiz, Stadt am Rand des Vogtlands, Dt. Dem. Rep., 8100 Ew.; war seit 1666 Mittelpunkt der Herrschaft Reuß-S. Spätgot. Stadtkirche (15./16. Jh., 1945 zerstört, wiederaufgebaut); in der spätgot. Bergkirche (15. Jh.) reuß. Erbgruft, reiche Ausstattung des 17. Jh.; Böttger-Mus. (1982 eröffnet).

Oskar Schlemmer:
Bauhaustreppe; 1932 (New York, Museum of Modern Art)

Schlemmer, Oskar, Maler, Bildhauer, Bühnenbildner, *Stuttgart 4. 9. 1888, †Baden-Baden 13. 4. 1943, studierte bei A. Hoelzel in Stuttgart, wurde 1920 als Lehrer für Metallplastik und Wandmalerei an das Bauhaus berufen, lehrte dort (u. a. als Leiter der Theaterwerkstatt) bis 1929, bis 1932 an der Breslauer, bis 1933 (Entlassung) an der Berliner Akad. In seinen Bildern, Plastiken und bes. auch im Bühnentanz hat S. das Dasein des Menschen durch abstrahierte Figurinen und deren Verhältnis im und zum Raum darzustellen und zu ordnen gesucht. Er entwickelte seit etwa 1920 das ›Triadische Ballett‹, für das er Choreographien, Kostüme und Bühnenbilder entwarf. Sein Bemühen um eine Integration der Künste wurde bahnbrechend für die folgende Zeit.

Schrift: Der Mensch. Unterricht am Bauhaus, hg. v. H. Kuchling (1969).

O. S., Zeichnungen und Graphik, Œuvre-Kat., hg. v. W. Grohmann (1965); O. S., Aquarelle, Pastelle, Zeichnungen. Ausst.-Kat., Essen (1971); W. Herzogenrath: O. S., Die Wandgestaltung der neuen Architektur (1973); Karin v. Maur: O. S., 2 Bde. (1977/78); O. S., Ausst.-Kat., Stuttgart (erw. Neuaufl. 1982).

Schlepper, Maltechnik: Pinsel mit extrem langen Haaren zum Strichziehen.

Schleswig, Stadt an der Schlei, Schlesw.-Holst., 30 300 Ew., Nachfolgerin des gegenüber gelegenen, um 1050 zerstörten Haithabu; seit dem 10. Jh. Bischofs-, später Herzogssitz. Der Dom St. Petri (12.–15. Jh.) besteht aus hochgot., turmflankiertem Backsteinhallenchor (um 1275/80), roman. Querhaus (um 1180), spätgot. Hallenlanghaus (1408–1501) und hohem neugot. W-Turm (1888–94); ungewöhnlich reiche Ausstattung: v.a. der Bordesholmer Altar, ein HW der spätgot. Schnitzkunst mit fast 400 Einzelfiguren (1514–21 von H. BRÜGGEMANN; BILD); ferner das Renaissancegrabmal des dän. Königs Friedrich I. (1551–55 von C. FLORIS), spätgot. Lettner aus Kalkstuck (Ende 15. Jh.), Dreikönigsaltar (Ende 13. Jh.), Spätrenaissancekanzel (1560) und das Gemälde der ›Blauen Madonna‹ von J. OVENS in vorzügl. Knorpelbarockrahmen (1669). Zw. den Strebepfeilern Grabkapellen mit prunkvollen Portalen (1661 ff.); Domkreuzgang (um 1310/20). Das ehem. Residenzschloß Gottorf ist eine mächtige, im wesentlichen im 16./17. Jh. erbaute Vierflügelanlage (S-Flügel mit 27 Achsen, 1698–1703), mit got. Königshalle (um 1520/30), emporengesäumter Kapelle (1590–92) mit intarsiengeschmücktem herzogl. Betstuhl (1609 bis 1615), Hirschsaal (1595) sowie Weißem und Blauem Saal (Stuck um 1635/45). Dieser bedeutendste Profanbau von Schlesw.-Holst. beherbergt u.a. das Landes-Mus. Rathaus (1794) und Graues Kloster (ehem. Franziskanerabtei, 13./14. Jh.) bilden einen Komplex. Im SO auf der Halbinsel Holm das ehem. Benediktinerinnenkloster St. Johannis (jetzt evang. Damenstift) mit ma., barock eingerichteter Kirche; im Remter roman. Nonnenchorgestühl (um 1240). Zahlreiche histor. Adelspalais und Wohnhäuser (16.–19. Jh.).

Schlettstadt, frz. **Sélestat** [selɛst'a], Stadt (15 800 Ew.) im Unterelsaß mit der ehem. Benediktinerpropsteikirche St. Fides (kreuzförmige gewölbte Basilika, 11.–12. Jh.) mit reichem Kapitellschmuck am Hauptportal, achteckigem Vierungsturm mit Bogenöffnungen und zahlreichen Zierelementen; got. Münster St. Georg (13.–15. Jh., dreischiffige gewölbte Pfeilerbasilika); ehem. Metzig (Schlachthaus; 1478); ehem. Zeughaus (um 1500); Renaissancehäuser.

Schleusingen, Stadt im Kr. Suhl, am Thüringer Wald, Dt. Dem. Rep., 5600 Ew.; Schloß Bertholdsberg (im wesentl. 15./16. Jh.) mit zweigeschossiger Renaissanceloggia zum Hof; Stadtkirche (1483–98), Langhaus barock (1723), in der im Kern got. Ägidienkapelle Grabsteine der Grafen von Henneberg (15./16. Jh.).

Schlichter, Rudolf, Maler, Graphiker, *Calw (Württemberg) 6. 12. 1890, †München 3. 5. 1955, war um 1920 Mitgl. der Berliner Dada-Gruppe und wurde in den 1920er Jahren zu einem wichtigen Vertreter des sozialkrit. linken Flügels der Neuen Sachlichkeit (1924 Mitbegr. der ›Roten Gruppe‹, 1928 Mitgl. der ›ASSO‹, Assoziation Revolutionärer Bildender Künstler Dtl.s), malte v.a. Straßenszenen und Porträts. Nach dem Krieg näherte er sich dem Surrealismus.

Schriften: Tönerne Füße (1933); Das Abenteuer der Kunst (1949).

Schlickerware, die mit einer Mischung aus Wasser und Ton in cremiger Konsistenz dekorierte Keramik. Die Technik ist seit dem Altertum bekannt.

Schliemann, Heinrich, Kaufmann und Altertumsforscher, *Neubukow (Mecklenburg) 6. 1. 1822, †Neapel 26. 12. 1890, erwarb als Kaufmann in Amsterdam und St. Petersburg ein stattl. Vermögen und bereiste Europa und den Orient. Der ihn leidenschaftlich beschäftigende Wunsch, die Stätten des grch. Mythos wiederzufinden, bestimmte ihn, sich nach einer Weltreise 1868 in Athen niederzulassen. 1870–90 unternahm er Ausgrabungen in Hissarlik, das er als die Stelle des antiken Troja-Ilion bestimmte, 1874–76 in Mykene, 1880–86 in Orchomenos, 1884–85 in Tiryns, seit 1882 von W. DÖRPFELD wissenschaftlich unterstützt. Von dem Glauben an die geschichtl. Wahrheit der Dichtungen Homers erfüllt, hat S. die vorhomerische Welt des 2. Jahrtsd. v. Chr. entdeckt und damit ein neues Forschungsgebiet erschlossen. Seinem Finderglück verdankt man die Hebung der Goldschätze von Troja (die er dem Berliner Mus. für Vor- und Frühgesch. schenkte) und des reichen Goldschmucks der Königsgräber von Mykene (Athen, Nat.-Mus.).

HW: Trojan. Alterthümer (1874); Mykenae (1878); Orchomenos (1881); Troja (1884); Tiryns (1886); Selbstbiographie (1892, [8]1955); Briefwechsel, hg. v. E. MEYER, 2 Bde. (1953–58).

L. DEUEL: H. S. Eine Biographie (a. d. Amerikan., 1979); H. DÖHL: H. S. (1981).

Schlierbach, Gem. an der Krems, OÖ, mit Zisterzienserkloster. Die Stiftskirche (1680–83 von P. F. und C. A. CARLONE) ist mit ornamentalen und figürlichen Stukkaturen überladen, die wohl von G. B. CARLONE (1684/85) stammen; von ihm auch die Fresken (1685 beg.), Altarbilder von J. M. ROTTMAYR u. a.; Stiftsgebäude v. a. 17. Jh., in der Marienkapelle des Kreuzgangs geschnitzte ›Schlierbacher Madonna‹ (um 1330).

Schliersee, Markt am N-Ende des gleichnamigen Sees, Oberbayern, 6100 Ew. Die Sixtuskirche (1712 bis 1714) hat Stuck und Fresken im Spätbarockstil von J. B. ZIMMERMANN. In der Georgskirche beachtl. barocke Altarausstattung des 17. Jh.

Schlitz, Stadt im Vogelsbergkreis, Hessen, 9400 Ew., hat ein bemerkenswert geschlossenes ma. Ortsbild mit 4 Stadtburgen: am eindrucksvollsten die Vorderburg mit quadrat. roman. Bergfried und Renaissancegiebeln (16./17. Jh.); Hinterburg (16. Jh.) mit schlankem, rundem Bergfried des 14. Jh.; Schachtenburg (2 Fachwerkbauten des 16./17. Jh.); Ottoburg (Frühbarockbau mit Eckrundtürmen, 1653–81). Die barocke Hallenburg (1755) wurde klassizistisch verändert. Malerische, vielfach umgebaute Stadtkirche (12.–16. Jh.) mit reicher Ausstattung. Rathaus (16. Jh.).

Schlitztrommel, →Trommel.

Schlobịtten, poln. **Słobịty,** Ort in der poln. Wwschaft Elbląg (Elbing) mit z. T. erh. Schloß der Fam. Dohna (um 1622; 1696–1723 barock umgebaut); Wirtschaftsgebäude (18. Jh.).

Schloß, Wohn-, ggf. Regierungssitz von weltl. und geistl. Landesherren, anderen Adeligen und reichen Bürgern. Das S. ist, i. Ggs. zur →Burg, in erster Linie zum repräsentativen Wohnen bestimmt, doch zeigen die S. des 15. und 16. Jh. noch ihre Herkunft von der

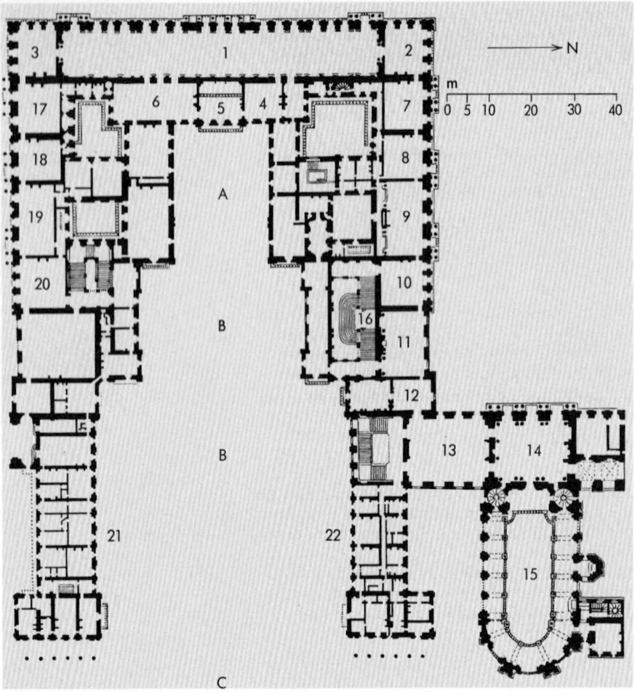

Schloß: Grundriß des Obergeschosses von Schloß Versailles; A Cour de Marbre (ehem. Ehrenhof des Schlosses Ludwigs XIII. und XIV. bis gegen 1668). B Cour Royale. C Cour des Ministres (Avant-cour). **1** Galerie des Glaces (Spiegelgalerie), vollendet 1684. **2** Salon de la Guerre. **3** Salon de la Paix. **4** Cabinet de Conseil, 1755. **5** Chambre du Roi, ab 1701 Paradeschlafzimmer, Sterbezimmer Ludwigs XIV. **6** Salon de l'Œil de Bœuf, um 1701 (4–6 Appartements du Roi). **7** Salon d'Apollon (Grand Chambre). **8** Salon de Mercure (Antichambre). **9** Salon de Mars (Salle des Gardes). **10** Salon de Diane (Salon de Grand Escalier). **11** Salon de Venus. **12** Salon de l'Abondance (7–12 Grands Appartements du Roi von etwa 1670 bis um 1700 Räume Ludwigs XIV.). **13** Salon de Hercule (urspr. provisorisch Schloßkapelle), 1712–36. **14** Vestibül der Schloßkapelle, 1710. **15** Schloßkapelle, begonnen 1699 von J. Hardouin-Mansart, vollendet 1710 von Robert de Cotte. **16** Escalier des Ambassadeurs (›Gesandtentreppe‹), 1752 abgebrochen. **17** Chambre de la Reine. **18** Salon de la Reine. **19** Antichambre de la Reine. **20** Salle des Gardes de la Reine (17–20 Grands Appartements de la Reine). **21** Vieille-aile (›Alter Flügel‹), erbaut 1662, ursprünglich Marstall, Neubau 1814 bis 1829. **22** Aile Nord, erbaut 1662, ursprünglich Küche und Wirtschaftstrakt, Neubau 1772 durch J.-A. Gabriel

ma. Höhenburg (Meißen, Albrechtsburg), der Wasserburg (Gripsholm in Schweden) oder dem befestigten Kastell (Caprarola in Italien). Durch die veränderte Befestigungstechnik (Einführung der Feuerwaffen) entstand das S. gemäß dem neuen Selbstbewußtsein des Fürsten, und zwar nicht nur als Wohnung mit Hofhaltung, sondern auch als Verwaltungszentrum.

In der Renaissance sind in Frankreich und Dtl. die S. aus älteren und neueren Teilen zusammengewachsen (Blois, Fontainebleau, Heidelberg, Torgau) oder schon regelmäßig mit einem vierseitig umschlossenen Hof und großen Ecktürmen oder -pavillons angelegt (Le Lude, Chambord, Örebro, Aschaffenburg). Vierflügelanlagen sind die Stadt- und Residenz-S. in Dresden, Stuttgart und der Neubau des Louvre. Die Residenz in Landshut übernahm den Bautyp des ital. Renaissance-Palazzo. Italien hat mit der nach antiken Überlieferungen durch A. PALLADIO (z. B. Villa Rotonda, Vicenza) bes. zum Typus der Land-S. seit dem 17. Jh. beigetragen. Im 16. Jh. waren die Land-S. meist kleinere, aber künstlerisch anspruchsvollere Bauten, so S. der →Weserrenaissance in Dtl., der königl. Hofbeamten und reicher Bürger in Frankreich (Bury, Azay-le-Rideau, Chenonçeaux) und Landedelsitze in England (Hengrave Hall, Barrington Court, Wollaton Hall).

Im Barock entstanden nur noch wenige große Vierflügelanlagen (Residenz-S. in Berlin, Stockholm). Zukunftsweisend war die weiträumige, zur Stadt geöffnete Dreiflügelanlage mit Ehrenhof (→Cour d'honneur). Vorgebildet im Land-S. mit kurzen Flügeln (Maison-Lafitte) und der ›separierten Anlage‹ mit frei stehenden Flügeltrakten, erfuhr sie ihre klass. Ausformung in Versailles, das zum Vorbild für viele europ. Schlösser wurde. Der fürstl. Wohntrakt umschließt 3 Seiten des Ehrenhofs. Dieser wird durch Mauern, Balustraden oder Gitter vom vorgelegten Wirtschafts- oder Vorhof geschieden, den wiederum die Verwaltungs-, Wirtschafts-, Stallgebäude, Küchentrakte, Orangerien u. ä. rahmen, z. B. Lunéville, Blenheim Castle, Schönbrunn (Wien), Würzburg, Stuttgart, Münster (Westf.). Das S. wurde zu einem Ensemble hierarchisch gestaffelter Pavillons, Flügel, Höfe und Nebengebäude und so sichtbarer Ausdruck absolutist. Herrschaftsform. Dies galt bes., wenn es Konzentrationspunkt völlig neuer Stadtanlagen war (Versailles, Mannheim, Karlsruhe). Das Barock-S. ist stets mit weiträumigen Park- und Gartenanlagen verbunden (→Gartenkunst). Bereits seit dem späteren 17. Jh. differenzierte man nach versch. Bauaufgaben. Für Jagd-, Land- und Lust-S. wurden eigene Typen entwickelt, die v. a. dem Hang nach intimerer Geselligkeit nachkamen. Der hochbarocken repräsentativen Hofkunst LUDWIGS XIV. folgte die elegante Adelskunst unter LUDWIG XV. Ablesbar ist der Wandel in der Raumfolge und Innenraumgestaltung, die nie wieder so einheitlich, sinnvoll und völlig auf den jeweiligen Rang und Zweck des Gesamtbaues wie des Einzelraumes abgestimmt ist wie im Barock-S. Die Lage von Vestibül, Saal, Appartements wird durch die Regeln der Akademien exakt bestimmt (→Enfilade). Die Raumgestaltung war Gemeinschaftsarbeit, so in Vaux-le-Vicomte, wo erstmals LEVAU (Architektur), LEBRUN (Dekoration) und LE NÔTRE (Garten) zusammenwirkten.

Im Rokoko entstand die überschaubare Einflügelanlage; im Klassizismus trat die Bauaufgabe des S. stark zurück. Im (vom Historismus geprägten) 19. Jh. wurden beim S.-Bau alle histor. Stile übernommen.

Burgen, S., Herrensitze, hg. v. W. WEIDLICH, 30 Bde. (seit 1957); Paläste, S., Residenzen, hg. v. H. BOEKHOFT, G. JOOP u. F. WINZER ([2]1975); Dt. Burgen, S. und Festungen, hg. v. WERNER MEYER (1979); W. HOTZ: Kleine Kunstgesch. der dt. S. ([3]1980).

Schloßhof, Schloß im Marchfeld, NÖ; urspr. befestigte Vierflügelanlage (17. Jh.), 1725–29 von J. L. v. HILDEBRANDT für Prinz Eugen v. Savoyen umgebaut, 1760 vergrößert. Prunkräume im 1. Stock mit vorzügl. Stukkaturen; in der Schloßkapelle Deckenfresko von C. CARLONE und Altarbild von F. SOLIMENA. Die Behebung der schweren Kriegsschäden ist im Gang.

Schloßkapelle läßt sich typologisch von der →Pfalzkapelle oder →Palastkapelle nicht immer klar unterscheiden. Monumentale Gestalt als selbständiger Bau erhielt die S. in Versailles (1699–1710) und deren Nachfolgebauten.

Schlotter, Eberhard, Graphiker, Maler, *Hildesheim 3. 6. 1921, lebt seit 1970 in Altea (Spanien). S. steht in seinen virtuosen, von F. DE GOYA und E. SCHIELE beeinflußten Radierungen (häufig mit erot. Motiven) und Bildern dem Surrealismus nahe; schuf auch große figurative Wandbilder und zahlreiche Porträts.

E. S. Werkverz. der Radierungen, 2 Bde. (1969, 1978).
M. P. MASS: E. S. (1971).

Schlußstein 2) in St. Jean in Troyes (Michael als Seelenwäger)

Schlüchtern, Stadt an der Kinzig, Hessen, 14800 Ew., mit ehem. Benediktinerkloster. Die profanierte got. Abteikirche (1446 gew.) ist stark verbaut; erh. sind die frühkaroling. Gangkrypta (8. Jh.) sowie Katharinen-, Andreas- und Huttenkapelle (12.–14. Jh.); Abteigebäude (1509–18).

Schlußstein, Baukunst: **1)** der den Scheitel eines Bogens abschließende, oft keilförmige Stein; **2)** abschließender Stein im Scheitel eines Rippengewölbes, der selbst in Ringform mit offenem Scheitelloch den Querschnitt der an ihn stoßenden Rippen besitzt oder dem die Profile der Rippen angearbeitet sind. Der hängende Schlußstein oder →Abhängling ist eine Variante der Spätgotik.

Schlüter, Andreas, Bildhauer, Baumeister, *Danzig(?) um 1660, †Moskau oder St. Petersburg(?) 1714, begann zw. 1689 und 1693 mit plast. Arbeiten in Warschau, wurde 1694 von Kurfürst FRIEDRICH III. (seit 1701 König FRIEDRICH I.) nach Berlin berufen und 1695/96 nach Italien entsandt (Studium der Werke MICHELANGELOS und BERNINIS). 1696 schuf er das Reiterdenkmal des Großen Kurfürsten (Berlin-West, vor Schloß Charlottenburg, Originalsockel seit 1896 im Bode-Mus., Berlin-Ost; Einfluß F. GIRARDONS) und das Bronzestandbild Friedrichs III. (früher Königsberg, Original verschollen, Folgeguß seit 1979 beim Schloß Charlottenburg). Die Bronzebüste Friedrichs II. von Hessen-Homburg (um 1704, Bad Homburg, Schloß) setzt Berninis Pathos in ein eindringl. Charakterbild um, die Prunksarkophage des Königspaares Sophie Charlotte (1705) und Friedrich I. (1713; Berlin, Dom) entfalten sich in strömender Gestaltenfülle. – Seit 1699 leitete S. den Berliner Schloßbau, zugleich das gesamte Kunstwesen, und war 1702–04 Direktor der Akad. der Künste. Das Schloß (1950 abgebrochen), ein Viereck

Andreas Schlüter: Reiterdenkmal des Großen Kurfürsten; 1696 (Berlin-West, vor dem Charlottenburger Schloß)

auf älterem Grundriß, war mit seinen klass. Kolonnaden und dem figurenreichen Lustgartenportal ein einzigartiges Denkmal, röm. Barock ins Deutsche umgeprägt. Das Treppenhaus mit dem Gigantensturz, die Paradekammern und Säle waren nach dramat. Motiven aufs reichste ausgeführt, doch blieb die Raumentwicklung hinter der plast. Durchbildung des Baukörpers zurück. S.s unzulängl. Bautechnik zeigte sich 1706 an der Errichtung des überhohen Münzturmes; er wurde am Schloßbau von EOSANDER VON GÖTHE abgelöst, blieb aber weiterhin als Hofbildhauer tätig. Nochmals trat S. mit dem Landhaus Kamecke (1711–12; im 2. Weltkrieg zerstört; Fragmente in Berlin-Ost, Staatl. Museen) hervor, einem Gliederbau mit geschwungenem Mittelrisalit, innen und außen phantasievoll figuriert. 1713 folgte S. einem Ruf des Zaren nach St. Petersburg; seine Planungen dort blieben unausgeführt. – S. gehört zu den großen Talenten des Barock: Er war überzeugend als Bildhauer, von großer Wirkung in seinen Entwürfen als Baumeister. (BILD Barock).

WW (in Berlin): Grabmal Mannlich (1700; Nikolaikirche); Alte Post (1701–04); Kanzel der Marienkirche (1702/03); Marstall (1703–06); Lustschloß Freienwalde (1704–07); Gießhaus (Entwurf 1698, Bau 1705). – Alle Bauten S.s, soweit bis dahin erh., wurden im 2. Weltkrieg zerstört, das Schloß wurde 1950 abgebrochen.

A. S. und die Plastik seiner Zeit, Ausst.-Kat., Berlin-West (1964).

Schmalkalden, Stadt am SW-Hang des Thüringer Waldes, Dt. Dem. Rep., 16700 Ew., gut erh. altes Stadtbild innerhalb eines fast vollständigen Mauerrings (14.–16. Jh.). Renaissanceschloß Wilhelmsburg (1585 bis 1598), bes. bemerkenswert die Schloßkirche mit ihren reichen Stukkaturen; spätgot. Stadtkirche St. Georg (1437–1509), deren besonderer Schmuck die Netz- und Sterngewölbe sind. Im Keller des Hessenhofs (1551 bis 1553) Freskenzyklus zu dem Artusroman ›Iwein‹ (um 1240); herrschaftl. und Bürgerhäuser seit der Spätgotik. Ein Beispiel klassizist. Industriearchitektur ist die ›Neue Hütte‹ (1. H. 19. Jh.).

Schmelz|arbeit, →Emailkunst.

Schmerzensmann, Darstellung des leidenden Jesus (auch als Erbärmdebild, Not Gottes bezeichnet, →Andachtsbild 2), ähnlich dem Jesusbild der →Gregorsmesse; im Zusammenhang des →Ecce homo.

Schmerzensmutter, Darstellung Mariens, die ihren Sohn beweint (→Beweinung Christi, →Mater dolorosa, →Marienbild).

Schmettau, Joachim, Bildhauer, Graphiker, *Bad Doberan 5. 2. 1937, lehrt an der Akad. in Berlin (West), gehört zu den Wegbereitern einer neuen realist. Plastik in Dtl. Seine glatt stilisierten Köpfe und Männerfiguren in Stuck oder Bronze sind durch naturalist. Details (Augen, Mund), oft auch durch reale Utensilien (z. B. eine Zigarette), ironisch verfremdet.

J. S., Zeichnungen 1967–1981, hg. v. L. C. Poll (1982).

Schmid-Reutte, Ludwig, Maler, *Lech-Aschau (bei Reutte, Tirol) 3. 1. 1862, †Illenau 13. 11. 1909, suchte mit seinem Werk nach dem Vorbild von F. Hodler einen neuen Monumentalstil zu erreichen.

Schmidt, 1) Friedrich Freiherr von (seit 1889), Baumeister, *Frickenhofen (heute zu Gschwend, Ostalbkreis) 22. 10. 1825, †Wien 23. 1. 1891, übernahm aus seiner Tätigkeit am Dombau in Köln (1843–58) die romant. Neugotik, die er auf profane Gebäude wie auf neue Kirchen in Wien (ebd. seit 1860 Prof. der Akad., seit 1863 Dombaumeister) übertrug. Sein HW ist das Neue Rathaus in Wien (1872–83).

2) Georg Friedrich, Kupferstecher, Radierer, *Schönerlinde bei Berlin 24. 1. 1712, †Berlin 25. 1. 1775, war 1757–62 in St. Petersburg tätig. In klarer Strichführung stach S. bes. Porträts und radierte z. T. nach Gemälden von Rembrandt.

3) Hans, schweizer. Architekt, Stadtplaner, *Basel 10. 12. 1893, †im Bergell 18. 6. 1972, wurde, angeregt durch Studium und Arbeit in Dtl., der Schweiz und den Niederlanden, zu einem sozial engagierten Pionier des Wohnungs- und Städtebaus im Geist des Funktionalismus.

HW: Mitwirkung bei der Werkbundsiedlung Neubühl bei Zürich (1927–30); System typisierter Reihenhäuser (1927); Bebauungsplan von Orsk im Süd-Ural (o. J.); Industriebauten in der Dt. Dem. Rep.
Schrift: Gestaltung und Umgestaltung der Stadt (Berlin-Ost 1970).

4) Martin Johann, gen. **Kremser-Schmidt,** Maler, *Grafenwörth (NÖ) 25. 9. 1718, †Stein a. d. Donau (heute zu Krems) 28. 6. 1801, ebd. seit 1749 ansässig. Angeregt von einem Aufenthalt in Venedig (1745–47) wie von der Kunst Rembrandts, schuf S. Deckenfresken (u. a. Klosterkirche Dürnstein, Herzogenburg, Göttweig; Pfarrkirche Krems) und Altarblätter (Melk,

Krems, Göttweig u. a.) in spätbarockem Stil, auch kleinere Tafelbilder in flüssigen Formen und feiner Lichtstimmung. – Seine Werke waren durch Radierungen weit verbreitet.

Schmidt-Rottluff, Karl, eigtl. K. **Schmidt,** Maler, Graphiker, *Rottluff (heute zu Karl-Marx-Stadt) 1. 12. 1884, †Berlin (West) 10. 8. 1976, studierte 1905 Architektur in Dresden und gründete ebd. mit E. L. KIRCHNER und E. HECKEL die Künstlervereinigung ›Brücke‹. Seit 1911 lebte er in Berlin, erhielt 1941–45 Malverbot, lehrte seit 1947 an der Akad. in Berlin (West). S.-R. gehört zu den führenden Meistern des dt. Expressionismus (BILD), innerhalb dessen er eine baumeisterlich gefestigte, unaufgeregte Variante vertrat. Nach Anfängen im handschriftlich aufgewühlten Frühstil der ›Brücke‹ verdichtete S.-R. seit 1910 Natur und Figur in wenigen expressiven, fast heraldisch wirkenden Zeichen. Seine wuchtigen Kompositionen mit starken, klaren Farbkontrasten und eckig betonten Konturen hoben sich seitdem mit eigener Monumentalität vom früheren Brücke-Stil ab. Einflüsse der Negerkunst verstärkten die Neigung zu kubisch elementaren, wie holzgeschnitzten Formen. Auch der Graphiker S.-R. prägte nun, bes. in kantig rhythmisierten, auf Schwarzweiß-Gegensätze gebauten Holzschnitten seine unverkennbare Sprache aus. Der Holzschnitt-Zyklus über das Leben Christi (1919) gehört zu den HW relig. Kunst im 20. Jh. Als Bildschnitzer ging S.-R. über die gelegentl. Atelierdekorationen der anderen Brücke-Künstler hinaus und leitete mit afrikanisch geprägten ›Köpfen‹ von bannender Einfachheit die primitivist. Linie der Plastik in Dtl. ein. Im Lauf der 1920er Jahre milderte sich sein Stil zu einer beruhigten Plastizität und eher pastosen Farben, die im Spätwerk noch einmal eine intensive, fast plakative Leuchtkraft gewannen. Viele seiner Werke sind im Brücke-Mus. Berlin (West). – Die 1976 gegr. **K.-S.-R.-Förderungsstiftung** vergibt jährlich Stipendien von insges. 100000 DM (meist 5 Preisträger).

G. WIETEK: S.-R. Graphik (1971); K. BRIX: K. S.-R. (1972).

Karl Schmidt-Rottluff:
Frauenkopf, Holzschnitt

Schmiedekunst, die Kunst, Metalle durch Hämmern, Pressen u. ä. zu formen. Das Schmieden von Eisen ist eines der ältesten Handwerke der Menschheit (→Eisenzeit). Über die S. des Altertums weiß man nur aus Schriftquellen (HOMER) und bildl. Darstellungen (Vasenmalereien). Miniaturen zeigen frühmittelalterl. Arbeiten. Das geschmiedete, genagelte Hufeisen kam im 9./10. Jh. in Gebrauch. Erst aus dem 11. und 12. Jh. sind geschmiedete Gitter und Beschläge erh. Hochentwickelt war die S. bereits im 13. Jh. Neben Türziehern, Stand- und Radleuchtern, Kaminböcken u. a. kommen technisch vollendete Truhen- und Türbeschläge sowie kunstvolle Gitter vor, bes. in Frankreich, Dtl., den Niederlanden und England. Die Bänder und Eisenstangen wurden durch Hammerschlag geplattet, verlängert oder verbreitert sowie in schmalere Bänder gespalten, die nach beiden Seiten hin in Windungen und Ranken ausstrahlen, mit Blättern und Blumen endigen und sich so über die ganze Fläche verteilen, z. B. im 13. Jh. Türbeschläge von Notre-Dame in Paris, der Kathedrale in Lüttich und des Domes in Erfurt. Phantasievolle Fak-

Schmiedekunst: LINKS Tabernakelgitter aus Bredelaer; 13. Jh. (Marburg, Museum). RECHTS Gittertür im Osttrakt des Stifts St. Florian; 18. Jh.

kelhalter, Laternen und Oberlichter finden sich seit dem 14. Jh. in Italien, bes. in Florenz. Die spätere Gotik übernahm auch in der S. immer stärker naturalist., getriebenes Blattwerk und Blumenranken. Während der Renaissance war Dtl. führend; zu den hervorragenden Leistungen gehören außer den großen Gittertüren die Brunnenlauben. Eine besondere Rolle spielte im 16. Jh. die Waffenschmiedekunst, die für ihre Prunkwaffen den Eisenschnitt, die Gravierung und Ätzung sowie das Bläuen und Vergolden verwendete. Aber auch Kasset-

Schmiedekunst: Mittleres Westportal von Notre-Dame, Paris; Anfang des 13. Jh.

ten, Türgriffe, Schlösser und Schlüssel wurden in diesen Techniken ausgeführt. In Barock und Rokoko entstanden bei kirchl. und profanen Bauten Gittertüren, Chorgitter (oftmals mit perspektiv. Wirkung), Balkon- und Treppengeländer, Oberlichter, Wandarme und Aushängeschilder, in S-Dtl. und Österreich auch zahlreiche Grabkreuze. Im frühen 19. Jh. wurde die S. vielfach vom Eisenguß abgelöst. Erst seit Beginn des 20. Jh. bemüht man sich wieder, künstlerisch wertvolle Schmiedeeisenarbeiten herzustellen.

F. STUTTMANN: Dt. S., 4 Bde. (1926–30); MARGARETE BAUR-HEINHOLD: Schmiedeeisen (1982).

Schminkpalette, in Ägypten bereits in vorgeschichtl. Zeit als Grabbeigabe verwendete Paletten mit Schminkfarben, die den Toten lebensfrisch bewahren sollten. Die meist aus Schiefer angefertigten S. hatten den Umriß versch. Tiere, die nach ägypt. Vorstellung mit dem Wiederaufleben des Toten verbunden waren, oder sie zeigten geometr. Formen; seit etwa 3000 v. Chr. wurden sie mit Reliefdarstellungen und Schriftzeichen versehen (→Narmer; BILD ägyptische Kunst) und kamen dann außer Gebrauch.

Schmitt, Georg Philipp, Maler, *Spesbach (heute zu Hütschenhausen, Pfalz) 28. 10. 1808, †Heidelberg 19. 1. 1873, Schüler von P. v. CORNELIUS in München, malte relig. Bilder i. S. der Nazarener sowie in Aquarell ausgeführte heimatl. Landschaften und Porträts. – Seine Söhne Guido (*1834, †1922, in England tätig 1859 bis 1890) und Nathanael (*1847, †1918) malten v. a. Porträts.

Schmitthenner, Paul, Architekt, *Lauterburg (Elsaß) 15. 12. 1884, †München 11. 11. 1972, vertrat eine schlichte und materialgerechte Bauweise.

HW: Gartenstädte Berlin-Staaken u. Plaue (1914); Einfamilienhäuser (bes. in Stuttgart); Schule in Stuttgart-Zuffenhausen (1930); Königin-Olga-Bau, Stuttgart (1950–53).

Schmitz, Bruno, Architekt, *Düsseldorf 21. 11. 1858, †Berlin 27. 4. 1916, wurde bekannt durch monumentale Denkmalbauten: Kaiser-Wilhelm-Denkmäler auf dem Kyffhäuser (1891–96), an der Porta Westfalica (1892–96), am Dt. Eck in Koblenz (1894–97); Völkerschlachtdenkmal in Leipzig (1898–1913). In Jugendstilformen baute S. in Mannheim die Festhalle Rosengarten (1903, erweitert 1913).

Schmuck, Zierde, Verschönerung, auch die schmückenden Gegenstände.

Das Bedürfnis des Menschen, seinen Körper und seine Kleidung zu schmücken, ist in allen Zeiten und bei allen Völkern zu finden: Urspr. als Amulett zur Abwehr von Gefahren oder als Talisman zur Herbeiführung von Glück verwendet, wurde das S.-Stück später ein kunstvoll gearbeiteter, ästhetisch wirkender Gegenstand. Die günstige Wirkung des S. setzte den berechtigten Träger voraus, während er dem unberechtigten Schaden zufügte. Diese Berechtigung hängt vielfach vom sozialen Rang ab, wie z. B. Krone und Zepter machtgeladene Rang- und Herrschaftszeichen des Königs sind, die auch als solche relig. Verehrung genießen können. S. diente oft der Hortung und Schaustellung von Reichtum. S.-Stücke haben häufig prakt. Funktionen, z. B. zum Zusammenhalten von Kleidern oder zum Sichtbarmachen der Zugehörigkeit zu einer Gruppe.

Aus der Alt- und Jungsteinzeit ist primitiver S. aus (manchmal über weite Entfernungen gehandelten) Muscheln, Knochen und Elfenbein, im Ostseegebiet aus Bernstein erhalten. Perlen aus Holz und Knochen kannte man bereits in der Altsteinzeit. In dem mittelpaläolith. Fundort von Gönnersdorf bei Neuwied, Rheinl.-Pf., wurden Holzperlen einer Perlenkette gefunden. Bernsteinperlen gibt es seit der Jungsteinzeit. Von der späten Jungsteinzeit an wird S. aus Edelmetallen gefertigt.

S. war im Alten Orient in allen Perioden bei Frauen und Männern gebräuchlich; Materialien, Techniken und Motive erhielten sich bis in die Gegenwart. Bereits neolith. Figürchen tragen Andeutungen von S., der als Grabbeigabe auch häufiges Fundobjekt ist. Oft verband sich im S. das Element des Apotropäischen mit dem Dekorativen; deshalb waren z. B. Materialien aus der als apotropäisch geltenden Farbe Blau (Lapislazuli, Fritte, Purpurbänder und -streifen) in Ketten, Kopfbinden, Pektoralen und Ringen bes. beliebt. Die numinosen Kräfte der Götter waren an einzelne ihrer Schmuckstücke gebunden; ähnliches gilt auch vom Ornat des Königs.

In Ägypten wurden neben Ohr- und Halsgehängen, Armreifen und Ringen bes. aus Feingoldblech getriebene Brustplatten mit figürl. Darstellungen, farbiger Zelleneinlage und Email hergestellt.

In der iranischen Kunst wurden Edelmetalle, Schmuck- und Edelsteine, Email, Perlmutt, Elfenbein zum S. des Haares (Diadem, Krone), der Ohren (mondförmige Ohrringe bei Achaimeniden), von Hals und Brust (Ketten, Colliers, Pektorale, Torques, Medaillons, Flakons), der Arme und Finger (Ringe, oft offen mit Löwen-Protomen) sowie der Gürtel (Plaketten, Riemenzungen) hergestellt. Auch Gewänder und Waffen sowie Pferdegeschirr trugen meist reichen S.

In der kretisch-myken. Kunst spielte S. eine große Rolle; überliefert sind zahlreiche Grabfunde in Gold, Silber, Blei, Bronze, Elfenbein, Bergkristall, Bernstein, Kornelian, Amethyst, Lapislazuli. Während der frühen Bronzezeit (aus der auch der Goldschatz von Troja stammt) übertraf Kreta (v. a. mit aus Goldfolie und Golddraht gearbeitetem S. aus Gräbern von Mochlos) die Kykladen und das grch. Festland; syr. oder ägypt. Erfahrungen wurden übernommen. Mit Filigran, Granulation und Einlegearbeiten erreichte die Goldschmiedekunst (BILD) in der Älteren Palastzeit Kretas einen Höhepunkt (Ohrringe, Anhänger, Fingerringe, Gewandnadeln). Auch in den Schachtgräbern von Mykene (16. Jh. v. Chr.) wurden reiche Funde vorwiegend einheim. Goldschmucks gemacht: Diademe, Nadeln, Ohr- und Armringe, Applikationen für Kleider u. a.

Im antiken Griechenland waren Kränze, Diademe, Ohrringe, Halsketten, Fingerringe, Armbänder und Nadeln die häufigsten S.-Arten. Fibeln fanden sich seltener. Die wichtigste Ziertechnik war Filigran, der Gebrauch von Gläsern und Steinen trat demgegenüber zurück. Der S. der Etrusker zeigt als besondere Zierweise die Granulation. In der röm. Kaiserzeit trug man farbenprächtigen Gold-S. mit Edelsteinen, Gemmen, Perlen und Glasflüssen; das Diadem war seltener. Kaiserl. Goldmünzen und Edelsteine genossen seit etwa 200 n. Chr. hohe Wertschätzung.

Die german. Kunst der Bronze- und Eisenzeit liebte Halsringe, Armbänder, Anhänger, Nadeln, getriebene Gürtelbleche, Perlen aus Glas und bes. Fibeln in mannigfachen Formen (auch mit Flechtwerk) aus Bronze, z. T. mit Email-, Korallen- und Bernsteinverzierung. In der Latènezeit kamen Ketten und Armreife aus Glas hinzu. German. S. der Völkerwanderungszeit wurde von farbiger Inkrustation und seit der Mitte des 6. Jh. durch Tierornamentik bestimmt.

Mittelalter. Mit der Christianisierung mindert sich durch das Verschwinden der Sitte der Grabbeigaben das Quellenmaterial. Im Früh-MA. spiegelte sich der vorbildl. Charakter der Antike nicht nur in formalen Entsprechungen, sondern auch in erneuter Verwendung überkommener geschnittener Steine. Byzantin. Einfluß auf die S.-Gestaltung zeigt sich im →Gisela-Schmuck.

Im Hoch-MA. waren Fürspan, Gürtel, Ring, Anhänger mit relig. Motiven die wesentl. S.-Stücke. Bei der Prachtentfaltung am burgund. Hof bediente man sich des Goldemails ›en ronde bosse‹ (→Emailkunst) mit einem von verschiedenfarbigen Glasflüssen überzogenen Goldkern und des Edelsteinschnitts. Der in der 2. H. des 15. Jh. aufkommende Schliff ist die Grundlage der Beliebtheit der Diamanten.

Neuzeit. Der Formenschatz der Renaissance wurde in Dtl., ohne mit bestehenden S.-Traditionen zu brechen, aufgenommen; zu einem engeren Anschluß an die ital. Vorbilder kam es seit dem 2. Viertel des 16. Jh. Längere und kürzere Ketten, die sich schon im Spät-MA. mit den Emblemen der Orden verbunden hatten, die manchmal in stattl. Anzahl getragenen Ringe, Anhänger, Armbänder, Agraffen und Gürtel waren wesentl. Arten des S. Ohrringe gewannen an Bedeutung. Die span. Mode verlangte v. a. Anhänger und Ketten.

Der S. des 17. Jh. stand im Zeichen des Diamanten und in der Zeit der Stillebenmalerei unter dem Einfluß von Bildungen der Pflanzenwelt. Im ganzen gesehen wurde der S. der Männer geringer; im Rokoko waren für sie Knöpfe Gegenstand von besonderem Luxus, dazu waren Schuh- und Hosenschnallen, die Châtelaine mit Uhr und Berlocke und Ringe beliebt. Als S. für die Frau entstanden einheitlich gestaltete Garnituren mit Brosche, Ohrgehänge, Hals- und Armbändern.

Zu Ende des 18. Jh. richtete sich die Aufmerksamkeit auf antikisierenden S. Damit setzte eine Epoche ein, in der neben dem S. der Vergangenheit bis hin zu den alten Kulturen des Orients derjenige der Nationalkulturen zum Vorbild genommen wurde. Dieser Bannkreis des Historismus wurde mit dem Jugendstil durchbrochen. Damals entstanden S.-Stücke, die auf die gängigen Vorlagen verzichteten und neuen Materialien, darunter auch den Schmucksteinen, wieder Geltung verschafften. Neben maschinell hergestelltem unechtem S. gewannen bes. im 20. Jh. die Produkte des Kunstgewerbes breiteste Anerkennung als Schmuckstücke.

Die Hochkulturvölker Mesoamerikas und des Andengebiets stellten S. aus Metallen, Muscheln, Jade, Türkis, Onyx, Bergkristall, Federn u.a. her (→Andine Hochkulturen, →Mesoamerikanische Hochkulturen).

Bei den ›Naturvölkern‹ finden sich ausgeprägt →Körperschmuck und →Kopfschmuck. In Ozeanien sind die Übergänge vom S. zum Zeremonialgeld und Statussymbol fließend. Bemerkenswert sind rundgewachsene Eberhauer, oft paarweise als Nasen- oder Brustschmuck, Ketten aus Hundezähnen oder zugeschliffenen Schnecken- und Muschelschalen, Muschelscheiben mit Auflagen (→Kapkap) als Stirn- oder Brustschmuck, Schildpattringe mit Ritzdekor (NO-Neuguinea) und Schildpattstirngehänge mit Figuren (Marquesas) sowie Nephrit-Anhänger (→Tiki) auf Neuseeland.

R. K. MAXWELL-HYSLOP: Western Asiatic jewellery (London 1971); A. BLACK: Die Gesch. des S. (a.d. Ital., 1976); EDITH HOFFMANN u. BARBARA TREIDE: S. früher Kulturen... (1976); C. B. HELLER u.a.: Bruckmann's Hb. des S. (1977); W. SCHUMANN: Edelsteine und Schmucksteine ([2]1978).

Schmucksteine, zur Herstellung von Schmuck verwendete, im Unterschied zu Edelsteinen (Diamant, Smaragd, Rubin u. a.) weniger harte und weniger seltene natürl. Mineralien (früher Halbedelsteine gen.).

Schmuzer, Stukkatoren- und Baumeisterfamilie aus Wessobrunn, tätig vom 16. bis zum 18. Jh. in S-Dtl., Tirol und in der Schweiz; in der →Wessobrunner Schule bed. wie die Familie FEUCHTMAYER.

1) Franz, Sohn von 3), *Wessobrunn 10. 10. 1676, †ebd. 21. 4. 1741, 1701 in Friedrichshafen nachweisbar.

HW: Stukkaturen und Altäre in Kirchen: Friedrichshafen, Schloßkirche (1698–1700 u. 1711–13); Zürich, Peterskirche (1705); Rheinau/Schweiz, Klosterkirche (1707–10); Thüringen im Wallgau/Vorarlberg (1713 ff.); Weingarten, Klosterkirche (1718/19); Donauwörth, Klosterkirche Heiligkreuz (1720–22); Vilgertshofen, Wallfahrtskirche (1721); Wessobrunn, ehem. Klosterkirche, Altäre (1725, heute: Pitzling, Oberschondorf, Mundraching u. a.). – Stukkaturen in Klöstern: Friedrichshafen (1699–1701); Obermarchtal (1701/02); Salem (1707); Wessobrunn (1711); St. Urban/Schweiz (1717/18); Rheinau/Schweiz (1721); Weingarten (1732); Irsee (um 1729/30 bis 1735).

2) Franz Xaver, Sohn von 4), *Wessobrunn 27. 11. 1713, †ebd. 24. 4. 1775, um 1740 als Mitarbeiter seines Vaters bei der Stukkierung der Pfarrkirche Oberammergau nachweisbar.

HW: Stukkaturen in Kirchen: Steingaden, Klosterkirche (um 1740–42); Rottenbuch, Klosterkirche (1741–45); Hohenpeißenberg, Gnadenkapelle (um 1747/48); Ettal, Klosterkirche (um 1752/53, gemeinsam mit J. G. ÜBLHÖR); Hausen bei Geltendorf, Pfarrkirche (um 1753/54).

3) Johann, Vater von 1) und 4), getauft Wessobrunn 13. 5. 1642, †ebd. 12. 5. 1701. Sein HW ist die Wallfahrtskirche in Vilgertshofen (1686–92), ein Zentralbau, von dem in Kreuzform 4 halbrund geschlossene Apsiden ausgehen.

WW: Wallfahrtskirche St. Koloman bei Füssen (1673–78); Pfarrkirche Ziemetshausen, Krumbach (1686); Klosterkirche Obermarchtal, Stukkaturen (1689–94); Friedrichshafen, ehem. Propsteikirche Hofen, Bau und Stukkaturen (1695–1702).

4) Joseph, Sohn von 3), Vater von 2), getauft Wessobrunn 13. 2. 1683, †ebd. 19. 3. 1752, Stiftsbaumeister von Wessobrunn, Rottenbuch, Weingarten und Ettal. In seinen Kirchenbauten (am Übergang vom Barock zum Rokoko) sind oft mehrere Achsen zu einem Hauptjoch unter einer mächtigen gedrückten Halbkuppel zusammengefaßt (Anregungen dazu wohl aus dem Füssener Kunstkreis, J. J. HERKOMER).

HW: Neubau des Konventsstocks und der Prälatur Wessobrunn (1707–21); Donauwörth, Klosterkirche Hl. Kreuz (1717–22); Pfarrkirchen in: Garmisch (1729–33), Welden bei Augsburg (1731–33), Gablingen (1733–35), Oberammergau (1736–42), Mittenwald (1738–40); Umgestaltung der Klosterkirche in Rottenbuch (1737 bis 1742); Weingarten, Bau der Klosteranlage (1740 ff.); Wiederherstellung der Klosterkirche Ettal (1744 ff.); Umgestaltung der Gnadenkapelle auf dem Hohenpeißenberg (1747/48).

GABRIELE DISCHINGER: Johann und Joseph S. (1977); EVA C. VOLLMER: Der Wessobrunner Stukkator F. X. S. (1979); dies.: Klosterarchitekten – Altarbaumeister – Stuckkünstler. Leben und Wirken der Wessobrunner Familie S., in: Lech-Isar-Land, Jb. (1981).

Schnabelkanne, Kanne mit schnabelförmigem Ausguß, eine keram. Leitform der bronzezeitl. Kulturen in der Ägäis und in Kleinasien, schon in deren Anfangsstadien (3. Jahrtsd. v. Chr.) verbreitet. Imitierte Nieten aus Ton lassen auf Vorbilder aus Metall schließen. Die trojan. S. wurden mit der Hand poliert; in der frühhellad. Kultur des grch. Festlandes wurden sie mit matter Glasurfarbe (→Urfirnis) überzogen, auf Kreta und auf den Kykladen mit aufgemalten Mustern verziert (BILD Kamares-Vasen). Bemalte S. gab es auch in der myken. Kunst. Hiervon unabhängige S. aus Bronze wurden im 6. und 5. Jh. v. Chr. in Mittelitalien hergestellt. Als Export von dort sind sie bis in die Latènekultur Frankreichs und Westdeutschlands gelangt.

Schnabelkanne

Schnabelkopf|fries, Baukunst: normann. Friesform aus aneinandergereihten Köpfen von Fabelwesen und Tieren.

Schnabelstil, prägende künstler. Ausdrucksform im Unterlauf- und Küstengebiet des →Sepik, Papua-Neuguinea. Die Nasen-/Oberlippen-Partie oder Ober- und Unterkiefer von Figuren und Masken sind lang herabgezogen und reichen oft bis zum Nabel oder bis zu den männl. oder weibl. Geschlechtsteilen; die Gesichter zeigen, bei schräggestellten Augen, die Charakteristika eines Vogelkopfes.

Schnabeltasse, →Sauciere.

Schnalle, dekorative Schließe, häufig aus vergoldetem Metall mit Nielloverzierung; seit dem frühen MA. v. a. an Gürtel und Schuhen getragen. Um 1730 trat die S. als Schmuck an der Kniehose auf; ferner am Mieder und zur Befestigung von Bändern.

Schnars-Alquist, Hugo, Maler, *Hamburg 29. 10. 1855, †ebd. 20. 8. 1939, malte Seebilder.

Schneck, Adolf, Architekt, *Esslingen 7. 6. 1883, †Fellbach 27. 3. 1971, war Vorstandsmitgl. des Dt. Werkbundes. S. war maßgeblich an der Gründung der

1957 eröffneten ersten türk. Hochschule für angewandte Kunst in Istanbul beteiligt.

Bauten: Zwei Häuser der Weißenhofsiedlung Stuttgart (1927); Erholungsheim Urach (1929); Sanatorium Bühler Höhe (1954).

Schnecke, 1) allg. jedes spiralförmig gewundene Ornament, z. B. die Voluten des ionischen und korinth. Kapitells. **2)** Wendeltreppe, Treppenspindel und gewundene Rampe.

Schneeberg, Stadt im westl. Erzgebirge, Dt. Dem. Rep., 21 800 Ew.; spätgot. Stadtkirche (1515–40, 1945 ausgebrannt, wiederhergestellt), von der Ausstattung erh. ist der Flügelaltar mit 12 Tafeln von L. CRANACH D. Ä. (1539); Hospitalkirche (1567–75); aus der Blütezeit der Stadt (1. H. 18. Jh.) einige barocke Bürgerhäuser.

Schnellen, rhein. Steinzeugkrüge von schlanker, nach oben sich wenig verjüngender Form aus feinem hellen bis weißen Ton, meist mit in Modeln gefertigtem Reliefdekor; in der 2. H. des 16. Jh. in Siegburg hergestellt.

Schneuß [zu Schneise ›Vogelschlinge‹] *der,* in der got. Baukunst die →Fischblase.

Schnittervase, der obere Teil eines eiförmigen minoischen Rhytons aus Steatit um 1500 v. Chr. (urspr. Höhe etwa 18 cm), zus. mit anderen entsprechenden Gefäßen in Hagia Triada gefunden. Das flache Relief zeigt in mehreren Schichten einen ungemein lebendig geschilderten Zug schreitender, teils singender Erntearbeiter hinter einem Anführer (im Mus. von Heraklion).

Schnittnich, Ort in der Slowakei, →Štítnik.

Schnitz|altar, Sonderform des in der Gotik entwikkelten Flügelaltars (oder Flügelretabels) mit reichem Schnitzwerk im Schrein, im Gesprenge und auf den Flügeln. Auch Altäre mit bemalten Flügeln werden unter den Begriff des S. zumeist miteinbezogen; die Rückseiten der Flügel sind bemalt. Im Schrein und in seinem Gesprenge ist der Figurenschmuck i. d. R. vollrund oder nur leicht abgeflacht, auf den Flügeln in Flachrelief gearbeitet. In der dt. Spätgotik gelangte der S. zu seiner höchsten Blüte: Krakauer Altar des VEIT STOSS (1477–89), Blaubeurener Hochaltar wohl von MICHEL und GREGOR ERHART (1493/94), Creglinger Altar des T. RIEMENSCHNEIDER (um 1505), Bordesholmer Altar des H. BRÜGGEMANN (1514–21), Breisacher Hochaltar des Meisters HL (1526; BILD HL). Wegen der Wertschätzung des Materials und der subtilen Schnitztechnik konnte seit T. Riemenschneider auf farbige Fassungen verzichtet werden. (BILD Odense)

W. PAATZ: Süddt. S. der Spätgotik (1963); H. RETZLAFF u. E. LUTZE: S. altdt. Meister (1966).

Schnitzerei, Bildhauerarbeit in Holz oder Elfenbein (→Elfenbeinschnitzerei, →Holzbildhauerei).

Schnorr von Carolsfeld, Julius, Maler, *Leipzig 26. 3. 1794, †Dresden 24. 5. 1872, malte anfangs unter dem Eindruck von J. A. KOCH und F. OLIVIER relig. Bilder von zarter Empfindung, schloß sich 1818 in Rom den Nazarenern an und malte hier 1820–26 die Ariost-

Julius Schnorr von Carolsfeld: Madonna; 1820 (Köln, Wallraf-Richartz-Museum)

Fresken im Casino Massimo. 1827 wurde S. v. C. Akademiedirektor in München, 1846 in Dresden. – Seine Wandgemälde in der Münchner Neuen Residenz (Nibelungenbilder in 5 Sälen u. a., 1827–67) lassen deutlich Einflüsse der Historienmalerei seiner Zeit erkennen. Bedeutender sind seine Zeichnungen (Röm. Porträtbuch, 1819–26; Bibel in Bildern, 240 Holzschnitte, 1860).

INKEN NOWALD: Die Nibelungenfresken des J. S. v. C. im Königsbau der Münchner Residenz (1978). Weitere Lit.: →Nazarener.

Schnurschlag. In der Wandmalerei werden sehr lange gerade Linien (z. B. Hilfslinien oder Quadratnetze) mit Hilfe einer mit Farbstaub eingeriebenen, vor der Fläche straff gespannten Schnur erzeugt, die man anzieht und auf die Fläche zurückschnappen läßt.

Schnütgen-Museum, Köln; Samml. ma. Plastik und Kleinkunst v. a. aus den Rheinlanden und aus Westfalen, entstanden aus dem Grundstock der Samml. des Domkapitulars A. SCHNÜTGEN (*1843, †1918); eröffnet 1900, seit 1955 im roman. Cäcilienkloster.

Schoch, Johannes, Baumeister, *Königsbach (heute zu K.-Stein, Enzkreis) um 1550, †Straßburg 1631, ebd. 1590–97 Stadtbaumeister, 1601–19 kurpfälz. Hofbaumeister, schuf im Auftrag von Kurfürst FRIEDRICH VON DER PFALZ am Friedrichsbau des Heidelberger Schlosses (1601–07) die glänzendste Schaufront der ausgehenden dt. Renaissance, in Straßburg den ›Neuen Bau‹ (1582–85, damals Rathaus, heute Handelskammer), ferner den Entwurf für Schloß Gottesau bei Karlsruhe (1588 ff.).

Schoenholtz, Michael, Bildhauer, *Duisburg 8. 4. 1937, seit 1971 Prof. an der Hochschule für Bildende Künste in Berlin-West. S. ging von Sandsteinplastiken aus, in denen einzelne Körperpartien zerlegt und nach formalen Aspekten neu geordnet wurden. Durch ein Romstipendium kam er Anf. der 1970er Jahre dazu, Marmorskulpturen mit stark manierist. Zügen zu schaffen, in denen die – meist torsohafte – Figur sich gequält aus der Materialform des Blocks herauszuarbeiten scheint.

M. S., Ausst.-Kat., Darmstadt (1977).

Schöffer [frz. ʃœf'ɛ:r], Nicolas, frz. Lichtkünstler ungar. Herkunft, *Kalocsa 6. 9. 1912, lebt in Paris, entwickelte raumdynamische Lichtarchitekturen, die an L. MOHOLY-NAGY anschließen, seit den 1950er Jahren auch kybernetisch gesteuerte, auf Umweltgeräusche, Lichtverhältnisse und Witterung reagierende ›Türme‹ mit Licht- und Toneffekten (Park St. Cloud, Paris, 1954). In den 1960er Jahren gelangte er zur Utopie einer ›kybernet. Stadt‹ und zu lichtdynamischen Schauspielen.

Scholderer, Otto, Maler, *Frankfurt am Main 25. 1. 1834, †ebd. 22. 1. 1902, war nach Studien ebd. hier und in Kronberg tätig, 1857/58 und 1868–70 in Paris, gehörte ebd. dem Kreis um G. COURBET und E. MANET an. In seinen Porträts und Stilleben näherte sich S. dem frühen Impressionismus.

Courbet und Dtl., Ausst.-Kat., Hamburg u. a. (1978/79).

Scholle, Die S., Gruppe Münchener Maler (R. M. EICHLER, die Brüder E. und F. ERLER, M. FELDBAUER, W. GEORGI, A. MÜNZER, W. PÜTTNER, L. PUTZ u. a.), die seit 1899 eine Ausstellungsgemeinschaft bildeten (v. a. Landschaftsbilder i. S. des Jugendstils).

Scholz, 1) Georg, Maler, Graphiker, *Wolfenbüttel 10. 10. 1890, †Waldkirch (Baden) 27. 11. 1945, 1923–33 Prof. an der Akad. in Karlsruhe, gehörte zu den gesellschaftskrit. Veristen um O. DIX und G. GROSZ, schuf v. a. Kriegszeichnungen und Szenen aus dem kleinbürgerl. Milieu; gelangte später zu einer Darstellungsweise in der Art A. DERAINS.

G. S., Ausst.-Kat., Karlsruhe (1975).

2) Werner, Maler, Graphiker, *Berlin 23. 10. 1898, †Schwaz am Inn 5. 9. 1982. Beeinflußt v. a. von E. NOLDE und K. SCHMIDT-ROTTLUFF, gelangte er in seinen Landschaften, Figurenbildern und Stilleben zu einem spätexpressionist. Stil. Er schilderte in den 1920er und 1930er Jahren Not und Elend des Kleinbürgertums, wandte sich v. a. seit 1945 relig. und mytholog. Themen sowie Motiven seiner Heimat zu.

Schönau, Stadt bei Heidelberg, Bad.-Württ. Vom 1142 gegr. ehem. Zisterzienserkloster ist das Herrenrefektorium erh., eine zweischiffige, um 1230 in frühgot., mit Maulbronn verwandten Formen errichtete Halle (heute evang. Kirche).

Schönbeck/Elbe, Stadt südlich von Magdeburg, Dt. Dem. Rep., 44 500 Ew.; im Stadtteil Salzelmen spätgot. Johanniskirche (1430–1519), eine dreischiffige Hallenkirche mit reichen Ornamenten an der nördl. Vorhalle (1487); bemerkenswert v. a. wegen der fast vollständigen Erhaltung der Einrichtung des 17. Jh.

Schönberg, Arnold, Komponist, *Wien 13. 9. 1874, †Los Angeles 14. 7. 1951, malte (mit einem Schwerpunkt um 1910) visionäre Bilder zw. Symbolismus und Expressionismus, v. a. Köpfe und Bühnenskizzen. 4 davon wurden 1911/12 in der Ausstellung des ›Blauen Reiter‹ gezeigt und im Almanach ›Der Blaue Reiter‹ reproduziert.

Schöne Madonnen, Sammelbez. für eine umfangreiche Figurengruppe von Madonnen mit Kind, deren Verbreitungsgebiet breit gestreut ist (Zentral- und Osteuropa; u.a. in den slaw. Gebieten Böhmens und Südpolens, im nördl. Österreich). Die S. M. sind Hauptträger des Schönen Stils. Ihnen gemeinsam ist eine ins Ästhetisierend-Liebliche gehende Physiognomie und eine reiche, in weichen Muldenfalten weit ausschwingende Gewandführung. Die Hypothese der Existenz eines wandernden Meisters der S. M. ist nicht belegbar. Beispiele der Stileigenarten der S. M. sind die Madonna aus Krumau (um 1400; Wien, Kunsthistor. Mus.) und die Thorner Madonna (um 1390/95; Thorn/Westpreußen, St. Johann; verschollen).

K. H. CLASEN: Der Meister der S. M. (1974). – Weitere Lit.: →Schöner Stil.

Schöne Madonnen: Thorner Madonna; um 1390/95 (Thorn/Westpreußen, St. Johann; verschollen)

Schöner Stil, Internationaler Stil, Höfischer Stil, Weicher Stil, Bez. der Kunstwiss. für eine Stilstufe der Kunst um 1400, faßbar bes. an Werken der Plastik, auch der Malerei, die in allen bed. Ländern Europas etwa 4 Jahrzehnte vorherrschte und durch eine große Einheitlichkeit der Formensprache gekennzeichnet war. I. Ggs. zur statuarischen, diesseitsverhafteten Auffassung der Kunst der PARLER baute der S. S. in der Grundauffassung der Figur auf der Spätgotik auf. Er löste sich aber in der Gewandbehandlung von den scharfgratigen Falten und gelangte zu weich fließenden Formen, die, indem sie mit der Körperbewegung verschmelzen, den Figuren eine neue Eigengewichtigkeit verleihen. HW des S. S. sind die →Schönen Madonnen.

A. KUTAL: Got. Kunst in Böhmen (1971); Kunst um 1400 am Mittelrhein, Ausst.-Kat., Frankfurt a. M. (1976); Die Parler und der S. S. 1350–1400, Ausst.-Kat., Köln (1978).

Schönfeld, Johann Heinrich, Maler, getauft Biberach a.d. Riß 23. 3. 1609, †Augsburg 1682 oder 1684, bildete sich in Italien (1633–38 in Rom, 1638–51 in Neapel) zu einem der besten Maler und Radierer des dt. Barock. Neben einigen Fresken (München, Goldener Saal der Residenz, zerstört) schuf S. in S-Dtl. v. a. Altarbilder (bes. in Augsburger Kirchen) und Gemälde mit relig., mytholog. und Genre-Themen. Sein Stil wird von der Caravaggio-Schule, von N. POUSSIN und J. LYS bestimmt; seine Elemente sind poet. Vertiefung der Motive, bewegte Komposition sowie ein helles Kolorit.

Schongau, Stadt am Lech, Oberbayern, 10300 Ew. Die Pfarrkirche wurde ab 1750 z.T. neu erbaut, Pläne von D. ZIMMERMANN, der auch die Stukkaturen im Chor (1748) schuf; Fresken von M. GÜNTHER. Ehem. Karmelitenkirche (1720–25 von JOSEPH SCHMUZER).

Schongauer, Martin, Maler, Kupferstecher, *Colmar um 1450, †ebd. (an der Pest?) 2. 2. 1491, aus einer vermutlich aus Schongau stammenden Augsburger Patrizierfamilie, Sohn des Goldschmiedes Caspar S. und mit dem Handwerk seines Vaters vertraut. Seine Kunst geht von der oberrhein. Tradition um 1460 aus, die von dem Eindruck der altniederländ. Malerei (ROGIER VAN

Martin Schongauer: Die Versuchung des Hl. Antonius; Kupferstich, um 1470

DER WEYDEN, HUGO VAN DER GOES, D. BOUTS) bestimmt wird. Von S. gezeichnete ›Maurenköpfe‹ und andere Motive lassen eine Spanienreise vermuten.

S. war der bedeutendste dt. Maler, Zeichner und Kupferstecher vor A. DÜRER. Schon zu seinen Lebzeiten angesehen, blieben doch nur das große (beschnittene – wie die frühe, verkleinerte Kopie in Boston, Isabella Stewart Granger Mus., zeigt) Marienbild ›Maria im Rosenhag‹ (1473; Colmar, Martinsmünster), die Flügel des nur wenig später entstandenen ›Orliac-Altars‹ aus der Antoniterkirche in Isenheim (Colmar, Unterlinden-Mus.), wenige kleine Bildtäfelchen und das monumentale, stark beschädigte ›Jüngste Gericht‹ im Münster von Breisach (1489) erh. Bekannt sind auch etwa 50 Zeichnungen und annähernd ebenso viele Kopien nach verschollenen Zeichnungen. Bedeutender noch sind 115 Kupferstiche, die ausnahmslos sein Monogramm tragen. Von seinen Blättern ging eine starke stilbildende Kraft aus, da sie in allen spätmittelalterl. Malwerkstätten als Muster auflagen; sie wurden – selbst als Kopien noch kopiert – bis nach Italien gehandelt. Dürer wollte auf seiner Wanderschaft in S.s Werkstatt lernen, doch kam ihm dessen unerwarteter Tod zuvor. Für ihn wurde die Kunst S.s zum entscheidenden Vorbild.

Bes. in den kleinformatigen Arbeiten S.s wird eine vom Ausdruck der Linie beherrschte Formensprache deutlich. So werden Kraft und graph. Reiz der Linie wie die Farbe zu Elementen der Bild-Komposition, die in feinem Spiel von Licht und Schatten einen ausgewogenen, verinnerlichten Ausdruck erreicht. Malerisch sind die Kupferstiche angelegt, in vertiefter Technik werden sie zu eigenständigen Bildern.

WW: Wandfresken des Jüngsten Gerichts (beg. 1489; Breisach, Martinsmünster). – Andachtstafeln: Maria im Fenster (Wien, Privatbesitz); Hl. Familie (München und Wien); Anbetung der Hirten (Ber-

Wörter, die man unter Sch vermißt, suche man unter Sh

lin u.a.). – Kupferstiche (Wien, Graph. Samml. Albertina): Auszug zum Markt, Maria mit dem Papagei, Die Versuchung des Hl. Antonius, Tod Mariä, Die klugen und die törichten Jungfrauen, Doppelblatt der Verkündigung, Maria im Hofe; Berlin-West, Staatl. Museen, Kupferstichkabinett: Die große Kreuztragung, Die große Kreuzigung, Die Passion Christi. – Federzeichnungen.

M. S. Handzeichnungen und Druckgraphik, hg. v. MARIANNE BERNHARD (1980).

Schöngrabern, Dorf bei Hollabrunn, NÖ, mit spätroman. Pfarrkirche (Anf. 13. Jh., W-Fassade mit Turm spätbarock), deren Apsis an der Außenseite reichen plast. Schmuck aufweist, normannisch beeinflußte, stilistisch noch ganz der Romanik zugehörende Skulpturen, die Szenen aus dem Heilsgeschehen darstellen; z. T. erh. sind got. Wandmalereien (um 1330).

Schöningen, Stadt am Elm, Kr. Helmstedt, Ndsachs., 15700 Ew. Die Kirche des ehem. Augustiner-Chorherrenstifts hat einen roman. Ostbau mit Chorflankentürmen (12. Jh.) und ein spätgot. Langhaus (1492 voll.); spätgot. Vinzenzkirche (1429–60, einheitl. Barockausstattung Mitte 17. Jh.); Renaissanceschloß (1568–1659 Witwensitz der Herzoginnen von Braunschweig-Wolfenbüttel).

Schönkirchen, Gem. bei Kiel, Schlesw.-Holst.; in der frühgot. Kirche ein prachtvoller Altar (1653), ein HW des norddt. Knorpelbarock.

Schöntal, Gem. im Hohenlohekreis, Bad.-Württ., mit ehem. Zisterzienserkloster (um 1157 gegr.). In der 1708–36 nach Plänen von J. L. DIENTZENHOFER erbauten Barockkirche mit Doppelturmfassade reiche Stukkaturen (bes. dekorativ an den Pfeilern) und Deckenmalereien. In der schloßartigen Neuen Abtei (1737–49) prunkvolles Treppenhaus mit reich verzierten durchbrochenen Geländern; Alte Abtei und Tortürme 17. Jh.

Schonzeit [ʃ'əʊnzaɪt], Ben, amerikan. Maler, *Brooklyn (New York) 9. 5. 1942, begann i. S. des Abstrakten Expressionismus, wandte sich dann dem Fotorealismus und Motiven der Pop Art (Illustrierten, Kitschpostkarten, Spielzeug) zu. S. verbindet in seinen gemalten Collagen versch. Größenmaßstäbe, Brennweiten und Perspektiven der Vorlagen zu einem iron. Spiel mit mehreren Realitätsebenen.

Schoonhoven [sx'o:nho:və], Stadt in der niederländ. Prov. Südholland, mit got. Kirche (14.–16. Jh., im Innern ehem. Doxale, eine Schnitzarbeit der Frührenaissance), spätgot. Rathaus (1452 beg.), ehem. Kornmagazin (1566), Waage (1617) und Renaissance-Stadttor. Bed. Samml. von Gold- und Silberschmiedearbeiten (17.–20. Jh.) im Nederlands Goud-, Zilver- en Klokken-Mus.

Schoonhoven [sx'o:nho:və], Jan J. (eigtl. Johannes Jacobus), niederländ. Maler, Graphiker, *Hof van Delft (heute zu Delft) 26. 6. 1914, setzte sich anfangs mit dem Surrealismus und dem Informel auseinander, ging um 1960 als Mitbegr. der Gruppe ›Nul‹ und parallel zur Gruppe Zero zu Zeichnungen mit gereihten Linienelementen oder Punktrastern sowie zu weißen Papiermaché-Reliefs mit geometr. Strukturen über.

Schöpf, Josef, österr. Maler, *Telfs (Oberinntal) 2. 2. 1745, †Innsbruck 15. 9. 1822, Schüler von M. KNOLLER, in Rom (1775–83) weitergebildet, malte in Tiroler Kirchen (Bruneck, Kaltern, Innsbruck, Brixen) Fresken, die spätbarocke mit klassizistischen Formen verbinden.

Schöppingen, Gem. im westl. Münsterland, NRW, 4700 Ew.; in der got. Kirche (15./16. Jh.) mit roman. W-Turm der Altar des ›Meisters von S.‹, ein HW der westfäl. Tafelmalerei (um 1455). Renaissance-Rathaus (1582/83).

Schorndorf, Stadt im Remstal, Bad.-Württ., 33400 Ew.; reizvoller Marktplatz mit reichen Fachwerkhäusern (u.a. Dr. Palmsche Apotheke, 2. H. 17. Jh.). Spätgot. Stadtkirche (1477–1501, 1655 erneuert), in der NO-Kapelle ein als Wurzel Jesse ausgebildetes Netzgewölbe (um 1500). Vierflügeliges Schloß mit runden Ecktürmen (1538–41). Rathaus (17./18. Jh.).

Schotel [sx'oːtəl], Johannes Christiaan, holländ. Maler, *Dordrecht 11. 11. 1787, †ebd. 21. 12. 1838, malte bewegte Seestücke mit größter Genauigkeit.

Schotenwerk, **1)** um 1620 aus Roll- und Schweifwerk entwickeltes Ornamentsystem in Form von schotenartig aufgeblasenem Blattwerk, in fast allen Kunstgattungen (Architektur, Bildhauerei, Kunsthandwerk, Graphik) verwendet. **2)** Ziermotiv im Kunsthandwerk des späten 18. und frühen 19. Jh., bes. an Möbeln und Silber.

Schott, Walter, Bildhauer, *Ilsenburg (am Harz) 18. 9. 1861, †Berlin Okt. 1938, Schüler von F. SCHAPER. Sein vom Neubarock geprägter Stil entsprach dem Geschmack WILHELMS II. Das HW von S. (›Kugelspielerin‹, 1898; eine Fassung in Berlin-West, Staatl. Museen) verbindet neubarocken Stil mit neuklassizist. Elementen in der Nachfolge A. v. HILDEBRANDS.

WW: Albrecht der Bär (1898; Berlin-West, Siegesallee, heute im Hof des ›Tegel-Centers‹).
Lit.: →Berliner Bildhauerschule.

Schotten, Stadt im Vogelsbergkreis, Hessen, 9700 Ew.; got. Stadtkirche (14. Jh.) mit großem, prunkvollem W-Bau; der gemalte Flügelaltar (um 1370/80) ist ein HW der Gotik in Hessen. Fachwerkrathaus (um 1520); got. Schloß (um 1400) mit Staffelgiebeln.

Schottenklöster, ungenaue Bez. für die von irischen Mönchen in Dtl. gegr. Benediktinerklöster des 11.–16. Jh. Den Namen ›Scoti‹ (daher S.) benutzte man urspr. für Iren wie für Schotten. Schott. Mönche ließen sich aber erst seit dem 16. Jh. vereinzelt in S. nieder. Irenkolonien mit Gasthäusern und Hospitälern als Aufenthaltsorte für Pilger nach Rom oder ins Hl. Land entstanden auf dem Festland schon seit dem 7. Jh. Zu einem Zentrum irischer Klostergründung wurde das S. in Regensburg (um 1090 gegr.), dessen benediktin. Filiationen im 12. Jh. ihren Niederschlag in den S. von Würzburg (um 1134), Erfurt (1136), Nürnberg (1146) u.a. fanden. Die Bauten der S. waren keinem einheitl.

Wörter, die man unter Sch vermißt, suche man unter Sh

Schema unterworfen, sondern paßten sich sowohl benediktin. wie regionalen Baugewohnheiten an.

W. ZAHN: S., die Bauten der irischen Benediktiner in Dtl. (1967).

Schraffieren, →Schattieren.

Schrägschnitt, eine Technik der islam. Kunst, Ornamentformen durch Kerbschnitt zu konturieren. Zuerst in den Stuckdekorationen von Samarra (9. Jh.) vorkommend, verbreitete sich der S. auch bei der Bearbeitung anderer Materialien (Holz, Glas, Bergkristall) in der ganzen abbassid. Reichskunst des 9.–11. Jh.

Schramm, Friedrich, Bildhauer, arbeitete um 1480–1515 in Ravensburg, ebd. nachweisbar als Meister des ehem. Hochaltars der Pfarrkirche (1480), zu dem vermutlich eine spätgot. Schutzmantelmadonna (Berlin-West, Staatl. Museen) gehört. Ihm werden auch Bildwerke in Kaufbeuren und Bad Wimpfen zugeschrieben. In seinem Stil sind Zusammenhänge mit der oberrhein. Plastik spürbar.

Schrank [mhd. ›Abgesperrtes‹], Kastenmöbel, dessen Front durch Türen, auch Schubläden gegliedert ist.

Geschichte. Der S. war zunächst v. a. Bestandteil der Kirchenausstattungen und diente der Aufbewahrung von Reliquien sowie der zum Gottesdienst benötigten Gewänder und Gerätschaften. Erhaltene S. stammen aus dem 13./14. Jh. Als bewegl. Möbel in Wohn- und Wirtschaftsräumen wurde der S. nicht vor dem 15. Jh. üblich. Im 16. Jh. lehnte sich die Fassade des süddt. S. an die Architektur an. In den Hansestädten entstand der Dielen-Schrank mit spitzovalen Aufdoppelungen und Schnitzwerk, eine Gattung, für die das Hamburger Schapp als exemplarisch gilt. Auch in anderen Städten entstanden eigene Prägungen wie der Frankfurter S. (→Möbel)

Schreib, Werner, Maler, Graphiker, *Berlin 16. 3. 1925, †(Autounfall) bei Lorsch 20. 9. 1969, stand dem Surrealismus, bes. MAX ERNST, nahe; seine Reliefbilder entstanden durch Eindrücken kleiner Industrieteile u. a. (›Siegel‹) in starkfarbige Kunstharzmasse (›Semantische Malerei‹).

K. HOFFMANN: Neue Ornamentik (1970).

Schreibtisch, Tisch mit Fächern zur Aufbewahrung von Schreibutensilien. Als Schreibmöbel dienten im MA. **Pulte,** später auf Beinen ruhende Kästen oder Schränke, häufig mit herabklappbarem Deckel als Schreibplatte. Diese Form wurde im 18. und 19. Jh. wieder aufgenommen im **Sekretär** oder **Schreibschrank** mit Kommodenuntersatz und schrankartigem Aufbau. In der 2. H. des 18. Jh. kam das **Zylinderbureau** mit einem Rollverschluß auf (später **Rollschrank** genannt, noch im Biedermeier gebräuchlich). Als S. mit flacher Platte und darunter befindl. Schubladen reicht der S. in das 17. Jh. zurück.

Schrein [von lat. scrinium], **1)** Behälter (z. B. Reliquien-S.), Schrank, auch der feststehende mittlere Teil eines Flügelaltars (→Schreinaltar).

2) in Japan Kultstätte des Shinto, japan. ›Miya‹, ›Jinja‹ oder ›Yashiro‹ gen., besteht i. d. R. aus einem hölzer-

Schrein 2): Inari-S. in Kioto

nen Doppelbau: dem nur Priestern zugängl. Allerheiligsten, Honden (Haupthalle) oder Shinden (Götterhalle) gen., das den Gegenstand der Verehrung enthält; ihm vorgelagert und meist mit einem Zwischengang verbunden eine große quadrat. Kulthalle (Haiden), in der die Opfer niedergelegt und Gebete verrichtet werden. Seitlich davor ein Brunnen zur rituellen Reinigung von Mund und Händen. In einem Park gelegen, der durch ein symbol. Tor aus Holzbalken (Torii) betreten wird, ist der S. ein einstöckiger Ständerbau (meist mit umlaufenden Galerien), der aus kult. Gründen alle 20 Jahre neu errichtet werden soll. Der älteste Baustil ist der **Taisha-zukuri,** z. B. des Izumo-S. (an der W-Küste der Hauptinsel Honshu), mit walzenförmigem Firstbalken auf dem Giebeldach und weit darüber hinausragenden, gekreuzten Endsparren. Ähnlich und nur wenig jünger ist der **Shinmei-zukuri** des großen Nationalheiligtums (Doppelschrein) in Ise (an der O-Küste von

Schrein 2): Anlage des Inneren S. von Ise; zu beiden Seiten der Haupthalle die Schatzhäuser, im Vordergrund die drei Torhäuser; Holzschnitt, 18. Jh.

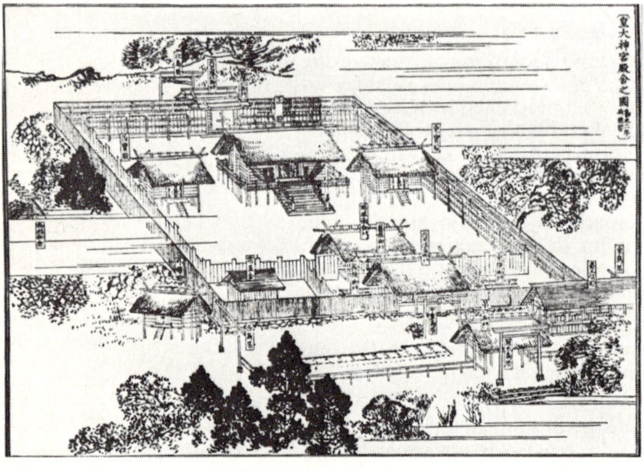

Wörter, die man unter Sch vermißt, suche man unter Sh

Honshu). Der Kasuga-S. in Nara zeigt den nach ihm benannten buddhist. Kasuga-Stil der Heian-Zeit mit gekrümmter Dachform, weißen Putzflächen und rot gestrichenem Holz. Der **Nagare-zukuri** hat vor der Längsseite der Haupthalle einen unsymmetr., überdachten Gebetsplatz und ist der erste S.-Typ mit Eingang von der Trauf- (nicht Giebel-) Seite. Ähnlich, aber mit symmetr. Dach und oft einem tieferliegenden Mittelraum ist der **Hachiman-zukuri** des 8. Jh., Stil des Hachiman-S. in Usa (Kyushu). Ende des 16. Jh. trat eine Verschmelzung mit buddhist. Baustil ein **(Gongen-zukuri).** Typisches Beispiel hierfür ist der Kitano-S. in Kioto. Erwähnenswert sind noch der Itsukushima-S. (auf Miyajima bei Hiroshima), dessen Torii bei Flut im Wasser steht, und der Yasukuni-S. (1866) in Tokio, heute Kriegergedenkstätte. Insgesamt zählt man in Japan weit über 100000 S.

Schrein|altar, Altarform der dt. Spätgotik. Das feststehende schrankartige Mittelstück **(Schrein)** war mit geschnitzten Figuren (Heiligen) gefüllt; es konnte durch Flügel geschlossen werden, die auf ihren Außenseiten gemalte, auf ihren Innenseiten geschnitzte oder gemalte Darstellungen trugen. (→Schnitzaltar)

Schreinmadonna, Darstellung der thronenden, seltener der stehenden Maria aus Holz, Elfenbein oder Alabaster als Andachtsfigur, die sich der Länge nach in Flügeln öffnen läßt. Auf den Flügelinnenseiten erscheinen zumeist gemalte Szenen aus dem Leben Christi. Zentrum der S. ist die schreinartige Vertiefung mit einer Reliefdarstellung, z.B. der Kreuzigung Christi (Madonna von Cheyres, Nürnberg, German. Nat.-Mus., um 1330–40). Beispiele haben sich vom Ende des 13. bis Anf. des 16. Jh. erhalten.

Schreiter, Johannes, Maler, Graphiker, *Buchholz (heute zu Annaberg-Buchholz) 8. 3. 1930, erfand 1958 die Bildtechnik der ›Brandcollage‹, in der abgebrannte Papierstücke sich zu einer nuancierten Komposition, meist um einen schwarzen Kern, seit 1965 auch auf farbigen Folienbahnen, ordnen; schuf auch sakrale und profane Glasfenster (BILD Glasmalerei).

J. S., Ausst.-Kat., Berlin-West (1980).

Schreyer, Adolf, Maler, *Frankfurt am Main 9. 7. 1828, †Kronberg im Taunus 29. 7. 1899, malte Pferde- und Reiterbilder, militär. Szenen aus der Walachei sowie Bilder aus Algerien und Kleinasien in einem malerisch gelösten, realist. Stil.

Lit.: →Kronberger Malerkolonie.

Schrezheim, Ort im Kr. Aalen, Bad.-Württ. 1752 bis 1865 bestand hier eine Fayencefabrik, die 1775–85 ihre Blütezeit hatte; um 1780 entstand ein kleiner Fayence-Altar für die Kapelle St. Antonius in S.

Schrift, →Bilderhandschriften, →Kalligraphie.

Schrimpf, Georg, Maler, *München 13. 2. 1889, †Berlin 19. 4. 1938, Autodidakt; Vertreter der Münchner ›klassizist.‹ Richtung der Neuen Sachlichkeit, mit Bezügen zur ital. Gruppe Valori Plastici. S. malte seit den 1920er Jahren weiträumig helle, auf Grundlinien

Schrotschnitt eines oberrhein. Meisters, Ende 15. Jh.: St. Bernardin von Siena

reduzierte Landschaften mit jungen Mädchen, Mütter mit ihren Kindern, Fensterdurchblicke: Idyllen zw. Zartheit und Monumentalität, die zunehmend zur dt. Romantik (C. D. FRIEDRICH) tendieren.

Schröder, Johann Heinrich, Maler, *Meiningen 28. 8. 1757, †ebd. 29. 1. 1812, Schüler von J. H. TISCHBEIN, malte als brandenburg., später bad. Hofmaler v. a. Porträts.

Schröder-Sonnenstern, Friedrich, Maler, *Kaukehmen (Ostpreußen) 11. 9. 1892, †Berlin 10. 5. 1982. Seine zur Naiven Malerei zählenden Werke sind von erot. Zwangsvorstellungen märchenhaft durchdrungen und stellen surrealist. Vorstellungsbereiche dar; sie stehen an der Grenze zur psychopatholog. Kunst.

A. BADER: Geisteskranker oder Künstler? Der Fall F. S.-S. (1972).

Schroedter, Adolf, Maler, *Schwedt/Oder 28. 6. 1805, †Karlsruhe 9. 12. 1875, Schüler von W. v. SCHADOW in Düsseldorf, 1859–72 Prof. an der TH Karlsruhe, schuf biedermeierlich-humorist. Genrebilder (bes. zu Don Quijote und Falstaff), Zeichnungs- und Aquarellfolgen sowie Buchillustrationen und polit. Karikaturen. Aufsehen erregte zu seiner Zeit sein parodist. Gemälde ›Die trauernden Lohgerber‹ (1832; Frankfurt a. M., Städelsches Kunstinstitut), mit dem er die Sentimentalität der spätromantischen Historienmalerei verspottete.

Lit.: →Düsseldorfer Schule.

Schrotschnitt, Abart des →Metallschnitts. Die Darstellung wurde in Form punktgroßer Löcher mit Punzenstiften in die weiche Metallplatte (Messing, später Kupfer) eingeschlagen. Nach dem Einfärben erschienen wie beim Holzschnitt die vertieften Stellen weiß, die unbearbeitete Platte druckte schwarz. Der S. kam um die Mitte des 15. Jh. meist als Einblattdruck auf und hatte nur eine kurze Blütezeit; **Schrotblätter** oder **Schrotschnitte** entstanden nach 1480 kaum mehr.

Schtschedrin, Ščedrin, 1) Feodossij Fjodorowitsch, russ. Bildhauer, Bruder von 2) und Vater von 3), *St. Petersburg 1751, †ebd. 31.1. 1825, ausgebildet bei N. F. GILLET, Aufenthalte in Florenz, Rom und Paris; schuf klassizist. Monumentalplastiken (zus. mit den Architekten T. DE THOMON, A. WORONICHIN und A. SACHAROW).

2) Semjon Fjodorowitsch, russ. Landschaftsmaler, Bruder von 1), *St. Petersburg 17. 4. 1745, †ebd. 13. 9. 1804, war nach Aufenthalten in Paris und Italien seit 1776 als Hofmaler in St. Petersburg tätig; malte Ideallandschaften, auch idealisierte Darstellungen des russ. Dorfes; schuf Panneaus mit Landschaften in Peterhof, Pawlowsk und Gattschina sowie im Michaelspalais in St. Petersburg. S. signierte auch mit ›Chedrin‹ und ›Schedrin‹.

3) Silwestr Feodossijewitsch, russ. Landschaftsmaler, Sohn von 1), *St. Petersburg 13. 2. 1791, †Sorrent 8. 11. 1830, lebte seit 1818 in Italien, Vertreter der romant. Landschaftsmalerei. Seine besten Leistungen auf diesem Gebiet erreichte er in den Bilderfolgen ›Häfen in

Sorrent‹ und ›Terrassen in Sorrent‹ (1825–28), die sich durch emotionelles Empfinden der Natur auszeichnen.

Schtschussew, Ščusev, Aleksej Wiktorowitsch, russ. Architekt, *Kischinjow 8. 10. 1873, †Moskau 24. 5. 1949, entwickelte nach historisierenden Anfängen (Kasaner Bahnhof, Moskau, 1914 beg.) einen strengen Monumentalstil (Lenin-Mausoleum, ebd., 1924 in Holz, 1930 in Stein). In den nichtruss. Teilen der UdSSR verschmolz er diesen Stil mit einheim. Traditionen (Filiale des Inst. für Marxismus-Leninismus, Tiflis, 1938; Oper, Taschkent, 1938–47). Als Städtebauer entwarf S. Pläne für den Ausbau Moskaus und den Neuaufbau zerstörter Städte nach dem 2. Weltkrieg (Nowgorod, Istra).

Schubin, Šubin, Fedot Iwanowitsch, russ. Bildhauer, *Tjutschkowskaja (Gebiet Archangelsk) 28. 5. 1740, †St. Petersburg 24. 5. 1805, seit 1773 in St. Petersburg tätig, schuf im Geist der Aufklärung lebensvolle und psychologisch eindringl. Porträtbüsten.

Schuch, Carl, österr. Maler, *Wien 30. 9. 1846, †ebd. 13. 9. 1903, gehörte in München seit 1871 zum Leibl-Kreis, lebte 1876–82 in Venedig, 1883–94 in Paris. S. malte Stilleben, Interieurs, auch Landschaften und einige Porträts. Anfangs Spätromantiker, entwikkelte er, von W. LEIBL und W. TRÜBNER angeregt, eine breitflächige Malweise mit subtil abgestimmten Tonwerten. Sein Spätwerk zeigt, unter dem Eindruck des frz. Impressionismus, reine Malerei, oft an der Grenze zur Abstraktion.

HW: Straße in Olevano (1875; Hannover, Niedersächs. Landesmus.); Karl Hagemeister (1876; ebd.); Stilleben mit Äpfeln, Weinglas und Zinnkrug (um 1876; München, Neue Pinakothek); Stilleben (1877; Hannover, Niedersächs. Landesmus.); Häuser in Ferch (1881; Berlin-West, Staatl. Museen); Päonien (um 1885; München, Neue Pinakothek); Stilleben mit Spargeln (um 1885/90; ebd.).

Schüchlin, Hans, Maler, *etwa 1430, †Ulm 1505, ebd. nachweisbar seit 1468. Von den urkundlich gesicherten Werken ist nur der Hochaltar der Kirche in Tiefenbronn erhalten (1469), dessen niederländisch beeinflußter Stil einen fränk. Einschlag (M. WOLGEMUT) erkennen läßt.

Schule der Neuen Prächtigkeit, →Neue Prächtigkeit.

Schulpforta, Stadtteil von Bad Kösen, Bez. Halle, Dt. Dem. Rep., mit ehem. Zisterzienserkloster; die Kirche, im Kern romanisch (Mitte 12. Jh.), wurde im 14. Jh. gotisch umgebaut, eigenartig die W-Fassade mit Maßwerkfenster und darüber Nische mit Kreuzigungsgruppe. Klostergebäude (im Kern 12. Jh.) zum großen Teil erh.; ma. Abtskapelle (1230/40) mit reichen spätroman. Schmuckformen. Fürstenhaus (1574/75).

Schult, HA (eigtl. Hans-Jürgen), Aktions- und Objektkünstler, *Parchim (Mecklenburg) 24. 6. 1939, trat mit Environments hervor, die biolog. Prozesse sichtbar machen (›Biokinetik‹ an Bakterienkulturen u. a.), außerdem Aktionen, die sich kritisch mit der Konsumwelt und Umweltzerstörung auseinandersetzen.

S. Jetzt! Zeit!, Ausst.-Kat., Köln (1980).

Schultz, Daniel d. J., Maler, *Danzig um 1615, begraben ebd. 22. 10. 1683, wirkte nach Aufenthalt in den Niederlanden (1646–49) ebd. als Porträtmaler. Seine ›Familie des tartar. Kaufmanns‹ (1664; Leningrad, Eremitage) gilt als ein HW der dt. Barockmalerei.

Schultze, Bernard, Maler, Graphiker, Objektkünstler, *Schneidemühl (Westpreußen) 31. 5. 1915. Ausgehend vom Surrealismus gelangte er als Mitgl. der Gruppe »Quadriga« (gegr. 1952 in Frankfurt a. M.) zu einer eigenständigen Variante des Tachismus, in die immer wieder figurative, v. a. vegetative Anspielungen Eingang finden. Um 1960 erste freiplast. wurzelartig wuchernde Gebilde (»Migofs«); in den 1970er Jahren virtuose Grisaillen.

Schultze-Naumburg, Paul, Architekt, Schriftst., *Almrich a. d. Saale 10. 6. 1869, †Jena 19. 5. 1949, 1907 Mitgründer des ›Dt. Werkbundes‹, seit 1930 Direktor der Weimarer Kunsthochschule; gründete in Saaleck Kunstwerkstätten. In neuklassizist. Stil baute S.-N. Landschlösser (Cecilienhof bei Potsdam u. a.), öffentl. und private Gebäude, auch Fabrikanlagen.

Schulz, Josef, tschech. Architekt, *Prag 11. 4. 1840, †ebd. 15. 7. 1917, seit 1878 Prof. am Technikum in Prag, schuf ebd. mit J. Zitek das Rudolfinum (voll. 1884), ferner das Nat.-Mus. nach dem Vorbild des Pariser Louvre (1884). Sein Stil verbindet Elemente der Neurenaissance und des Neubarock mit der einheim. Bautradition.

Schulze, Wolfgang, Maler, →Wols.

Schumacher, 1) Emil, Maler, *Hagen (Westfalen) 29. 8. 1912, kam Mitte der 1950er Jahre, von Wols ausgehend, zu einer ans Materialbild angenäherten Sonderform des Informel mit pastos angelagertem Farbrelief und rissigen Pinselspuren, in denen der Malprozeß wie verzögert, geronnen, gestört erscheint. Der düstere Klang dieser Bilder mit braunen oder schwarzen Zeichen hellt sich in den Montagen und Gouachen der 1970er Jahre auf.

W. Schmalenbach: E. S. (1981).

2) Fritz, Architekt, *Bremen 4. 11. 1869, †Lüneburg 5. 11. 1947, war seit 1909 Baudirektor in Hamburg, wo er an die dortige Bautradition anknüpfte (Backsteinbau); bed. Generalbebauungspläne für Hamburg und Köln (Umgestaltung des Festungsgürtels 1920–23).

WW: Krematorium in Dresden (1908); in Hamburg: Kunstgewerbeschule, Tropeninstitut, Technikum, Johanneum, Mus. für Hamburgische Gesch. u. a.
Schrift: Der Geist der Baukunst (1938).

Schumen, Šumen [ʃ-], Stadt in NO-Bulgarien, 90600 Ew., im 10. Jh. unter Zar Simeon bed., wurde Festung z. Z. der ottoman. Herrschaft. Die Tombul Dschamija aus dem 16. Jh. gilt als die schönste Moschee Bulgariens. – In der Umgebung die Ruinen altbulgar. Hauptstädte; →Preslaw, →Pliskau.

Schupp, Fritz, Architekt, *Uerdingen (heute zu Krefeld) 22. 12. 1896, †Essen-Rüttenscheid 1. 8. 1974, baute, teilweise mit M. Kremmer, v. a. Industriebauten im Ruhrgebiet, die eine strukturelle Disziplin mit den funktionellen Notwendigkeiten vereinigen.

Schuruppak, alte Stadt in Mesopotamien, →Fara.

Schuschtar, Ort in der Prov. Chusistan, S-Iran, etwa 30000 Ew. SCHAHPUR I. (241–272) ließ hier 260 durch röm. Gefangene den ›Brückendamm des Valerian‹ errichten (urspr. 550 m lang, noch 35 Bogen erh.). Die 866 gegr. Freitagsmoschee wurde erst zw. 1118 und 1135 fertiggestellt. Das Flachdach des Betsaals ist von massiven Säulen gestützt, parallel zur Kiblawand sind 8 Nischen mit Holzsäulen erh. Aus dem 13. oder 14. Jh. stammen die Ziegelmauer der N-Seite und das Minarett aus türkisfarbenen glasierten Ziegeln.

Schussenried, Bad S., Stadt an der Oberschwäb. Barockstraße, Bad.-Württ., 7600 Ew. Die roman. Kirche (Chor 1493/94) des ehem. Prämonstratenserklosters (1183 gegr.) wurde 1744–46 durch den Maler JOHANN ZICK barockisiert; vorzügl. Chorgestühl (1715 bis 1718). In der barocken, 1748 von D. ZIMMERMANN entworfenen Klosteranlage üppig dekorierter Rokoko-Bibl.-Saal (1754–61).

Schuster, Franz, Architekt, *Wien 26. 12. 1892, †ebd. 23. 7. 1972, bemühte sich um Klärung der sozialen, kulturellen und gestalter. Probleme des Wohnens, der Stadt- und Landesplanung, bes. hinsichtlich der Kleinwohnung. Er baute Siedlungen, Wohnhäuser, Schulen, Kindergärten, Altersheime und entwarf die ersten Aufbaumöbel.

Schut [sxyt], Cornelis, fläm. Maler, Radierer, getauft Antwerpen 13. 5. 1597, †ebd. 29. 4. 1655, schuf, von P. P. RUBENS ausgehend, bes. großfigurige Altarbilder (in belg. und Kölner Kirchen). Madonnen und Kinderszenen im Zentrum der Blumenstilleben von D. SEGHERS stammen häufig von seiner Hand.

HW: Himmelfahrt Marias in der Kuppel der Antwerpener Kathedrale (1647).

Schüttenhofen, tschech. **Sušice** [s'uʃitsɛ], Stadt im Westböhm. Gebiet, südlich von Pilsen, ČSSR; früher bed. Goldvorkommen; Stadtmauer und Basteien aus dem 14. Jh. Die ehem. Dekanei (heute Mus.) aus dem 15. Jh. wurde im Renaissance-Stil und später umgebaut. Wenzelskirche (14. Jh.; Anf. 18. Jh. nach Brand im Barockstil umgebaut).

Schüttgelb, Stil de grain [stil dəgr'ɛ̃, frz.], Maltechnik: hellgelber bis bräunl. Farblack aus Kreuzbeeren oder Gelbhölzern.

Schütz, Christian Georg d. Ä., Maler, getauft Flörsheim 27. 9. 1718, †Frankfurt a. M. 3. 11. 1791, malte dekorative Fresken (Frankfurt a. M., Goethehaus, und Amalienthal bei Kassel), später Landschaften, oft mit Figuren von C. J. MORGENSTERN oder JANUARIUS ZICK. Mit J. C. SEEKATZ, J. G. TRAUTMANN u. a. schuf er in Frankfurt die Monatsbilder für das Palais von Goethes Königsleutnant THORANC in Grasse.

Schützenstück, →Gruppenbild.

Schutzmantelbild, Schutzmantelmadonna, die

Schutzmantelbild: Schutzmantelmadonna aus Ravensburg; um 1480 (Berlin-West, Staatl. Museen)

Darstellung Mariens in einem von ihr selbst (dann ohne Kind) oder von Engeln ausgebreiteten Mantel, der die Gläubigen schützend umfängt. Die S. kamen im 13. Jh. auf und wurden im Spät-MA. bes. durch Zisterzienser und Dominikaner verbreitet. Als Andachtsbild sind sie v. a. als Skulpturen (als freistehende Statuen oder im Halbrelief) gestaltet; sie finden sich auch in Altarschreinen (SIXT VON STAUFEN, 1521–24; Freiburg i. Br., Münster) und auf Epitaphien. Andererseits werden sie zum Motiv von Tafelbildern (H. HOLBEIN D. J., Madonna des Basler Bürgermeisters N. Meyer, um 1529; Darmstadt, Schloß), von Holzschnitten und Kupferstichen. Zum russ. Typus des S. →Pokrow.

CHRISTA BELTING-IHM: Sub matris tutela. Untersuchungen zur Vorgeschichte der Schutzmantelmadonna (1976).

Schwabach, Stadt in Mittelfranken, Bayern, 34700 Ew.; spätgot. Pfarrkirche (1469–95 als Rundpfeiler-Stufenhalle erbaut) mit bed. Ausstattung durch Nürnberger Künstler, bes. der Hochaltar (1506–08 unter Beteiligung von M. WOLGEMUT); Sakramentshaus (1505), in der Nachfolge desjenigen in St. Lorenz, Nürnberg. Fachwerkrathaus (1509).

Schwäbisch Gmünd, Stadt an der Rems, Bad.-Württ., 56700 Ew., ehem. Reichsstadt. Das spätgot. Heiligkreuzmünster (um 1320 beg.) gilt als älteste (Rundpfeiler-)Hallenkirche in Süd-Dtl.; der 1351 beg. Hallenchor mit Umgangskapellen ist das schwäb. HW der Familie →Parler und Ausgangspunkt der Parlerschule; figurierte Gewölbe (1490–1521), reiche Portalplastik. Die spätroman. Johanneskirche (um 1210–30) ist eine flachgedeckte Pfeilerbasilika mit plast. Schmuck in ungewöhnl. Fülle, bes. am Außenbau; frei stehender Glockenturm (um 1250). Das ehem. Dominikanerkloster (1284 gegr.) nach Plänen von D. ZIMMERMANN (1724/25) wurde 1969–73 zum Kulturzentrum (›Prediger‹) ausgebaut; darin u. a. Städt. Mus. mit Teilen des Münsterschatzes. Ebenfalls von Zimmermann stammt der Hochaltar (1751) in der ehem. Franziskanerkirche (13. Jh., im 18. Jh. barockisiert). Aufwendig barockisierte ehem. Augustinerkirche (1756–58). Bürgerhäuser am Marktplatz überwiegend Barock und Rokoko; mehrere stattl. Fachwerkhäuser.

Schwäbisch Hall, Stadt im Kochertal, Bad.-Württ., 31300 Ew., ehem. Reichsstadt. Die Michaelskirche ist eine spätgot. Hallenkirche (Langhaus 1427–56, Umgangschor in der Nachfolge von Schwäbisch Gmünd 1494–1527) mit roman. W-Turm; über dem niederländ. geschnitzten Hochaltar (um 1470) ein Kruzifix von M. ERHART (1494). Mittelpunkt der Stadt ist der Alte Markt mit dem repräsentativen, einem Adelspalais ähnl. Rokoko-Rathaus (1732–35), einem HW seiner Zeit, und dem figurenreichen Fischbrunnen (1509). Vom Markt zur Kirche führt eine monumentale Freitreppe (1507). Die meisten Bürgerhäuser entstanden nach dem Stadtbrand von 1728; der ›Neue Bau‹ (›Großes Büchsenhaus‹) von 1505–33 noch in spätgot. Formen. Links des Kochers der Stadtteil St. Katharina mit ma. Kirche (13./14. Jh.; bemerkenswerter Hochaltar um 1450), maler. Brücken und Fachwerkhäusern. Die Keckenburg ist das besterhaltene der ma. Turmhäuser (Mus.). Von der Befestigung stattl. Reste erh. Bei S. H. liegt →Komburg.

Schwaigern, Stadt im Kr. Heilbronn, Bad.-Württ. Die spätgot. Stadtkirche (1514–19), deren nördl. Seitenschiff das Langhaus des roman. Vorgängerbaus (Ende 12. Jh.) ist, hat eine bed. Ausstattung (u. a. 3 Sakramentshäuschen, 4 spätgot. Flügelaltäre).

Schwanthaler, Bildhauerfamilie in OÖ (Ried im Innkreis und Umgebung, Gmunden) und Bayern (v. a. München).

Die Bildhauerfamilie S. 1633–1848. Vom Barock zum Klassizismus, Ausst.-Kat., Stift Reichersberg am Inn (1974).

1) Franz Jakob, Urenkel von 3), Vater von 2), *Ried 2. 8. 1760, †München 4. 12. 1820, gebildet in Salzburg (1780), München (Mitarbeit an den Dekorationen des Hofbibliothekssaales) und Augsburg. 1785 begründete S. mit seinem Bruder Anton in München ein Atelier (Grabmäler, Bauplastik v. a. für die Münchner Residenz, Hofgartenzimmer; Modelle für die Porzellanmanufaktur Nymphenburg). Sein Stil steht zw. Rokoko und Frühklassizismus.

HW: Rumford-Denkmal (um 1795; München, Engl. Garten); Figur eines Genius (1803; München, Eingang zum Engl. Garten).

2) Ludwig Michael von (seit 1844), Sohn von 1), *München 26. 8. 1802, †ebd. 14. 11. 1848, übernahm nach Studien an der Akad. ebd. 1820 das Atelier seines Vaters und wurde Hofbildhauer (Ausgestaltung der Glyptothek); 1826 bei B. THORVALDSEN in Rom. Über München hinaus (Bauplastik für die Residenz, die Ludwigskirche, die Alte Pinakothek u. a.) erreichten ihn nun Aufträge aus Dtl. und dem Ausland. 1835 wurde S. Prof. an der Münchner Akad., unterzeichnete 1837 den Vertrag für die →Bavaria und übernahm u. a. Aufträge für Bauplastik am Kölner Dom (in neugot. Stil). – Sein eigtl. romant. Stil, der sich vom Klassizismus Thorvaldsens entfernte, wird in der Nymphe im Schloß zu Anif bei Salzburg (1841/46–48) deutlich (Kopie 1852; München, Hofgarten).

HW: Giebelfiguren für die Walhalla bei Regensburg (1832–41). – Denkmäler für W. A. Mozart (1842; Salzburg) und J. W. v. Goethe (1844; Frankfurt a. M.).

3) Thomas, Urgroßvater von 1), *Ried 5. 6. 1634, †ebd. 13. 2. 1707, schuf farbig gefaßte Holzfiguren und Altäre (u. a. für St. Wolfgang im Salzkammergut, Maria Plain, Gmunden) in barockem Stil, aus dem z. T. noch die spätgot. Tradition spricht.

Schwartze, Johann Georg, holländ. Maler, *Amsterdam 20. 10. 1814, †ebd. 28. 8. 1874, Schüler von W. SCHADOW und C. F. SOHN in Düsseldorf, malte stimmungsvolle Genrebilder und Porträts. Seine Tochter Therese (*Amsterdam 20. 12. 1851, †ebd. 23. 12. 1918), Schülerin F. v. LENBACHS, war Porträtmalerin.

Schwarz, 1) Christoph, Maler, *München um 1548, †ebd. 15. 4. 1592 als herzogl. Hofmaler (seit 1574), Schüler von M. BOCKSBERGER, aber nicht nur der heim. Tradition (Donauschule) verbunden: In seinen

Hans Schwarz: Der Tod und das Mädchen; Buchsbaum (Berlin-West, Staatl. Museen)

Altarbildern und Fresken wird der Einfluß der venezian. Malerei (TIZIAN, TINTORETTO, P. VERONESE) spürbar, die S. nach S-Dtl. vermittelte. Seine Kunst bereitete damit den Frühbarock vor. – Die Fassadenmalereien von S. in München, Landshut und Augsburg sind fast alle zerstört.

HW: Marienaltar (1580–81; Nürnberg, German. Nat.-Mus.); Grablegung, Maria in der Glorie (Wien, Kunsthistor. Mus.). – Zeichnungen.

2) Hans, Medailleur, Bildschnitzer, *Augsburg um 1492, arbeitete v. a. in Nürnberg, dann vielfach im Ausland, schuf im Stil der Frührenaissance v. a. Modelle in Buchsbaumholz für Porträtmedaillen bekannter Persönlichkeiten seiner Zeit (A. Dürer, Kaiser Maximilian I., K. Peutinger, Kardinal Albrecht von Brandenburg u. a.); insgesamt sind über 150 bekannt (auch viele Vorzeichnungen erh.).

3) Rudolf, Architekt, *Straßburg 15. 5. 1897, †Köln 3. 4. 1961, Meister des neuen kath. Kirchenbaus; Planer für den Wiederaufbau von Köln nach 1945.

HW: St. Anna, Düren (1956); St. Michael, Frankfurt a. M.; Liebfrauenkirche, Köln-Mülheim; Maria Königin, Frechen; St. Josef, Köln-Braunsfeld; Aufbau des Gürzenich in Köln (mit K. BRAND); Wallraf-Richartz-Mus. in Köln (mit J. BERNARD).

R. S., hg. v. M. SONDERMANN (1981).

4) Švarc, Wjatscheslaw Grigorjewitsch, russ. Historienmaler, Graphiker, *Kursk 4. 10. 1838, †ebd. 10. 4. 1869. Zunächst beeinflußt von den Werken W. KAULBACHS, E. MEISSONNIERS und der Schule von Barbizon, überwand S. die akademisch-romant. Historienmalerei und schuf Bilder histor. Ereignisse, die sich durch Streben nach histor. und psycholog. Wahrheit auszeichnen. Sein Werk beeinflußte I. REPIN, W. SURIKOW und A. WASNEZOW.

Schwarzach, Teil der Gem. Rheinmünster, Kr. Rastatt, Bad.-Württ. Die roman. Kirche (wohl 1224 beg.) des ehem. Benediktinerklosters (um 727 gegr.) ist eine flachgedeckte Säulenbasilika mit gewölbtem Chor und 5 Apsiden; Barockausstattung (Hochaltar 1752, Silbermann-Orgel 1755).

Schwarzen|acker, Teil der Stadt Homburg, Saarland; Fundstätte einer Römerstadt des 2. und 3. Jh.

(Ausgrabung seit 1954); 2 Häuser wurden auf den Grundmauern restauriert; Freilicht-Mus.

Schwarzenberg (Erzgebirge), Stadt südlich von Karl-Marx-Stadt, Dt. Dem. Rep., 17300 Ew.; barocke flachgedeckte Stadtkirche (1690–99) mit einheitl. Barockausstattung; spätgot. Schloß (1433), 1555–58 zum kurfürstl. Jagdschloß umgebaut.

schwarzfigurige Vasen, antike grch. →Vasen des 7. und 6. Jh. v. Chr., benannt nach der Art ihrer Bemalung: Figuren und Ornamente wurden in dunklem Tonschlicker, der nach dem Brand schwarz erschien, auf das Gefäß gemalt.

Schwarzlot, Schmelzfarbe für die →Glasmalerei.

Schwarzrheindorf, Stadtteil von Bonn, NRW; roman. Doppelkapelle mit Vierungsturm (1151 gew.), urspr. Hauskapelle des Kölner Erzbischofs Arnold von Wied, 1173 als Kirche eines Benediktinerinnenklosters erweitert; hervorragende Wand- und Gewölbemalereien sowie vorzügliche Kapitellplastik, v.a. an der Zwerg-Galerie.

Schwaz, Stadt am unteren Inn, Tirol, Österreich, 11400 Ew. Die spätgot. Stadtpfarrkirche (1460–78) wurde 1490–1502 nach Plänen von E. GRASSER zur vierschiffigen, zweichörigen Hallenkirche umgebaut, der viergeschossige N-Turm 1509–13 errichtet. Nördlich neben der Pfarrkirche spätgot. Totenkapelle, eine Doppelkapelle mit Treppenaufgang über Arkaden zur Oberkapelle, am Geländer Kröten und Schlangen. Die spätgot. Franziskanerkirche (1507–10), eine dreischiffige Hallenkirche, wurde 1735/36 barockisiert; südlich anschließend die gleichzeitig entstandenen Klostergebäude; im Kreuzgang reiche spätgot. Fresken. Nur wenige Profanbauten haben den Brand von 1809 überstanden, so das Fuggerwohnhaus (1520/25). Über S. Burg Freundsberg mit roman. Bergfried und got. Kapelle (1477, 1634–37 umgebaut).

Schwechten, Franz, Architekt, *Köln 12. 8. 1841, †Berlin 11. 8. 1924, Mitarbeiter v.a. von W. GROPIUS, mit seinem HW in Berlin (Anhalter Bahnhof, 1875–80; Kaiser-Wilhelm-Gedächtniskirche, 1891–95, beide im 2. Weltkrieg zerstört, Ruine des Westturms der Kirche im heutigen Bau) dem Historismus verpflichtet. Von S. stammt auch die Hohenzollernbrücke in Köln (1907 bis 1911).

Schweidnitz, poln. **Świdnica** [sjfidn'itsa], Stadt in der poln. Wwschaft Wałbrzych (Waldenburg in Schlesien), an der Weistritz, 55000 Ew. Im MA. zweitwichtigste Stadt Schlesiens (nach Breslau), zeitweilig Residenz der Piasten, im Dreißigjährigen Krieg zerstört. – Got. Pfarrkirche (Turm 103 m hoch), 1325–1488 als Basilika gebaut, im 16. Jh. umgebaut, innen 1690–1735 barockisiert (Flügelaltar von 1492). Auf dem alten Friedhof evang. Friedenskirche (1656), ein Fachwerkbau mit Fresken und Stuckarbeiten (17./18. Jh.). Außerdem hat S. weitere barocke und klassizist. Kirchen. Das ehem. Kauf- und Rathaus (16. Jh.) wurde durch Brände vernichtet, an dessen Stelle entstand 1717–26 ein neues (einige ältere Elemente erh.). Am Marktplatz Häuser aus dem 16.–17. Jh.

Schweifwerk, Keulenschwung, Ornamentform (Ende 16. Jh.), die das Rollwerk ablöste, Beschlagwerk und Knorpelwerk kombinierte und keulenförmige Einzelformen entwickelte. Durch Hinzufügung von Masken, Fruchtgebinden und Grotesken entstand die **Schweifgroteske.**

Schweigger, Georg, Bildhauer, Bronzegießer, *Nürnberg 6. 4. 1613, †ebd. 13. 6. 1690, arbeitete v. a. Porträtmedaillen in Bronze sowie in Stein geschnittene Kleinreliefs. Sein HW ist der von seinem Lehrer C. RITTER entworfene Neptunbrunnen, den er mit diesem für den Marktplatz in Nürnberg 1660–68 ausführte (Original nie aufgestellt, seit 1797 in Peterhof – heute Petrodworez – bei Leningrad, Kopie seit 1902 in Nürnberg). Sein Stil zeigt die Wendung vom Spätmanierismus zum Barock.

Schweinfurt, Stadt am Main, Unterfranken, Bayern, 53 000 Ew. Renaissancerathaus (1570–72) mit reich gegliederter Schauseite; ebenfalls Renaissancebauten sind Zeughaus (1590) und Altes Gymnasium (1581/82, darin das Städt. Mus.). Die Johanniskirche (13.–15. Jh.) vereint Spätromanik und Gotik; vorzügl. klassizist. Stuckmarmorhochaltar (1783).

Schweinfurter Grün, Französisch Grün, Emeraldgrün, Maltechnik: sehr schöne, aber äußerst giftige Kupferfarbe, seit 1814 hergestellt, war als Künstlerfarbe sehr beliebt, heute nur unter strengen Einschränkungen zugelassen.

Schweinhaus, poln. **Świny** [sjf'ini], Dorf in Schlesien, am N-Rand der Sudeten, rd. 300 Ew.; oberhalb auf einem Felsen Ruine der Burg des Geschlechts von Schweinichen. Die Oberburg mit dem ältesten Teil, dem Wohnturm aus dem 14. Jh., wurde im 16. Jh. im Renaissance-Stil umgebaut; 1620–30 folgten der Umbau in eine Festungsanlage und der Bau des Unterschlosses.

Schweißtuch der Hl. Veronika, →Veronika.

Schweizer, Otto Ernst, Architekt, *Schramberg 27. 4. 1890, †Baden-Baden 14. 11. 1965, war 1930–60 Prof. an der TH Karlsruhe, schuf mit dem Stadion in Wien (1930–32) wesentl. Grundlagen für den modernen Stadionhochbau; viele städtebaul. Aufgaben.

Schweizerscheiben, →Glasmalerei.

Schwerin, Bezirkshauptstadt in der Dt. Dem. Rep., am Schweriner See, 116 000 Ew., Ende 15. Jh. bis Mitte 18. Jh. und seit 1837 Residenz der Herzöge (Großherzöge) von Mecklenburg(-S.). Am Markt liegen der hochgot. Dom (um 1270–1416, W-Turm 1890) mit Chorumgang und Kapellenkranz, spätgot. Flügelaltar aus Lübecker Werkstatt (um 1440); das Neue Gebäude, eine klassizist. Kaufhalle (1783–85); Altstädt. Rathaus, urspr. 4 Fachwerkhäuser (17. Jh.), 1835 mit neugot. Fassade versehen. Vom Markt nach S die klassizist. kath. Kirche (1792), nach N die barocke Schelfkirche

(1708–11) und das Neustädt. Rathaus (Mitte 18. Jh.). Auf einer Insel das Schloß, unter Verwendung von Teilen des 16. Jh. 1843–57 in Neurenaissanceformen von G. SEMPER, A. STÜLER u. a. erbaut; Schloßkirche (1560 bis 1563). Staatl. Mus. mit Kunstsamml. (u. a. große graph. Samml.).

Schwerspat, Maltechnik: in wäßrigen Techniken sehr gutes Weißpigment aus gemahlenem Baryt, außerdem Substrat für die Verlackung und als Verschnittmittel gebraucht.

Schwerte, Stadt im nördl. Sauerland, NRW, 49 300 Ew.; in der got. Viktorskirche (14. Jh., Chor 1508 beg.) ein großartiger Antwerpener Schnitzaltar von 1523 und Wandmalereien der Kölner Schule (um 1320). Altes Rathaus mit Laubenhalle (1547, Mus.).

Schwetzingen, Stadt im Rhein-Neckar-Kr., Bad.-Württ., 18 100 Ew.; einstige Sommerresidenz der pfälz. Kurfürsten. Das Barockschloß ist eine Dreiflügelanlage mit Ecktürmen (16.–18. Jh.). Der 1748–1804 angelegte Schloßgarten gehört zu den bedeutendsten Parkanlagen Europas. Seine Bauwerke schuf bis auf die beiden Zirkelhäuser (1748–54) N. DE PIGAGE: Rokokotheater (1752/62), Apollotempel mit Naturtheater (1761), Minervatempel (1766–73), Badhaus mit reicher frühklassizist. Ausstattung (1766), Vogelhaus (1776), Tempel der Botanik (1778), Moschee (1775–85), Merkurtempel (1784–87), Aquädukt (1776–79); Parkfiguren von G. GRUPELLO, P. A. VON VERSCHAFFELT, P. EGELL u. a.

Schwibbogen, Schwebebogen, Baukunst: frei gespannter Bogen, z. B. in engen ma. Gassen und zw. Kirchenbauten und nahestehenden Häusern zur Übertragung des Horizontalschubs.

Schwiebus, poln. **Świebodzin** [sjfjɛb'ɔdzjin], Stadt in der poln. Wwschaft Zielona Góra (Grünberg in Schles.), 17 000 Ew., mit z. T. erh. Wehrmauern aus dem 14.–15. Jh.; spätgot. Pfarrkirche aus dem 15. Jh. (im 17. Jh. umgebaut) mit neugot. Fassade (1857). Rathaus urspr. gotisch, im 16. und 19. Jh. umgebaut.

Schwind, Moritz von, Maler, Zeichner, *Wien 21. 1. 1804, †Niederpöcking (heute zu Pöcking, Oberbayern) 8. 2. 1871, Schüler von L. F. SCHNORR V. CAROLSFELD und P. KRAFFT, begann mit Zeichnungsfolgen und Illustrationen und wandte sich in München (seit 1825) unter dem Einfluß von P. v. CORNELIUS der Wandmalerei zu (Münchner Residenz, 1833/34), der er sich auch später v. a. widmete (Kunsthalle in Karlsruhe, 1839 bis 1844; Wartburg, 1854–56; Hofoper in Wien, 1866/67). Gleichzeitig entstanden viele Gemälde, Zeichnungen für die ›Fliegenden Blätter‹, den ›Münchner Bilderbogen‹ u. a. Seit den 1830er Jahren entwickelte S. eine zykl. Kompositionsweise, bei der die Hauptszenen durch bereichernde oder erklärende Neben- und Rahmenbilder begleitet werden. – In seiner illustrativen, poetisch-gemütvollen Kunst von feinem Humor ist S. ein Hauptmeister der dt. Spätromantik.

WW: zykl. Kompositionen: Eine Symphonie (1852; München, Neue Pinakothek); Aschenbrödel (1852/54; Privatbesitz); Die 7 Raben (Aquarell, 1857–58; Weimar, Staatl. Kunstsammlungen); Die schöne Melusine (Aquarell, 1869–70; Wien, Gal. des 19. Jh.). – Einzelbilder: Der Ritt des Falkensteiners (1843/44; Leipzig, Mus. der bildenden Künste); Der Sängerkrieg auf der Wartburg (1844–46; Frankfurt a. M., Städelsches Kunstinstitut); Die Morgenstunde (1858; München, Schackgal.); Rübezahl (um 1860; ebd.); Hochzeitsreise (1867; ebd.).

G. POMMERANZ-LIEDTKE: M. v. S., Maler und Poet (1974).

Schwippert, Hans, Architekt, *Remscheid 25. 6. 1899, †Düsseldorf 18. 10. 1973, war 1946–61 Prof. an der TH Aachen, bis 1967 Leiter der Kunstakademie Düsseldorf; seit 1950 Vorsitzender des Dt. Werkbundes. Seine Bauten sind dem Funktionalismus verpflichtet (Seitenflügel des Bundeshauses in Bonn, 1949).

H. S. Denken, Lehren, Bauen, hg. v. GERDA MARIA S. u. a. (1982).

Schwitters, Kurt, Maler, Bildhauer, Graphiker, Typograph, Bühnenkünstler, Dichter, *Hannover 20. 6. 1887, †Ambleside (Westmorland, England) 8. 1. 1948, studierte an der Dresdner Akad. (1909–14), gehörte in Berlin (1918) zum ›Sturm‹-Kreis, prägte 1919 in Hannover für seine Kunst aus der zufälligen Fragmentarisierung des Wortes ›Commerz‹ den Begriff Merz; 1923–32 Hg. der Ztschr. ›Merz‹. 1937 emigrierte er nach Norwegen, 1940 nach Großbritannien. S. strebte eine alle Bereiche des Lebens umfassende Gestaltung an; auch die banalen Gegenstände der Alltagswirklichkeit sollten in die Kunst einbezogen werden, so in seinen Collagen (BILD Collage), in seiner phonet. Produktion ›Ursonate‹ (1932) und in seinem Merzbau, eine alle Räume und Stockwerke seines Hauses durchziehende Raumplastik (1925–35 in Hannover, 1943 zerstört; weitere Merzbauten seit 1937 in Lysaker, Norwegen, und seit 1947 in Ambleside). Sein Gesamtwerk ist einer der Höhepunkte des →Dadaismus.

F. LACH: Der Merzkünstler K. S. (1971).

Schwöbber, prächtiges dreiflügeliges Renaissance-Wasserschloß (1574–1604) der Herren von Münchhausen, im Kr. Hameln-Pyrmont, Ndsachs., mit festungsartigen Außenanlagen. Engl. Landschaftspark (um 1750).

Schwyz, Hauptort des schweizer. Kt. S., 12 100 Ew. Die spätbarocke Pfarrkirche St. Martin (1769–74) ist mit ihrer prunkvollen Ausstattung eine der festlichsten Barockkirchen der Schweiz; daneben liegt der ›Kerchel‹, eine Doppelkapelle (1512–18, Untergeschoß als Beinhaus). Am Dorfplatz, einer Barockanlage nach dem Dorfbrand von 1642, das Rathaus (1642–45, Kleiner Ratssaal mit Renaissancetäfelung und -kassettendecke, Fassadenmalerei von 1891). Zahlreiche schöne Herrenhäuser, bes. das Ital-Reding-Haus (um 1609), das spätgot. Elemente mit Renaissanceformen verbindet und eine vorzügl. Einrichtung hat, das im Kern noch spätgot. Großhaus (1604) mit Deckenmalerei (18. Jh.), das schloßartige Reding-Haus (1617). Kapuzinerkloster (1616–21), Dominikanerinnenkloster (1625 bis 1628, Kirche 1636–42).

Scọrel, Jan van, niederländ. Maler, *Schoorl bei Alkmaar 1. 8. 1495, †Utrecht 6. 12. 1562, Schüler von J. CORNELISZ, ging 1520 über Kärnten und Venedig nach

Rom, wo er Aufseher der päpstl. Kunstsammlungen wurde. Seit 1524 lebte er als Kanonikus in Utrecht. S. schuf, durch die Venezianer und RAFFAEL angeregt, relig. Bilder in klar gegliedertem Aufbau, prägnanter Zeichnung und reicher Farbigkeit sowie helle breitflächige Porträts und kraftvolle Gruppenbilder. S. hatte maßgebl. Anteil an der Vermittlung der ital. Renaissance (BILD) in die Niederlande; Lehrer von A. MOR und M. V. HEEMSKERCK.

HW: Sippenaltar (1520; Obervellach, Kärnten, S. Martin); Palmsonntags-Triptychon, nach dem Stifter auch Lochhorst-Triptychon genannt (1525–27; Utrecht, Centraal Mus.); Darbringung im Tempel (Wien, Kunsthistor. Mus.); Taufe Christi (Haarlem, Frans-Hals-Mus.); Bathseba (Amsterdam, Rijksmus.); Bruderschaft vom Hl. Land (vor 1529; Haarlem, Frans-Hals-Mus.); Agathe van Schoonhoven (Rom, Galleria Doria Pamphili); Kreuzigung (1530; Bonn, Rhein. Landesmus.); Maria Magdalena (um 1535; Amsterdam, Rijksmus.); Kreuzaltar (1540; Breda, Grote Kerk).

J. v. S., Ausst.-Kat., Utrecht (1977).

Scott [skɔt], **1)** Sir (1872) George Gilbert, engl. Baumeister, *Gawcott (Buckinghamshire) 13. 7. 1811, †London 27. 3. 1878, baute Kirchen in neugot. Stil (Hamburg, St. Nikolai, 1845–63) sowie Londoner Ministerien in Stilformen der Renaissance.

2) Samuel, engl. Maler, *London(?) 1702 oder 1703, †Bath 12. oder 22. 10. 1772, malte, von den Holländern des 17. Jh. und A. CANALETTO beeinflußt, atmosphärisch reizvolle Ansichten von London sowie Meerbilder und Darstellungen von Seeschlachten.

sculpsit [lat. ›hat gestochen‹, ›hat gemeißelt‹], Abk. **sculps.** oder **sc.**, bezeichnet auf graph. Blättern den Stecher, bei Skulpturen den Bildhauer.

Searle [səːl], Ronald, engl. satir. Graphiker, *Cambridge 3. 3. 1920, war Mitarbeiter des ›Punch‹. Populär wurden seine ›Girls of St. Trinians‹. Seine v. a. sarkast. Satiren zeigen hekt. Strichführung.

HW (dt.): Quo vadis? (1962); Das eckige Ei (1969); Nanu, wo sind die Menschen geblieben? (1970); S.s Tierkreis (1978); Schneckereien (1979). – Das große R.-S.-Album (1978).

Seaton Delaval Hall [siːtn d'eləvəl hɔːl], Landschloß in der mittelengl. Cty. Northumberland, erbaut 1720–29 von J. VANBRUGH als barocker, von polygonalen Ecktürmen eingefaßter Baukörper nach dem Vorbild von Blenheim Palace mit überhöhter Hall und rustiziertem, von Doppelsäulen eingefaßtem Mittelrisalit, auf der Gartenseite mit Säulenportikus.

Seattle [sɪ'ætl], Stadt im Staat Washington, USA, 493 900 Ew., die wichtigste Stadt im NW der USA, Wirtschafts- und Kulturzentrum. Im S. Center (Gelände der Weltausstellung 1962) das Wahrzeichen der Stadt (›Space Needle‹, 185 m hoher Aussichtsturm) und das Pacific Science Center (Gebäude von M. YAMASAKI, 1962); im S. Art Mus. u. a. chines. und japan. Kunst, Gemälde der europ. Renaissance.

Seawright [s'iːraɪt], James, amerikan. Licht- und Environmentkünstler, *Jackson (Mississippi) 22. 5. 1936, begann 1963 mit elektron. Skulpturen (turmartigen Drahtkonstruktionen mit steuerbaren Licht- und Klangmustern) zu experimentieren, bezog später u. a.

auch die Lichtintensität der Umgebung und die Ortswechsel der Betrachter ein.

Sebaldus, Einsiedler vermutlich des 11. Jh., der in der Gegend von Nürnberg predigte. Über seinem Grab wurde in →Nürnberg die Sebalduskirche erbaut, mit dem S.-Grab: Schrein von P. VISCHER mit Bronze-Figur des Einsiedlers (1519); Darstellungen als Pilger mit Stab, Hut und Pilgerzeichen.

Sebastian, röm. Märtyrer aus der 2. H. des 3. Jh., nach der Legende zunächst durch Pfeilschüsse gemartert (daher später, in Anspielung auf die Pfeile der Pest, Pestheiliger), dann mit Keulen erschlagen.

Die kunstgeschichtlich wichtigsten Darstellungen S.s stammen aus dem 15.–18. Jh. Sie geben meist seine Marter wieder: an einen Baum oder an eine Säule gebunden und von Pfeilen durchbohrt, nur mit einem Lendenschurz bekleidet (A. POLLAIUOLO, BOTTICELLI, A. DA MESSINA, PERUGINO, A. MANTEGNA, M. SCHONGAUER, A. DÜRER, GRÜNEWALD, H. BALDUNG, U. GRAF, T. RIEMENSCHNEIDER u. a.). Im 17. Jh. verbreiteten sich die Darstellungen, in denen die Witwe Irene die Pfeile aus den Wunden des Heiligen zieht und ihn pflegt (L. GIORDANO, Dresden, Gemäldegal.; G. DE LA TOUR, Berlin-West, Staatl. Museen; E. DELACROIX, 1836, Église de Nantua). – Zyklus: S.-Altar von A. ALTDORFER (1518; Stift St. Florian bei Linz).

Sebastiano del Piombo, eigtl. S. **Luciani** [lutʃ'a:ni], ital. Maler, *Venedig um 1485, †Rom 21. 6. 1547, in Venedig anfänglich v. a. von GIORGIONE beeinflußt, übersiedelte 1511 nach Rom, dort zunächst von RAFFAEL, später von MICHELANGELO beeinflußt. 1531 erhielt er das Amt des päpstl. Siegelbewahrers (daher sein Beiname del Piombo). S. del P. verschmolz die auf warmer, blühender Farbgebung beruhende Malerei Venedigs mit der großgestaltenden Kunst Michelangelos, der ihm bisweilen Zeichenvorlagen geliefert hat.

HW: Altarbild mit Sacra Conversazione in S. Giovanni Crisostomo, Venedig (unter dem Einfluß Giorgiones); Fresken aus Ovid in den Bogenfeldern des Galateasaals der Farnesina in Rom; Die Römerin Dorothea (um 1512; Berlin-West, Staatl. Museen); Beweinung Christi (Viterbo, Mus.); Auferweckung des Lazarus (um 1519; London, National Gallery); Geißelung Christi (Rom, S. Pietro in Montorio); Geburt Mariä (Rom, S. Maria del Popolo); Porträt Clemens' VII. (um 1526; Neapel, Museo Nazionale di Capodimonte); Andrea Doria (1526; Rom, Galleria Doria Pamphili).

M. HIRST: S. del P. (Oxford 1981).

Sebil [arab.], im islam. Kulturbereich ein kleines Brunnengebäude an Straßen, zum Ausschenken von Wasser und Getränken, bes. in der osman. Architektur.

Sebisch, Säbisch, Albrecht von, Baumeister, *Breslau 20. 2. 1610, †ebd. 15. 11. 1688, schuf die den schles. Protestanten im Westfäl. Frieden (als turmlose Fachwerkbauten) zugestandenen ›Friedenskirchen‹ in Jauer (1655) und Schweidnitz (1656), im Innern mit reicher Emporenanlage.

Secco-Malerei, Kalk- und Kaseinmalerei, Öl-, Silikat- und Temperatechniken auf trockenem Putz (al secco), i. Ggs. zur Freskomalerei (al fresco). Außer Kalkmalerei wurde im MA. die Temperamalerei bevorzugt. Im 16. Jh. experimentierte man in Italien mit Öl, eine Technik, die im 19. Jh. weitere Verbreitung fand; Silikatfarben wurden erst Mitte des 19. Jh. entdeckt. Kalk- und Kaseinmalerei bedarf keiner Vorbehandlung des Putzes, für Öl- und Temperatechniken muß der Malgrund isoliert und u. U. auch grundiert werden, für Silikatfarben ist vorheriges Ätzen des Putzes erforderlich.

Seckau, Marktgem. im Bez. Knittelfeld, Steiermark, Österreich, 1300 Ew., 1218–1782 Bischofssitz, mit ehem. Augustiner-Chorherrenstift (1140–1782), seit 1883 Benediktinerabtei. Die Basilika (1150–64), nach Brand 1259 erneuert, erhielt um 1500 ein spätgot. Sterngewölbe; zweitürmige W-Front in roman. Formen (1891–93). Die Bischofskapelle (14. Jh.) ist seit 1595 Gruftkapelle der Bischöfe; das prunkvolle Mausoleum (1587–1612) für Erzherzog Karl II. von Innerösterreich in italienisch beeinflußter Spätrenaissance ist das HW von S. CARLONE. Die Stiftsgebäude (nach 1259) wurden seit 1587 barock umgestaltet (Kaisersaal, 1640, mit reicher Stuckdekoration). Im Ort selbst Kapelle (1502 gew.) mit bed. spätgot. Fresken.

Section d'Or [sɛksj'ɔ̃ dɔ:r, frz.], 1912 in Paris gegr. Ausstellungsgemeinschaft, zu deren 1. Ausst. in der Galerie La Boëtie fast alle kubist. Maler (außer P. PICASSO, G. BRAQUE, R. DELAUNAY) beitrugen. Eine 2. Ausstellung fand 1920, eine 3. 1925 statt. Initiator der Gruppe, die ihren Namen nach dem Proportionskanon des Goldenen Schnittes erhielt, war J. VILLON. Wenngleich 1912 auch J. GRIS einbezogen war, lag der Schwerpunkt, abweichend vom klass. Kubismus, mehr auf idealen Maßen und reinen Farben. Unter den 31 Malern von 1912 bildeten R. DE LA FRESNAYE, A. GLEIZES, A. HERBIN, F. LÉGER, A. LHOTE, J. METZINGER z. T. den Kern eines dekorativ farbigen Kubismus.

Sedletz, tschech. **Sedlec** [s'ɛdlɛts], Vorstadt von Kuttenberg im Mittelböhm. Kr., ČSSR. Die got. Klosterkirche (13. Jh.) der 1142 gegr. Zisterzienserabtei wurde nach Zerstörungen als ein Hauptwerk der ›Barockgotik‹ von G. →Santini 1703 ff. wiederaufgebaut; sie ist fünfschiffig mit Rippengewölbe. Die zweigeschossige Friedhofskapelle (›Knochenkapelle‹), nach der Pest 1318 gebaut, 1661 barock umgebaut, ist mit Totengebeinen ausgeschmückt.

Sédrata, Ruinenstadt in Zentral-Algerien, 14 km südwestlich von Ouargla; 909–11 von den berberischen Ibadhiten-Sektierern als ihre erste hl. Stadt gegr., 1072 von den Hammaditen zerstört; Überlebende zogen in die Oasenregion Mzab und gründeten →Ghardaia. Die stark versandeten, erst z. T. ausgegrabenen Ruinen zeigen städtebaul. Details, die sich dann in den Mozabiten-Städten wiederfinden. Reste von Zitadelle und Palast innerhalb von Befestigungsmauern mit Wehrtürmen (11. oder 12. Jh.). Die wichtigsten Funde aus S. befinden sich im Bardo-Mus. in Algier.

Seebach, Stadtteil von Bad Dürkheim, Rheinl.-Pf., mit roman. Abteikirche (um 1200) des ehem. Benediktinerinnenklosters (vor 1136 gegr.), die nur in Resten erh.

ist (Chor und Vierung sind heute evang. Pfarrkirche). Die vorzügl. Bauformen knüpfen an den O-Chor des Wormser Domes an.

Seebenstein, Gem. im Bez. Neunkirchen, NÖ, überragt von der Burg S. Die Alte Burg (11. Jh.) ist Ruine. Die Neue Burg (Hochschloß), 1604 umgebaut, ein viergeschossiger, fünfeckiger Bau, birgt eine reiche Kunstsamml. (u.a. spätgot. Plastik, Madonna von T. RIEMENSCHNEIDER).

Seeburg, Gem. im Kr. Eisleben, Dt. Dem. Rep. Die 743 erwähnte Burg wurde 1450–1518 unter Verwendung älterer Teile ausgebaut (Um- und Neubauten bis ins 20. Jh.): Reste der roman. ehem. Stiftskirche (12. Jh.), spätgot. Schloßkirche, ›Rittersaal‹ auf dem ehem. Palas, Renaissance-Herrenhaus (17. Jh.).

Seefeld in Tirol, Gem. westlich des Karwendelgebirges, Österreich, 2300 Ew. Spätgot. Pfarr- und Wallfahrtskirche (1429 beg.) mit reichem S-Portal, neugot. Hochaltar (1880) mit z.T. spätgot. Figuren, im Chor spätgot. Tafelbild von J. KÖLDERER (um 1502). Frühbarocke Seekirche (1628), ein achteckiger Zentralbau.

Seehausen (Altmark), Stadt im Kr. Osterburg, Bez. Magdeburg, Dt. Dem. Rep., 5250 Ew.; dreischiffige Hallenkirche (urspr. spätromanisch, Mitte 15. Jh. umgebaut) mit Doppelturmfront (beg. Anf. 13. Jh.) und spätroman. Portal; spätgot. Flügelaltar (Anf. 16. Jh.).

Seehof, ehem. fürstbischöflich-bamberg. Lustschloß (Marquardsburg) in der Gem. Memmelsdorf bei Bamberg, Bayern; 1687–95 durch A. PETRINI errichtete barocke Vierflügelanlage mit Ecktürmen; im Festsaal Fresken von J .I. APPIANI (1751); Orangerie von J. B. NEUMANN (1733–37); großer Schloßpark (1698–1705).

Seekatz, Johann Conrad, Maler, *Grünstadt (Pfalz) 4. 9. 1719, †Darmstadt 25. 8. 1768, seit 1753 ebd. Hofmaler, verkehrte in Frankfurt a. M. mit Goethes Vater, schuf in kleinem Format relig. und Historienbilder, Genrebilder, ferner Landschaften in niederländ. Art.

HW: Supraporten des Schlosses Braunshardt (1765; Darmstadt, Schloßmus.).

Seele, Johann Baptist, Maler, Graphiker, *Meßkirch 27. 6. 1774, †Stuttgart 27. 8. 1814, seit 1804 Hofmaler und Galeriedirektor ebd. S., der realist. Beobachtung mit klassizist. Zeichnung verband, schuf Soldaten- und Schlachtendarstellungen sowie Porträts.

Romantiker und Realisten, Ausst.-Kat., Karlsruhe (1965).

Seelengefäße, Seelenkrüglein, Ahnenkrüglein, Gefäße aus Terrakotta, meist in menschenähnl. Gestalt, von mehreren Volksgruppen in NO-Nigeria zur Aufnahme der Seelen von Verstorbenen hergestellt. Da die Toten zweimal bestattet werden – mit einem Intervall von mehreren Monaten bis zu einem Jahr –, braucht die Seele einen Behälter, damit sie während dieser Zeit nicht umherirren muß oder Unheil stiften kann.

Seeon, Gem. im Kr. Traunstein, Oberbayern, 1400 Ew. Das ehem. Benediktinerkloster (994 gegr.) hatte eine bed. Buchmalerschule. Die Kirche, im Kern eine doppeltürmige roman. Säulenbasilika des 11./12. Jh.,

Seestück: Willem van de Velde d. J., ›Het IJ vor Amsterdam‹ (Amsterdam, Rijksmuseum)

wurde 1428–30 umgebaut (u.a. reiche Netzgewölbe) und im 16.–17. Jh. verändert (Gewölbeausmalung); prächtiges Grab des Stifters Aribo (um 1400); Klostergebäude 1657–70.

Seestück, Marinestück, ein Bild, dessen Gegenstand das Meer, seine Küsten, Strand- und Hafenansichten sind. S. können reine Stimmungsbilder, aber auch Geschichtsbilder sein, wenn sie Seeschlachten, Flottenparaden oder einzelne Schiffe darstellen. Die Marinemalerei entwickelte sich zu einem selbständigen Zweig der Landschaftsmalerei Ende des 16. Jh. in den Niederlanden, wo sie ihre Blüte im 17. Jh. erreichte (W. van de Velde d. J., J. Porcellis, S. de Vlieger, H. J. Dubbels, S. van de Capelle, L. Backhuysen u. a.). Seither blieb sie eine bes. von nord. Künstlern gepflegte Gattung, die noch einmal zu Höhepunkten gelangte in der Romantik (W. Turner, C. D. Friedrich, T. Géricault, J. C. Dahl) und im Impressionismus (C. Monet, A. Sisley, P. Signac u. a.).

Seewald, Richard, dt.-schweizer. Maler, Graphiker, Schriftst., *Arnswalde (Neumark) 4. 5. 1889, †München 29. 10. 1976, lebte seit 1931 in der Schweiz. Von seinen vielseitigen Arbeiten als Maler und Graphiker sind bes. seine Illustrationen, auch zu eigenen Büchern, bekannt geworden. S. hat kirchl. und profane Wandgemälde geschaffen und Glasfenster, Mosaiken und Gobelins entworfen.

George Segal: Busfahrer, 1962 (New York, Museum of Modern Art)

Segal [sˈiːgəl], George, amerikan. Bildhauer, Graphiker, *New York 26. 11. 1924, zunächst Maler, begann 1958 unter dem Einfluß von A. Kaprow mit plast. Arbeiten. Er stellt weiß belassene Gipsabformungen von Menschen bei alltägl. Arbeiten mit den dazugehörigen Gegenständen als Environments her, die die Anonymität und Isolation des Individuums in der Gesellschaft zum Ausdruck bringen.

Segantini, Giovanni, ital. Maler, *Arco (Prov. Trient) 15. 1. 1858, †bei Pontresina 28. 9. 1899, tätig in der Brianza, seit 1886 in Savognin am Julierpaß, seit 1894 in Maloja im Oberengadin. Seine Themen waren das Hochgebirge und seine Menschen, die er mit reinen, in dichten Strichlagen ungemischt aufgetragenen Farben malte. Später gab er seinen Bildern oft eine symbolisierende Bedeutung (Werden, Sein und Vergehen, 1899; St. Moritz, S.-Museum).

G. S. 1858–1899, Ausst.-Kat., Wien (1981).

Segeberg, Bad S., Stadt in Schlesw.-Holst., 13 400 Ew. Die Kirche des ehem. Augustiner-Chorherrenstifts (1156 bis Anf. 13. Jh.), eine roman. Pfeilerbasilika, ist neben den Domen in Lübeck und Ratzeburg der früheste der großen Backsteingewölbebauten in Nord-Dtl.; das Äußere wurde 1863–66 neuromanisch ummantelt. Kostbarer geschnitzter Altar (um 1515).

Segẹsta, grch. **Ẹgesta,** Stadt des Altertums im NW Siziliens, eine Gründung der Elymer (vorgrch. Bevölkerung in W-Sizilien), die politisch i. Ggs. zu den grch. Städten Siziliens stand, bes. zu Selinunt. Im 4. Jh. v. Chr. kam S. unter karthag., 263 v. Chr. unter röm. Herrschaft. Erh. blieb ein in den Fels gehauenes Theater (3. Jh. v. Chr.) und westlich der Stadt, auf einem Höhenrücken, ein unvoll. dorischer Tempel (um 430 v. Chr. beg.), ein Peripteros, dessen 36 unkanneliert gebliebene Säulen mit Gebälk und Giebel noch aufrecht stehen.

Seghers [s'eːxərs], **1)** Daniel, fläm. Maler, Bruder von 2), getauft Antwerpen 6. 12. 1590, †ebd. 2. 11. 1661, Schüler von J. BRUEGEL D. Ä., malte Blumenstilleben und Kränze, die P. P. RUBENS und seine Schüler häufig mit relig. Figuren versahen.

2) Gerard, fläm. Maler, Bruder von 1), getauft Antwerpen 17. 3. 1591, †ebd. 18. 3. 1651, war 1611–21 in Italien, malte relig. Bilder und Genredarstellungen im Stil CARAVAGGIOS; sein Spätwerk ist auch von P. P. RUBENS beeinflußt.

3) auch **Segers,** Hercules, holländ. Maler, Radierer,

Hercules Seghers: Der Talkessel; Radierung, schwarzer Druck auf grau eingefärbter Leinwand (Amsterdam, Rijksmuseum)

*Haarlem(?) 1589 oder 1590, †Den Haag vor 1639, Schüler von G. VAN CONINXLOO, tätig in Amsterdam, Haarlem, Utrecht, Den Haag, gehört zu den Wegbereitern der holländ. Landschaftsmalerei des 17. Jh. Das erh. Gemäldeœuvre ist klein und noch nicht restlos gesichert; bed. durch seine techn. Experimente in der Druckgraphik (er druckte seine Radierungen in verschiedenen Farben auf unterschiedlich getönte Papiere oder Leinwände, so daß sie fast den Charakter von Monotypien haben). Themen seiner Kompositionen sind vorwiegend phantast. Berg- und Felslandschaften. REMBRANDT hat von S. bed. Anregungen empfangen.

HW: Flußtal (Amsterdam, Rijksmus.); 2 Ansichten von Rhenen (Berlin-West, Staatl. Museen).

Segna di Bonaventura [s'eɲa-], ital. Maler, †Siena vor dem 4. 11. 1331, Schüler von DUCCIO, tätig in Siena zw. 1298 und 1327; in seinen späteren Arbeiten auch von SIMONE MARTINI beeinflußt; es sind nur 4 signierte Werke von ihm erh. sowie Zuschreibungen.

HW: Thronende Madonna mit Engeln, Heiligen und Stiftern (Castiglion Fiorentino, Kollegiatkirche).

Segorbe [seɣ'ɔrβe], span. Stadt und Bischofssitz etwa 40 km nordwestlich von Valencia, 8000 Ew.; vollständig erh. ma. Stadtbild mit Stadtmauern des 14. Jh., zahlreichen Palästen, got. Saalkirche San Pedro (1248), Kathedrale (15. Jh., im 18. Jh. klassizistisch umgestaltet) mit got. Kreuzgang; im Innern der Kathedrale und im Diözesanmus. Altarretabel und Tafelbilder von V. J. MASIP D. Ä. und J. BAÇÓ.

Segovia [seɣ'oβia], span. Provinzhauptstadt und Bischofssitz am Rand der Hochfläche Altkastiliens, 48 300 Ew. Aus röm. Zeit stammt der gut erh. 17 km lange Aquädukt mit 118 Bogen (teilweise in 2 Geschossen) aus gewaltigen Granitquadern, der seine höchste Höhe (28,5 m) auf dem Marktplatz erreicht. Auf steilem Felsvorsprung liegt der urspr. maur. Alcázar (urspr. 11. Jh., im 14./15. Jh. erneuert). S. hat zahlreiche Kirchen, so S. Martín aus dem 10. Jh. (mozarab. Ursprung; mit skulp-

Segovia: Alcázar

turengeschmücktem Säulenportal und Kirchenschatz) und über 20 roman. Kirchen aus dem 12. und 13. Jh., z. T. mit Portiken vor den Eingängen, eine architekton. Besonderheit (u. a. S. Juan de los Caballeros). Die ehem. Templerkirche Vera Cruz ist ein Zentralbau (Anf. 13. Jh.) mit zweistöckigem Inneren. Unter den Klöstern ragen S. Antonio el Real (1445 gegr., mit prunkvoller Artesonado-Decke im Chor), El Parral (1447 von Heinrich IV. gestiftet, von J. GUAS u. a. im Isabellin. Stil erbaut) heraus. Die spätgot. dreischiffige Kathedrale (1525 beg., seit 1526 von R. GIL DE HONTAÑÓN erbaut) besitzt eine prächtige Innenenausstattung (Capilla del Sagrario nach Entwurf von J. CHURRIGUERA, 1686–1711), ein reiches Mus. (Tafelbild von P. BERRUGUETE, flämische Wandteppiche u. a.) und spätgot. Kreuzgang. Roman. Bürgerhäuser; zahlreiche Paläste mit Türmen und Fassadengestaltung im Mudéjar-Stil; Casa de los Picos mit diamantförmiger Steinquader-Fassade (15./16. Jh.).

Seguií [sɛɣ'i], Antonio, argentin. Maler, Graphiker, *Córdoba (Argentinien) 11. 1. 1934, lebt seit 1963 in Paris; malte in den frühen 1960er Jahren dunkeltonige, bedrückend düstere Figurenkompositionen. Von der Pop Art angeregt, stellte er Menschen in puppenhafter Steifheit dar (v. a. in Holzassemblagen); schuf seit 1965 großformatige Landschaften, auch neorealist. Porträts.

Seibal [seɪβ'al], Zeremonialzentrum der Maya-Kultur am Río de la Pasión im südl. Petén, Guatemala, das schon in vorklass. Zeit bestand, aber erst im 9. Jh. unter dem Einfluß der mexikanisierten Golfküste an Bedeutung gewann; die auf den zahlreichen, hervorragend gearbeiteten Stelen dargestellten Krieger haben entsprechende Attribute, auch die Hieroglyphen zeigen z. T. einen anderen Stil.

Seicento [seɪtʃ'ɛnto, ital. ›sechshundert‹, Abk. für 1600], ital. Bez. für das 17. Jh.; i. e. S. als Stilbegriff der Kunstgesch. Bez. für die Epoche des ital. Barock, der in Rom seinen Ausgang nahm. Typenbildend für den Kirchenbau wurde die bereits Ende des 16. Jh. von G. DA VIGNOLA erbaute Jesuitenkirche ›Il Gesù‹ (Fassade von G. DELLA PORTA). Die Hauptbaumeister des röm. Hochbarock waren F. BORROMINI, C. RAINALDI, PIETRO DA CORTONA und G. L. BERNINI, der auch in der Bildhauerkunst führend war. Begründer der röm. Barockmalerei waren ANNIBALE CARRACCI und CARAVAGGIO.

Seidenmalerei, Malerei mit wäßrigen Farben auf Seidengewebe; war bereits im 4./3. Jh. v. Chr. in China üblich und wurde in den folgenden Jh. auch in Korea und Japan, v. a. für die →Hängerolle, aber auch für die Querrolle, Fächer und montierte Bilder verwendet. Seit der Yüan-Zeit wurde von den Literatenmalern Papier als Malgrund bevorzugt; Berufs- und Akademiemaler benutzten Seide weiterhin als Malgrund. – In Europa wird S. heute im Kunstgewerbe ausgeübt.

Seidensiebdruck, →Siebdruck.

Seidl, 1) Emanuel von (1906), Baumeister, Bruder von 2), *München 22. 8. 1856, †ebd. 24. 12. 1919, baute

Schlösser und Villen und setzte den Bau des Dt. Museums in München fort. Sein Stil verarbeitet im Sinn des Historismus vereinfachte Elemente der Renaissance und des Barock.

2) Gabriel von (1900), Baumeister, Bruder von 1), *München 9. 12. 1848, †Bad Tölz 27. 4. 1913, schuf in München u. a. Städten viele öffentl. und private Bauten in historisierenden Stilformen, die sich im Bayer. Nat.-Mus. (1894–99) phantasievoll mischen.

WW: München: Lenbachhaus (1881–91), St. Anna-Kirche (1887 bis 1892), Dt. Mus. (beg. 1906). – Histor. Mus. der Pfalz (1907/08; Speyer).

Seidler, Louise, Malerin, *Jena 15. 5. 1786, †Weimar 7. 10. 1866, malte Porträts (Pastellporträt J. W. v. Goethes, 1811, Weimar; Wilhelmine Herzlieb), relig. Bilder und Kopien bekannter Gemälde.

Seifersdorf, Gem. im Kr. Dresden, Dt. Dem. Rep.; Wasserschloß (um 1530), nach Plänen von K. F. SCHINKEL neugotisch umgebaut (1822 voll.); in der Dorfkirche bemerkenswerter Altar (1604/05) und gute Grabdenkmäler (16.–18. Jh.).

Seiho, japan. Maler, →Takeuchi.

Seisenegger, Zeysznegger, Jakob, Maler, *NÖ(?) 1505, †Linz 1567, seit 1531 Hofmaler FERDINANDS I., als Porträtmaler von den Habsburgern geschätzt, auch auf dem Reichstag in Regensburg, in Wien, Prag, Nürnberg, Bologna sowie Spanien und den Niederlanden tätig. Seine oft großformatigen Porträts zeigen den Einfluß der oberital. Kunst (Brescia) und v. a. TIZIANS.

HW: Kaiser Karl V. (1532; Wien, Kunsthistor. Mus., Vorlage für das Porträt Karls V. von Tizian in Madrid); Erzherzogin Eleonore als Kind, Erzherzog Ferdinand (1548; ebd.).

Seishi [sɛiʃi], japan. Kunst: ein Bodhisattva mit Kannon, ein Begleiter des →Amida, wird mit diesem häufig als Trias dargestellt.

Seitenstetten, Marktgem. im Bez. Arnstetten, im westl. NÖ, 2700 Ew., mit 1112 gegr. Benediktinerkloster. Die Stiftskirche, eine frühgot. dreischiffige Pfeilerbasilika (1264 beg.), wurde 1677 barockisiert; an ihrer N-Seite die Ritterkapelle (urspr. Marienkapelle, 12./13. Jh., Stuckierung 1671) und der Kreuzgang (1354). Barocke Stiftsgebäude (1719 von J. MUNGGENAST beg.), Deckenfresken von B. ALTOMONTE (Stiegenhaus) und P. TROGER (Marmorsaal und Bibl.). Bed. Gemäldesamml. (15.–19. Jh.).

Seitz, 1) Gustav, Bildhauer, Zeichner, *Neckarau bei Mannheim 11. 9. 1906, †Hamburg 26. 10. 1969, lehrte in Berlin, seit 1958 an der Akad. in Hamburg. S. erstrebte in seinen Figuren eine vereinfachte, z. T. idealisierende Sicht der Wirklichkeit; schuf v. a. Frauenakte und Porträtbüsten (Brecht, Kokoschka, Heidegger).

U. GROHN: G. S. (1980).

2) Johannes, Baumeister, *Wiesentheid 10. 7. 1717, †Ehrenbreitstein (heute zu Koblenz) 23. 11. 1779, bedeutendster Mitarbeiter von B. NEUMANN, der bis 1768 das kurtrier. Bauwesen leitete (seit 1750 kurtrier. Hofwerkmeister).

HW: St. Paulin (1740; Trier); Residenz (1756–61; ebd.); Schloß Engers (1758–62; heute zu Neuwied). – Zahlreiche Kirchen und Profanbauten, Pläne zur Residenz Koblenz.

Sekretär [frz. zu lat. secretus ›geheim‹], Schreibschrank, auch →Schreibtisch.

Seladon: Schultertopf, Steinzeug, Höhe 13,6 cm, China, Nördl. Sung-Zeit, 10./11. Jh. (Köln, Museum für Ostasiat. Kunst)

Seladon [n. Céladon, Gestalt eines frz. Schäferromans], ostasiat. Porzellan mit olivgrüner, wegen ihrer Ähnlichkeit mit Jade bes. beliebter Glasur, die durch Reduktion von Eisenoxid während des Brennens entsteht. Das seit dem 3. Jh. in der Prov. Chekiang im chines. Staat Yüeh hergestellte Yüeh Yao gilt als Protoseladon. In der Sung-Zeit (960–1279) erlebte das in der Nähe K'aifengs (Honan) und in Lungch'üan produzierte S. einen künstler. Höhepunkt; häufig mit einem Reliefdekor von den in den Scherben eingepreßten oder eingeschnittenen floralen oder zoomorphen Motiven; die oft aus der Bronzekunst abgeleiteten Gefäßtypen zeichnen sich durch ausgewogene Proportionen und klass. Formvollendung aus. Die in Korea im 11. Jh. begonnene S.-Herstellung erlebte während der Koryo-Dynastie im 12. und 13. Jh. ihre Blütezeit (Koryo-S.; BILD koreanische Kunst). Die bekanntesten Manufakturen waren hier Kangjin und Puan (Prov. Chŏlla). Das S. der Ch'ing-Zeit (1644–1911) mit auf weißem Porzellan aufgetragenen Glasuren wirkt einheitlicher und weniger opak als seine sung-zeitl. Vorbilder.

Selbstporträt, Selbstbildnis, die plast., maler. oder zeichner. Selbstdarstellung des Künstlers. Sie ist literarisch schon aus dem archaischen Griechenland bezeugt (THEODORUS VON SAMOS, 6. Jh. v. Chr.). PHIDIAS soll sich auf dem Schild seiner Athena Parthenos dargestellt haben. In hellenist. Zeit dürften S. häufiger gewesen sein, als man aus Quellen erfährt. Auch im MA. mögen sich die Künstler öfter dargestellt haben, als man heute annimmt (Büste P. PARLERS, um 1380). Hingegen sind typisierte Selbstdarstellungen, ohne jedoch Porträts zu sein, in Dedikationsbildern bereits im frühen MA. nachzuweisen. Voraussetzung für das echte S. ist

Selbstporträt: Rembrandt; um 1656/58 (Wien, Kunsthistor. Museum)

Selbstporträt: Paul Cézanne; um 1879/81 (München, Neue Pinakothek)

eine gewisse Emanzipierung des Individuums, und es ist nicht anzunehmen, daß S. vor individuellen Porträtdarstellungen entstanden.

Im Laufe des 15. Jh. häufen sich verborgene S. innerhalb anderer Darstellungen (H. HOLBEIN D. Ä., im Dominikaneraltar von 1501, Städelsches Kunstinstitut, Frankfurt a. M., als Jesse im Stammbaum Christi). Auch wurden Assistenzfiguren als Gelegenheit zum S. genützt (H. BALDUNG auf dem Sebastiansaltar, BILD Assistenzfiguren).

Schon in den frühen S. ist das Interesse an der eigenen Person deutlich zu beobachten; hierfür ist A. DÜRER ein bes. eindrucksvolles Beispiel, der sich bereits als Knabe nach dem Spiegel konterfeite. In der ital. Kunst sind S. von LEONARDO DA VINCI, TIZIAN und TINTORETTO zu nennen. Von besonderer Bedeutung für die Auseinandersetzung des Künstlers mit der eigenen Person sind die S. REMBRANDTS; häufiger dient jedoch im Barock das S. der Selbstrepräsentation. Im 19. und 20. Jh. hingegen stellt sich der Künstler im S. die Frage nach dem Wesen seiner Existenz (J. L. DAVID, G. COURBET, A. BÖCKLIN, P. CÉZANNE, M. LIEBERMANN, L. CORINTH, M. BECKMANN).

Vgl. die Bilder zu H. Aldegrever, M. Beckmann, G. L. Bernini, J. B. Chardin, L. Corinth, A. Coysevox, A. Dürer, V. van Gogh, E. Heckel, H. Holbein d. Ä., K. Kollwitz, A. Krafft, M. Q. La Tour, M. Liebermann, G. Marcks, H. Matisse, E. Munch, A. Pilgram, P. Parler, R. Scheibe.

Die Samml. der S. in den Uffizien in 3 Bdn., hg. v. U. MIDDELDORF u. U. PROCACCI (1971 f., bisher 1 Bd.); M. GASSNER: Das Selbstbildnis ([2]1979).

Seldschuken, türk. Herrschergeschlecht und Volk, das im 11. und 12. Jh. seine Herrschaft über Persien, Mesopotamien (Eroberung Bagdads 1055), Syrien und Kleinasien ausdehnte. Das großseldschuk. Reich zerfiel nach 1092. In Kleinasien ließ sich ein Zweig der S., die Rum-S., nieder, die das Byzantin. Reich mehr und mehr zurückdrängten. Über die künstler. Leistungen unter den S. →islamische Kunst.

Selene, röm. **Luna,** grch. Mythos: die strahlend schöne Mondgöttin, Titanentochter, Schwester des Helios (auch dessen Gemahlin) und der Eos, Geliebte des Endymion, die selten kultisch verehrt wurde. Ihr magisch-nächtl. Wirken wurde mit Erde und Totenreich, Pflanzenwelt und weibl. Sexualleben in Verbindung gebracht. In der Kunst erscheint S. oft mit Mondscheibe oder -sichel, Nimbus oder Schleier, meist reitend oder wagenfahrend, wie auf einer Schale des BRYGOSMALERS (5. Jh. v. Chr.; Berlin-West, Staatl. Museen), plastisch wie auf der N-Metope und am O-Giebel des Parthenon, im Zusammenhang mit Endymion v. a. auf röm. Sarkophagen und Wandbildern. Wie sie den schlafenden Geliebten besucht, wurde in der neuzeitl. Kunst bes. häufig dargestellt.

Sélestat [selɛst'a], frz. für →Schlettstadt.

Seleukiden, makedon. Dynastie, die 312–64 v. Chr. in Vorderasien herrschte; unter den S. breitete sich hellenist. Kultur im O aus, deren Einfluß bis Zentralasien und NW-Indien reichte (Gandhara, Turfan).

Seligenstadt, Stadt am Main, Kr. Offenbach, Hessen, 17 700 Ew. Die Kirche der ehem. Benediktinerabtei (828 von Einhard gegr.) ist die größte karoling. Basilika nördlich der Alpen (um 831–40 erbaut); spätroman. Ostteile (1240–53), Doppelturmfront (1868–78). Der barocke Hochaltar (um 1714/15 nach Plan von M. v. WELSCH) stammt aus der Mainzer Kartäuserkirche. Abteigebäude meist Ende 17. Jh.; in der Prälatur Mus. (barocke Wohnappartements, Bibl., Kaisersaal). Zus. mit dem Konventgarten bietet S. das vollständigste Ensemble barocker Klosterkunst in Hessen. Vom stauf. Palatium Kaiser FRIEDRICHS II. (um 1235) sind die Mauern des Palas erh.; einmalig nördlich der Alpen ist die schloßähnl. Anlage mit Schauseite zum Main.

Selinunt, antike Stadt **(Selinus)** an der S-Küste Siziliens, um 628 v. Chr. von Dorern aus Megara Hyblaea gegr., eine der reichsten Städte Siziliens. Nach Eroberung und Zerstörung durch Karthago 409 v. Chr. wurde

Selinunt: Hera-Tempel (E), um 450 v. Chr.

S. wieder aufgebaut; im 1. Punischen Krieg 250 v. Chr. endgültig von den Karthagern zerstört. Von der Vielzahl der Tempel sind 8 aus dem 6. und 5. Jh. v. Chr. sowie ein Tempel aus hellenist. Zeit in Resten erh., darunter einer der größten grch. Tempel (Tempel G, etwa 50 × 110 m, um 520 v. Chr.); Tempel C (um 550 v. Chr.) und Tempel E (um 450 v. Chr.) wurden restauriert. Außer Architekturplastik und mehreren Metopen (Palermo, Nat.-Mus.) fand man Vasen, Terrakotten v. a. im westlich der Stadt gelegenen archaischen Heiligtum der Demeter Malophoros.

Selje, Gem. in der norweg. Prov. Sogn og Fjordane, mit den Ruinen eines kurz nach 1100 gegr. Benediktinerklosters; erh. ist der massive roman. Turm der dreischiffigen Klosterkirche.

Semainier [səmɛnj'e, frz., zu sept ›sieben‹], schmales hohes Kastenmöbel (18. Jh.) mit 7 Schubladen oder Regal mit 7 Fächern.

Semạntik [grch. ›Zeichenlehre‹], Teilgebiet der Semiotik, das sich mit den versch. Beziehungen der Zeichen zu dem, was sie bezeichnen, befaßt. In der semiot. Kunsttheorie wird hierunter nicht so sehr die Lehre vom künstler. Gehalt (Ikonologie) verstanden, sondern die Theorie von den mögl. künstler. Bezügen zum ästhet. Gehalt (z. B. Realitätsbezug, Abbildungsbeziehung, Symbolcharakter).

Sẹmen, Zemen [z-], Dorf in Bulgarien, im Konjawska-Gebirge bei Sofia. In der Nähe das **Semen-Kloster** (Zemenski manastir) mit der Ende des 10. Jh. erbauten, im 11. Jh. zerstörten und im letzten Drittel des 13. Jh. wiederaufgebauten schlichten Kreuzkuppelkirche des Hl. Johannes Bogoslow. Nach Veränderungen und Restaurierung (1965–74) ist es heute Mus.; Fragmente von Wandmalereien des 10. Jh., sonstige Ausmalung aus der 2. H. des 13. und 14. Jh. (1354).

Semiọtik [grch. sema ›Zeichen‹], allg. und spezielle Theorie von den Zeichen und Zeichenprozessen, die im Zusammenhang mit menschl. Kommunikation auftreten können. Die semiot. Theorie der Kunst wird in 3 Teilgebiete unterteilt: 1. →Syntaktik, 2. →Semantik, 3. Pragmatik. Diese befaßt sich mit den versch. Beziehungen der Zeichen zum Zeicheninterpreten oder -verwender. Sie wird v. a. als Lehre von der ästhet. Wahrnehmung und Kommunikation, als ›Rezeptionsästhetik‹ und als ästhetische ›Werttheorie‹ vertreten. Alle 3 Teilbereiche der S. verstehen Kunstwerke als Zeichen, die als Medium der ästhet. Kommunikation zw. dem Produzenten/Autor als ›Sender‹ und dem Konsumenten/Rezipienten als ›Empfänger‹ vermitteln. Kunstwerke sind demnach Zeichen, die mittels spezieller Materialien und Formen (als ›Mittel‹) best. Informationen (als ›Objekte‹) bezeichnen und dadurch Wirkungen und Bedeutungen (als ›Interpretanten‹) hervorrufen. Von besonderem Interesse sind Art und Beschaffenheit der Zeichensysteme (›Codes‹) und Zeichenprozesse (›Semiosen‹), die von den versch. Gattungen (Malerei, Architektur, Design usw.) zu versch. Anlässen, Zeitpunkten, Orten usw. verwendet werden und zu Bedeutungsveränderungen führen.

U. Eco: Einführung in die S. (a. d. Ital., 1972).

Semiramis, →Hängende Gärten.

Sempé [sãp'e], Jean Jacques, frz. Cartoonist, *Bordeaux 17. 8. 1932, zeichnet oft Pariser Straßenszenen mit flüchtig karikierten Menschen in der Masse.

Unsere schöne Welt (1975; dt. Auswahl aus dem Gesamtwerk).

Semper, Gottfried, Baumeister, Kunsttheoretiker, *Hamburg 29. 11. 1803, †Rom 15. 5. 1879, wurde nach Studien in Göttingen, München und Paris (1829/30) und Reisen (Italien, Griechenland) 1834 Prof. der Architektur in Dresden, 1855 am Polytechnikum Zürich, 1870 kaiserl. Architekt in Wien. – S. ist der bedeutendste dt. Architekt des 19. Jh. nach K. F. Schinkel. Durch nüchterne Bauweise v. a. im Stil der ital. Renaissance löste er dessen romant. Klassizismus ab. S. begann mit klaren Baublöcken in zweckmäßiger Form, die stilistisch im Zusammenhang mit der frz. Revolutionsarchitektur stehen. Seine Bauten sind sparsam mit histor. Kunstformen gegliedert. In seinem Spätwerk verkleiden sie den Baukörper reicher; die Blockhaftigkeit weicht ausgewogener Fassadenarchitektur. Grundform und Kunstformen stehen in harmon. Proportion.

HW Dresden: Hoftheater (Opernhaus; 1838–41, 1869 abgebrannt, 1871–78 Neuaufbau, 1945 ausgebrannt), Synagoge (1838 bis 1840, 1938 zerstört), Gemäldegal. (1847–54); Zürich: Polytechnikum und Sternwarte (1858–64); Winterthur: Stadthaus (1867–69); München: Entwurf für ein Wagner-Festspielhaus (1867–69); Wien (mit K. v. Hasenauer): Kunsthistor. Mus. (1872–91), Neubau der Hofburg (1881–1913), Hofburgtheater (1874–88).

M. Fröhlich: G. S. Zeichner. Nachlaß an der ETH Zürich. Krit. Katalog (1973); G. S. und die Mitte des 19. Jh., hg. v. Institut für Gesch. und Theorie der Architektur an der ETH Zürich (1976); H. Wolfgang: G. S. im Exil (1978).

Semur-en-Auxois [səm'yr ãnosw'a], altertüml. Städtchen im frz. Dép. Côte-d'Or, am Armançon nordwestlich von Dijon, umgeben von mächtigen Türmen

Gottfried Semper: Zeichnung zur Fassade des Opernhauses in Dresden (Dresden, Kupferstichkabinett)

der ma. Stadtbefestigung; got. Kirche Notre-Dame (13./14. Jh., im 19. Jh. von E. E. VIOLLET-LE-DUC wiederhergestellt) mit Tympanon des 13. Jh. am N-Portal und Glasfenstern des 13. Jh. in der Apsis.

Semzow, Zemcov, Michail Grigorjewitsch, einer der bedeutendsten russ. Baumeister z. Z. PETERS I., *Moskau 1688, †St. Petersburg Herbst 1743, seit 1709 ebd. tätig, Mitarbeiter von D. TREZZINI; ab 1719 Bauarbeiten am Moskauer Kreml und in der Kitajgorod.

HW (alle St. Petersburg): Simeon- und Anna-Kirche (1731–34); Bauleitung des Alexander-Newskij-Klosters (ab 1733).

Sena-Dynastie, indisches Herrscherhaus in Bengalen, das im 12.–13. Jh. den verfeinerten Stil der Pala-Kunst in tantrisch-hinduist. Reliefs fortsetzte. Dargestellt wurde v. a. Sadashiva als dynast. Hauptgottheit.

Sendai, Stadt in Japan, wirtschaftl. und kulturelles Zentrum N-Honshus, 664 800 Ew.; ehem. Burgstadt, 1602 erbaut, im 2. Weltkrieg vollständig zerstört. 4 km nordwestlich liegt der Osaki-Hachimangu-Schrein, dessen Hauptgebäude (1607; Momoyama-Zeit) eine mausoleumsartige Architektur (wie der Tosho-gu-Schrein in Nikko) aufweist.

Sendschirli, →Zincirli.

Senfkorngarten, chines. ›Chieh Tzu Yüan Hua Chuan‹, dt. ›Hb. der Malerei aus dem S.‹, eines der frühesten chines. Farbdruckwerke, das von dem Hg. WANG KAI (tätig um 1677–1705) und seinen Brüdern als Lb. der Malerei konzipiert war. Der S. enthält Holzschnittreproduktionen von Tuschegemälden alter chines. Meister in einem einheitl., durch die Brüder Wang geprägten Stil, denen Erklärungen über Maltheorien und -techniken beigegeben sind. Der S. besteht aus 3 Serien: 1. Architektur- und Landschaftsmalerei (1679), 2. und 3. Pflanzen- und Vogelmalerei (1701) und 4. schließlich ein 1818 erschienener Band über die Darstellung von Personen, der nicht zu dem urspr. S. zählt.

R. GOEPPER: Blumen aus dem S. (1960); YANG EN-LIN: Der S. (a. d. Chines., 1966).

Senftenberg, Stadt in der Niederlausitz, Dt. Dem. Rep., 31 400 Ew.; seit 1448 im Besitz der Wettiner, die

Senfkorngarten: Holzschnitt aus dem S.; Ende des 17. Jh.

Sengai: Zeichen der Leere; Kalligraphie, Tusche auf Papier (Tokio, Idemitsu-Museum)

die Burg zum Renaissanceschloß (2. H. 16. Jh.) umbauen und mit hohem Wall und Bastionen befestigen ließen; spätgot. Pfarrkirche (um 1400).

Sengai, japan. Zen-Priester und -Maler, Prov. Mino *1750, †1837, trug mit einfachen, oft humorist. Tuschzeichnungen zur Verbreitung der Zen-Lehre in allen Bevölkerungsschichten bei. Seine Bilder zeigen Szenen und Motive des Zen, Wundergeschichten und abstrakt-geometr. Kompositionen (allein über 1000 im Idemitsu-Mus., Tokio).

Senj, Stadt in Jugoslawien, rd. 50000 Ew., eine der ältesten Siedlungen an der Kroat. Küste, die ehem. röm. Hafenstadt **Senia.** Erh. blieben u. a. die roman. Kirche (ehem. Dom) aus dem 12./13. Jh. (später umgebaut; 1947 restauriert) mit bogenförmiger Fassade (im Innern barocke Altäre, Sakristei, 1497; Glockenturm, 1900); got. und Renaissance-Paläste (u. a. ›Vukasović-Haus‹, heute Mus.). Über der Stadt die Nehaj-Burg (1558).

Senkere, Ruinenstätte von →Larsa.

Senlis [sãl'is], Stadt im frz. Dép. Oise, nordöstlich von Paris an der Nonette, 14400 Ew. S. war das gallo-röm. **Augustomagus** (Umwallung, Amphitheater erh.). Die frühgot. Kathedrale (1153 beg., 1191 gew., Querhaus und Turmoberteil um 1240, Erneuerung versch. Teile nach Brand 1504) besitzt ein reich mit Skulpturen geschmücktes Westportal mit Szenen aus dem Marienleben (um 1170), das Vorbild für viele frz. Kathedralen des 12. und 13. Jh. wurde. Weitere Kirchen des MA. sind St. Pierre, St. Vincent; ehem. Bischofspalast (13./16. Jh.); spätgot. Rathaus. Mus. du Haubergier mit archäolog. Samml. und ma. Skulpturen.

Senlis: Gewändefiguren am Westportal der Kathedrale von S.; 2. Hälfte des 12. Jh.

Senneh-Knoten, Persischer Knoten, Knüpftechnik bei →Orientteppichen.

Sens [sãs], Stadt im frz. Dép. Yonne, an der Yonne, 27900 Ew. S., das galloröm. **Agedincum,** besitzt röm. Baureste (Stadtmauer, Theater, Bäder). Die frühgot. Kathedrale St. Étienne (um 1140 beg., W-Fassade um 1200, spätgot. Querhaus Ende 15. Jh., Erneuerung des 1286 eingestürzten S-Turmes im 16. Jh.) besitzt mit den teilweise noch erh. Portalskulpturen der W-Fassade (Zerstörung in der Frz. Revolution) bed. Zeugnisse frz. Bildhauerkunst des späten 12. Jh.; im Innern Glasfenster vom 12. bis 17. Jh. und reicher Kirchenschatz (u. a. Wandteppichsamml., byzantin. Elfenbeinkasten des 10. Jh., Emailarbeiten). Der Kirche St. Pierre-le-Rond (13.–15. Jh.) ist das Städt. Mus. (galloröm. Funde, Gemäldegal.) angeschlossen; im Palais Synodal (auch Officialité gen., 13. Jh.) das Steinmus. (galloröm. Mosaiken, ma. Skulpturen, Wandteppich des 16. Jh.).

Sentani, Kunstregion um den gleichnamigen See südwestlich der Humboldt-Bai in N-Neuguinea. Teile von Pfosten und deren Bekrönungen aus Häuptlings- oder Männerhäusern sind hervorragende Werke der Plastik, in denen Menschengestalt (Mann, Mutter mit Kind) und Tiergestalt (Kasuar, Sägefisch, Hai u. a.) zu eindrucksvollen Zeichen vereinfacht worden sind (BILD Neuguinea). In der Ornamentik dominieren verschränkte Spiralen (z. T. erweitert zum laufenden Hund) in Relief- und Kerbschnittechnik auf Holzschalen und auf Kalkbehältern aus Kokosschalen, aber auch auf Männerhausverzierungen wie Sonnenscheiben und z. T. durchbrochen gearbeiteten Tragpfosten. Eine besondere Ausstrahlung haben bemalte zeremonielle Lendentücher aus Tapa, die im Sinne einer kubist. Abrollung die Auflösung des Profils einer Echsengestalt in ein von Spiralen dominiertes Flächenornament zeigen.

S. KOOIJMAN: The art of Lake S. (New York 1959); J. HOOGERBRUGGE: S.-meer, mythe en ornament. Kulturpatronen, 9 (1967).

Senufo: Gesichtsmaske ›Kpelié‹ aus schwarz gefärbtem Holz; 32 cm (München, Privatsammlung)

Senufo, Sénoufo [senuf'o], **Sene, Syena,** Volk in N-Elfenbeinküste, SW-Obervolta und S-Mali, mit zahlreichen Stämmen, rd. 1,2 Mio. Menschen. Die Schnitzkunst der S. variiert regional durch Einflüsse der Bambara (im N) und der Baule (im S). Sie konzentriert sich v. a. auf Masken, Figuren und Gerätschaften des Poro-Geheimbundes, dem z. T. noch heute das relig. und soziale Leben untergeordnet ist. Unter den Maskentypen gilt als bekannteste die ›Kpelié‹, die bei großen Beerdigungszeremonien getragen wird; daneben die ›Wabele‹, die ein- oder janusköpfig, abstrakt oder naturalistisch, z. B. als Tierkopf mit offenem Rachen (›Feuerspeiermaske‹), gestaltet ist, sowie die ›Kagba‹, ein Tanzaufsatz mit Büffelkopf und langen Hörnern, der zu einer zeltartigen Ausrüstung getragen wird. Typen der figürl. Darstellungen sind die ›Deble‹-Rhythmus-Stampfer (BILD afrikanische Kunst), der große Nashornvogel (Calao), oft in geometr. Mustern bemalt, Würdestäbe, die oft von der Darstellung der göttl. Urmutter Kâtiélo gekrönt sind, Webrollenhalter und Stülpmasken mit einer darauf stehenden Figur (›Degele‹). Die Bronzekunst erschöpft sich in kleinen Orakelfiguren in menschl. Gestalt (›Schweigeringen‹) in Form eines abstrahierten Büffelkopfes (getragen von den Novizen des Poro-Bundes) sowie in versch. Schmuckgegenständen (Ringe, Armreifen, Fußreifen u. a.).

R. GOLDWATER: S. sculpture from West Africa (New York 1964).

Seo de Urgel [-ðe urx'ɛl], span. Stadt und Bischofssitz in den Pyrenäen, unweit der Grenze zu Andorra, mit roman. Kathedrale (frühes 12. Jh.), einer dreischiffigen Anlage mit Tonnengewölbe und einer von Säulengal. umgebenen Apsis; im Kirchenschatz illuminierte Beatus-Apokalypse (10. Jh.).

Seoul [se'ul], **Sŏul** [SAUL], Hauptstadt von S-Korea, am Hangang, 6,88 Mio. Ew., Zentrum des kulturellen, polit. und finanziellen Lebens von Korea und seit 1395 Hauptstadt. S. ist v. a. eine Stadt mit modernen Bauten. Die meisten histor. Denkmäler liegen im Zentrum. Der Tŏksu-Palast gegenüber dem Rathaus war urspr. eine königl. Villa und diente während der späteren Yi-Dynastie als Sitz des Gouverneurs. Die steinerne Halle Sŏkjojŏn ist das älteste im europ. Stil gebaute Gebäude Koreas und beherbergt das Mus. für Schöne Künste. Der Kyŏngbok-Palast hinter dem Kapitol ist ein typ. Palastbau der Yi-Dynastie. Er wurde vom ersten König der Yi-Dynastie als Hauptpalast errichtet. 200 Gebäude, die nach chines. Vorbild an einer Achse hintereinander aufgereiht waren, sind bei der Hideyoshi-Invasion 1592 verbrannt. 1867 ließ Prinzregent DAEWŎNGUN YI HAŬNG sie nach einem Vorbild des 14. Jh. neu errichten. Der Thronsaal Kŭnjŏngjŏn ist der größte erh. Holzbau Koreas. Der von einem Teich umgebene Kyŏnghoeru-Pavillon diente als zweistöckige Banquetthalle. Weitere Sehenswürdigkeiten des Kyŏngbok-Palastes sind der Pavillon Hyangwŏnjŏng und die zehnstöckige Steinpagode aus dem Kyongch'ŏnsa-Tempel. Dort befinden sich das Nat.-Mus. und das korean. Volksmus. Ein weiterer Palast im Zentrum, der Ch'angdŏk-Palast, ist der am besten erhaltene aus der Yi-Dynastie (1405 erbaut,

Seoul: zehnstöckige Steinpagode am Tor des Kyŏngbok-Palastes; 14. Jh.

1611 restauriert), enthält die Wohnräume des Königs und ist von einem ›Geheimen Garten‹ (Piwŏn) umgeben. Zur Verherrlichung der Yi-Dynastie wurde der Schrein Chongmyo errichtet (1395). Zu den histor. Bauten zählen noch die beiden Stadttore Namdaemun (auch Sungraemun, 1395 bis 1398) und Tongdaemun (1396).

Sepia [grch.], Maltechnik: Farbstoff aus einer Darmdrüse des Tintenfischs. Obwohl schon in der Antike genutzt, wird die dunkelbraune S. wohl erst seit Mitte des 18. Jh. als Tusche und Aquarellfarbe verwendet.

Sepik, Fluß in NO-Neuguinea, zugleich die vielfältigste Kunstregion →Melanesiens, die auch die benachbarten Regionen von der W-Grenze Papua-Neuguineas (N-Küste) über das Küstengebirge und das Ramu-Tal bis zur NO-Küste umfaßt. Weder Formen und Motive noch Materialien und Techniken der S.-Kunst sind durchgehend einheitlich, doch sind Gemeinsamkeiten unverkennbar, z. B. die Betonung kurvilinearer Muster in der Ornamentierung von Flächen, wie sie der Vergleich der alten Kampfschilde zeigt. Masken (aus Holz) und unabhängige Skulpturen (für zeremonielle Zwecke oder als Teile von Kulthäusern) bilden ein weiteres gemeinsames, wenn auch nicht lückenlos durchgehendes Merkmal. Die Ausformungen sind von einer ethn. Gruppe zur nächsten, selbst von Dorf zu Dorf, deutlich verschieden. Als Regionalstile werden unterschieden: Küstenzone, unterer S., mittlerer S. (→Iatmül), Hügelgebiete (→Kwoma), Bergzone südlich des S. (Hakenstil, →Korewori), oberer S., das Quellgebiet und das Küstengebirge (v. a. →Abelam).

Die Küstenzone und das S.-Mündungsgebiet zeichnen sich durch die Betonung der Holzplastik aus: Masken und v. a. kleine monochrome Figuren. Das den →Schnabelstil prägende Motiv der verlängerten Nasen-/Kieferpartie ist hier häufig; die oft mandelförmigen Augen sind meist schräg gestellt, die Köpfe menschl. Figuren i. d. R. überproportional groß, die Gliedmaßen dagegen nur wenig ausgearbeitet. Die Masken, häufig mit rotem Ocker gefaßt, z. T. auch bemalt, wurden auf Maskenkostümen getragen oder, auf Gestellen befestigt, im Innern der hl. Abteile von Männerhäusern aufbewahrt.

Besondere Bedeutung als Kunstzentren haben die Gebiete am unteren und mittleren S. (BILDER Melanesien, Neuguinea). Im Bereich des Unterlaufs und der südl. Zuflüsse Keram und Yuat bestimmen figürl. Malereien in und an Männerhäusern sowie Skulpturen das Bild von der Kunst des S. Bes. eindrucksvoll sind Schnitzwerke der Mundugumor und ihrer Nachbarn am Yuat, die – als Aufsätze auf den Kultflöten oder als überlebensgroße, in den Wohnhäusern aufbewahrte männl. Figuren – Kulturheroen und Klangründer vergegenwärtigt haben. Charakteristisch sind große Köpfe mit betonter Stirn und bis vor die Brust herabgezogener Kieferpartie, blockhafte Gestaltung des Schultergürtels sowie stark modellierte, die Gelenke betonende Gliedmaßen. Auf dem Bauch und an den Gelenken sind zuweilen Gesichter aufgeschnitzt. Im Bereich des mittleren S. sind neben den Iatmül (BILD), Sawos, Manambu

Sepik: Kampfschild, bemaltes Holz, May River oder Yellow River (Basel, Museum für Völkerkunde)

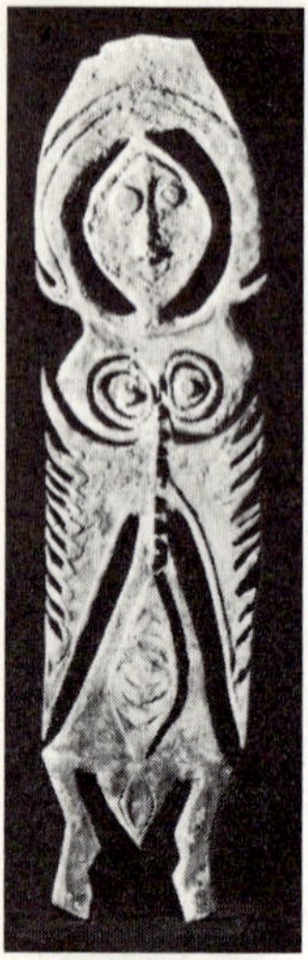

Sepik: Korewori-Figur, Holz (Basel, Museum für Völkerkunde)

v. a. die Chambri-Leute als Schnitzer und Hersteller der verzierten Kalkdosen aus Bambus bekannt geworden. In weite Teile des S.-Gebietes wird die plastisch verzierte →Keramik des Dorfes Aibom verhandelt.

Im Gebiet des oberen S. und v. a. der südl. und nördl. Nebenflüsse sind die eingekerbten Verzierungen der durch Bemalung aktivierten Kampfschilde, meist auf einem zentralen Gesicht, allenfalls auf 2 gegeneinandergestellten Gesichtern aufbauend, seltener ohne erkennbaren figurativen Bezug, die wesentlichste künstler. Form. Figürl. Plastik ist selten; für Bootsverzierungen wurde das Motiv des Krokodils- und des Vogelkopfes geometrisiert. Neben den Kampfschilden kommt regional begrenzt auch Malerei in der Fläche (innere Hausverkleidungen) vor, mit betont geometrisch-kurvilinearen Formen (geöffnete, z. T. verdoppelte Spiralen, Winkelbänder u. a.).

Das Quellgebiet des S. zeichnet sich durch straffe, gestrecktlineare Gestaltung der Flächen in Reliefbandtechnik (Kampfschilde, Fassadenverkleidungen der Kult- und Männerhäuser) aus. V- und X-förmige Grundlinien (Arme und Beine?) dominieren, das Gesicht, soweit vorhanden, rückt als kleines Element in die Mitte. Ähnlichkeiten weisen nach W und S ins Hochland.

A. BÜHLER: Kunststile vom S. (1960); H. KELM: Kunst vom S., 3 Bde. (1966–68); D. NEWTON: Crocodile and cassowary. Religious art of the Upper S. (New York 1971).

Septimius-Severus-Bogen, dreitoriger Bogen an der Westseite des Forum Romanum in Rom, 203 zu Ehren des Kaisers SEPTIMIUS SEVERUS und seiner Söhne CARACALLA und GETA errichtet. Die Reliefbilder zeigen Darstellungen aus den unter dem Kaiser geführten siegreichen Parther- und Araberkriegen. Der Bogen trug in der Antike einen von 6 Pferden gezogenen Siegeswagen mit Statuen des Kaisers und seiner Söhne aus Bronze.

Septizonium [lat.] *das,* mehrstöckige Prachtfassade, die Kaiser SEPTIMIUS SEVERUS 203 dem röm. Kaiserpalast Domus Augustana auf dem Palatin in Rom im SO hinzufügte. Ihre noch auf zahlreichen Veduten des 15. und 16. Jh. wiedergegebene Ostecke wurde 1588/89 abgetragen.

Sepultur [lat.] *die,* in der spätgot. Baukunst ein Begräbnisraum **(Mortuarium)** für Äbte, Prälaten, auch Bischöfe und Fürsten innerhalb von Kloster und Stift, seitdem die traditionellen Bestattungsräume (Krypta, Kapitelsaal) nicht mehr ausreichten (Magdeburg, 1405 ff.; Bamberg, 15. Jh.; Eichstätt, 1487).

Sequeira [sek'eɪra], Domingos António de, portugies. Maler, Radierer, Lithograph, *Belém 10. 3. 1768, †Rom 7. 3. 1837, Hauptmeister der portugies. Kunst an der Wende zum 19. Jh. Nach Studium in Rom (1788 bis 1796) trat S. in das Kloster Buçaco (bei Coimbra) ein, wurde 1802 Hofmaler, lebte seit 1826 in Rom.

HW: Johannes der Täufer, Schloß Ajuda, Belém; Andachtsbilder und Allegorien im Rathaus in Lissabon.

Serai, Serail, Serei, Sarai, Saray [pers.-türk.], in Kleinasien Schloß, bes. die Palastanlagen der Osmanen-Sultane (Topkapı-S. in →Istanbul).

Serapeum, grch. **Serapeion,** Heiligtum für Sarapis, Hauptgott des Ptolemäerreiches seit dem frühen 3. Jh. v. Chr. S. wurden an vielen Orten, auch außerhalb Ägyptens, errichtet. Das bed. S. von Alexandria wurde erst 391 unter THEODOSIUS I. zerstört. Als S. wird auch die Begräbnisstätte der Apisstiere in Sakkara bezeichnet, da der Gott Sarapis mit Apis vermischt wurde. Diese Anlage bestand aus unterird., in den Fels gehauenen Grüften, deren älteste Kammern auf die Zeit von AMENOPHIS III. (um 1400 v. Chr.) zurückgehen; die einbalsamierten Stiere wurden zuerst in Holzsärgen, seit AMASIS (570–526 v. Chr.) in großen, glatten, schmucklosen Steinsarkophagen aus rotem und schwarzem Granit beigesetzt; eine Vielzahl von Stelen überliefert genauere Angaben über ihr Lebensalter und ihre Bestattung.

Séraphine [seraf'i:n], eigtl. S. **Louis** [lwi], frz. naive Malerin, *Arsy (Oise) 2. 9. 1864, †Clermont (Oise) 11. 12. 1942, von W. UHDE 1912 entdeckt. Ihre mystisch-religiös bestimmten Bilder, meist Pflanzen, Bäume oder Blumen, offenbaren eine suggestive Phantastik; neben H. ROUSSEAU einflußreichste naive Malerin in Frankreich (→Naive Malerei).

Séraphine: Der rote Baum; um 1927/28 (Paris, Centre Pompidou)

Serapis, ägypt. Gott, →Sarapis.

Seressi, röm. Ruinenfeld in Tunesien, →Oum el-Abouad.

Serfaus, Gem. bei Landeck, Tirol, Österreich; Alte Pfarrkirche und Wallfahrtskirche (1332 erwähnt, aber älter), gotisch über roman. Grundriß, mit got. Freskenresten (14. Jh.) an der Außenwand und Gnadenbild (12. Jh.); spätgot. Neue Pfarrkirche (1516 gew.), um 1760 barockisiert, mit frei stehendem Turm; romanisch-got. Georgskapelle mit Fresken (1482).

Johan Tobias Sergel: Liegender Faun; 1774 (Stockholm, Nationalmuseum)

Sergel, Johan Tobias, schwed. Bildhauer, *Stockholm 8. 9. 1740, †ebd. 26. 2. 1814, ausgebildet in Stockholm und Paris, lebte 1767–78 in Rom, wo er zum Klassizismus überging. Sein Werk umfaßt Statuen, Figurengruppen, Denkmäler (Gustav III., Stockholm), Porträtbüsten und meisterhafte, bes. auch humoristisch-satirische Zeichnungen.

Serielle Kunst, Sammelbegriff für Tendenzen der modernen Kunst, die das Prinzip der Komposition durch das Prinzip der Reihung oder Progression ersetzen. Die Ursprünge liegen im Konstruktivismus und in der Konkreten Kunst, doch prägte sich in den 1960er Jahre in der Minimal Art, der Pop Art (A. WARHOL), aber auch bei Künstlern wie P. ROEHR eine bes. konsequente Form der determinierten Wiederholung aus.

Serigraphie [lat.-grch.], der →Siebdruck.

Serliana, Serlio|motiv, Baukunst: nach S. SERLIO benannte Wandöffnung, →Palladiomotiv.

Serlio, Sebastiano, ital. Baumeister, Bühnenbildner, *Bologna 6. 9. 1475, †Fontainebleau 1554, Schüler B. PERUZZIS in Rom, kam 1541 an den frz. Königshof in Fontainebleau. Von seinen Werken ist nur der Portalvorbau des von ihm errichteten Hôtel de Ferrare im Schloß Fontainebleau erh., ferner wird ihm der Entwurf des Schlosses Ancy-le-Franc (Yonne) zugeschrieben. S. gewann durch seine architekturtheoret. Schriften weitreichenden Einfluß auf die Renaissancebaukunst. In seiner siebenbändigen Baulehre (seit 1537), die auch durch Wiedergaben bed. Entwürfe seiner Zeitgenossen wichtig ist, gab er ein reiches Musterbuch antiker und neuer Baukunst und Dekoration. S. begründete auch das System der Renaissancebühne mit perspektivisch gegliedertem Bildaufbau, stereotyp für die tragische und komische Bühne (Einblick in Straßen) wie für das Satyrspiel (Wald und Fels).

Serodine, Giovanni, ital. Maler, *Ascona um 1594, †Rom 21. 12. 1630, seit etwa 1612 ebd. In seinen Altargemälden und Andachtsbildern schloß er sich, was die Themenwahl und die charakterist. Helldunkelmalerei betrifft, den Caravaggisten an, lockerte jedoch deren klare, geschlossene Formgebung durch eine freie Malweise in zunehmendem Maß auf.

Walentin Serow: Porträt Ida Rubinstein; Zeichnung, 1910/11 (Moskau, Tretjakow-Galerie)

Serow, Walentin Aleksandrowitsch, russ. Maler, *St. Petersburg 19. 1. 1865, †Moskau 5. 12. 1911, Schüler von I. REPIN, dessen impressionist. Stil er weiterentwickelte (›Mädchen mit Pfirsichen‹, 1887; Tretjakow-Gal. Moskau). S. gehörte zum Künstlerkreis von →Abramzewo, war Mitgl. der Peredwischniki und des Mir Iskusstwa. In seinen Werken nach 1900 veränderte sich die maler. Auffassung zugunsten großflächiger, dekorativer, z. T. fast monochromer Farbigkeit und stilisierter Form mittels betonter Umrißlinien; auch Buchillustrationen sowie Lithographien und Radierungen.

Serpentin, Ophit, Schlangenstein, ein meist grünliches, geädertes, weiches Gestein, das sich sägen, schneiden und polieren läßt. Im alten Vorderasien fand S. zur Herstellung von Kleinplastiken und Gefäßen, v. a. aber von Rollsiegeln, Verwendung.

In der klass. Antike wurde S. nur für Bauten, nicht für Skulpturen verwendet. Heute wird es zu kunstgewerbl. Gegenständen (Vasen, Dosen, Krüge, z. T. mit Silbermontierung), Platten und Inkrustationen verarbeitet, ebenso wie der ›edle S.‹, der auch dicht, aber in lichten Farben (zartgelb bis lichtgrün) durchscheint.

Serpotta, Giacomo, ital. Bildhauer, Stukkateur, *Palermo 10. 3. 1656, †ebd. 26. 2. 1732. Vom Spätwerk G. L. BERNINIS beeinflußt, entwickelte er einen Stil, der Bewegungsreichtum mit ornamentaler Phantasie verbindet; bedeutendster Stukkateur des sizilian. Spätbarock.

HW (alle in Palermo): Ausschmückung der Oratorien del Rosario in S. Zita (1686–88 und 1717/18), S. Lorenzo (1690–1706) und S. Domenico (1710–17); 8 Statuen in S. Francesco d'Assisi (1723).

Serra, Jaime (auch Jaume), span. Maler, um 1360 bis 1375 tätig, Hauptvertreter des Schönen Stils in Katalonien, schuf, in der Nachfolge von FERRER BASSA, v. a. Mariendarstellungen und -altäre. Kennzeichnend sind seine Vorliebe für Goldbrokat und überreiche Gewänder in lebhaften Farben. Einzig gesichertes Werk: Retabel des Fray Martín de Alpartil für dessen Grabkapelle im Kloster S. Sepulcro in Saragossa (1361; heute Museo de Bellas Artes ebd.); Zuschreibungen teilweise zw. ihm und seinem Bruder Pedro (auch Pere), von dem das Pfingstretabel in der Kathedrale von Manresa stammt (1393/94), umstritten.

Serra [s'erə], Richard, amerikan. Bildhauer, *San Francisco 2. 11. 1939, lebt in New York; leistete Beiträge zur Arte Povera und zur Prozeßkunst, schuf seitdem Plastiken, die das phys. Gewicht gegeneinander gelehnter Stahlplatten zum Thema haben und Raumbezüge schaffen; bed. Großplastiken für den Außenraum.

Sert [engl. sə:t], José Luis, amerikan. Architekt und Städteplaner span. Herkunft, *Barcelona 1. 7. 1902, †ebd. 16. 3. 1983, studierte u. a. bei LE CORBUSIER in Paris, dann tätig in Barcelona, übersiedelte 1939 in die USA. S. schuf städtebaul. Entwürfe für die Cidade dos Motores in Brasilien (1945), für Chimbote in Peru (1948) und für Medellín in Kolumbien (1949). Mus.-Bau der →Fondation Maeght. HW in den USA sind die Studentenwohnheime der Harvard Univ. (1962–64) und die Law School der Boston Univ. (1960–65).

Sérusier [seryzj'e], Paul, frz. Maler, Kunsttheoretiker, *Paris 1864, †Morlaix (Finistère) 6. 10. 1927, gründete 1889 zus. mit M. DENIS, P. BONNARD, E. VUILLARD die Künstlergruppe →Nabis, deren Ziel eine dem flächenhaften Wesen der Malerei eigene Neukonstituierung des Bildes war. Das Werk von S., Landschaften und Figurenbilder, blieb unter dem starken Einfluß von P. GAUGUIN. Später wandte sich S. immer stärker einer christl. Kunstlehre zu. Er verfaßte ›L'ABC de la peinture‹ (1921).

Servandoni, Giovanni Niccolò (Jean-Nicolas), ital. Baumeister, Bühnenbildner, *Florenz 2. 5. 1695, †Paris 19. 1. 1766, Schüler von G. P. PANNINI in Rom, seit 1724 v. a. tätig in Paris sowie in London, Dresden, Wien; schuf kühn konstruierte klassizistisch-romant. Architektur-Dekorationen.

HW: Fassade von St. Sulpice in Paris (1732–45).

Servante [sɛrv'ãt, frz. ›Dienerin‹] *die,* ovales oder rundes Nebentischchen (bes. im 18. Jh.) zum Abstellen und Anrichten.

Serviusmauer, Befestigungsmauer in Rom (Reste noch an vielen Stellen sichtbar); wird auf den 6. röm. König SERVIUS TULLIUS (578–534 v. Chr.) zurückgeführt, ist aber wohl erst nach 386 v. Chr. entstanden.

Sessa Aurunca, Stadt und Bischofssitz in der südital. Prov. Caserta. Aus röm. Zeit sind Ruinen erh. (Amphitheater u. a.) sowie in 2 km Entfernung die einundzwanzigbogige ›Brücke der Aurunker‹. Der Dom (1103 beg.), eine dreischiffige Basilika mit Vorhalle (13. Jh.), wurde aus dem Material antiker Bauten errichtet und im Barock durchgreifend erneuert. Vom alten Bau erh. sind Skulpturen der Vorhalle und des Westportals sowie Kanzel, Osterleuchter und Orgelbrüstung.

Sesshu [sɛʃu:], auch **Toyo,** japan. Maler und Priester, *1420, †Suo (Präf. Yamaguchi) 1506, Zen-Priester in Kioto, ausgebildet in der klassisch-chines. Tuschmalerei wahrscheinlich bei dem Priester-Maler SHUBUN, reiste 1467–69 in China als Zen-Priester von hohem Rang und bekannter Maler umher. 1469–1506 hielt er

Sesshu: Landschaftsrolle, Ausschnitt; 1486 (Yamagushi, Sammlung Mori)

sich oft in Suo auf, wo er seinen Ruhesitz Unkokuan (›Wolkental-Einsiedelei‹) errichtete. Zu seinen Meisterwerken zählen Landschaftsbilder, die Gartenkünstlern als Vorlagen dienten. Er schuf aber auch selbst eine Reihe von Gärten (Joeiji- und Unkokuan-Gärten in Yamaguchi). Seine genialen, in Haboku-Technik (›gespritzter Tusche‹) gemalten Werke beinhalten bewußt gewählte Formfragmente, die dazu zwingen, sich in den Sinn des Bildes oder der Dinge zu versenken. Seine Fels- und Bergformen wirken stark kristallin. S. übertraf seine chines. Vorbilder an Ausdruckskraft und Können und gilt als der größte Meister der klass. Tuschmalerei in Japan. Er setzte als erster japan. Maler Signatur und Siegel bewußt auf die Bildfläche. (WEITERES BILD japanische Kunst)

Sesson, eigtl. **Shukei** [ʃukeɪ], japan. Maler und Zen-Priester, *1504, erwähnt bis 1589, lebte v.a. in den ländl. Gegenden von N-Honshu, wo er v. a. für den Adel tätig war; malte im Stil des SESSHU, den er als Vorbild verehrte. Aus der kraftvoll-breiten Pinselführung seiner Tuschgemälde spricht trotz ihres klassisch-chines. Stils die hohe persönl. Eigenart des Meisters. Neben einfarbiger Tuschmalerei schuf er auch genau komponierte farbige Gemälde und Stellschirmbilder. Er gilt als einer der bedeutendsten Maler der späten Ashikaga-Zeit.

Sesto al Reghena [-reg'e: na], Gem. in der nordital. Prov. Pordenone, Friaul. Die stark befestigte Abtei S. Maria in Sylvis (im 8. Jh. gegr.) erlebte zw. dem 11. und 14. Jh. ihre Blüte; dreischiffige roman. Abteikirche (10./11. Jh., im 14. und 15. Jh. verändert) mit Wandmalereien (1. H. 14. Jh.) und reich mit Reliefs geschmücktem Marmorsarkophag der Hl. Anastasia (8. Jh.).

Seth, ägypt. Gott, neben Horus Schutzgott des ägypt. Königs und in ihm gegenwärtig. Als Gott der Wüste und Dürre, der Stürme und des Unwetters Herrscher über die Randgebiete der geordneten Welt und damit Schutzgott der Asiaten und Fremden; da er im Mythos zum Mörder des Osiris wurde, war er in der Spätzeit als Verkörperung des Bösen verfemt und wur-

Seth

de von den Griechen mit dem Ungeheuer Typhon gleichgesetzt; dargestellt in Menschengestalt mit dem Kopf eines Phantasietieres, auch mit Doppelkrone.

Sethos I., ägypt. König (1304–1290 v. Chr.) der 19. Dynastie, erbaute den großen, gut erh. Tempel in Abydos und einen kleineren, für seinen Totenkult bestimmten Tempel auf dem W-Ufer von Theben. Der Schmuck seines Grabes im Tal der Könige zählt zu den Höhepunkten ägypt. Reliefkunst.

Sétif, Stadt in N-Algerien, 347 000 Ew. Über einer vorröm. Berberstadt entstand das röm. **Sitifis**, 429 von den Wandalen zerstört, 540 von den Byzantinern neu errichtet. Die byzantin. Festung bildet den Unterbau der frz. Garnison. Aus röm. Zeit sind Bäder mit reichem Mosaikschmuck, eine Zisterne (11 × 10 m) und ein Mausoleum erh. Ferner Reste der islam. Stadt aus dem 10.–12. Jh. Große Moschee (1845 erbaut), Mus. und Freilicht-Mus. (Vorgeschichte, Skulpturen).

Seto-yaki, Keramikwaren aus Seto bei Nagoya, für die schon seit dem 13. Jh., also viel früher als für die übrige japan. Keramik, Glasuren verwendet wurden (Ko-Seto-Waren). In der Edo-Zeit war gelbes Seto beliebt, mit feinporig-rauher Oberfläche, manchmal mit in Eisenbraun oder Kupfergrün hervorgehobenem zarten Ritzdekor. Seit dem 19. Jh. ist Seto ein Zentrum für Exportporzellan, das mit Arita konkurrierte. Setomono (Dinge aus Seto) ist ein japan. Ausdruck für Keramik.

Settecento [-tʃ-, ital. ›siebenhundert‹, Abk. für 1700], ital. Bez. für das 18. Jh.; i. e. S. als Stilbegriff der Kunstgeschichte Bez. für die Epoche des ital. Spätbarock und Rokoko an der Wende zum Klassizismus (→Ottocento). Herausragende Beispiele in der Baukunst sind die Superga bei Turin von F. JUVARRA und der Palazzo Reale in Caserta von L. VANVITELLI. In der Plastik schuf A. CANOVA Ende des 18. Jh. für den europ. Klassizismus richtungsweisende Skulpturen. Das Zentrum der Malerei des S. war Venedig mit G. B. PIAZZETTA, G. B. TIEPOLO, S. RICCI, den beiden CANALETTO sowie F. GUARDI.

Settignano [-ɲ'a:no], Desiderio da, ital. Bildhauer, →Desiderio da Settignano.

Setúbal [sət'uβal], portugies. Hafenstadt und Bischofssitz südwestlich von Lissabon an der Mündung des Sado, 45 000 Ew. Das Jesuskloster (1490 gegr.), von D. BOYTAC als erster Bau im Emanuelstil errichtet (mit dreischiffiger Hallenkirche, erhöhtem quadrat. Chor mit Sterngewölbe, tauartig gewundenen Säulen und Maßwerkfenstern), ist der Vorläuferbau zum Hieronymitenkloster in Belém; im Kloster Mus. mit Gemälden von J. AFFONSO und seinen Schülern. Kirche S. Julião (urspr. Bau 1755 beim Erdbeben zerstört) mit prächtigem emanuelin. Hauptportal vom Vorgängerbau (um 1516).

Seurat [sœr'a], Georges, frz. Maler, *Paris 2. 12. 1859, †ebd. 29. 3. 1891, entwickelte nach eingehendem Studium der Farbentechnik von E. DELACROIX und der

Wörter, die man unter S vermißt, suche man unter Sch oder Z

Georges Seurat: Ein Sonntagnachmittag auf der Insel La Grande Jatte; 1885 (Chicago, Art Institute)

wissenschaftl. Farbenlehre in log. Weiterbildung des →Impressionismus seit etwa 1885 den Pointillismus (→Neoimpressionismus). Gleichzeitig überwand er den Illusionismus durch seinen strengen, geometrisierenden Bildaufbau und schuf damit grundlegende Voraussetzungen für die weitere Entwicklung der →modernen Kunst. S. hat große Figurenkompositionen und Landschaften, bes. der Meeresküste, gemalt.

HW: Badeplatz in Asnières (1883–84; London, Tate Gal.); Bec du Hoc (1885; ebd.); Ein Sonntagnachmittag auf der Insel La Grande Jatte (1885; Chicago, Art Institute); Brücke von Courbevoie (1886 bis 1887; London, Courtauld Institute); Les poseuses (1888; Merion, Pennsylvania, Barnes Foundation); Le Chahut (1890; Otterlo, Rijksmus. Kröller-Müller); Der Zirkus (1891, unvoll.; Paris, Musée d'Orsay).

L. Hautecoeur: G. S. (a. d. Frz., 1974).

Seuter, Bartholomäus, Haus- und Emailmaler, Kupferstecher, *1678, begraben 15. 9. 1754, stammte aus einer Augsburger Stecherfamilie. S. entwickelte in seiner Werkstatt Muster aus zarten Blumen, Insekten und Vögeln, mit denen vorwiegend Porzellane aus Meißen dekoriert wurden.

Seuthopolis, im SO Bulgariens gelegene Thrakerstadt, Ende des 4. Jh. v. Chr. von dem Fürsten Seuthes III. gegr.; der Name der Stadt ist nur aus einer dort ausgegrabenen Inschrift bekannt; Reste der Stadtmauern, von Wohnhäusern und eines Dionysostempels, deren Architektur an die Tradition grch. Anlagen im östl. Mittelmeerraum anschließt, wurden freigelegt.

Severin, 1) Bischof von Köln (um 400) und Stadtpatron; in Köln die Severinskirche und der ›Severinusschrein‹ (1. H. des 11. Jh., im 19. Jh. eingeschmolzen, später erneuert); Darstellung: Wandgemälde vor 1307; Köln, St. Severin.

2) abendländ. Mönch von hoher Herkunft, †Favianis (Mautern) 8. 1. 482, bed. als Fürsprecher der röm. Bev. in der Zeit der Völkerwanderung, dargestellt als Pilger oder Mönch (A. DÜRER, Holzschnitt, 1515/17; Zyklus von P. DIMMEL, 1971; Lorch/Enns, Basilika, Bronzetür).

S., Ausst.-Kat., Enns (1982).

Severini, Gino, ital. Maler, *Cortona 7. 4. 1883, †Paris 26. 2. 1966, bildete sich in Rom, lebte seit 1906 v. a. in Paris, schloß sich 1910 den Futuristen an (BILD Futurismus) und gelangte, beeinflußt vom Kubismus und der neuklassizist. Richtung P. PICASSOS, zu einer eigenen dekorativen Formensprache; schuf auch Mosaiken, relig. Wandmalereien (bes. in Kirchen der W-Schweiz).

G. S. Tutta l'opera grafica, bearb. v. F. MELONI (Mailand 1982).

Sevilla: Minarett ›La Giralda‹; 1184–96

Sevilla [seβ'iʎa], Provinzhauptstadt und Erzbischofssitz in S-Spanien, am Guadalquivir, 625 000 Ew.; wirtschaftl. und kultureller Mittelpunkt Andalusiens. S., von den Phönikern gegr., wurde 45 v. Chr. römisch; seit 712 arabisch, war es Lieblingssitz der Almohaden. 1248 wurde die Stadt von FERDINAND III. VON KASTILIEN erobert, der sie zu seiner Residenz machte. Nach der Entdeckung Amerikas wurde S. wichtigster Hafen und eine der reichsten Städte Spaniens.

Aus maur. Zeit blieben von der ehem. Hauptmoschee v. a. das Minarett (›La Giralda‹, 1184–96, mit almohad. Baudekor; oberstes Geschoß und Laterne 16. Jh.) und der Orangenbaumhof (Patio de los Naranjos, 12. Jh.) erh. Beide liegen an der N-Seite der Kathedrale, die 1402 an Stelle der maur. Moschee beg. wurde; die spätgot. fünfschiffige Basilika ist eine der größten Kirchen des Abendlandes, reiche Ausstattung mit Skulpturen (v. a. an Portalpfeilern und Tympana), Altargemälden (u. a. B. E. MURILLO u. a. span. Meister), Grabmälern (v. a. Königsgrabmäler in der plateresken Capilla Real, 1551–75), Glasfenstern und weiteren Kunstwerken in Sakristei und Kapitelsaal. Der urspr. maur. Alcázar (vom urspr. Bau ist der Innenhof ›Patio del Yeso‹ erh.) wurde im 14. Jh. im Mudéjar-Stil umgebaut; Azulejos-Wandverkleidungen, Artesonado-Decken und v. a. filigranhafte Stuckarbeiten (Yeserías) und die unter KARL V. angelegten Gärten gehören zu den besten Leistungen mudéjar. Künstler in Spanien. Zahlreiche Kirchen S.s wurden im 17. Jh. im Inneren barockisiert und üppig geschmückt; im Hospital de la Caridad (Mitte 17. Jh.) Werke von P. ROLDÁN (Hauptretabel), J. VALDÉS LEAL (Vanitas-Wandbild) und Murillo (Tafelgemälde). Unter den Profanbauten ragt die 1492 beg. Casa Pilatos im Mudéjar-Stil heraus, die als Vorbild der andalus. Paläste gilt (Innenhof mit zweistöckiger Arkadengal. und Azulejos-Ausschmückung); Rathaus (Ayuntamiento, 1527); Börse (Lonja, 1598 voll.; Entwurf von J. DE HERRERA). Nördlich des Alcázars im Stadtteil Santa Cruz (in arab. Zeit das Judenviertel) der barocke Hospitalbau de los Venerables Sacerdotes (1675). Am Flußufer der Torre del Oro, ein maur. Befestigungsturm (1220), der mit dem Alcázar verbunden war. Im S der Stadt der Park María Luisa mit Bauten, die zur Ibero-Amerikan.

Ausstellung 1929/30 errichtet wurden, u.a. Palacio Central an der halbkreisförmigen Plaza de España.

Museen. Neben den Kirchen S.s bietet das Provinzmus. im ehem. Kloster de la Merced eine Fülle von Bildwerken aller bed. span. Bildhauer des 17. Jh. (J. DE MESA, P. ROLDÁN, A. CANO und v.a. J. MARTÍNEZ MONTAÑÉS), daneben auch Gemäldesamml. (MURILLO, VALDÈS LEAL, F. DE ZURBARÁN); Archäolog. Mus. mit röm. Funden aus Italica.

Sèvres-Porzellan [sɛːvr-], das in der frz. Staatsmanufaktur Sèvres (bei Paris) hergestellte Porzellan. Die mit königl. Unterstützung als Privatunternehmen im Schloß Vincennes 1738 gegr. Manufaktur, die seit etwa 1745 Weichporzellan (pâte tendre) herstellte, wurde 1756 nach Sèvres verlegt. Sie arbeitete dort erst als Gesellschaft mit einem königl. Anteil von 25 %, ging jedoch 1759 ganz in königl. Besitz über. Das in Sèvres ebenfalls produzierte Frittenporzellan zeichnet sich aus durch die Leuchtkraft seiner Fondfarben (z.B. bleu du roi; rose pompadour). Nach der Auffindung großer Kaolinlager begann 1769 die Herstellung von Hartporzellan (pâte dure). Wurde anfangs noch nach ostasiat. Vorbildern gearbeitet, standen doch bald die Rokokodarstellungen (Schäferszenerien u.a.) im Stil von F. BOUCHER und J. H. FRAGONARD im Vordergrund. In den 1760er Jahren wurden reich dekorierte Porzellanplatten, die als Füllungen in eleganten Kleinmöbeln verwendet wurden, hergestellt. Die figürl. Plastik nach Modellen bekannter Bildhauer der Zeit wie É.-M. FALCONET (Modellmeister in Sèvres 1757–66), J.-B. PIGALLE, CLODION u.a. wurde fast ausschließlich in Biskuitporzellan ausgeführt. Nach einem Rückgang der künstler. Produktion nach 1780 begann ein neuer Aufschwung in napoleon. Zeit, u.a. mit der Herstellung großer Prunkvasen. (BILD Porzellan)

Sewu, Candi S. [tç-], buddhist. Heiligtum auf Zentraljava aus dem 9. Jh., bestehend aus einem Haupttempel, umgeben von rd. 150 Nebentempeln in 4 Reihen. Der Candi S. hat wie Borobudur einen mandala-artigen Grundriß, ist jedoch durchweg ebenerdig erbaut. Die Anlage war fast ganz zerstört und konnte durch Anastylose wieder aufgebaut werden. Die Stein- und Bronzebildwerke sind nicht mehr erh.

Seybold, Christian, Maler, *Mainz 1703(?), †Wien 19.5.1768, ebd. Mitgl. der Akad. und (seit 1744) Kammermaler, malte Porträts in der Art von B. DENNER.

Seyfer, Syfer, Hans, Bildhauer, *vor 1460, †Heilbronn 1509, ebd. seit 1502 nachweisbar. Seine Kunst setzt die kraftvolle Gestaltung der oberrhein. Überlieferung in Niederschwaben fort.

HW: Hochaltar (voll. 1498; Heilbronn, Kilianskirche); Kreuzigungsgruppe (1501; Stuttgart, Hospitalkirche, Kopie hinter dem Chor der Leonhardskirche); Ölberg (1689; Speyer, am Dom; 1689 und in der Frz. Revolution zerstört, nur kopflose Torsen erhalten, in der Obhut des Speyrer Domkapitels).

Sezession [lat.], **Secession,** in der Kunst die bewußte und programmat. Abspaltung von Künstlergruppen von herkömml., oft offiziellen Künstlervereinigungen wie auch der Zusammenschluß von Künstlern mit neuen Zielen. S.-Bewegungen entwickelten sich in versch. europ. Kunstzentren fast gleichzeitig seit Ende des 19. Jh., bes. in Dtl. und Österreich; sie wandten sich gegen die akadem. Malerei. Die früheste S. war die Société des Indépendants (gegr. Paris 1884). 1892 wurde die Münchener S. von F. v. STUCK, F. v. UHDE und W. TRÜBNER gegr.; aus ihr gingen hervor u. a. die Phalanx (1901, Leitung W. KANDINSKY), die →Neue Künstlervereinigung München (1909) und die Neue S. (1913). Die Berliner S. entstand 1898 aus der Gruppe der Elf (gegr. 1892 von M. LIEBERMANN und W. LEISTIKOW) und der Freien Künstlervereinigung (gegr. 1893); Präsident war bis 1911 Liebermann. Von ihr spalteten sich 1910 die Neue S. (der ein Teil der ›Brücke‹-Maler angehörte) und 1914 die Freie S. ab. Die wichtigste S. wurde die am 3. 4. 1897 gegr. Wiener S., die der österr. Variante des →Jugendstils den Namen **Sezessionsstil** gab. Hauptvertreter waren G. KLIMT, KOLO MOSER, J. M. OLBRICH. Olbrich war auch der Architekt des Gebäudes der Wiener S. (1897–99); 1905 spaltete sich der Hagenbund ab. 1919–23 bestand die Dresdner S. 1927 wurde die Badische S. gegr. (u. a. mit A. KANOLDT, K. HOFER), die noch heute besteht. Die 1919–23 bestehende Darmstädter S. wurde 1945 als Neue Darmstädter S. wiedergegr. (u. a. mit M. BECKMANN, W. BAUMEISTER, O. ZADKINE, HAP GRIESHABER, O. RITSCHL, G. MEISTERMANN). Nach dem 2. Weltkrieg entstand die Neue Rhein. S. (u. a. mit E. MATARÉ und E. W. NAY).

R. WAISSENBERGER: Die Wiener S. (1971); R. PFEFFERKORN: Die Berliner S. (1972); Berliner S., Ausst.-Kat., Berlin-West (1981); P. PARET: Die Berliner S. (²1982).

Sezincote [s'i:zɪnkəʊt], östlich von Cheltenham in der engl. Cty. Gloucestershire gelegenes Landhaus, 1803–05 von S. P. COCKERELL im ind. Stil mit durch Galerien verbundenen Pavillons mit Zwiebelkuppeln inmitten einer orientalisierenden Gartenanlage errichtet.

Sfax, Stadt an der O-Küste Tunesiens, 266 600 Ew.; gegr. im 9. Jh. von den Aghlabiden (arab. Dynastie, 800–909) über dem antiken **Taparura.** Turmbewehrte Stadtmauer (9. Jh.) mit 2 Kasbas (12. und 17. Jh.) und Monumental-Doppeltor Bab Diwan (1306; nach 1943 restauriert); Große Moschee (849; im 18. Jh. umgebaut) mit 9 Schiffen, 12 Jochen, Kreuzgratgewölben über Hufeisenbogen auf antiken Säulen und dreistöckigem quadrat. Minarett (11. Jh.); Moschee Hasan und Zawija El-Kader mit reichen Stuckfassaden. Im Palast Dar Djellouli (17. Jh.) Regional-Mus. Im neo-maurischen Rathaus der Neustadt archäolog. Mus. 12 km südwestlich das ausgedehnte Ruinenfeld der röm. Stadt **Thaenae** (u. a. Thermen, Mosaiken, großes achteckiges Mausoleum).

sfumato [ital.], Malerei: gehaucht, duftig, mit verschwimmenden Umrissen gemalt (bes. bei LEONARDO DA VINCI, CORREGGIO, P. P. PRUD'HON).

Sgraffito [zu ital. graffiare ›kratzen‹], Technik zur dekorativen Fassadengestaltung, bei der über einen dunkel eingefärbten Putz ein dünner heller gezogen wird, aus dem die Formen ausgekratzt werden. Eine Variante des S. ist das Aufrauhen der Ornamentflächen innerhalb des geglätteten Putzes. S. ist seit dem frühen 14. Jh. in Italien und Dtl. nachweisbar. (→Kratzputz)

G. u. CHRISTEL THIEM: Toskan. Fassaden. Dekoration in S. und Fresko (1965).

Shahi-Dynastie [ʃ-], ind. Dynastie in der Indus-Ebene, die vom 7. Jh. bis Anf. 11. Jh. das muslim. Vordringen nach Indien aufhielt (1021 besiegt). Typisch für ihre Kunst sind die hinduist. Skulpturen Shivas, Parvatis und Ganeshas in weißem Marmor.

Shahn [ʃɑ:n], Ben, amerikan. Maler litauischer Herkunft, *Kaunas 12. 9. 1898, †New York 14. 3. 1969, lebte seit 1906 in den USA. In seinen Zeichnungen, Drukken, Bildern und Wandfresken verbinden sich eigenwillige Stilisierung, sensibler Geschmack und Sozialkritik zu einem spezifisch amerikan. Realismus.

Shakti [ʃ-, Skt. göttl. ›Energie‹], Begriff der ind. Theologie, in der tantrischen hinduist. und buddhist. Kunst seit der 2. H. des 1. Jahrtsd. personifiziert als weibl. Gottheiten, die den Göttern oder Bodhisattvas zugeordnet wurden oder diese ersetzten. Sie bildeten die dynam. Komponente des statisch-männlich Absoluten im Schöpfungsprozeß. Grundformen der hinduist. S. waren die Matrikas, v. a. die Devi, im buddhist. Tantrayana die Tara als S. des Avalokiteshvara. Der als Shaktismus bezeichnete Kult um die S. enthielt magische Riten und sublimierte sexuelle Praktiken, die sich in Bildwerken der Mithunas widerspiegeln (u. a. in Khajuraho).

Shạkyamuni [ʃ-, Skt. ›der Weise aus dem Geschlecht der Shakyas‹], Name des histor. →Buddha.

Shalabhanjika [ʃalab'andʒika, Skt.], ind. Baumnymphe, seit der frühen buddhist. Kunst dargestellt als schöne Frau an Pfeilern und Konsolen von Stupa-Toren und Steinzäunen (BILD indische Kunst).

Shang [ʃ-], chines. Dynastie (16.–11. Jh. v. Chr.), →chinesische Kunst.

Shanga [ʃ-], Ruinenstätte auf der Insel Pate (Lamu-Archipel), Kenia. Die Hafen- und Handelsstadt S. war vom 9. bis 15. Jh. bewohnt und seit dem 11. Jh. islamisch. Bei den seit 1980 ausgegrabenen Gebäuden (etwa 150 Häuser, 3 Moscheen und monumentale Grabanlagen) wurden Ton-, Perlen- und Glasarbeiten sowie Keramik (auch aus China) gefunden.

Shanghai [ʃ-], engl. und amtlich chinesisch für →Schanghai.

Shankha [ʃ-, Skt.], ind. Schneckengehäuse, urspr. Kriegstrompete und Ritualinstrument, Attribut des buddhist. Gottes Vishnu.

Shannon [ʃ'ænən], Charles Haslewood, engl. Maler, Graphiker, *Quarrington (Lincolnshire) 26. 4. 1863, †Kew (Surrey) 18. 3. 1937, begann mit Illustrationen für die Ztschr. ›The Dial‹, wurde durch die mit seinem Lehrer C. RICKETTS geschaffenen Holzschnitte für die Bücher ›Daphnis und Chloe‹ (1893) und ›Hero und Leander‹ (1894; von C. MARLOWE) bekannt und wandte sich dann der Lithographie zu. Als Maler trat er mit Aktkompositionen und Porträts hervor.

Sharaku: Die Schauspieler Nakamura Konozo und Nakajima Wadaemon; Farbholzschnitt

Shantung-Reli|efs [ʃ-], Reliefquader zur Auskleidung unterird. Grabanlagen, die sich in der chines. Prov. Shantung bes. häufig finden. Die Steinreliefs von Yinan, Hsiaot'angshan, Liangch'engshan sowie die Opferhallen des Wu Liang-tz'u in Chiahsianghsien zeigen Friese mit konfuzian., taoist. und mytholog. Thematik, die eine Anschauung von der fast völlig verlorenen Malerei der Han-Zeit geben, aber auch histor. Ereignisse, Kriegsszenen, Alltagsleben, Festbankette, Prozession des Gouverneurs mit Geleit u. a. sind dargestellt. Die Figuren erscheinen als Silhouetten, in die Details der Gesichter und Gewänder linear eingeritzt sind.

Sharaku [ʃ-], Künstlername **Toshusai,** Meister des japan. Farbholzschnitts, nur 1794/95 in Edo tätig, schuf etwa 140 aggressiv-satir. Schauspielerporträts, v. a. Brustbilder mit großen, breit ins Bild gesetzten Köpfen (Okubi-e) in bizarren Farben auf dunklem Glimmerhintergrund (meist aus Silber).

Shashthi [ʃ-, Skt. ›die Sechste‹, ›der 6. Tag‹], ind. Mythologie: die ›gute Fee‹ der Neugeborenen, dargestellt v. a. in der Mathura-Kunst der Kushana-Zeit als Schwester des Skanda mit einem Kranz von 5 Köpfen über ihrem Haupt.

Shaw [ʃɔ:], Richard Norman, engl. Architekt, *Edinburgh 7. 5. 1831, †London 17. 11. 1912. S. baute Kirchen und Verwaltungsgebäude (Old Scotland Yard, London, 1886) und erlangte bes. im Wohnbau (Old Swan House, ebd., 1876) große Bedeutung. In der Bedford Park Garden Suburb (ebd., 1878) verwirklichte S. auch eine übergeordnete zusammenhängende Siedlungsplanung.

Sheeler [ʃ'i:lə], Charles, amerikan. Maler, Photograph, *Philadelphia 16. 7. 1883, †Dobbs Ferry (New York) 7. 5. 1965, ausgebildet in Philadelphia u. a. bei W. M. CHASE, lernte auf einer Europareise die Kubisten kennen, nahm 1913 an der Armory Show teil; seit 1912 setzte er sich intensiv mit der Photographie auseinander. Seine Bilder von Stadtlandschaften und Industriearchitekturen stehen zw. photograph. Realismus und Abstraktion.

's-Heerenberg [-b'ɛrx], Gem. in der niederländ. Prov. Gelderland, mit ma. Schloß (im Kern 12. Jh., Anbauten 16.–18. Jh.), das heute eine wertvolle private Samml. (Malerei, Skulpturen) enthält. Spätgot. Rathaus (Anf. 16. Jh.) mit achteckigem Treppenturm.

Shen Chou [ʃɛn dʒɔu], chines. Dichter, Maler, Kalligraph, *Suchou (Prov. Kiangsu) 1427, †ebd. 1509, entstammte einer Literatenfamilie und führte ein unabhängiges Gelehrtendasein. S. C. galt als einer der Hauptmeister des Kreises der Literatenmaler von Suchou (Wu-Schule). Sein Stil ist durch Vereinfachung und Schematisierung der Naturformen gekennzeichnet.

Shenyang, Schenjang, mandschur. **Mukden,** Hauptstadt der Prov. Liaoning, NO-China, im Tal des Liao-Flusses, über 3 Mio. Ew.; 1625–44 Residenz der Mandschu-Herrscher. Die Palastanlage ist der Verbotenen Stadt in Peking ähnlich; 2 Palasthallen sind erh.

Nördlich der Stadt das Grab (1651) des Dynastiegründers Ch'ing T'aitsung und seiner Gemahlin, eine axiale Anlage mit Ehrenpforten und von Tierskulpturen flankierter ›Geister-Allee‹, heute von großangelegtem öffentl. Park mit Seen und Pavillons umgeben.

Sheraton [ʃ'erətn], Thomas, engl. Schreiner, Möbelzeichner, *Stockton-on-Tees (Durham) 1751, †London 22. 10. 1806. Nach S. wurde der Stil des engl. Mobiliars Ende des 18. Jh. benannt. Er veröffentlichte 1791 das Vorlagenbuch ›The cabinet maker's and upholsterer's drawingbook‹ für Innendekorationen und Mobiliar in eleganter, aber bürgerl. Art. Die feingliedrigen, klassizist. Formen der Vorlagen, durch Einlegearbeiten und Malereien unterstützt, hatten großen Einfluß auf die Möbelherstellung Englands und N-Europas. Von S. selbst gearbeitete Möbel sind nicht bekannt.

Sherborne [ʃ'ə:bən], südengl. Marktstadt in der Cty. Dorset, deren 705 gegr. Bischofssitz 1075 in eine Abtei umgewandelt wurde; von der im frühen 12. Jh. erbauten roman. Abteikirche blieben nach der um 1425 beg. spätgot. Umgestaltung nur Teile erh. Der von Maßwerkfenstern im Perpendicular Style aufgelöste Chor wurde erst nach einem Brand von 1437 mit einem Fächergewölbe geschlossen, das auch das 1490 voll. Langhaus bestimmt. Von der normann. Burg blieben nach der Umgestaltung (1599) nur der Keep und das Torhaus erhalten.

Sherbro [ʃ-], **Scherbro,** Volksstamm in Sierra Leone, auf der Insel Sherbro und dem gegenüberliegenden Küstengebiet, etwa 200 000 Menschen. Neben den Bini waren die S. im 16. Jh. die Hersteller von Elfenbeinarbeiten für europ. Höfe (→Afro-portugiesische Elfenbeinkunst). Außerdem werden ihnen auch die im Gebiet der →Kissi gefundenen →Nomoli, die in die Königreiche Bullom und Temne (15. und 16. Jh.) datiert werden, zugeschrieben.

s'-Hertogenbosch [shɛrto:xənb'ɔs], →Herzogenbusch.

Sheshashayin [ʃeʃaʃ'ajin, Skt.], der hinduist. Gott Vishnu auf der Schlange Shesha, in den Urwassern ruhend. In Darstellungen seit dem 6. Jh. (Reliefs in Deogarh und Mahabalipuram) steigt aus seinem Nabel der auf einem Lotos sitzende Schöpfergott Brahma, zu seinen Füßen sitzt Lakshmi, begleitet von Garuda.

Shibam [ʃ-], **Schibam,** Stadt in der Demokrat. VR Jemen, im Wadi Hadramaut, 25 km westlich von Saiun, 5000 Ew., wohl in Nachfolge von Schabwa etwa im 3. Jh. gegr. Rd. 500 Häuser auf einer Grundfläche von 400 × 500 m (30 m hoch in 8 Stockwerken), aus luftgetrockneten Ziegeln und Stampflehm – z. T. zw. 100 und 300 Jahre alt – bieten ein eindrucksvolles architekton. Gesamtbild.

Shichi-fukujin [ʃitʃi fukudʒin], die ›Sieben japan. Glücksgötter‹ →Bishamon, →Benten, →Daikoku, →Ebisu, →Fukurokuju, →Jurojin und →Hotei; einige von ihnen sind chines. Ursprungs oder stammen aus dem buddhist. Götterreich. Als Einheit von 7 gehen sie aber wohl auf japan. volkstüml. Vorstellungen zurück. Seit dem 17. Jh. gehören sie, in Gruppen oder einzeln, zu den beliebtesten Themen der japan. Kleinkunst (Netsuke, Porzellanfiguren, Schwertzierat).

Shigemasa [ʃ-], Familienname **Kitao,** japan. Meister des Farbholzschnitts, *1739, †Edo 1819, arbeitete erst im Stil seines Mitschülers HARUNOBU. Mit SHUNSHO schuf er Entwürfe zu Buchillustrationen, z. B. die Kurtisanendarstellungen im ›Spiegel der Schönen aus den Grünen Häusern‹ (1776), aber auch Surimono, Plakate und Kalenderblätter. Seine weibl. Figuren auf neutralem Grund sind durch schöne Kleidung, natürl. Anmut und schlangenartige Bewegungen gekennzeichnet.

Shih-ch'i [ʃitʃi], Mönchsname **K'un-ts'an,** chines. Maler, Dichter, Kalligraph, *Wuling (Prov. Honan), tätig 2. H. 17. Jh. Nach dem Sturz der Ming-Dynastie wurde er Mönch und führte ein Wanderleben; er gehört neben PA-TA-SHAN-JEN und SHIH-T'AO zu den ›Individualisten‹ (→chinesische Kunst). Seine Landschaften zeigen dezente Farbigkeit und eine dichte Pinseltechnik, die zw. kreidigem und naß-feuchtem Tuscheauftrag variiert. (BILD Fächer)

Shih-t'ao [ʃ-], Mönchsname **Tao-chi,** chines. Maler, Kalligraph, Dichter, *Ch'ingchiang (Prov. Kuangsi) 1641, †um 1717, Angehöriger einer Seitenlinie des Ming-Kaiserhauses, nach dessen Sturz er Mönch wurde und ein freies Wanderleben führte. Seine Maltheorien legte er in dem Traktat ›Hua-yülu‹ nieder. Er gehört mit PA-TA-SHAN-JEN und SHIH-CH'I zur Gruppe der ›Individualisten‹ (→chinesische Kunst). Er setzte seine Natureindrücke von Landschaften und Pflanzen in virtuoser, expressiver Pinseltechnik um.

Shijo-Schule [ʃ-], japan. Malerschule des 18. und 19. Jh., von GOSHUN gegr. und nach dessen Wohnsitz in der Shijo-Straße in Kioto benannt. Da die S.-S. unmittelbar aus der Maruyama-Schule hervorging, spricht man auch von Maruyama-Shijo-Schule, obwohl sie eine Verbindung des auf Naturstudien fußenden Realismus der Maruyama-Schule mit dem Individualismus der chinesisch beeinflußten Literatenmalerei suchte. Japan. Darstellungsweise von Landschaften, Figuren, Blumen und Vögeln und gekonnte Maltechnik machten die S.-S. populär. An ihren Realismus knüpfte die 1868 einsetzende Europäisierung der japan. Malerei an.

Shịkhara [ʃ-, Skt.], der Turm über der Cella (Garbhagriha) ind. Tempel; mythologisch gilt er als Weltberg Meru, der Erde und Himmel verbindet. Die äußere Form des S. im Nagara-Stil ist durch 3-, 5- oder 7fache vertikale Risalite, die durch Bhumis gegliedert sind, und durch den breiten Deckstein (Amalaka) mit aufgesetztem steinernen Kalasha gekennzeichnet (Tempel von Khajuraho, Bhubaneswar u. a.). S. im Dravida-Stil türmen sich pyramidenartig in mehreren, mit Miniaturtempeln versehenen Geschossen und werden von einem 8eckigen Schlußstein bedeckt (Rathas von Mahabalipuram, Kailasa-Tempel von Kanchipuram u. a.).

Shikishi [ʃikiʃi, japan.], getöntes Papier (rd. 17 × 20 cm) mit dekorativ bemaltem Untergrund für Gedichtniederschriften. S. waren in der Heian-Zeit beliebt und wurden im frühen 17. Jh. von den ›drei großen Kalligraphen‹, KOETSU, dem Mönch SHOKADO und KONOE-NOBUTADA, wiederbelebt; sie schrieben ihre elegant-kursiven Tuschzeichen auf S., die meist von SOTATSU und seiner Schule gegenständlich oder dekorativ in Gold, Silber und Farbe bemalt waren.

Shimabara, Schimabara, Hafenstadt in Japan, auf der Shimabara-Halbinsel von N-Kyushu, 45 700 Ew.; ehem. Burgstadt mit gut erh. Burganlage (1637); im 1964 rekonstruierten Turmgebäude Mus. Gut erh. Samuraiquartiere mit einigen Mus.-Häusern.

Shinden-Stil [ʃ-], japan. **Shinden-Zukuri,** typ. Bauform japan. Adelspaläste der Heian-Zeit (9.–12. Jh.): Einzelne Hallen versch. Größe, auf niedrigen Pfählen, umgeben von offenen Verandagängen unter den vorspringenden Dächern, waren mit überdeckten Galerien untereinander verbunden und symmetrisch um einen großen Garten mit Teich, künstl. Inseln und Brücken angelegt. Das Hauptgebäude war nach S gerichtet. Erste Anklänge an diesen Stil zeigt der Kaiserpalast in Kioto (794), einzig erhaltener Palast ist die Phönixhalle des Byodoin in Uji (1053); sonst nur noch durch Querrollen der Heian-Zeit bekannt.

Shingle Style [ʃɪŋgl staɪl, engl. ›Schindelstil‹], amerikan. Landhausstil (um 1870–80), dessen Bauten mit Holzschindeln oder Flachziegeln verkleidet sind. Charakteristisch ist auch, daß die Innenräume zueinander oder auch nach außen geöffnet sind.

Shinn [ʃɪn], Everett, amerikan. Maler, *Woodstown (New York) 6. 11. 1876, †New York 2. 1. 1953, gehörte der Ashcan School an. Er malte sozialkrit. Darstellungen des Großstadtlebens.

Shino-yaki [ʃ-], japan. Keramik aus Ogaya, Prov. Mino (heute Präf. Gifu), seit Mitte des 16. Jh. hergestellt mit grobkörnigem, sandfarbenem, im Brand rötlich verfärbtem Scherben und gesprenkelter, opakweißer Glasur. **E-shino** (›Bild‹-Shino), eine Unterglasurmalerei mit einfachsten Strichzeichnungen (Berge, Zaun) in rot oder braunschwarzem Eisenpigment oberhalb einer mit dem Spachtel gezogenen Hüftlinie, die oft als Bergweg (yamamichi) bezeichnet wird. **Nezumi-shino** (›graues‹ Shino) weist einen ausgeprägteren, in dunklen Anguß eingeschnittenen, weißen Dekor unter der Glasur auf.

Shinto-Kunst [ʃ-], eine an den Shinto-Kult gebundene Kunst in Japan. Im urspr. bildlosen Shinto-Kult dienten nur Symbole (Bronzespiegel u. a.) als ›Götterkörper‹ (Shintai), daher sind die ersten Zeugnisse die schlichten, aus Holz errichteten →Schreine. Etwa seit dem 9. Jh. entstanden aus einer shintoistisch-buddhist. Glaubensbindung heraus auch Kultstatuen (Shinzo), die shintoist. Gottheiten und Heroen darstellen. In der Malerei maßgebend wurde der Gestalttyp buddhist. Gottheiten (Ten) der Heian-Zeit, später mehr der höf. Stil des Yamato-e. Die Verschmelzung mit dem Buddhismus wird am deutlichsten in den Mandaras, die Shintogötter oder -heiligtümer zeigen, über denen buddhist.

Gestalten schweben (Kasuga-Mandara u. a.), aber auch am Bau von Pagoden in Schreinen und Schreinbauten in Tempeln. Mittelalterl. Querrollen (Emaki) stellen häufig Legenden von Shintogottheiten und -schreinen dar. Shintomotive wurden auch in der späteren Malerei und Lackkunst gern verwendet. Tragbare Schreine (Mikoshi) sind oft bemerkenswerte Kunstwerke.

Shish Mahal [ʃiʃ-, ind. ›Spiegelpalast‹], in fast allen nordind. Palastanlagen des 17. und 18. Jh. ein Raum, dessen Wände mit geschnittenen Spiegelglasteilchen oder Metallplättchen versehen sind, so daß geometr. Ornamente oder Blumen entstehen. Durch Kerzenbeleuchtung wurde der Spiegeleffekt erhöht.

Shiva [ʃ-, Skt. ›der Gnädige‹], eine der Hauptgottheiten des Hinduismus, dargestellt in zahlreichen Aspekten und myth. Szenen als Tempelrelief und Kultfigur. Er wird meist vierarmig mit den Attributen Trishula und Akshamala sowie Sanduhrtrommel und Kalasha oder einer Gazelle abgebildet, begleitet von einem Stier als Vahana. Seine Gattin Parvati (Uma, Devi) findet sich zu seiner Linken (Umasahitamurti), in der Hochzeitsszene zur Rechten (Vaivahikamurti). Als Nataraja vollführt S. den kosmischen Tanz der Vernichtung (BILD Nataraja). Als Vernichter des kosm. Kreislaufs hat er den Beinamen Hara. Sein urspr. grimmiger Charakter (Rudra) verband sich neben anderen Aspekten mit dem des erlösenden Yogin zur mehrköpfigen Gestalt Mahesha (auch Panchavaktra Shiva). Seine asket. Kennzeichen sind Trinetra und Urdhvalinga. Neben seinen figürl. Kultbildern wurde seit dem 1. Jh. v. Chr. die Phallussäule (Linga), häufig mit einem oder 4 Köpfen versehen (Eka- oder Chaturmukhalinga), errichtet.

St. KRAMRISCH: The presence of S. (Princeton, New Jersey, 1981).

Shizuoka [ʃ-], **Schisuoka,** Stadt in Japan, südwestlich von Tokio am Pazif. Ozean, 448 300 Ew.; ehem. Burgstadt, westlichster Vorposten von Edo an der Tokaido-Überlandstraße. Die Burg war Alterssitz des Sho-

Shiva als Somaskanda mit seiner Frau Parvati (Uma) und seinem Sohn Subrahmanya (Skanda); Bronzeplastik aus Süd-Indien, 14./15. Jh. (Trivandrum, Government Museum)

gun TOKUGAWA IEYASU. Überreste einer Spät-Yayoi-Siedlung (2. Jh.); Freilicht-Mus.

Shkodër [ʃk'odər], ital. **Scutari,** Stadt in N-Albanien, 59 100 Ew. Im Altertum war S. seit dem 3. Jh. v. Chr. Hauptstadt eines illyr. Reiches, seit 168 v. Chr. römisch. Die Khamia e Plumbit (Blei-Moschee; 2. H. 18. Jh.) ist im Stil der klass. osman. Moschee erbaut mit rechteckigem Hof und Portikus.

Sho|in-Stil [ʃ-], japan. **Shoin-zukuri,** japan. Wohn- und Teehausstil, für den der im Priesterhaus entstandene Studierplatz typisch ist, ein Schreibpult mit Schiebefenster darüber, als Erker auf die umlaufende Veranda vorspringend, meist rechtwinklig zu einer raumhohen Bildernische (Tokonoma) und danebenliegender Regalnische (Tana oder Chigai-dana) angeordnet. (BILD japanische Kunst)

Shoro [ʃ-], Glockenturm buddhist. Tempel in Japan, dessen große Glocke in offenem Glockenstuhl unter chinesisch geschwungenem Dach nicht geläutet, sondern mit einem schwingenden Balken angeschlagen wird.

Shoso|in [ʃ-, japan. ›Hauptspeicher‹], um 752 aus Holz gebautes fensterloses Schatzhaus auf hohen Pfählen des Tempels Todaiji in Nara auf Honshu, Japan; enthält die Hinterlassenschaft des Kaisers SHOMU (724 bis 748), die seine Witwe KOMYO 756 dem Daibutsu (Großen Buddha) von Nara stiftete. Es handelt sich v. a. um Kultgeräte und Masken, die bei der Einweihung des Tempels verwendet worden sind, weiterhin um kunsthandwerkl. Meisterwerke (Gesandtengeschenke wie Spiegel, Stellschirme, Musikinstrumente u. a.) aus dem China der T'ang-Zeit und aus Korea. Diese Kostbarkeiten wurden erstmals 1981 vom Nat.-Mus. in Tokio z. T. ausgestellt.

Shou

Shou [ʃɔu], chines. Schriftzeichen für ›Langes Leben‹, erscheint auf chines. Porzellan, Teppichen, in der Textilkunst u. a. in versch. Schriftformen; es hat glückverheißende Bedeutung.

Shrewsbury [ʃr'u:zbərɪ], westengl. Stadt in der Cty. Salop, 56 100 Ew., mit vom Severn umschlossenem Altstadtkern. Die nach der normann. Eroberung gegr. Abteikirche Holy Cross hat ein roman. Langhaus mit betont horizontalem Wandaufbau; die südlich der Burg gelegene frühgot. Kirche St. Mary besitzt spätgot. Glasmalereien. Fachwerkhäuser entstanden im späten 16. Jh., darunter Sherar's Mansion (um 1570), Ireland's Mansion und Owen's Mansion (1592) sowie 1618 Rowley's Mansion als steinerne Zweiflügelanlage in Spätrenaissanceformen (heute Mus.). 1595 entstand die Markthalle. Die 1788 durch einen Turmeinsturz zerstörte Pfarrkirche St. Chad wurde 1790–92 durch einen klassizist. Zentralbau ersetzt.

Shri [ʃ-, Skt.], die indische Glücksgöttin →Lakshmi. In S-Asien, bes. auf Bali (Dewi-Shri), wird sie als Göttin des reifenden Reises, der Ernte und der Fruchtbarkeit bes. verehrt. Als Kult- und Opferfigur wird sie aus verschiedensten Materialien (Reisstroh, Textilien u. a.) dargestellt, als höchst verehrte Göttin, auch als weibl. balines. Idealfigur durch polychrome Holzfiguren.

Shrikạndi [ʃ-], **Candi S.** [tç-], einer der 5 Tempel der Arjuna-Gruppe auf dem Dieng-Plateau in Zentral-Java (8. Jh.).

Shri Kshetra [ʃri kʃɛtra], **Sri Ksetra, Thayekhettaya,** Hauptstadt des Pyu-Reiches, das etwa vom 3. bis 9. Jh. bestand (→birmanische Kunst); ihre Ruinen befinden sich bei dem Dorf Hmoza (Hawza) in der Nähe der Stadt Prome. Aus Holz gebaute Paläste u. a. Profanbauten sind wegen des trop. Klimas nicht erhalten. Die massiv gebauten Tempel mit granatenförmigem Turm, wie der Bebe-Paya-, der Zegu- und der Lemyatna-Tempel, gehören zu den ältesten in Birma und sind auf Vorbilder aus Orissa (NO-Indien) zurückzuführen. Auch die ältesten birman. Stupas, ebenfalls auf den Stil Orissas zurückzuführen, finden sich in S. K.: die Bobegyi-, Payama- und Payagyi-Pagode.

Shrinạtha, auch **Shrinạthji** [ʃ-, Skt.], eine besondere Form des Hindu-Gottes Krishna, v. a. dessen schwarzes Kultbild in Nathadvara, das auf den Pichvai abgebildet wird.

Shrivạtsa [ʃ-, Skt.], indisches Glückszeichen, aus 2 gegeneinander gestellten S-Linien bestehend, häufig dargestellt auf der Brust von Götterfiguren wie Vishnu und v. a. der jinist. Tirthankaras.

Shrivijạya [ʃ-], von der indojavan. Kunst (→indonesische Kunst) geprägter Stil, nach der S.-Dynastie benannt, die zw. dem 7. und 13. Jh. zunächst von Sumatra, dann von der Malaiischen Halbinsel aus über dortige indisierte Kleinstaaten herrschte. Vom 8. bis 10. Jh. und seit dem 13. Jh. Einflüsse auf die Kunst Thailands; vorwiegend Kleinbronzen, auch Steinplastiken.

Shubun [ʃ-], japan. Priestermaler und Abt in Kioto in der 1. H. 15. Jh. Da er die unter MINCHO eingeführte Landschaftsmalerei im Stil der chines. Süd-Sung-Zeit dem japan. Geschmack anpaßte, gilt er als Wegbereiter der buddhist. Zenmalerei (Suiboku-ga) in Japan. Anders als sein Schüler SESSHU malte S. zarte, meist nebelverhangene Tuschlandschaften mit einsamen Bergklausen oder Küstenansichten, bei denen sich der Blick ins Unendliche verliert. Seine Architekturdarstellungen im Vordergrund sind jedoch immer detailliert und exakt. Viele unsignierte Werke werden ihm zugeschrieben.

Shunga [ʃ-, japan. ›Frühlingsbilder‹], erot. Darstellungen in Malerei und Graphik, bes. in Farbholzschnitten des Ukiyo-e, aber auch schon in ma. Querrollen. S. wurden von fast allen großen japan. Malern in natürl. Unbefangenheit geschaffen; ihre Veröffentlichung unterliegt heute der Zensur.

C. GROSBOIS: Japan. Studie über die erot. Darstellung in der japan. Kunst-S. Dt. Bearb. v. W. SPEISER (a. d. Frz., [2]1977).

Shunga-Dynastie [ʃ-], altind. Herrscherhaus im nordöstl. und mittleren Indien vom 2. Jh. bis Anf. 1. Jh. v. Chr., nach dem die 2. Stilphase der frühen →indischen Kunst benannt wird. Gegenüber ihren südl. Nachbarn, den Satavahanas, bleibt ihr Anteil an den Veränderungen der damaligen Kunstströmungen jedoch fraglich, wenn auch am Stupa von Bharhut der Name Shunga inschriftlich genannt wird.

Shunsho [ʃunʃo], Familienname **Katsukawa,** japan. Maler und Meister des Farbholzschnitts, *Kachikawa (Präf. Aichi) 1726, †Edo 1792, Künstler des Ukiyo-e; seine porträtähnl. Schauspielerdrucke in schmalem Hochformat wurden ebenso berühmt wie seine Gemälde schöner Frauen bei Alltagsbeschäftigungen sowie Buchillustrationen und Druckserien (z. B. über Seidenraupenzucht), oft in Zusammenarbeit mit SHIGEMASA oder BUNCHO.

siamesische Kunst, →thailändische Kunst.

Sian, Hsian, Xi'an [sjian], Hauptstadt der chines. Prov. Shensi, 1,5 Mio. Ew.; liegt in der Ebene südlich des Wei-Flusses, unweit von →Sienyang (Hauptstadt der Ch'in-Dynastie) und von →Lint'ung (Grabanlage von Ch'in Shih-huang-ti). S. war Hauptstadt der westl. Han- sowie der Sui- und T'ang-Dynastie; seine Lage am Ausgang der Seidenstraße (KARTE chinesische Kunst) förderte den Kulturaustausch nach Westen, was sich u. a. in den Grabfiguren und den Wandmalereien der Prinzengräber aus der T'ang-Zeit in →Ch'ienhsien zeigt. Fundamente von Palästen und Stadtmauern der schachbrettartig angelegten, in Palaststadt, kaiserl. Stadt und Äußere Stadt gegliederten Metropole der T'ang-Zeit, die bis zum Beginn der Ming-Zeit **Ch'angan** [›Langwährender Friede‹] hieß, sind ausgegraben worden. Im Zentrum von S. der Glockenturm (15. Jh.), weiter nördlich der Trommelturm (14. Jh.; mit Erneuerungen des 17. und 18. Jh.); beide auf quadrat. Basis aus Ziegeln. Weiter südöstlich im ehem. Konfuziustempel das Prov.-Mus. mit reichhaltigem Ausgrabungsmaterial sowie dem 1090 gegr. ›Stelenwald‹, einem Hof mit 1095 alten, bis in die Han-Zeit zurückreichenden Steinstelen, die, z. T. nach den Vorbildern von Meisterkalligraphen, eingravierte Inschriften tragen, darunter die konfuzian. Klassiker (837 graviert), sowie die kulturhistorisch bedeutsame Nestorianerstele aus dem Jahr 781 (→Steinabreibungen). Nahe dem Zentrum der ehem. T'ang-Stadt der Tempel Ta-hsien-fu mit der ›Kleinen Wildganspagode‹ (zw. 707 und 710). Diese urspr. etwa 40 m hohe Stufenpagode mit nach oben hin immer dichter aufeinanderfolgenden Scheingeschossen und auf der Ober- und Unterseite durch mehrere Reihen vorkragender Ziegel abgestuften Dachreihen erhebt sich über einer quadrat. Plattform; im Erdgeschoß eine niedrige quadrat. Kapelle, der einzige funktionale Raum der Pagode. 3 km südöstlich davon die siebengeschossige, quadrat. ›Große Wildganspagode‹ des Tempels Tz'u-en, die der buddhist. Mönch HSÜAN-TSANG nach Abschluß seiner sechzehnjährigen Pilgerreise 652 erbauen ließ (um 700 neuaufgebaut) und die eines der bekanntesten Beispiele für die typisch chines. Stufenpagode aus Ziegeln mit aufeinandergesetzten echten Stockwerken ist. Die Wände mit rundbogigen, zu dem quadrat. Innenraum führenden Toröffnungen in jedem Geschoß zeigen ein flaches Ziegelrelief, das – eine einfache Holzkonstruktion ohne Konsolensystem nachahmend – die Fassaden in Felder gliedert. Der Torpavil-

Sian:
Große Wildganspagode (Ta-yen-t'a); um 700

lon und die zahlreichen Gebäude zum Aufbewahren von Inschriftenstelen südlich des Eingangs zum Tempelbezirk entstammen der Ming-Zeit.

Šibenik [ʃ'ibɛnik], Stadt an der Mündung der Krka in das Adriat. Meer, in Kroatien, Jugoslawien, 30 100 Ew. Die erstmals im 11. Jh. erwähnte Stadt wird von 3 Forts überragt (darunter das älteste, St. Anna); zahlreiche Bauten (Paläste, Häuser, Kirchen) aus Gotik und Renaissance, v. a. der Dom, 1431 in venezianisch-got. Formen begonnen (aus Stein und Marmor), in der Frührenaissance beendet (Rippenkuppel); reicher Skulpturenschmuck an den Portalen und den Chorapsiden (72 aus Stein skulptierte Köpfe). Gegenüber der Nordfassade das Rathaus mit Loggia (1. H. 16. Jh.). Von den Palästen ist v.a. der Foscolo-Palast aus dem 15. Jh. bemerkenswert.

Siberechts, Jan, fläm. Maler, getauft Antwerpen 29. 1. 1627, †London zw. 1700 und 1703, dort seit 1672 ansässig, begann im Stil der holländ. Landschaftsmalerei des 17. Jh. (J. ASSELIJN, J. BOTH u.a.), malte später schlicht-friedl. Landschaften in meist nur begrenzten Ausschnitten mit bäuerl. Figuren, die in kräftigen Farben aus grauem oder bläul. Gesamtton herausleuchten.

Sibiu, Stadt in Rumänien, →Hermannstadt.

Sibyllen, weissagende Frauen der Antike, in der bildenden Kunst seit dem 11. Jh. dargestellt (Fresko in S. Angelo in Formis bei Capua, 11. Jh.), zunächst nur die erythräische und die tiburtin. S. Fresken im Limburger Dom (13. Jh.) stellen 4 S. 4 Philosophen gegenüber. An den Kanzeln von G. PISANO in Pistoia und Pisa (um 1300) finden sich schon 6 S. Später konnte ihre Zahl, entsprechend der Zahl der Propheten, bis auf 12 vermehrt werden. Auf die Legende, die S. hätten auch Passion, Auferstehung und Wiederkunft Christi vorausgesagt, spielt die Darstellung der 10 S. am Chorgestühl in Ulm von J. SYRLIN (1469–74) an. MICHELANGELO malte in den 5 S. der Sixtin. Kapelle (1508–12) große, eigenständige Charaktere. – Oft wird die tiburtin. S. dargestellt, wie sie dem Kaiser Augustus am Himmel Maria mit dem Kinde zeigt.

Sibyllenmeister, →Meister der Goslarer Sibyllen.

Sic(c)ard von Sic(c)ardsburg, August, österr. Baumeister, *Wien 6. 12. 1813, †ebd. 11. 6. 1868, seit 1843 ebd. Prof. an der Akad. und Mitarbeiter von E. van der →Nüll.

Sichem, hebr. **Schecham,** im Altertum die bedeutendste Stadt Mittelpalästinas, heute Ruinenhügel **Tell Balata,** 2 km nördlich von Nablus, zw. Ebal und Garizim, seit etwa 4000 v. Chr. besiedelt. Ausgegraben ist aus der mittleren Bronzezeit eine mächtige Befestigungsanlage (Kyklopenmauer, Tor; Festungstempel mit rechteckigem Grundriß).

Sickert [s'ɪkət], Walter Richard, engl. Maler dt.-dän. Herkunft, *München 31. 5. 1860, †Bath (Somerset) 22. 1. 1942, Schüler von J. WHISTLER, mit E. DEGAS befreundet, 1899–1905 in Paris tätig; begann in der Art seines Lehrers, verband dann impressionist. Farbigkeit mit strenger Komposition, malte bes. Varietészenen und Architekturansichten (›Interieur von S. Marco‹, um 1902; London, Tate Gal.). In seinem Atelier traf sich die →Camden Town Group.

Side, antike Stadt in Pamphylien, auf einer in den Golf von Antalya (Türkei) vorspringenden Halbinsel. Von grch. Kolonisten gegr., entwickelte sich S. in röm. Zeit zu einer bed. Hafen- und Handelsstadt; freigelegt wurden meist Bauten aus röm. Zeit: Theater, 2 Säulenstraßen, 3 Tempel, Marktplatz, Gymnasion mit Kaiserstatuen, Thermen (eine davon jetzt Mus.), hellenist. Stadtmauer.

Sidi Bou Médine [-bu med'i:n], Vorort von Tlemcen, →El-Eubbad.

Sidjilmassa [-dʒ-], Ruinenstadt in S-Marokko, einst Hauptstadt der Tafilalet-Oasen, im MA. bed. Handelszentrum. Um 757 von Berbern des Meknasa-Stamms gegr., Blüte unter den Almoraviden, Almohaden und Meriniden, unter den Aliden von →Rissani abgelöst. Ausgrabungen sind geplant.

Sidon, →Saida.

Siebdruck, Serigraphie, schon vor Jahrhunderten in China erfundenes, seit Ende des 19. Jh. auch in den USA und in Europa verwendetes und bes. nach 1945 weitverbreitetes Druckverfahren **(Durchdruck).** Der Name ist abgeleitet von dem ›Sieb‹ aus feinmaschigem Textil- (z. B. Seide, dann **Seiden-S.** gen.) oder Drahtgewebe (Metall, Nylon), das über einen Druckrahmen gespannt wird. Das Sieb ist an den bildfreien Stellen mit einer aus Papier geschnittenen, mit Fett-Tusche gezeichneten oder photographisch hergestellten Schablone abgedeckt und bildet somit die Druckform (S.-Schablone). Mit Hilfe einer Rakel wird die Druckfarbe durch die offenen Stellen der S.-Schablone manuell oder in S.-Maschinen auf den Bedruckstoff (Papier, Textilien oder auch feste Materialien wie Glas, Holz, Blech, Kunststoff) aufgebracht. Ein S. gilt nur dann als Originalgraphik, wenn der Künstler seine Druckform eigenhändig ausgeführt hat. Der künstler. S. erreichte seine bislang größte Bedeutung in Pop Art und Op Art.

H. BIRKNER: S. auf Papier und Stoff ([3]1971); E. RHEIN: Die Kunst des manuellen Bilddrucks ([4]1971).

Sieben|armiger Leuchter, jüd. Kultgerät (→Menora). Seine Form begegnet auch in der christl. Kunst (Deutung der 7 Arme als die 7 Gaben des Hl. Geistes, auch als Lebensbaum). Das früheste erhaltene Beispiel steht im Essener Münster (10. Jh.); bed. auch der ›Trivulzio‹-Kandelaber im Mailänder Dom (um 1200).

Sieben freie Künste, →Artes Liberales.

Sieben gegen Theben, grch. Mythos: die sieben Helden Adrastos, Polyneikes, Tydeus, Amphiaraos, Kapaneus, Hippomedon und Parthenopaios, die gegen Theben zogen, um Eteokles die Herrschaft zu entreißen und auf dessen Bruder Polyneikes zu übertragen. Darstellungen des Zuges der S. g. T. sind v. a. auf grch. Vasen (Lakonien, Attika) zu finden.

Sieben Weltwunder, im 3. Jh. v. Chr. zusammengestellte Liste von 7 Bau- und Kunstwerken der Antike, die durch ihre Größe und Pracht hervorragten. Die geläufigste Aufzählung umfaßt die Pyramiden von Giseh, die Hängenden Gärten in Babylon, den Tempel der Artemis in Ephesos, das Kultbild des olymp. Zeus von Phidias, das Mausoleum in Halikarnassos, den Koloß von Rhodos und den Leuchtturm auf der Insel Pharos bei Alexandria.

Siedlce [sj'ɛdltsɛ], Hauptstadt der gleichnamigen Wwschaft in O-Polen, 51 000 Ew. – Am Marktplatz das barockklassizist. Rathaus (1766–71) und die Pfarrkirche (1740–48; Fassade 1793). Im klassizistisch-romant. Park das zunächst barocke Schloß (vor 1740), 1776–82 klassizistisch umgestaltet.

Siedlisko [sjɛd-], poln. Name für →Carolath.

Siegburg, Stadt an der unteren Sieg, NRW, 36 500 Ew. Die Servatiuskirche (um 1200) ist eine spätroman. Emporenbasilika mit got., von der Kölner Dombauhütte errichtetem Chor (um 1275–1300), Anf. 16. Jh. spätgotisch verändert; sechsgeschossiger W-Turm (Anf. 13. Jh.); im reichen Kirchenschatz v. a. roman. Goldschmiedekunst des 11./12. Jh. Von der 1066 gew. Kirche der Benediktinerabtei St. Michael (1064 gegr.) ist nur die Krypta erh.; der Neubau (1649–67 im nachgot. Stil) wurde nach schweren Kriegsbeschädigungen bis 1953 als nüchterne Pfeilerbasilika wiederhergestellt; der Annoschrein (1183, wohl von NIKOLAUS VON VERDUN) zählt zu den kostbarsten Goldschmiedearbeiten des Rhein-Maas-Kreises. Klostergebäude in schlichtem Barock (17./18. Jh.). – Seit Mitte 14. Jh. Steinzeugherstellung (v. a. Trichterhalsbecher und Schnellen).

Siegel des chinesischen Kaisers Ch'ien-lung; von 1796

Siegel [aus lat. ›sigillum‹], der Abdruck eines oft, aber ungenau auch S. genannten Stempels oder Ringes in einem bildsamen, sich erhärtenden Stoff, der durch Beschriftung oder Bebilderung den Urheber erkennen läßt.

Die Siegelkunst war im Alten Orient weit verbreitet; das frühe Vorkommen von S. beweist, daß Eigentumskennzeichnung als Teil einer Wirtschaftsordnung schon seit dem Neolithikum bekannt und notwendig war. Gesiegelt wurde meistens auf feuchtem Ton, mit dem fast alle Gegenstände, v. a. Gefäße aller Art, Schrift-, (Ton)-Tafeln, auch Türen, belegt werden konnten.

In Vorderasien lagen im wesentlichen 2 Siegelträger vor: das Stempel-S. und das Roll-S. **Stempelsiegel** waren über ganz Vorderasien verbreitet und konnten ganz unterschiedl. Formen annehmen, die z. T. für bestimmte Kulturkreise charakteristisch sind. Im keram. Neolithikum trugen die Siegelflächen fast ausschließlich geometr. Motive, erst am Ende dieser Zeit kamen figürl. Darstellungen auf. In der Djemdet-Nasr-Zeit (etwa 3200–2900 v. Chr.) sind in Babylonien Stempel-S. in Gestalt naturalistisch ausgeformter Tiere belegt. In Anatolien erhielt das Stempel-S. z. Z. der Hethiter (etwa 1700–1200 v. Chr.) Würfelform mit einem sechsfach gekanteten Knauf; flache und beidseitig verzierte Knopf-S. sind etwas später überliefert. Für die Kulturen des persisch-arab. Golfs am Ende des 3. und im 2. Jahrtsd. v. Chr. ist eine Knopfsiegelform mit Buckel typisch. Die Stempel-S. der Induskultur (2. H. 3. Jahrtsd. v. Chr.) haben dagegen immer eine quadrat. Siegelfläche.

Als **Rollsiegel** bezeichnet man in der Längsachse durchbohrte kleine Walzen aus Stein oder Schmuckstein (Länge 1 bis 12 cm; Ø etwa 0,5 bis 7 cm). Ihre Außenseite war mit einem negativ (seltener positiv) eingeschnittenem Bild versehen, das beim Abrollen auf weichem Material ein schmales, gleichsam unendl. Reliefband ergab. Das Roll-S. wurde Ende des 4. Jahrtsd. in Babylonien eingeführt (typolog. Herkunft noch umstritten); es entwickelte und veränderte sich in Komposition und Bildthemen bis zum Ende des 1. Jahrtsd. ständig weiter. An den Roll-S. läßt sich geradezu als Leitform die gedankl. und stilist. Entwicklung, v. a. im mesopotam. Raum, ablesen; sie sind damit ein Spiegelbild der jeweiligen Kultur. Auf Grund der verschiedenen, zeitlich zu bestimmenden stilist. und inhaltl. Aussagen ergaben die Roll-S. einen wichtigen Datierungsanhalt für die vorderasiat. Archäologie. Die Themen der Darstellungen (kult. Szenen, Tierkämpfe, Trinkszenen, Einführungsszenen) haben überwiegend einen religiös-mytholog. Bezug. Häufig ist in der begleitenden Inschrift, die seit Mitte des 3. Jahrtsd. v. Chr. üblich wurde, die angerufene (aber nicht notwendigerweise gleichzeitig dargestellte) Schutzgottheit des ebenfalls erwähnten S.-Inhabers genannt. Das Roll-S. hat sich nicht in ganz Vorderasien durchgesetzt; in Anatolien, in großen Teilen des Iran und in den Kulturen am persisch-arab. Golf fand es keinen Eingang.

Besitzer eines S. waren hochgestellte Persönlichkeiten wie Tempeldiener und Schreiber sowie Herrscher; auch Göttern wurden S. zugeordnet. Seit dem Beginn des 2. Jahrtsd. gelangten S. zunehmend in den Besitz von Privatleuten, v. a. Kaufleuten. S. wurden vererbt und weiter benützt (oder über Generationen aufbewahrt).

Über die künstler. Entwicklung der S. vgl. die Abschnitte über Glyptik in den Artikeln zur akkadischen, assyrischen, babylonischen, kassitischen, sumerischen und syrischen Kunst.

In Ägypten wurden im Alten Reich Roll-S. aus z. T. kostbarem Material gefertigt; die Dekoration beschränkte sich auf Titel und Namen des Königs oder seiner Beamten. Im späten 3. Jahrtsd. verdrängte das Stempel-S. das Roll-S.; dominierende Form war seit dem Mittleren Reich der →Skarabäus mit Inschrift oder Ornament auf der Rückseite.

Die ägäischen Kulturen haben das Stempel-S. gleichzeitig aus Vorderasien und Ägypten übernommen. Die Knopf-S. der Ersten Zwischenzeit Ägyptens (2160–2040 v. Chr.), die auch als Vorbilder dienten, stehen ihrerseits schon unter vorderasiat. Einfluß. Gesiegelt wurden mit Verwendung tönerner Plomben die Verschlüsse von Kästen und Gefäßen. Die Petschafte fertigte man zunächst aus leicht schneidbarem Material (Steatit, Bein), seit der Erbauung der kret. Paläste mit Vorliebe aus Gold (für S.-Ringe), Elfenbein, Bergkristall, Amethyst, Fluorit, Carneol und Sardonyx; graviert wurde mit dem Rad. Dominierende S.-Formen

Siegel: Sumerisches Rollsiegel und Abrollung mit Tierkampfdarstellung; Höhe 4,2 cm (London, Brit. Museum)

waren Prismen mit mehreren Bildflächen sowie linsen- oder mandelförmige S.; auch Tierformen (Rinder, Affen u. a.) kamen vor. Der Motivschatz reicht vom geometr. oder spiralartigen Ornament über Darstellungen von Pflanzen und Tieren bis zu mehrfigurigen Szenen aus Kult (mit Kultgegenständen und Symbolen), Jagd, Seefahrt und Krieg. Nicht nur für die Kenntnis der Kunst und Religion ihrer Zeit sind diese S. eine unerschöpfl. Quelle, sondern es sind auch Kunstwerke hohen Ranges darunter. Eine Gattung gravierter Steine mit stereotypen Zeichen, die in der Jüngeren Palastzeit beliebt wurde, diente talisman. Zwecken. Von der Schachtgräberzeit an (16. Jh. v. Chr.) wurden sie von der myken. Festlandskultur übernommen. Diese kleinen Werke (zw. 1,5 und 3 cm ∅) sind zu Tausenden erhalten. Außer den S. selber wurden Tausende von Tonabdrücken aufgefunden. Ganze Archive kamen in den Palästen zutage.

Über griechische und römische S. →Glyptik.

Im europ. MA. bildeten die S. einen wesentl. Bestandteil des Rechtswesens. Als Material benutzten Kaiser und Könige für ihre Bullen Gold und Blei, sonst Wachs, die Päpste Blei, alle anderen Wachs. Zur Erhöhung der Sicherheit dienten rückseitige Daumeneindrücke des Siegelnden, dann Abdrücke kleiner Ring-S., die sich zu Sekret- oder Geheim-S. entwickelten. Zum Schutz der Wachs-S. gab es mit dem S. verbundene Wachsschalen, Holz- oder Metallkapseln.

Älteste chines. Beispiele von metallenen Namens- oder Rang-S. stammen aus Grabfunden der späten Chou-Zeit. In der Sung-Zeit wurde es üblich, Gemälde und Kalligraphien in roter Farbe mit einem Künstler-S. zu signieren; auch Sammler pflegten ihren Stücken Sammlungs-S. aufzudrücken, die zur Identifikation und als Nachweis der Authentizität eines Werkes von großer Bedeutung sind. Seit der Sung-Zeit, bes. in der Ming-Zeit, entwickelte sich das S.-Schneiden zu einem häufig vom Künstler betriebenen Kunstzweig.

Corpus der minoischen und mykenischen S., begr. v. F. Matz, hg. v. J. Pini, 13 Bde. (1964–1980); W. Orthmann: Der Alte Orient, Propyläen Kunstgesch. 14 (1975).

Siegen, Stadt an der Sieg, NRW, 112700 Ew.; 1607–1743 Hauptstadt eines nassauischen Teil-Fstt.; im 2. Weltkrieg stark zerstört. Die Martinikirche, eine im Kern spätroman., 1511–17 umgebaute Pseudobasilika, hat einen wertvollen Ziegelfußboden (1. H. 12. Jh.). Die frühgot. Nikolaikirche (um 1224) ist ein sechseckiger Zentralbau mit doppelgeschossigem Umgang und Hallenchor. Im Oberen Schloß (1259 gen., 16.–18. Jh. ausgebaut) das Siegerland-Mus. mit Porträts der Nassau-Oranier, Samml. von niederländ. Meistern, u. a. P. P. RUBENS, der in S. geboren wurde. Das Untere Schloß (1698–1714) ist eine schlichte Dreiflügelanlage.

Siegen, Ludwig von, Kupferstecher, getauft Köln 2. 5. 1609, †Wolfenbüttel 1680, verwendete als erster für seine Porträts (seit 1642) die Schabkunsttechnik. S. schuf auch Modelle für Münzen und Medaillen.

Si|eh Ho, chines. Porträtmaler, →Hsieh Ho.

Siena, ital. Stadt und Erzbischofssitz in der Toskana, 64 500 Ew. Das überwiegend von got. Bauten geprägte Stadtbild hat sein ma. Straßennetz mit Brunnen und Toren fast unversehrt erhalten. Mittelpunkt der Stadt ist die muschelförmige Piazza del Campo, ein Platz von einzigartiger Geschlossenheit, mit Brunnen Fonte Gaia, von got. Ziegelbauten im Halbkreis umgeben und an der hangabwärts liegenden SO-Seite vom Palazzo Pubblico (1297–1310, spätere Erweiterungen; im Inneren Fresken von SIMONE MARTINI, A. LORENZETTI, SPINELLO ARETINO u. a. sowie die Original-Marmorreliefs der Fonte Gaia von J. DELLA QUERCIA) mit schlankem Backsteinturm (Torre del Mangia, 1338–48) abgeschlossen. Alljährlich findet hier am 2. 7. und 16. 8. das mit ma. Brauchtum verbundene ›Palio-Fest‹ (Umzug und Pferderennen) statt. Südwestlich des Platzes der Mitte des 12. Jh. beg. Dom mit dreigiebeliger Fassade in rotem, schwarzem und weißem Marmor mit reichem Skulpturenschmuck (von G. PISANO, nach 1297; Originalfiguren im Dommus.); Außenbau und Innenraum sind durch verschiedenfarbige Horizontalschichten

Siena: Dom, Mitte des 12. Jh. begonnen

(schwarzweiße Marmorinkrustation) gegliedert. Im Inneren Marmorfußboden mit Graffiato-Darstellungen nach Zeichnungen bed. Künstler (1369–1547); achtekkige Marmorkanzel von N. PISANO (1265–68); unter dem Chor Baptisterium S. Giovanni (14. Jh.) mit Taufbrunnen, dessen Bronzewerke von della Quercia, DONATELLO, L. GHIBERTI u. a. stammen. In der Dombibliothek (Libreria Piccolomini, 1497) Fresken aus dem Leben des Papstes PIUS II. (Piccolomini) von PINTURICCHIO (1502–09). Das Mus. dell' Opera del Duomo (untergebracht in einem Flügel des 1339 beg., nach dem Pestjahr 1348 unvoll. aufgegebenen gewaltigen Domneubaus, zu dem der alte Dom das Querschiff bilden sollte) enthält u. a. die ›Maestà‹, das HW von DUCCIO (BILD), 1308–11 als Hochaltarbild für den Dom geschaffen. Im Krankenhaus (um 1300) gegenüber dem Dom Fresken von DOMENICO DI BARTOLO u. a. Viele Kirchen mit bed. Fresken und Gemälden (S. Domenico, S. Francesco, S. Agostino, S. Maria dei Servi) und v. a. Paläste der Gotik und Frührenaissance: im Palazzo Buonsignori die Staatl. Pinakothek mit Werken Sieneser Künstler des 13.–16. Jh., ferner die Paläste Salimbeni, Chigi-Saracini, Piccolomini (erbaut von B. ROSSELLINO; heute Staatsarchiv mit Samml. bemalter Buchdeckel des 13.–17. Jh.), Spannocchi (beg. von GIULIANO DA MAIANO). Archäolog. Nat.-Mus. mit etrusk. und röm. Funden aus der Umgebung.

Siẹna, Malerschule von Siẹna, die in Siena im letzten Drittel des 13. Jh. mit GUIDO DA SIENA einsetzende Kunsttätigkeit auf dem Gebiet der Malerei. Durch die schon frühzeitige Rivalität mit dem schließlich auf die Dauer überlegenen Florenz erreichte die Malerei in Siena ihren ersten Höhepunkt bereits an der Wende zum 14. Jh. im von zarter Anmut und lyr. Weichheit erfüllten Ausdrucksstil des DUCCIO, bezeugt durch dessen 1311 vollendete vielteilige ›Maestà‹ für den Hochaltar des Domes von Siena (BILD Duccio). Ihm folgte SIMONE MARTINI, nach dessen Aufenthalt in Avignon die Einflüsse der frz. Gotik in Italien zunehmend Eingang fanden. Schließlich vollzogen die bis gegen Mitte des 14. Jh. in Siena tätigen Brüder P. und A. LORENZETTI mit der realist. Darstellung räumlich weit ausgreifender Bilderzählungen den Anschluß an GIOTTO.

Im Verlauf des 15. Jh. verlor die Malerei in Siena an Bedeutung. Ohne zunächst an Produktivität einzubüßen, überwogen in den zahlreich überlieferten Arbeiten von SASSETTA, GIOVANNI DI PAOLO, VECCHIETTA, MATTEO DI GIOVANNI u. a. nunmehr die traditionsgebundenen Züge. Eine erneute Belebung machte sich erst gegen Ende des Jh. durch das Übergreifen der röm. Hochrenaissance bemerkbar. Die letzten bed. Künstlerpersönlichkeiten waren in der 1. H. des 16. Jh. B. PERUZZI, SODOMA und D. BECCAFUMI, der Hauptmeister der manierist. Malerei in Siena.

Sienyang, Hsienyang, amtlich chinesisch **Xianyang** [sjiaŋjaŋ], Stadt in der chines. Prov. Shensi am nördl. Wei-Ufer. S. ist die ehem. Hauptstadt des Ch'in-Staates (3. Jh. v. Chr.; erste Reichseinigung Chinas); seit 1974/75 werden ihre Reste 15 km östlich der heutigen Stadt ausgegraben; Fundamente aus Stampferde lassen die Position von Holzsäulen noch erkennen; Spuren von Pflasterung, Treppen und Türen sowie Ziegelreste gestatten eine relativ sichere Rekonstruktion des Palastes u. a. Gebäude.

Sießen, ehem. Dominikanerinnenkloster bei Saulgau, Kr. Sigmaringen, Bad.-Württ., 1259 gegr. (jetzt Franziskanerinnen). Das vierflügelige Abteigebäude wurde 1716–22 von F. BEER erbaut, die Klosterkirche 1726–29 von D. ZIMMERMANN entworfen und im Frührokokostil prachtvoll stuckiert, die Fresken in den 4 Flachkuppeln von J. B. ZIMMERMANN.

Sieverding, Katharina, Künstlerin, *Prag 16. 11. 1944, studierte u. a. bei J. BEUYS. In ihren meist photograph. Arbeiten suchte sie in den 1960er Jahren die Diskrepanz zw. Mann und Frau durch einen neuen androgynen Typ zu überwinden. Seit den 1970er Jahren gestaltet sie in großem Format polit. Themen.

Sigena [six'ena], ehem. Benediktinerinnen-Kloster etwa 60 km nordöstlich der span. Stadt Saragossa, 1183–90 erbaut, während des Span. Bürgerkriegs weitgehend zerstört. Der Hauptschatz des Klosters, die Wandmalereien des Kapitelsaals (1. H. 13. Jh.; Darstellungen aus dem A. T. und N. T.), wird heute im Mus. de Arte de Cataluña in Barcelona aufbewahrt.

Sighişoara [sigiʃo'ara], rumän. Stadt, →Schäßburg.

Sigillata|ware, →Terra sigillata.

Sigiriya, steil aufragender, 120 m hoher Felsenberg auf Ceylon (Sri Lanka) nördlich von Kandy, mit Ruinen eines befestigten Königspalastes vom Ende des 5. Jh. Die gleichzeitig entstandenen Wandmalereien, die an der überhängenden Felswand auf verputzte Flächen aufgetragen wurden, stellen eine Gruppe von himmlischen Nymphen (Apsaras) mit Blumengaben dar, im Stil verwandt mit den Fresken in Ajanta.

Sigmaringen, Kreisstadt an der Donau, Bad.-Württ., 15 200 Ew., seit 1535 Besitz der Hohenzollern. In der Stadtmitte auf einem Felsen liegt das ausgedehnte Residenzschloß (12.–17. Jh., 1893 durch E. v. SEIDL im Renaissancestil ausgebaut) mit bed. Kunst-Samml. (ma. Tafelmalerei, Gobelins u. a.); barocke Schloßkirche (1757–63). Die barocke Josephskapelle ist ein oktogonaler Kuppelbau (1629, 1739 im Frühbarockstil dekoriert). Die 1680–82 erbaute Kirche des ehem. Franziskanerklosters Hedingen ist seit 1844 fürstl. Grablege; an ihrer N-Seite die 1747 mit zartem Stuck dekorierte Marienkapelle.

Signac [siɲ'ak], Paul, frz. Maler, *Paris 11. 11. 1863, †ebd. 15. 8. 1935, kam unter dem Einfluß seines Freundes G. SEURAT zum Pointillismus (→Neoimpressionismus), dessen Prinzipien er theoretisch begründete (Schrift ›D'Eugène Delacroix au Néo-Impressionisme‹, 1899, dt. 1903). Er malte v. a. Fluß- und Seelandschaften, am frischesten in seinen Aquarellen, und schuf auch farbige Lithographien.

Signalkunst, Stilrichtung der zeitgenöss. Kunst seit den 1960er Jahren, in der mit Schockfarben Flächen oder Objekte symmetrisch oder konzentrisch gestaltet werden; steht dem Hard Edge nahe. Hauptvertreter in Dtl. waren W. GAUL, P. BRÜNIG, O. H. HAJEK.

Signatur, die volle oder abgekürzte, auch verschlüsselte, offen oder versteckt angebrachte Urheberangabe eines Künstlers auf seinem Werk.

Künstler-S. sind seit dem Altertum überliefert. Seit der grch. Archaik war es – bes. in der Vasenmalerei – üblich, Kunstwerke zu signieren. Die S. wurde zum Gütezeichen; zugleich drückte sie ein beginnendes Selbstbewußtsein des Kunsthandwerkers aus. – Im MA. waren S. selten. Seit dem Hoch-MA. wurden Meisterzeichen als →Steinmetzzeichen auf architekton. Werkstücken, dann auch an Bildwerken und Bildtafeln verwendet, dort aber zunächst nur auf dem Rahmen (VAN EYCK). Mit der Zunahme bewegl. Kunstwerke, des Kunstmarktes und des bürgerl. Abnehmerkreises in der ital. Renaissance, später in der holländ. Malerei des 17. Jh., wurden S. allg. üblich. Sie erscheinen als verschlüsselte Zeichen, symbol. Darstellungen (Krebs, Eule, Drachen), als →Monogramme, als abgekürzte oder ausgeschriebene Namensinschriften. Sie sollten urspr. Schutz vor Nachahmung bieten und gelten, bes. im Antiquitäten- und Kunsthandel, als Qualitäts- und Wertgarantie.

Signorelli [siɲor'ɛlli], Luca, ital. Maler, *Cortona um 1445, †ebd. 16. 10. 1523, Schüler des PIERO DELLA FRANCESCA, in Florenz von A. POLLAIUOLO und A. DEL

Luca Signorelli: Die Verdammten des Jüngsten Gerichts; 1499–1504, Fresko im Dom von Orvieto, Ausschnitt

VERROCCHIO beeinflußt, schuf Fresken und Tafelbilder, deren kraftvoll modellierte und dramatisch bewegte Figuren von herb-realist. Ausdruckskraft sind und auf MICHELANGELO vorausweisen.

HW: Fresken: in der Kuppel der Sakristei der Santa Casa zu Loreto (1479–81); im Kreuzgang von Monte Oliveto Maggiore (1479 bis 1501); in der Sixtin. Kapelle, Rom (1481/82); in der Cappella di S. Brizio des Doms zu Orvieto (1499–1504, sein HW: Das Jüngste Gericht). – **Tafelbilder:** Madonnen mit Heiligen (1484, Perugia, Dom-Mus.; um 1500, Florenz, Uffizien u. a.); Rundbilder mit Madonnen (um 1500, Florenz, Uffizien; 1495, München, Alte Pinakothek); Kreuzigung (1494, Urbino, Palazzo Ducale); Beweinung Christi (1502, Cortona, Diözesan-Mus.); Kreuzabnahme (um 1505, Sansepolcro, Pinakothek).

Signorini [siɲor'i:ni], Telemaco, ital. Maler, *Florenz 18. 8. 1835, †ebd. 10. 2. 1901, gehörte zu den →Macchiaioli, deren Malweise er auch literarisch verfocht; in Paris und England tätig, zuletzt in Settignano bei Florenz. S. setzte sich mit dem Impressionismus auseinander, wobei bes. E. DEGAS auf ihn wirkte.

Sigtuna [s'i:gty:na], schwed. Kleinstadt nördlich von Stockholm, im MA. wichtige Handelsstadt, 1060 bis 1130 Bischofssitz. Von dieser Zeit zeugen die Ruinen der Kirchen St. Olof, St. Per und St. Lars, die engl. Vorbilder haben. Die Marienkirche (Mitte 13. Jh.), ehem. Dominikanerklosterkirche und heutige Pfarrkirche, ist ein Backsteinbau mit lebhaft ornamentierter Fassade und Wandmalereien (13. und 14. Jh.).

Siguënza [siγu'enθa], span. Stadt und Bischofssitz in der Prov. Guadalajara, 5700 Ew., auf Terrassen über dem Tal des Henares angelegt und überragt von den Ruinen eines maur. Alcázars. Die Bauzeit der dreischiffigen Kathedrale im romanisch-got. Übergangsstil erstreckte sich vom 12.–15. Jh. (mit wehrhaften W-Türmen, Fensterrose und 3 roman. Portalen an der W-Fassade); reiche Innenausstattung (15.–17. Jh.), v. a. Grabmäler (in der Capilla del Doncel) und Altarretabel (S. Librada, 1515–18; vermutlich von A. DE COVARRUBIAS) sowie die ›Decke der Köpfe‹ in der Hauptsakristei (mit 300 skulptierten Medaillons, 1573/74); Diözesan-Mus. (mit roman. und got. Plastik, Gemälde von EL GRECO u. a.); Rathaus (1511).

Sikạndra, kleiner Ort unweit von Agra in Uttar Pradesh, Indien. Die 3 unteren Stockwerke des pyramidenförmigen, in einem geometr. Garten erbauten monumentalen Mausoleums Akbars sind aus rotem Sandstein, das obere besteht aus weißem Marmor und umschließt den Marmorkenotaph des Kaisers. Das eigentl. Grab befindet sich in einer Krypta.

Sikkatịv [lat.], Maltechnik: Trocknungsbeschleuniger für ölhaltige Bindemittel auf der Basis von Metallsalzen (Kobalt-, Blei-, Mangan-S.).

Siklós [ʃ'iklo:ʃ], Gem. im Bezirk Baranya, Ungarn, südlich von Pécs. Die Burg (13. Jh., mehrfach umgebaut) hat einen runden got. Schutzturm; die Burgkapelle (15./16. Jh.) hat Chor mit Netzgewölbe; über dem Schiff barockes Tonnengewölbe mit Stichkappen; reiche Holzschnitzereien im Renaissancestil (16. Jh.); in Wandnischen Fresken (14./15. Jh.).

Sikri-Sandstein, der in Sikri und Kerauli, nahe Agra, N-Indien, gebrochene rötliche, hell gefleckte Sandstein, aus dem die Skulpturen der Mathura-Kunst bis zum Ende des 1. Jahrtsd. fast ausnahmslos gearbeitet sind. Seit dem 16. Jh. wurde er wiederum als Grundstoff der Mogul-Architektur verwendet (Fort von Agra, Fatehpur Sikri u. a.).

Sikyon, antike Stadt in Griechenland, westl. von Korinth (Blütezeit im 6. Jh. v. Chr. unter der Tyrannis des KLEISTHENES). S. war seit ältester Zeit Wirkungsstätte bed. Maler und Bildhauer (u. a. POLYKLET, LYSIPP) sowie Kunstgewerbezentrum. Ausgrabungen legten Bauten der im 3. Jh. v. Chr. neu gegr. hellenist. Stadt frei. Im Mus. v. a. Skulpturen und Mosaiken aus dieser Zeit.

Silanion, Athener Erzbildhauer der 2. H. des 4. Jh. v. Chr., Zeitgenosse des LYSIPP. Nach literar. Quellen zu urteilen, galt sein Interesse den großen Gestalten der Vergangenheit und der Gegenwart: Sicher identifiziert scheint nur das Bildnis des Philosophen PLATON zu sein (in zahlreichen Kopien erh.), alle übrigen Identifizierungen bleiben hypothetisch.

Silber, Maltechnik: Edelmetall, das für Malerei und Fassungen in Blatt- und Puderform hergestellt und wie Gold verarbeitet wird (→Vergoldung, →Pudergold). Um das Schwärzen zu verhindern, muß S. durch Überzüge geschützt werden. Häufig ist S. der Reflektor für Lüster.

Silber|reli|efschmelz, Silberschmelz, Technik der →Emailkunst.

Silberschmiedekunst, →Goldschmiedekunst.

Silberstift, Graphik: Zugespitzter Silbergriffel, ma. Vorgänger des Bleistifts. Die **S.-Zeichnung** war im 15. und 16. Jh. verbreitet. Das Papier wurde hierzu mit Knochenasche grundiert, um den Strich anzunehmen, der als zarte graue Linie auf dem oft getönten Grund erschien, später aber bräunt.

Silen, grch. Mythos, →Satyrn.

Silhouette [zilu'ɛtə, n. dem frz. Finanz-Min. É. de Silhouette, *1709, †1767] *die,* →Schattenbild.

Silikatfarben, Mineralfarben, Maltechnik: mit Kaliwasserglas gebundene Farben für Seccomalerei. Auf Putz und Stein werden S. wetterfest und eignen sich daher bes. für Fassaden- und Wandmalerei (Stereochromie). U. a. verwendete W. v. KAULBACH die Silikatmalerei im Neuen Museum, Berlin (1845–65).

Silistra, Stadt und Hafen an der Donau in NO-Bulgarien, 51 600 Ew.; unter TRAJAN im 2. Jh. zur Festung **Durostorum** ausgebaut, im MA. bed. Handelszentrum. Wichtigstes Kulturdenkmal ist eine röm. Grabkammer mit Wandmalereien aus dem 4. Jh.

Silla, altkorean. Staat im SO der Halbinsel. Über **Alt Silla** (um 57 v. Chr.–668 n. Chr.) und das **Vereinigte Königreich Silla** (668–935) →koreanische Kunst.

Sillein, slowak. **Žilina** [ʒ'ilina], Stadt im Mittelslowak. Kr., ČSSR, 56 000 Ew. – Roman. St. Stephanskirche (13. Jh.) mit got. Wandgemälden. Am mittelalterl. Marktplatz Renaissancehäuser mit Laubengängen, das Jesuitenkloster mit Kirche (1743) und die 1400 gegr. Pfarrkirche (später umgebaut; Renaissance-Glockenturm 1540).

Siloẹ, 1) Diego da, span. Baumeister, Bildhauer, Sohn von 2), *Burgos um 1495, †Granada 22. 10. 1563, Mitarbeiter von B. ORDÓÑEZ am Epiphaniealtar von S. Giovanni a Carbonara in Neapel (1517). S. ist der führende Meister des frühen Platereskenstils. Er verarbeitete frz. und ital. Stilelemente der Hochrenaissance; als Bildhauer schloß er sich der Tradition der Florentiner Renaissanceplastik an (Dekoration von Kirchenportalen). Sein HW ist die Escalera Dorada in der Kathedrale von Burgos (BILD). In Granada war er als Nachfolger von E. EGAS von 1529 bis zu seinem Tod als Bauleiter der Kathedrale tätig.

2) Gil de Amberes, span. Bildhauer wohl fläm. Herkunft, Vater von 1), 1486–99 in Burgos nachweisbar. Sein üppig dekorativer Stil ist von fläm. Vorbildern abgeleitet und von maurischen Elementen durchdrungen.

HW: Doppelgrabmal Johanns II. von Kastilien und Isabellas von Portugal und Grabmal ihres Sohnes, des Infanten Alonso (1486–93; Kartause von Miraflores bei Burgos); Hochaltar ebd. (1496–99; zus. mit DIEGO DE LA CRUZ).

Silves [s'ilvɪʃ], südportug. Stadt in der Algarve, 9500 Ew.; von der einstigen Bedeutung der Stadt zeugt die Maurenburg (10.–13. Jh.) aus rotem Sandstein; ehem. Kathedrale (13.–15. Jh.) mit reich skulptierten Kapitellen und Kreuzfahrergräbern (13. Jh.); im Emanuelstil die Kapelle Nossa Senhora dos Mártires und das prachtvolle Wegekreuz (1510; mit Kreuzigung Christi auf der Vorder- und Kreuzabnahme auf der Rückseite).

Silvestre [silv'ɛstr], frz. Künstlerfamilie des 17. und 18. Jh. Bekannt wurden v. a. Israël (*Nancy 3. 8. 1621, †Paris 11. 10. 1691), der, von J. CALLOT beeinflußt, vedutenmäßige Ansichten aus Frankreich und Italien radierte, und Louis d. J. (*Sceaux 23. 6. 1675, †Paris 11. 4. 1760), der Porträts, relig. und mytholog. Bilder malte, 1716 von AUGUST DEM STARKEN nach Dresden berufen wurde, dort bis 1748 Akademiedirektor war.

L. de S., Ausst.-Kat., Schloß Moritzburg (1976).

Sima, [grch.-lat.] *die,* Abschlußleiste des Hauptgesimses am grch. Tempel (BILD Säulenordnung), die die Dachrinne bildete; aus dem aufgebogenen Rand der Traufziegel entstanden; zuerst aus Ton, dann Stein.

Simbạbwe, engl. **Zimbạbwe** [z-, Shona, vielleicht ›Steinhäuser‹], Ruinenstätte im Staat S., 20 km südöstlich von Masvingo (ehem. Fort Victoria), 1871 von dem dt. Afrikaforscher K. MAUCH entdeckt; erstreckt sich am Rand eines Granitplateaus, 1100 m ü. M., auf einer Fläche von fast 40 ha. Hauptbauwerk und größter histor. Bau Schwarzafrikas ist der 250 m lange, 11 m hohe, an der Basis bis 5 m breite, ovale Mauerring (80 × 50 m) aus Granitquadern, der Tempel und Königsresidenz umfaßte; davon ist ein über 10 m hoher massiver konischer Turm erh., dessen Granitblöcke wie bei der Mauer und den übrigen Bauten ohne Mörtel

Simbabwe: Teil des Mauerrings mit konischem Turm

aufeinandergeschichtet sind. – Die Blütezeit von S., in der die imposanten Bauwerke entstanden sind, liegt zw. 1075 und 1440 (ermittelt u. a. mit Hilfe von Fundstükken wie importierten Glasperlen, pers. Fayence und chines. Porzellan). Plast. Kunstwerke wurden nur spärlich zutage gefördert: 6 kunstvoll stilisierte Vögel und Vogelmenschen aus Speckstein, Steinschalen mit Relief, hölzerne Schalen und Tierkopfvasen zur Aufbewahrung von Herrscherreliquien.

S. war um 1400 mit 10 000 Ew. die größte Stadt des südl. Afrika; sie war Residenz und Kultzentrum der S.-Kultur, von der zw. Sambesi und Limpopo (Rep. S. und Moçambique) inzwischen über 300 Ruinen (Reste von Tempeln, Festungen, Minen, Kellern und Thermen) bekannt sind und die auf der Gewinnung von Gold, Eisen und Kupfer basierte. Träger der S.-Kultur waren vermutlich die Priesterkönige des Reiches Monomotapa. Beziehungen zu nördl. Anliegerstaaten des Indischen Ozeans werden angenommen (sind jedoch umstritten) wegen der bes. kunstvoll gearbeiteten Tierdarstellungen aus purem Goldblech, wie sie 1932 in der königl. Begräbnisstätte Mapungubwe (70 km westlich von Beitbridge am Limpopo) entdeckt wurden.

P. M. STEVENS: Zimbabwe culture, a bibliography (Kapstadt 1950); Papers in African prehistory, hg. v. J. D. FAGE u. R. A. OLIVER (New York 1970); The African Iron Age, hg. v. P. L. SHINNIE (ebd. 1971).

Simberg, Hugo, finn. Maler, Graphiker, *Hamina 24. 6. 1873, †Ähtäri 11. 7. 1917, Schüler von A. GALLÉN-KALLELA, schuf phantasievolle, oft an ma. Illustrationen erinnernde Kompositionen, die häufig den Tod zum Thema haben.

Simeonskloster, Deir Anba Sim'an, eines der besterhaltenen christl. Klöster Ägyptens, bei Assuan am Wüstenrand über dem Westufer des Nil, gegenüber der Kitchener-Insel, mit Baubestand des Hoch-MA. (Gemeinschafts- und Wirtschaftsanlagen: Mühle, Bäckerei, Küche, Ölpresse, Weinkelter).

Simha [Skt.], Löwe, in der ind. Kunst häufig dargestellt als Symbol der Herrschaft. S. findet sich vierfach am Kapitell der Ashokasäule von Sarnath, an den Sockeln von Buddhafiguren der Kushanazeit und als Konsolenfigur an Kultbauten. In der buddhist. Kunst ist S. das Vahana der Durga und Parvati.

Simitthus, röm. Siedlung in N-Afrika, →Chemtou.

Simmern, Stadt im Hunsrück, Rheinl.-Pf., 6200 Ew., war vom 15. bis 17. Jh. Residenz einer pfälz. Nebenlinie. In der spätgot. Stephanskirche, einer 1486–1509 erbauten Halle mit Sterngewölben, vorzügl. Renaissance-Grabmäler der Herzöge von Pfalz-S. Barocke Josephskirche (1749–52) mit qualitätvoller Ausstattung (Hochaltar mit Skulpturen von P. EGELL).

Simonds [s'aımәndz], Charles, amerikan. Künstler, *New York 14. 11. 1945, Vertreter der Individuellen Mythologie und Spurensicherung. Seine miniaturhaften Wohnstätten eines myth. ›kleinen Volkes‹, die er seit 1970 aus Lehm in Mauernischen, Hausruinen u. a. in New York modellierte, fingieren Relikte archaischer Kulturstufen.

Simone Martini, ital. Maler, *Siena 1284, †Avignon Juli 1344, war um 1317 in Neapel, seit 1320 meist in Siena, ferner in Pisa, Orvieto und Assisi, ging um 1340 an

Simone Martini: Der Hl. Martin wird zum Ritter geschlagen; Fresko, zw. 1320 und 1330 (Assisi, San Francesco, Martinskapelle)

den päpstl. Hof nach Avignon. S. M. ist neben GIOTTO der bedeutendste ital. Maler des Trecento. Er führte die von DUCCIO begründete Tradition der Malerschule von Siena zu höchster Blüte. Der Zauber seiner Werke beruht auf der Verbindung des got. Ausdrucks sanft schwingender Linien und zarter Farben mit eindringl. Gebärdensprache und Schilderung der stoffl. Wirklichkeit (BILD Gotik). Sein Spätwerk in Avignon, v.a. die Fresken in der Vorhalle der Kathedrale (Sinopien z.T. erh.) und das kleinformatige Tafelbild ›Der zwölfjährige Jesus im Tempel‹ (1342; Liverpool, Walker Art Gal.), waren für die weitere Entwicklung der Malerei in Frankreich von Bedeutung (u.a. für die Schule von Avignon und die frz. Buchmalerei des 14./15. Jh.).

WW: Fresken: Maestà (1315 ff.; Siena, Palazzo Pubblico); Reiterbildnis des Guidoriccio da Fogliano (1328; ebd.); Darstellungen aus dem Leben des Hl. Martin (zw. 1320 und 1330; Assisi, S. Francesco, Martinskapelle). – **Tafelbilder:** Hl. Ludwig v. Toulouse (1317; Neapel, Mus. Nazionale di Capodimonte); Altarbild für S. Caterina in Pisa (1320; Hauptteile: Pisa, Mus. Nazionale di S. Matteo); Verkündigung (1333; Florenz, Uffizien; zus. mit L. Memmi); Kreuztragung (Louvre); Kreuzabnahme (Antwerpen, Koninklijk Mus. voor Schone Kunsten); Grablegung (Berlin-West, Staatl. Museen).

G. CONTINI u. M. C. GOZZOLI: L'opera completa di S. M. (Mailand 1970).

Simplicissimus, politisch-satir. Wochenschrift, gegr. 1896 in München von A. LANGEN und T. T. HEINE. Mitarbeiter im Bildteil waren u.a.: T. T. Heine, E. THÖNY, R. WILKE, O. GULBRANSSON, K. ARNOLD. Der S. stellte 1944 sein Erscheinen ein, wurde 1954 wiedergegr., 1967 erneut eingestellt.

Sims, Baukunst: →Gesims.

Simson, bildende Kunst, →Samson.

Simultandarstellung, Bez. für versch. thematisch korrespondierende, aber zeitlich und räumlich getrennte Handlungsvorgänge innerhalb einer Bildeinheit, wobei die Hauptfigur mehrmals erscheint. I. Ggs. zur →Kontinuierenden Darstellung sind die einzelnen Handlungsphasen in der Bildaussage nicht gleichwertig zum Hauptthema.

Sina|i, →Katharinenkloster.

Sinan, osman. Architekt, *bei Kayseri 1489, †Konstantinopel 1588, wuchs als Sohn christl. Eltern bei Kayseri auf, kam noch als Knabe nach Konstantinopel und nahm unter SÜLEIMAN DEM PRÄCHTIGEN 1522–38 als Pionieroffizier an versch. Feldzügen teil. 1539 wurde S. Baumeister für das gesamte Osman. Reich; diese Stellung behielt er unter 3 Sultanen. Unter seinen mehr als 300 Bauten (Moscheen, Medresen, Mausoleen, Bäder und Armenküchen) ragen die Şehzade (Prinzen)-Moschee und die Süleimans-Moschee in Istanbul sowie die Moschee Selims II. in Edirne (BILD) hervor. Darüber hinaus waren seine Ingenieurwerke bedeutend (Brükken und Aquädukte in O-Thrakien). Seine ersten Bauten stehen in der Tradition der frühosman. Architektur; durch sein Werk zieht sich die Auseinandersetzung mit Grund- und Aufriß der Hagia Sophia. Seine Schüler wirkten noch Ende des 17. Jh., seine Epigonen bis in die Gegenwart.

Sindelfingen, Stadt südwestlich von Stuttgart, Bad.-Württ., 54200 Ew. Die ehem. Chorherrenstiftskirche ist eine roman. Pfeilerbasilika ohne Querschiff; v.a. am Außenbau (Blendbogengliederung an den 3 Apsiden, isoliert stehender Turm) ist oberital. Einfluß spürbar. Altes Rathaus (Fachwerkbau von 1478).

Sinding, 1) Ludvig, norweg. Maler, Bruder von 2), *Kongsberg 20. 12. 1842, †München 22. 11. 1909, seit 1903 Prof. ebd., malte außer geschichtl., religiösen und Genrebildern norweg. Landschaften, bes. die Lofot-Inseln.

2) Stephan, norweg. Bildhauer, Bruder von 1), *Trondheim 4. 8. 1846, †Paris 23. 1. 1922, schuf, ausgehend vom Klassizismus und geschult an der zeitgenöss. frz. Plastik, realist. Bildwerke.

HW: Barbarin, ihren verwundeten Sohn aus der Schlacht tragend (1883; Oslo, Nat.-Gal. u.a.); Statuen von H. Ibsen und B. Bjørnson (1898–99; vor dem Nationaltheater, Oslo).

Singasari, Candi S. [tç-], nach der Dynastie und deren Hauptstadt bezeichnetes Grabmonument des Königs KERTANAGARA auf O-Java (KARTE indonesische Kunst). Es stammt aus dem 13. Jh. und hat einen sehr hohen Sockel, in dem sich die Sanktuarien befinden. Bed. Steinskulpturen, u.a. der Göttin Durga (javan. Prajnaparamita), 125 cm hoch, die durch das Rijksmus. voor Volkenkunde in Leiden, Niederlande, an Indonesien zurückgeführt wurde. – Reliefs zeigen Szenen aus dem Ramayana.

Singier [sɛ̃ʒj'e], Gustave, frz. Maler belg. Herkunft, *Warneton (W-Flandern) 11. 2. 1909, †Paris Mai 1984, lebte seit 1919 in Paris. Seine formklaren, zeichnerisch verfestigten Bilder verkörpern eine dekorativ-unbeschwerte Seite der École de Paris. S. hat auch Kirchenfenster und Tapisserien entworfen.

Sinop, Hauptstadt der Prov. S., Türkei, 16100 Ew., am Schwarzen Meer. Die antike Stadt **Sinope,** eine im 7. Jh. v. Chr. von Milet aus besiedelte grch. Kolonie, war eine bed. Handelsstadt, von der aus viele Kolonien gegr. wurden; im 2. Jh. v. Chr. zeitweilig Residenz pontischer Könige. 70 v. Chr. kam S. zum Röm., dann zum Byzantin. Reich, 1214 fiel es an die Seldschuken. Ausgrabungen eines hellenist. Tempels des Sarapis(?); in der Nekropole Gräber pont. Könige. Aus seldschuk. Zeit stammt die Große Moschee.

Sinopia, Sinopi|e, Maltechnik: 1) rote Erdfarbe aus Sinop. 2) Unterzeichnung eines Freskos, die in Italien meist mit einer roten Farbe ausgeführt wurde. Die S. ist gleichzeitig der 1:1-Entwurf anstelle des später üblich werdenden Kartons. (BILD S. 126)

Sintenis, Renée, Bildhauerin, Graphikerin, *Glatz (Schlesien) 20. 3. 1888, †Berlin (West) 22. 4. 1965, war ∞ mit dem Maler E. R. WEISS; schuf meist impressionistisch aufgefaßte Bildwerke junger Tiere in Bronze und Ton, deren Wesen sie in ihrer charakterist. Bewegung erfaßte, auch Aktfiguren und Porträtköpfe (Selbstbildnisse, A. Gide, J. Ringelnatz) sowie Radierungen.

Sintflut, nach dem A. T. die urzeitl. Flut, die alles Leben mit Ausnahme von →Noah und seiner Familie ver-

Sinopia: S. vom Meister des Triumphes des Todes an der Südwand des Camposanto in Pisa; Detail

nichtete. Sie wird in der bildenden Kunst in einer Miniatur der Wiener Genesis (6. Jh.) wiedergegeben, die wohl von antiken Darstellungen der Durchquerung von Flüssen im Kampf abhängig ist. Die frühchristl. Komposition lebte bis in das hohe MA. fort (Mosaik vom Anfang des 13. Jh.; Venedig, S. Marco). Neue Bildformen entstanden im späten MA. und in der Renaissance (P. UCCELLO, um 1450; Florenz, S. Maria Novella), die bedeutendste wohl in MICHELANGELOS Fresko an der Decke der Sixtin. Kapelle (um 1509).

Sịntra, portug. Stadt rd. 60 km nordwestlich von Lissabon, 16 000 Ew. Der Palácio Real (1385–1433 auf maur. Vorgängerbau als Sommerresidenz der portug. Könige errichtet) vereint v. a. an den prächtigen Fassaden maur. Elemente mit dem bizarren Formenreichtum des Emanuelstils. Von den Innenräumen sind hervorzuheben der Saal der Schwäne (Holzdecke aus achteckigen geschnitzten Kassetten, die mit Schwänen bemalt sind), Saal der Elstern (Holzkassettendecke mit Elsterbildern) und v. a. der Wappensaal (mit achtseitiger Kuppel, die mit Wappen portug. Adelsfamilien geschmückt ist, und weißblauen Azulejos-Wandverkleidungen); in der Schloßkapelle Artesonado-Holzdecke mit sternförmigen Mustern. Auf halber Höhe über der Stadt die Reste eines Maurenkastells, darüber auf der Bergkuppe der Palácio da Pena (1503–11 als Bergkloster im Emanuelstil errichtet und durch Baron von Eschwege ab 1839 im Stil eklektisch gestalteter Rheinburgen umgebaut); vom emanuelin. Bau blieben Kreuzgang und Kapelle (mit prächtigem Alabasteraltar von N. →Chantereine, 1532 voll.) erhalten.

Sint-Truiden [-tʼrœjdə], frz. **Saint-Trond** [sẽtrʼɔ̃], Stadt in der belg. Prov. Limburg. Großer maler. Marktplatz mit Rathaus (18. Jh., Belfried 1606) und got. Liebfrauenkirche (14./15. Jh., Turm 1854), unweit davon die Gebäude der um 655 gegr. Benediktinerabtei (roman. Turm, 11. Jh., sonst größtenteils Bauten des 18. Jh.). Die St. Pieterskerk (12. Jh.) ist ein gutes Beispiel der Maas-Romanik, eine dreischiffige Basilika mit 3 Apsiden, die mittlere mit Zwerggalerie. In St. Agnes (13./14. Jh.), der Kirche des Beginenhofs (1258 gegr., Gebäude 17./18. Jh.), Wandmalereien (13.–15. Jh.). St.-Franziskus-Mus. (ma. Skulptur und Malerei).

Sinzig, Stadt an der Mündung der Ahr in den Rhein, Rheinl.-Pf., 14500 Ew. Die Petrikirche (um 1225) ist eine spätroman. Emporenbasilika mit ungewöhnlich reicher Gliederung, verwandt mit St. Quirin in Neuss. Neugot. Schloß (1854–58).

Sion [sjɔ̃], frz. Name von →Sitten.

Siphni|er-Schatzhaus, von den Bewohnern der Insel Siphnos kurz vor 525 v. Chr. in Delphi errichtetes Schatzhaus; der Bau läßt sich auf Grund der erhaltenen Teile fast völlig rekonstruieren. Das kleine tempelartige Gebäude (5,50 × 8,37 m) aus Parischem Marmor zeichnete sich v. a. durch seinen reichen Skulpturenschmuck aus; das Gebälk der Vorhalle wurde von 2 vollplast. Karyatiden anstelle von Säulen getragen; die Giebelfelder waren mit Hochreliefs geschmückt (die Darstellung des Kampfes zw. Apoll und Herakles um den delphischen Dreifuß vom O-Giebel ist erh.); den ganzen Bau umzog über dem Architrav ein etwa 30 m langer reliefierter Fries mit Szenen aus Trojaner- und Gigantenkämpfen, Götterversammlungen und Reiterprozessionen. Wegen des einigermaßen gesicherten Zeitpunkts der Errichtung des Schatzhauses gilt diese Bauplastik als Anhaltspunkt für die Datierung grch. archaischer Plastik und Malerei.

Sipontum, antike Hafenstadt in Apulien, Italien, →Manfredonia.

Sippar, altbabylon. Stadt am Euphrat, heute Ruinenstätte **Abu Habba,** 45 km südwestlich von Bagdad (KARTE Alter Orient), Kultstadt des Sonnengottes Schamasch und seiner Gemahlin Aja. Der ausgedehnte Kultbezirk aus neubabylon. Zeit mit Hoch- und Tieftempel wird von irak. Archäologen erforscht. Fundort großer Mengen von Tontafeln und zahlreicher Monumente, urspr. wohl auch Aufstellungsort der Gesetzesstele des HAMMURAPI.

Sippenbild, die Darstellung der um Anna und Maria versammelten hl. Sippe. Das S. entstand im späten MA., als die Annenverehrung ihren Höhepunkt erreicht hatte, und ist gleichzeitig in engem Zusammenhang mit der Unbefleckten Empfängnis Marias durch Anna zu sehen. Es wurde von Künstlern nördlich der Alpen bevorzugt. Dargestellt ist Anna mit ihren 3 Gatten (trinubium), ihren Töchtern, Schwiegersöhnen und Enkeln, wie sie bereits in der ›Legenda Aurea‹ (um 1270) aufgezählt werden. Das S. ist aus der →Anna selbdritt entwickelt worden (Mittelrheinischer Meister, Hess. Landesmus. Darmstadt; Meister der Heiligen Sippe, Köln, Wallraf-Richartz-Mus.; L. Cranach, Städelsches Kunstinstitut, Frankfurt a. M.).

Sirenen: S. von einem Grabmal vom Friedhof Kerameikos; um 370 v. Chr., Marmor, 83 cm hoch (Athen, Nationalmuseum)

Siqueiros [sikˈɛirɔs], José David Alfaro, mexikan. Maler, →Alfaro Siqueiros.

Siraf, heute **Bandar Tahiri,** Ruinenstätte in Iran, am Pers. Golf (KARTE Alter Orient). Unter den Ruinen der bed. Hafenstadt des MA. fanden sich Reste großer Bauten der Sassanidenzeit (226–650 n. Chr.), darunter etwa 40 Steinmausoleen (9.–10. Jh.), ferner ein massives frühislam. Gebäude mit reichem Stuckdekor. Von der auf einem massiven sassanid. Fort erbauten Großen Moschee (nach 803/04) sind noch Doppelarkaden auf 3 Seiten des Innenhofes und 5 Nischen an der Kiblawand erhalten.

Sirén, Heikki, finn. Architekt, *Helsinki 5. 10. 1918, Sohn des neoklassizist. Architekten Johan Sigfrid S. (*1889, †1961), arbeitet mit seiner Frau Kaija (*Kotka 23. 10. 1920); sie vertreten eine an A. Aalto geschulte organ. Architektur.

HW: Bauten im Studentendorf Otaniemi (bei Helsinki), Wohnhäuser, Schulen, Kirchen, Industrieanlagen, Bürogebäude, Konzerthäuser in Lahti/Finnland (1953/54) und Österreich: Linz (›Brucknerhaus‹, 1974); Wien (Reichsbrücke, 1977).

Sirenen, grch. Mythos: urspr. wohl Dämonen des Todes, dann des Meeres, sowohl den Harpyien als auch den Musen nahestehend, blutgierig und mit betörendem Gesang begabt. In der Odyssee lockten sie auf einer sagenhaften Insel im W die Vorüberfahrenden an und töteten sie. Odysseus entging ihnen, indem er die Ohren der Gefährten mit Wachs verstopfte und sich selbst an den Mast des Schiffes binden ließ. Nach vorderoriental. Vorbild wurden die S. seit dem 8. Jh. v. Chr. als Vögel mit Menschenköpfen, dann mit Mädchenleibern und später in Menschengestalt, im MA. auch fischschwänzig dargestellt.

Sirkap, histor. Stadt in Pakistan, →Taxila.

Sirkeli, Ort nordöstlich von Misis, am Fluß Ceyhan, SO-Türkei (KARTE Alter Orient). Ein flaches Felsrelief zeigt einen hethit. Großkönig in seinem Ornat; nach der Beischrift aus der Zeit der Könige MUWATALLI und URCHITESCHUB (um 1280 v. Chr.).

Sirmione, ital. Kurort auf einer Landzunge am S-Ufer des Gardasees mit Scaliger-Burg (1276 beg.) am See. Nördlich von S. Reste einer im 1.–3. Jh. mehrfach erweiterten röm. Villenanlage (›Grotte die Catullo‹ gen.).

Sironi, Mario, ital. Maler, *Sassari (Sardinien) 12. 5. 1885, †Mailand 15. 8. 1961, ging vom Futurismus aus und fand um 1920 seinen eigenen Stil in der Wiedergabe düsterer Industrielandschaften. 1922 schloß er sich der faschistisch orientierten Gruppe →Novecento an; große Wandgemälde in Rom und Mailand.

Sirpur, hinduist. Tempelstätte in Zentralindien, mit dem im 7. Jh. aus Ziegeln errichteten Lakshmana-Tempel im frühen Nagara-Stil. Auf hoher Plinthe erheben sich das Mandapa und der viergeschossige Shikhara aus fein behauenen Ziegeln und beigefügtem Terrakottaschmuck.

Si Sacchanalai, Ruinenstadt in Thailand, nördlich von →Sawankhalok und →Sukhothai; eine der 3 bed.

Städte der Sukhothai-Zeit, seit dem 18. Jh. verlassen und vielfach zerstört. Bedeutendste Heiligtümer sind das Wat Chang Lom, 12. Jh., dessen Stupa im Zentrum eines der frühesten Bauwerke der Sukhothai-Kunst ist, und das Wat Chedi Jet Teo, 14. Jh.; beide sind von der ceylones. Kunst beeinflußt. Nördlich von S. S. entstanden Keramiken im Sawankhalok-Stil.

Sisley [sisl'ɛ], Alfred, frz.-engl. Maler, *Paris 30. 10. 1839, †Moret-sur-Loing (bei Fontainebleau) 29. 1. 1899, Sohn engl. Eltern; war bis 1863 Schüler von C. GLEYRE, in dessen Atelier er die Impressionisten (A. RENOIR, C. MONET) kennenlernte; er malte vor der freien Natur. Anfänglich von C. COROT und G. COURBET beeinflußt, schloß er sich v. a. Monet an und malte lichtdurchstrahlte Landschaften von stiller Poesie und ausgeglichener Heiterkeit; oft stellte er das gleiche Motiv zu versch. Tages- und Jahreszeiten dar. (BILD Impressionismus)

HW: Die Regatten (um 1874; Paris, Musée d'Orsay); Die Schwemme von Marly (1875; Zürich, Kunsthaus); Wäscherinnnen von Bougival (1875; ebd.); Überschwemmung von Port Marly (1876; Paris, Musée d'Orsay); Louveciennes im Schnee (1878; ebd.); Die Seine bei Saint-Mammès (1884; Leningrad, Eremitage).

Sisyphos, lat. **Sisyphus,** grch. Mythos: ein Sohn des Aiolos, König von Korinth. Zur Strafe für seine Verschlagenheit (er überlistete sogar den Tod) mußte er in der Unterwelt ein Felsstück stets von neuem auf einen Berg wälzen, von dem es im letzten Augenblick immer wieder hinabrollte. Diese nie endende Bemühung wurde seit archaischer Zeit plastisch (Metope des Heraion von Foce del Sele) und v. a. in der Vasenmalerei (Amphora, 6. Jh. v. Chr., München, Staatl. Antikensamml.) dargestellt.

Si Tep, Shri Deb [ʃri-], Fundort der einzigen eigenständigen Hindu-Steinskulpturen Thailands; einige vishnuit. Figuren, etwa 7./8. Jh., erinnern an den klassisch-indischen Gupta-Stil.

Sittannavasal, jinist. Kulthöhle in Tamil Nadu, S-Indien, mit Fresken auf Pfeilern und an der Decke, darunter eine Szene im Lotosteich (um 850).

Sittard, Stadt in der niederländ. Prov. Limburg; St. Petruskirche (Anf. 14. Jh. beg.), eine kreuzförmige Basilika im Stil der Maas-Gotik, im Innern geschnitztes Chorgestühl und Holzskulpturen (16. Jh.); barocke St. Michaelskerk, 1659–61 als Dominikaner-Klosterkirche gebaut, am Volutengiebel Relief (Dominikus empfängt den Rosenkranz).

Sitte, **1)** Camillo, österr. Baumeister, Städteplaner, *Wien 17. 4. 1843, †ebd. 16. 11. 1903, mit seinen Schriften einer der Begründer des modernen Städtebaus (Nutzung der natürl. Geländeform und der Erfahrungen des histor. Städtebaus für ein einheitl. Stadtbild). S. schuf auch Kirchen und andere Großbauten sowie Bebauungspläne für Städte.

2) Willi, Maler, *Kratzau (Böhmen) 28. 2. 1921, seit 1947 in Halle/Saale, seit 1959 Prof. ebd., begann bes. unter dem Einfluß R. GUTTUSOS. Seine politisch engagierten, meist großformatigen Kompositionen sind in ihrer Mischung aus expressiver Spontaneität und Pathos ein selbständiger Beitrag zum Sozialist. Realismus (›Leuna 1969‹, 1967/68 Berlin-Ost, Nat.-Gal.; Wandbild im Palast der Republik, Berlin-Ost, 1976).

W. S., Malerei, Zeichnungen, Grafik 1945–1982, Ausst.-Kat., Berlin-Ost (1982).

Sitten, frz. **Sion** [sjõ], Hauptstadt des schweizer. Kt. Wallis, 23600 Ew.; seit dem 6. Jh. Bischofssitz. Das Stadtbild wird von 2 Burghügeln beherrscht, auf dem einen die Ruine der ehem. Bischofsburg Tourbillon, auf dem anderen die ma. Kirchenburg Valeria mit der Kirche Notre-Dame-de-Valère (12.–13. Jh.) mit reichen, stilistisch einzig dastehenden roman. Kapitellen (Mitte 12. Jh.) und prächtigem Chorgestühl (1662–64). Die spätgot. Kirche Notre-Dame-du-Glarier (15. Jh., roman. Turm 12. Jh.) ist die letzte ma. Kathedrale der Schweiz; im wertvollen Kirchenschatz Textilien und Reliquien (4.–9. Jh.). Unter der spätgot. Kirche St. Theodul (um 1500) ist die Krypta einer karoling. Basilika erh. Am stattl. Rathaus (1660) prächtige Schnitztür. Valeria-Mus.; Musée des Beaux-Arts.

Sittenbild, veraltete Bez. für →Genre.

Sittow [-o], Michel, Maler, *Reval 1468/69, †ebd. 1525/26, malte an versch. Königshöfen Europas Porträts (1492–1501 in Toledo, 1514 in Kopenhagen). Seine Porträts und Heiligenfiguren zeigen den Einfluß von H. MEMLING mit noch nuancierterem Kolorit.

Situla [lat.], eimerförmiges Gefäß wechselnder Größe, v. a. als Schöpf- oder Mischgefäß verwendet, in Griechenland und Italien vom 7.–4. Jh. v. Chr. hergestellt. Die S., meist aus Bronze oder Ton, waren oft reich reliefiert. Bes. eng verbunden ist der Begriff S. mit einer Gattung von Bronzegefäßen, die in N-Italien, den Ostalpen und dem nördl. Balkan (Hallstattkultur) v. a. im 6./5. Jh. v. Chr. verbreitet und mit figürl. Reliefs in eigenartigem Stil verziert war (Situlenkunst).

Sitzpositur indischer Bildwerke, →Asana.

Sivas, Siwas, Hauptstadt der türk. Prov. S., 132500 Ew., das antik-byzantin. **Sebasteia.** Die Große Moschee (Ulu Camii) entstand wohl kaum vor dem Ende des 12. Jh. (vielfach restauriert). Von großer Bedeutung für die seldschuk. Architektur sind 4 große Stiftungen (nach dem Schema der großen Hofmedrese mit Iwanen): die Sifahiye (›Krankenhaus‹) des Sultans KAIKAUS (1217/18, heute Mus.), z. T. mit Fliesen-Dekoration, die Buruciye Medrese sowie die mit je 2 Minaretten ausgezeichneten Anlagen der Çifte Minare und der Gök Medrese (alle 1271/72 errichtet, mit reichem Portal- und Fassadenschmuck).

Sixtinische Kapelle, päpstl. Hauskapelle im Vatikan in Rom, unter Papst Sixtus IV. von GIOVANNI DE' DOLCI 1473–81 erbaut. Sie enthält Fresken aus dem A. T. und N. T. von PERUGINO, PINTURICCHIO, S. BOTTICELLI, GHIRLANDAIO, C. ROSSELLI, L. SIGNORELLI an den Längswänden (1481/82) und die Fresken MICHELANGELOS: Darstellungen aus der Schöpfungsgeschichte, Propheten und Sibyllen u. a. an der gewölbten Decke

Sixtinische Kapelle

(1508–12) und das Jüngste Gericht an der Altarwand (1535–41). (BILDER Deckenmalerei, Michelangelo)

Sixtinische Madonna, Altarbild von RAFFAEL (um 1513/14 entstanden; BILD Raffael), benannt nach dem auf ihm dargestellten Papst Sixtus II., seit 1754 in der Gemäldegalerie Dresden (Sixtina-Saal).

Sixt von Staufen, Hans, Bildhauer, arbeitete 1515 bis 1537 in Freiburg i. Br. und schuf hier für die Lochererkapelle des Münsters den Schnitzaltar mit der Schutzmantelmadonna in der Schreinmitte (1521–24), für die Fassade des Kaufhauses (1530) 4 Fürstenstatuen und Wappenreliefs. Seine ausdrucksvollen Werke zeigen bereits die Formenwelt der Renaissance. – Der ihm zugewiesene Wasenweiler Altar (um 1515) weist auf eine Begegnung mit T. RIEMENSCHNEIDER.

Siyu, Stadt auf der Insel Pate, im Lamu-Archipel, Kenia; blühende Handelsstadt vom 16. bis 19. Jh. In S. wurde bes. feine Handwerkkunst hergestellt, die ihren

Höhepunkt im 18. Jh. hatte. Die Holzbearbeitung (Türen wie in →Lamu, Armsessel u. a.) gipfelt in den kunstvoll gedrechselten Bettgestellen, meist aus Sesamholz. Die Schnitzmuster auf kleineren Gegenständen des tägl. Lebens sind stark verfeinert. Die Silberarbeiten (Amulettbehälter, Schmuck u. a.) weisen geometr., getriebene oder gestanzte Muster auf.

Sjöstrand [ʃ'ø:strand], Carl Eneas, schwed.-finn. Bildhauer, *Stockholm 11. 9. 1828, †ebd. 14. 2. 1906, ausgebildet in Stockholm und Kopenhagen, seit 1863 in Finnland tätig, wählte bevorzugt Motive aus dem finn. Nationalepos ›Kalevala‹.

Skagen [sg'a:ɣən], Seebad in N-Jütland, Dänemark, 14000 Ew. Im 1908 gegr. Mus. sind v. a. Künstler der etwa 1880 entstandenen Skagener Künstlerkolonie vertreten, so u. a. P. S. KROYER, V. JOHANSEN, ANNA und M. ANCHER.

Skarabäus: Teil eines Schmuckes aus dem Grab Tut-enḉh-Amuns

Skånberg [sk'o:nbærj], Carl, schwed. Maler, *Norrköping 12. 6. 1850, †Stockholm 24. 1. 1883, studierte in Stockholm und seit 1875 in Paris, malte von der Freilichtmalerei und dem Impressionismus beeinflußte Landschaften.

Skanda [Skt.], auch **Kạrttikeya, Kumạra,** jugendl. hinduist. Gott, gilt als Sohn Shivas und als Kriegsgott. Mit einem Speer bewaffnet und auf einem Pfau reitend wird er auch sechsköpfig abgebildet. Sein Kult war zur Kushana-Zeit mit Geburtsriten verbunden, wie seine Darstellungen mit Shashthi und seinem Bruder Vishakha, ferner mit den Matrikas zeigen. (BILD Shiva)

Skara, schwed. Stadt zw. Väner- und Vättersee, seit dem 11. Jh. Bischofssitz. Der Dom, in den ältesten Teilen romanisch (Mitte 12. Jh.), wurde ab Mitte 13. Jh. gotisch umgebaut (einzige Kirche Schwedens mit Triforien); das heutige Aussehen ist ein Ergebnis der durchgreifenden neugot. Restaurierung 1886–94. Im Innern bemerkenswertes Grabmal (1637), Altaraufsatz (1663) und Kanzel (1709) des Barock.

Skarabäus [grch.-lat.] *der, Mz.* **Skarabạ̈en,** ein Blatthornkäfer, dessen Weibchen in die von ihm gedrehten Dungkugeln Eier legt. Seine geheimnisvolle Entstehung aus der Dungkugel gab ihm im alten Ägypten das Ansehen und die Verehrung eines Urwesens, in ihm wurde eine Gestalt des Sonnengottes gesehen. Seit dem Mittleren Reich gab man den Siegeln die Form eines S. Sie bestanden meist aus glasiertem Stein, seltener aus Edelmetall oder Schmucksteinen. Ihre Unterseite trug die Namen von Königen oder Privatleuten, auch Götterfiguren, Symbole oder Ornamente. Oft wurden sie in metallene Fingerringe gefaßt oder in Schmuckstücke eingefügt; ihre Funktion als Siegel trat immer mehr hinter ihrer Bedeutung als Amulett zurück. Moderne Fälschungen werden heute in Ägypten in großer Menge hergestellt.

Skạrhult, Schloß im schwed. Län Malmöhus, gut erh. Renaissanceanlage, ein dreiflügeliger Backsteinbau mit ma. Mittelteil und östl. Hauptflügel von 1562; bed. Gemäldesamml.

Skelettbau, Gerippebau, Bauweise, bei der Gerippe aus Holz, Stahl oder Stahlbeton das Traggerüst des Bauwerks bilden; das Gerippe wird durch Mauerwerk oder nichttragende Bautafeln ausgefüllt. Besonderes Anwendungsgebiet sind Hochhäuser.

Skellig Michael [-maɪkl], Felseninsel mit Klostersiedlung des frühen MA., (im 12. Jh. aufgegeben) vor der südwestirischen Halbinsel Iveragh, Cty. Kerry, mit in Trockenmauerwerk errichteten Mönchszellen und saalförmigem Oratorium mit irischem Steinkreuz.

Skene [grch.], das Bühnengebäude im antiken →Theater.

Skenographie [grch.], gemalte Scheinarchitektur an der Bühnenwand des grch. Theaters spätklass. und hellenist. Zeit, überliefert in röm. Wandmalereien (Boscoreale).

Skiagraphie [grch.], →Schattieren.

Skidmore, Owings and Merrill [sk'ɪdmɔ:, 'əʊɪŋz ænd m'erɪl], Abk. **SOM,** amerikan. Architekturbüro mit Niederlassungen in New York (Hauptsitz), Chicago, San Francisco, Portland, Washington (D. C.), Los Angeles und Paris; 1935 von LOUIS SKIDMORE (*1897, †1962) und NATHANIEL A. OWINGS (*1903, †1984) gegr., 1936 durch die Partnerschaft von JOHN O. MERRILL (*1896, †1975) erweitert, baute seit 1952 für Großfirmen, Banken und Verwaltung (Konsulatsgebäude der USA u. a. in Bremen, Düsseldorf, Stuttgart, Frankfurt am Main). Ein großer Teil entstand nach Entwürfen von G. →Bunshaft.

HW: Lever Building, New York (1950–52); Connecticut General Life Insurance Building, Hartford, Connecticut (1953–57); Inland Steel Building, Chicago (1954); Chase Manhattan Bank, New York (1961); John Hancock Center, Chicago (1965–70); Sears Tower, Chicago (1969–73).

A. BUSH-BROWN u. O. W. GRUBE: S., O. & M. Architektur u. Städtebau 1974–1983 (1983).

Skikda, Hafen- und Industriestadt an der NO-Küste Algeriens, 107 700 Ew.; an der Stelle der röm. Stadt **Rusicada** (46 v. Chr. erbaut, um 437 oder 533 von den Wandalen zerstört), 1838 als **Philippeville** [filipv'il] durch die Franzosen neu gegr. Ruinen des röm. Theaters, Rathaus im neomaur. Stil (1936), St.-Philipps-Kirche, Mus. mit Samml. aus Rusicada.

Skive [sg'i:və], Stadt in N-Jütland, Dänemark, 10 200 Ew. Die Alte Kirche (12. Jh.) wurde um 1500 erweitert und eingewölbt, 1522 wurden alle Gewölbe mit Kalkmalereien verziert; Renaissancealtar (um 1600).

Skizze [ital. schizzo ›Spritzer‹], spontan gezeichneter oder gemalter Entwurf eines Bildes, der die Komposition oder Details summarisch in ihrer Anordnung festhält, ohne Einzelheiten auszuarbeiten. Die S. ist die Vorstufe zum endgültigen Bild; im Unterschied zur Vorzeichnung und Studie. Seit der Renaissance wurde die S. in der Kunsttheorie und bei Sammlern häufig höher bewertet als die bildmäßige Ausführung, da sich an ihr die Phasen des künstler. Prozesses und die Modifikation der ursprüngl. Bildidee ablesen lassen. Als S.

kann auch ein plast. Entwurf bezeichnet werden (Ton-S., Bozzetto, Architekturmodell).

Skizzenbuch, Malerei: Samml. von zeichnerisch festgehaltenen Beobachtungen, die z. B. als Landschafts- oder Bewegungsskizzen bei künstler. Arbeiten verwendet werden können. Als S. bezeichnet man auch die Formensammlungen ma. Künstler. (→Musterbuch)

Skokloster [sk'u:klɔstər], Schloß rd. 20 km südlich von Uppsala, Schweden, 1654–79 von J. DE LA VALLÉE und N. TESSIN D. Ä. für den Feldmarschall C. G. Wrangel erbaut; eine vierstöckige Vierflügelanlage mit achteckigen Ecktürmen und Arkaden zum Hof. Barocke Einrichtung mit prachtvollen Stuckdecken und reich skulptierten Kaminen, wertvolle Sammlungen der versch. Besitzer (u. a. Porträts, frz. Gobelins). Von dem ehem. hier befindl. Zisterzienserinnenkloster ist die got. Kirche (13. Jh.) erh.

Skokloster: Schloß in der Nähe von Uppsala; 1654–79 von J. de la Vallée u. N. Tessin d. Ä. erbaut

Sköld [ʃœld], Otte, schwed. Maler, *Wuchang (China) 14. 7. 1894, †Stockholm 7. 11. 1958, war seit 1932 Prof. an der Kunsthochschule Stockholm. Er hat der Neuen Sachlichkeit nahestehende Landschaften, Stadtmotive und Stilleben gemalt und auch Wandmalereien (1937, Göteborg, Konzerthaus) und Mosaiken geschaffen; S. richtete das Moderne Museum in Stockholm ein (eröffnet 1958).

Skopas von Paros, grch. Bildhauer und Architekt des 4. Jh. v. Chr., neben PRAXITELES der bekannteste spätklass. Marmorbildner; i. Ggs. zu den lyrischeren Schöpfungen des Praxiteles ist S. v. P. ein Meister der Darstellung bewegten seel. Lebens. Er arbeitete vermutlich mit am Fries des Mausoleums von Halikarnassos und leitete den Neubau des Tempels der Athena Alea zu Tegea, dessen in Fragmenten erhaltene Giebelskulpturen seiner Werkstatt entstammen. An diesen Arbeiten sich orientierend (leidenschaftlich kämpfende, kraftvolle Figuren aus Halikarnassos, stark bewegte, quadrat. Köpfe mit tiefliegenden Augen und geöffnetem Mund aus Tegea), glaubt man ihm die Vorbilder

Skopas von Paros: Kopf vom Giebel des Tempels der Athena Alea in Tegea (Athen, Nationalmuseum)

einiger kaiserzeitl. Kopien zuschreiben zu können, so den ›Herakles Lansdowne‹ (u.a. in Malibu/Kalifornien), eine Mänade (Dresden, Skulpturensamml.), einen Meleager und einen geflügelten Jüngling, der sich auf den Thyrsosstab stützt (die beiden letzteren in mehreren Kopien überliefert).

A. F. STEWART: S. (Park Ridge 1977).

Skopje [makedon.], serbokroat. **Skoplje,** Hauptstadt der jugoslaw. Teilrep. Makedonien, 312 100 Ew. Das röm. **Scupi,** schon im 3. Jh. Hauptstadt der Prov. Dardania, war später im Besitz von Bulgaren, Normannen, gehörte zu Serbien und der Türkei (1392–1912). S. wurde in Kriegen und durch Erdbeben (zuletzt 1963) mehrmals zerstört. Erh. sind u. a. Moscheen: Mustafa-Pascha-Moschee (1492), ein Bau mit quadrat. Grundriß, einer mächtigen Kuppel und 47 m hohem Minarett, Sultan-Murat-Moschee (1426; Minarett und Dachkonstruktion verändert), die älteste Moschee Jugoslawiens mit Arkaden-Vorhalle; der Innenraum hat die Form einer dreischiffigen Basilika. Von den Profanbauten sind bedeutend das Bad ›Daut-Pascha-Haman‹ (1484–97) mit vielen Kuppeln (heute Mus., u. a. Ikonen aus dem 14.–16. Jh.) und die Karawanserei ›Kurschumli-Han‹ (um 1550), heute Archäolog. Mus. – Auf röm. Grundsteinen wurde im 15. Jh. die noch gut erh. Steinbrücke über den Wardar gebaut. – Kirchen: Erlöserkirche Sveti Spas aus dem 17./18. Jh. mit holzgeschnitzter Ikonenwand (18. Jh.); in der Umgebung die Andreas-Klosterkirche (1389) aus Stein und Ziegelreihen (im Innern Fresken); die St.-Niketas-Kirche, auf älteren Fundamenten 1307/08 gebaut, hat die Form eines grch. Kreuzes mit Kuppel (im Innern Ikonen und Fresken).

Skorpionmensch, →Mischwesen.

Skotie [grch. skotos ›Dunkelheit‹] *die,* Baukunst: stark vertieftes, konkaves Profil (z. B. eine Hohlkehle zw. Wülsten einer Säulenbasis), das durch seinen Schatten dunkel wirkt.

Skovgaard [sg'ɔugɔr], Joakim Frederik, dän. Maler, Bildhauer, *Kopenhagen 18. 11. 1856, †ebd. 9. 3. 1933, Schüler seines Vaters, des Landschaftsmalers Peter Christian S. (*1817, †1875), seit 1909 Prof. an der Kopenhagener Akad.; schuf ital. und dän. Landschaften und Volksszenen, relig. Bilder und von frühchristl. und ital. Kunst angeregte Wandmalereien (Dom in Viborg, 1901–06) und Mosaiken (Apsis des Doms in Lund, 1924–27). Sein Bruder Niels Kristian (*1858, †1938) war als Maler, Bildhauer, Keramiker und Illustrator tätig.

Škréta [ʃkr'ɛ:ta], Karel Šotnovský, böhm. Maler, *Prag 1610, begraben ebd. 1. 8. 1674, malte nach Ausbildung in Italien (1630–35) für böhm. Kirchen relig. Bilder im Barockstil, die den Einfluß von CARAVAGGIO, D. FETTI, B. STROZZI, auch der CARACCI zeigen, ferner treffende, realist. Porträts.

Skriptorium [lat.] *das,* Schreibstube in ma. Klöstern, in denen von Mönchen handgeschriebene Bücher (Codices) hergestellt wurden.

Skulptur [lat.], →Bildhauerkunst.

Skurz [ital. ›Scorcio‹], starke perspektiv. Verkürzung der Figurendarstellung (z. B. A. MANTEGNA, Beweinung Christi, Mailand, Brera), bes. häufig in der ital. Malerei des Manierismus.

Skutari, Scutari, Stadt in Albanien, →Shkodër.

Skylla, grch. Mythos: ein sechsköpfiges weibl. Ungeheuer, das an einer Meeresenge (meist Messina) gegenüber dem Fabelwesen Charybdis bellend und nach Nahrung gierig hauste. Odysseus, der 6 seiner Gefährten an sie verlor, entkam ihr mit Hilfe der Kirke, die Argonauten entgingen ihr durch Beistand der Thetis. Herakles tötete sie, aber sie wurde wiedererweckt. In der antiken Kunst wurde S. v. a. auf Vasen (Unteritalien), Reliefs (röm. Sarkophage, Spiegel) und auch monumentalplastisch wie in der Grotte des Tiberius in Sperlonga (2. oder 1. Jh. v. Chr., Sperlonga, Archäolog. Mus.) dargestellt.

Skyphos; attisch, um 430 v. Chr. (Berlin-Ost, Staatl. Museen)

Skyphos [grch.] *der,* Gefäß der grch. Antike in Form einer Tasse, unten meist flach, mit oder ohne niedrigen Fuß, mit halbrunden, meist waagerechten Henkeln an der glatten Mündung.

skythische Kunst, die Kunst der skyth. Völkerschaften (Bewohner der eurasischen Steppe im 1. Jahrtsd. v. Chr.), eine an Gebrauchsgeräte gebundene Zierkunst. Ihre Stilformen entwickelten sich aus Schnitzereien in Holz und Knochen, außer denen v. a. Guß- und Treibarbeiten aus Metall erhalten sind (meist Beschlagstücke der Jagd- und Kriegsausrüstung und des Pferdegeschirrs). Inhalt, Stil und Technik der s. K. wurden durch iran. und chines. Vorbilder beeinflußt, eindeutig bestimmend war aber die Einwirkung der grch. Kunst, die im 6. Jh. v. Chr. spürbar wurde. Viele der in S-Rußland gefundenen Kunstwerke sind wohl von grch. Handwerkern geschaffen worden. Auch das Greifenmotiv, das pflanzl. Ornament und die Menschen-

skythische Kunst: goldenes Gefäß; 5.–4. Jh. v. Chr. (Leningrad, Eremitage)

skythische Kunst:
OBEN Schildverzierung, liegender Hirsch; Gold, 5.–4. Jh. v. Chr. (Leningrad, Eremitage).
UNTEN Detail eines Brustschmucks, Tierkampfszene; Pferd und Greifen; Gold, 5.–4. Jh. (Leningrad, Eremitage)

darstellung wurden in die s. K. übernommen, ferner die verfeinerte Guß- und Treibtechnik.

Dargestellt werden Tierkampfgruppen, meist aber einzelne Tiere, bes. Hirsche, Steinböcke, katzenartige Raubtiere, Elche, Pferde, Vögel und Fische, die wohl mytholog. Bedeutung hatten. Naturnähe und extreme Stilisierung sind die beiden die Gestaltung bestimmenden Pole. Beispielhaft sind die wohl auf dem Brustpanzer getragenen liegenden Hirsche, Treibarbeiten aus Gold, in denen das Naturvorbild durch scharfkantige Hervorhebung der Körperstruktur vereinfacht und gestrafft ist. Die Beschläge der Schwertscheiden zeigen oft Tierfriese im Relief und Einzeltiere. Besonderheiten dieser Kunst sind ein gelegentl. Verdrehen des Tierkörpers zu einer S-Spirale, ein Aneinanderfügen versch. Tiere und Tierglieder zu Mischwesen, z. B. Adlerköpfe an den Sprossen von Hirschgeweihen, und schließlich die Darstellung von Tieren, deren Leib mit Ornamenten oder mit Bildern anderer Tiere ausgefüllt ist.

Die s. K. entstand in der 1. H. des 1. Jahrtsd. v. Chr. im nördl. Schwarzmeergebiet. Ihre höchste Entfaltung erlebte sie um 600–300 v. Chr. Sie ist hauptsächlich aus Kurganen bekannt. Sie vermittelte der kelt. Kunst der Latènezeit und der von den Goten bestimmten Kunst

skythische Kunst

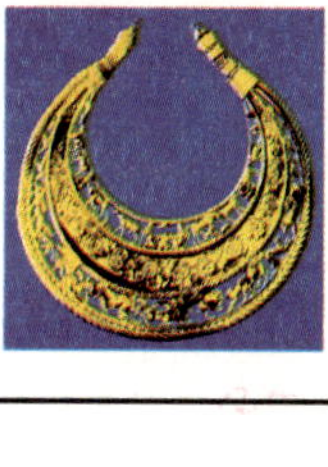

skythische Kunst: OBEN goldener Kamm; 5.–4. Jh. v. Chr. (Leningrad, Eremitage). UNTEN goldenes Pektorale aus einem Fürstengrab in der Nähe von Ordschonikidse, Ukraine; Breite 30 cm, 4. Jh. v. Chr. (Kiew, Histor. Museum)

der Völkerwanderungszeit starke Impulse. Ferner war sie die Grundlage der eurasischen Steppenkunst und wirkte auch in der islam. Kunst nach.

M. I. ARTAMONOW und W. FORMAN: Goldschatz der Skythen in der Eremitage (a.d. Russ., 1970); G. CHARRIÈRE: Von Sibirien bis zum Schwarzen Meer... (a.d. Frz., 1974); RENATE ROLLE: Die Welt der Skythen (1980).

Slade School, Slade School of Fine Art [sleɪd sku:l ɔv faɪn ɑ:t], Kunstschule in London, 1871 als Institut der Londoner Univ. durch den Kunstsammler F. SLADE gegr. Es werden heute Kunstgeschichte, Malen, Zeichnen, Bildhauerei und Mixed Media sowie andere Ausdrucksformen der zeitgenöss. Kunst gelehrt.

Slagelse, Stadt im westl. Seeland, Dänemark, 33 100 Ew., mit der urspr. roman. Peterskirche (12. Jh.), der got. Michaelskirche (14. Jh.) und der Ruine des 1165 als Johanniterkloster gegr. königl. Schlosses Antvorskov. Westlich von S. liegen die Reste der Wikingerfestung **Trelleborg** (um 1000); eines der innerhalb eines Ringwalls liegenden Häuser, rund 30 m lang mit leicht geschwungenen Längsseiten, wurde rekonstruiert.

Slaviček [sl'avitʃɛk], Antonín, tschech. Maler, *Prag 16. 5. 1870, †ebd. 1. 2. 1910, malte mit impressionist. Stilmitteln Motive der Stadt Prag in atmosphär. Licht und v. a. Landschaften (Adlergebirge u. a.), auch Stilleben nach dem Vorbild der niederländ. Malerei.

Slavkov u Brna, Stadt in der ČSSR, →Austerlitz.

Slavonice [-tsɛ], Stadt in der ČSSR, →Zlabings.

Slevogt, Max, Maler, Graphiker, *Landshut 8. 10. 1868, †Neukastel (Pfalz) 20. 9. 1932, studierte in München (W. v. DIEZ), Paris, Italien (1889–90), Berlin und war hier seit 1899 Mitgl. der Berliner Secession, 1917 Prof. an der Akad. Durch frühe künstler. Auseinandersetzung mit W. LEIBL und W. TRÜBNER stand S. in der Tradition des dt. Realismus. Neben Porträts beschäftigten ihn (in distanziertem Verhältnis zum Jugendstil) themat. Kompositionen und vor 1900 in der Pfalz auch vom braunen Atelierton befreite Landschaften und Figurenbilder. In seinen Bildern aus dem Frankfurter Zoo fand S. 1901 zu einer eigenen, sehr farbigen Variante des maler. Realismus. 1902 wurde in Berlin sein Porträt des Sängers F. D'ANDRADE als Don Giovanni zum Schlüsselwerk einer selbstbewußten und geistig anspruchsvollen gesellschaftl. Schicht. Bed. sind neben (von E. DELACROIX inspirierten) Ereignisbildern seine lichterfüllten Landschaften aus Ägypten und Italien. Im Spätwerk finden sich auch Wandbilder. S. schuf auch Graphiken und Buchillustrationen. – Wie M. LIEBERMANN und L. CORINTH gehört S. zu den Hauptmeistern des dt. Impressionismus. – Im Schloß Villa Ludwigshöhe, nahe von Neukastel, besteht eine M. S.-Gal.

HW: Danaë (1895; München, Städt. Gal.); Scheherazade (1896; München, Neue Pinakothek); Panther im Käfig (1901; Bremen, Kunsthalle); Champagnerarie (1902; ebd.); Der Sänger Francisco d'Andrade als Don Giovanni (1902; Stuttgart, Staatsgal.); Anna Pawlowa (1909; Dresden, Gemäldegal.); Pfälzer Landschaft mit Neuschnee (1909; Hannover, Städt. Gal.); Landschaft bei Godramstein (1909; Mannheim, Kunsthalle); Bilder aus Ägypten (1914;

Max Slevogt: Der Sänger Francisco d'Andrade als Don Giovanni; 1902 (Stuttgart, Staatsgalerie)

Dresden, Gemäldegal.); C. Ansorge (1915; Bremen, Kunsthalle); Zauberflötenfries (1917; Berlin-Ost, Staatl. Museen); Sonnige Gartenecke in Neukastel (1921; München, Neue Pinakothek); Selbstporträt (1929/30; München, Neue Pinakothek). – **Wandbilder:** Ludwigshafen, Friedenskirche, Golgatha-Fresko (1932, verbrannt) u. a. – **Illustrationen:** Randzeichnungen zu Mozarts ›Zauberflöte‹ (1920), Die Inseln Wak-Wak (1922), Faust II (1927) u. a.

J. SIEVERS u. E. WALDMANN: M. S. Das druckgraph. Werk 1890 bis 1914, 1, hg. v. H.-J. IMIELA (1962); H.-J. IMIELA: M. S. (1968); B. ROLAND: Die Gemälde auf Schloß Villa Ludwigshöhe (1982); M. S., Pfälz. Landschaften, Ausst.-Kat., Schloß Villa Ludwigshöhe (1982).

Ślewinski [sjlɛ-], Władysław, poln. Maler, *Białynin 1854, †Paris 24. 3. 1918, war nach Aufenthalt in Paris (Freundschaft mit P. GAUGUIN) 1896–1905 Prof. an der Hochschule für bildende Künste in Warschau und lebte dann in Frankreich. – Sein maler. Stil mit harmon. Kolorit aus wenigen Farben und ausgeprägter Kontur entfaltete sich aus dem Eindruck der Kunst von Gauguin und P. CÉZANNE. Er malte v. a. breton. Landschaften, Porträts und Stilleben.

Sligo [sl'aɪgəʊ], irisch **Sligeach** [ʃl'igəx], Hauptstadt der Cty. S., Irland, 14 100 Ew., mit der 1242 von MAURICE FITZGERALD erbauten Burg. Von ihm wurde auch das Dominikanerkloster in der Altstadt gegr., von dessen got. Kirche nach Zerstörung 1641 nur das Schiff, S-Querhaus mit Vierungsturm und Chor als Ruine erh. sind. Die kath. Kathedrale wurde 1869–74 in neugot. Formen errichtet.

Slingeland, Pieter Cornelisz. van, holländ. Maler,

Claus Sluter: Jesaja am Mosesbrunnen der Kartause von Champmol bei Dijon; nach 1397

*Leiden 20. 10. 1640, †ebd. 7. 11. 1691, Schüler von G. Dou, dessen Technik er in bunterer Farbgebung nachahmte. S. malte Küchenbilder, häusl. und mytholog. Szenen, auch Porträts.

Sloan [sləun], John French, amerikan. Maler, Illustrator, *Lock Haven (Pennsylvania) 2. 8. 1871, †Hanover (New Hampshire) 7. 9. 1951, war zunächst Zeichner für Magazine, begann unter Anleitung von R. Henri zu malen. Er schilderte v. a. Szenen aus dem New Yorker Alltagsleben mit impressionist. Stilmitteln.

Slobity, poln. Name für →Schlobitten.

Slodtz, frz. Künstlerfam. fläm. Ursprungs. Der Vater Sébastien (*Antwerpen 1655, †Paris 1726), Bildhauer, war Schüler von F. Girardon. Bedeutendstes Familienmitgl. war dessen Sohn, der Bildhauer René-Michel, gen. **Michel-Ange** [miʃɛl'ãʒ], *Paris 27. 9. 1705, †ebd. 26. 10. 1764; dieser arbeitete 1728–47 in Rom an der frz. Akad., wo er sich an Michelangelo (daher sein Beiname) und G. L. Bernini schulte (Porträtbüste für das Grabmal von Nicolas Vleughels für S. Luigi dei Francesi, 1736, heute Paris, Mus. Jacquemart-André; Marmorgruppe mit dem Hl. Bruno für St. Peter, 1740 bis 1744), kehrte dann nach Paris zurück, wo sein malerisch bewegter Stil einer strengeren, sich dem Klassizismus nähernden Haltung wich (Grabmal des Abbé de Gergy, 1753; Paris, St. Sulpice). Mit seinen Brüdern Sébastien-Antoine (*Paris 1695, †ebd. 1754) und Paul-Ambroise (*Paris 1702, †ebd. 1758) schuf er in königl. Auftrag auch Dekorationen und Möbelentwürfe.

F. Souchal: Les S., sculpteurs et décorateurs du roi, 1685–1764 (Paris 1967).

Słupsk, poln. Name der Stadt →Stolp.

Sluter [sl'y:tər], Claus, niederländ. Bildhauer, *Haarlem(?) 1340/60, †Dijon zw. 24. 9. 1405 und 30. 1. 1406, dort seit 1385 Gehilfe, seit 1389 Nachfolger des Niederländers Jean de Marville, überwand die Gotik des 14. Jh. und begründete wie die ital. Renaissance-Bildhauer den neuen Stil (Schöner Stil) des 15. Jh. Seine Kunst, in der sich unmittelbare Sachbeobachtung mit plast. Kraft und machtvoller Auffassung vereinigt, wirkte in den Niederlanden und der frz. und oberdt. Plastik der Spätgotik fort. Für die Kartause in Champmol bei Dijon, die Grablegekirche Philipps des Kühnen von Burgund werden sollte, schuf er 1391–97 die Muttergottes am Mittelpfeiler des Kirchenportals und die Figuren des Herzogs und seiner Gemahlin mit Johannes dem Täufer und der Hl. Katharina am Gewände. Anschließend entstand ebd. der ›Mosesbrunnen‹, eine überlebensgroße Kreuzigung, von der nur der Sockel mit 6 Propheten erhalten ist, großartige Gestalten von stark modellgetreuer Durchführung. Auch an dem schon 1384 in Auftrag gegebenen Grabmal Philipps des Kühnen war S. beteiligt (1411 von seinem Neffen Claus de Werwe vollendet; Dijon, Mus. des Beaux-Arts).

Smalte, →Kobaltfarben.

Smibert [sm'aıbət], John, amerikan. Maler schott.

Herkunft, *Edinburgh 24. 3. 1688, †Boston 2. 4. 1751, kam 1728 nach Amerika, ließ sich 1730 in Boston nieder. Seine Porträts, die in der Tradition von G. KNELLER stehen, beeinflußten die jüngere amerikan. Malergeneration (J. COPLEY, R. FEKE, W. ALLSTON u. a.).

Śmiełów [sjmj'ɛłuf], Dorf in der Wwschaft Kalisch, Polen; klassizist. Schloß (1797) mit viertelkreisförmigen Galerien; Wandmalereien (um 1800); Hof- und Wirtschaftsgebäude (heute Mus.).

Smirke [smə:k], Sir (1832) Robert, engl. Baumeister, *London 1. 10. 1781, †Cheltenham (Gloucestershire) 18. 4. 1867, Schüler von J. SOANE, bereiste 1802 bis 1805 Italien und Griechenland, baute in klassizist. Stil. Sein HW ist das Brit. Mus. in London (1823–47).

Smith [smɪθ], **1)** David, amerikan. Metallplastiker, *Decatur (Indiana) 9. 3. 1906, †Bennington (Vermont) 24. 5. 1965, urspr. Maler. Angeregt v. a. von P. PICASSO und J. GONZÁLES, schuf er abstrakte Eisenplastiken aus vorgefertigten Teilen oder geschmiedetem Metall von zunehmender Spontaneität und oft zeichenhaftem Charakter. Er gelangte in der Serie ›Cubi‹ (seit 1963; rostfreier Stahl) zu stark räumlich wirkenden, an geometr. Formen anschließenden Gebilden, deren schimmernde Oberflächen er mit Schrift- und Schleifspuren versah.

2) John Raphael, engl. Zeichner, Maler, *Derby 1752, †Worcester 2. 3. 1812, brachte es in der Mezzotinto-Technik zu hervorragenden Leistungen: Arbeiten nach Gemälden u. a. von J. REYNOLDS, T. GAINSBOROUGH und G. ROMNEY; außerdem Pastellporträts (Selbstporträt, London, Nat. Portrait Gal.).

3) Mathew, engl. Maler, *Halifax (Yorkshire) 22. 10. 1879, †London 29. 9. 1959, lebte 1908–40 meist in Frankreich, wo er von den Fauves (bes. H. MATISSE) beeinflußt wurde. Seine Akte, Landschaften und Stilleben gehören zu den bedeutendsten Werken des engl. Expressionismus.

4) Richard, engl. Maler, Plastiker, *Letchworth (Hertfordshire) 27. 10. 1931, sucht mit seinem Werk durch flächenaufbrechende Reliefformen (›Shaped canvas‹) das Licht und den Raum zu Bestandteilen der bildner. Wirkung zu machen.

5) Tony, amerikan. Bildhauer, Maler, Architekt, *South Orange (New Jersey) 1912, †New York 26. 12. 1980, malte Bilder i. S. des Abstrakten Expressionismus, ging dann zu stereometrisch geformten, architektonisch geprägten Holzskulpturen im großen Maßstab über (Blöcke, Säulen, Pyramiden, ›Tore‹), die Entwicklungen der Minimal Art vorwegnahmen.

Smithson [smɪθsn], **1)** Alison, engl. Architektin (*Sheffield 22. 6. 1928), und ihr Mann, der Architekt Peter S. (*Stockton-on-Tees 18. 9. 1923), seit 1950 in London tätig, gehören zu den bedeutendsten Vertretern des →Brutalismus.

HW: Stadthaus in Soho (1952, Projekt); Erweiterung der Sheffield University (1953, Wettbewerbsprojekt); Schule in Hunstanton (1954); House of Future (1956); Economist Building, London (1960–64); Garden Building, St. Hilda's College, Oxford (1967–69); Robin Hood Gardens, London (1972).

Schrift: Alison u. P. S.: Heroic period of modern architecture (1981, dt.).

2) Robert, amerikan. Künstler, *Passaic (New Jersey) 2. 1. 1938, †(Flugzeugabsturz) Amarillo (Texas) 20. 7. 1973, malte i. S. des Abstrakten Expressionismus und näherte sich um 1965 mit Stahlskulpturen der Minimal Art. Seine weiteren Arbeiten (spiralförmige Erdaufschüttungen) gehören zu den HW der Land Art (›Spiral Jetty‹ im Großen Salzsee, Utah, 1970).

Smithsonian Institution [smɪθsˈəʊnjən ɪnstɪtjˈu:ʃn] Stiftung des brit. Privatgelehrten J. SMITHSON (*1765, †1829). Das 1846 gegr. Institut in Washington (D. C.) unterstützt wissenschaftl. Forschungen, unterhält u. a. ein Mus. für Geschichte und Technik, die ›Nat. Gal.‹, die ›Nat. Coll. of Fine Arts‹ und die ›Nat. Portrait Gal.‹ in Washington.

P. H. OEHSER: The S. I. (New York 1970); M. WILLIAMS: The Smithsonian experience (ebd. 1978).

Smolensk, Gebietshauptstadt in der Russ. SFSR, am oberen Dnjepr, 305000 Ew. – S., im 12. Jh. bed. Handelsplatz, wurde 1136 Bischofssitz und Hauptort eines Teil-Fstt. Trotz der schweren Zerstörungen im 2. Weltkrieg haben sich im alten Stadtkern am hohen linken Dnjepr-Ufer bed. Baudenkmäler erhalten, v. a. die Vier-Pfeiler-Kirchen Peter-und-Paul (1146, Anbauten im 18. Jh.) und Johann-Bogoslow (1173–76, im 18. Jh. umgebaut), die Erzengel-Michael-Kirche (auch Swirsker Kirche, 1191–94; Kreuzkuppelkirche mit einer Apsis) und die Uspenskij-Kathedrale (1677, 1732–40 von A. SCHÄDEL barock umgestaltet; Vier-Pfeiler-Kirche mit 5 Kuppeln; Glockenturm 1767–72; Ikonostase, 1730–40). 1595–1602 wurde S. als strategisch wichtigster Punkt der russ. W-Grenze mit einer mächtigen Festungsmauer (10–15 m hoch, 3–6 m dick) mit 38 Türmen umgeben.

Smyrna, grch. Name von →Izmir.

Smythson [smɪθsn], Robert, engl. Baumeister, *um 1536, †Wollaton, Cty. Nottinghamshire, 1614, bed.

Smolensk: Uspenskij-Kathedrale

Vertreter des Elizabethan Style und Vollender des Landhausstils in England. Als leitender Baumeister war er ab 1568 an der Vollendung von Longleat House (Cty. Wiltshire) tätig. Als sein HW gilt das Landschloß Wollaton Hall (um 1580–88).

Snayers, Peter, fläm. Maler, *Antwerpen 24. 11. 1592, †Brüssel nach 1666, Schüler von S. VRANCX; malte Schlachten und Belagerungen, meist in habsburg. Auftrag; auch Jagdstücke.

Sneek, Stadt in der niederländ. Prov. Friesland. Von der starken Befestigung ist nur die Waterpoort (1613) erh., ein Renaissance-Torhaus mit 2 achteckigen Türmen und Brücken mit loggienartigem Oberbau. Das Rathaus (1550) wurde 1730–50 umgebaut und erhielt eine reiche Rokokodekoration (Fassade). Neugot. Kirche (1869–71) von P. CUYPERS, aus dessen Atelier auch die Ausstattung stammt.

Snelson [snelsn], Kenneth, amerikan. Bildhauer, *Pendleton (Oregon) 29. 6. 1927. Seine Themen sind die Wirkungen physikal. Kräfte wie Druck und Zug im Raum, die er durch feste Metallröhren und dazwischen gespannte Drähte darstellt.

Snofru, ägypt. König, um 2550 v. Chr., Begründer der 4. Dynastie, Vater des CHEOPS, Erbauer der Pyramide von Medum, der Knickpyramide und der ›Roten‹ Pyramide von Dahschur.

Snow [snəʊ], Michael, kanad. Film- und Photokünstler, *Ontario 1929, begann mit abstrakten Bildern und Mobiles, wandte sich seit 1956 dem experimentellen Film und der Konzeptuellen Photographie zu, in die er Erfahrungen von Malerei und Plastik einbrachte; gilt als Klassiker des strukturellen Films.

Snyders [sn'ɛjdərs], **Snijders,** Frans, fläm. Maler, getauft Antwerpen 11. 11. 1579, †ebd. 19. 8. 1657, lernte bei P. BRUEGEL D. J. und H. VAN BALEN, war 1602–09 in Italien, malte große Wildbret- und Geflügelstilleben, auch Tierstücke und Jagden, Blumen- und Früchtestilleben, häufig in Zusammenarbeit mit P. P. RUBENS oder dessen Schülern. S. gilt als Hauptmeister der an Rubens orientierten Stilleben- und Tiermalerei in der fläm. Kunst. (BILD S. 144)

Soami, eigtl. **Shinso,** japan. Maler und Ästhet, †1525, gesellschaftl. und künstler. Berater des Shogun, berühmt für seine Entwürfe für Landschafts- und Abtshausgärten (Gärten des Kinkaku-ji und des Ryuan-ji in Kioto werden ihm zugeschrieben), ebenso für die Landschaftsbilder in weichen Tuschtönen des Zen-Klosters Daisen-in im Daitoku-ji, Kioto, die zu seinen wenigen gesicherten Werken gehören.

Soane [səʊn], Sir (1831) John, engl. Baumeister, *Goring (Oxford) 10. 9. 1753, †London 20. 1. 1837, Schüler von G. DANCE, bildete sich 1778–80 in Italien fort; er baute in klassizist. Stil in London die Bank von England (seit 1788) und die Gemälde-Gal. von Dulwich College (1811–14). Seine Kunstsamml. zeigt das S.-Mus. in London.

Frans Snyders: Großes Stilleben; 1614 (Köln, Wallraf-Richartz-Museum)

Sobek, grch. **Suchos,** ägypt. Gott, wurde als Herr der Gewässer auf Nilinseln, an Stromschnellen und in der Seelandschaft des Faijum verehrt; auch im Nildelta hatte er zahlreiche Kultorte. Dargestellt wird S. als Krokodil oder als Mensch mit Krokodilskopf.

Sobo, Volksgruppe in Nigeria, nordwestlich des Nigerdeltas, mit hochstehender Schnitzkunst. Sie teilen sich in die Unterstämme Isoko und →Urhobo.

Sobótka [sɔb'utka], poln. Name der Stadt →Zobten.

Sobrado de los Monjes [soβr'aðo ðe lɔs m'ɔŋxɛs], span. Ort etwa 40 km westlich von Lugo, im 12. Jh. als Pilgerstation auf dem Weg nach Santiago de Compostela gegr., mit ehem. Zisterzienserabtei (im 12. Jh. auf Klosterbauten des 8. Jh. gegr., im 16.–18. Jh. in Renaissance- und Barockformen umgebaut); trotz Verfalls bieten Kirche und Sakristei einen durch die räuml. Größe imposanten Anblick; 3 Kreuzgänge.

Society of Painters in Watercolours [səs'aɪətɪ ɔv p'eɪntəz ɪn w'ɔːtəkʌləz], 1805 gegr. engl. Vereinigung von Aquarellisten, die sich, angeregt durch die Arbeiten von P. SANDBY, J. R. COZENS, T. GIRTIN, J. S. COTMAN, mit einem verstärkten Naturstudium und freier maler. Gestaltung beschäftigen.

Sockel [zu lat. soccus ›flacher Schuh‹], der etwas vorspringende Unterbau eines Gebäudes (S.-Geschoß), gegen die oberen Teile oft durch ein S.-Gesims abgesetzt; auch der Block, auf dem eine Statue steht, u. a.

Sobek

Sodoma, eigentlich Giovanni Antonio **Bazzi,** ital. Maler, *Vercelli 1477, †Siena 15. 2. 1549, lernte in seiner Heimat, dann vermutlich in Mailand und ging 1501 nach Siena. 1508 und 1513–15 war er in Rom, wo ihn

RAFFAEL beeinflußte, dann wieder in Siena tätig. Weiches Helldunkel und der schwärmer. Gefühlsausdruck seiner Gestalten kennzeichnen seine Kunst.

HW: Fresken: in Monte Oliveto Maggiore (seit 1505), in der Stanza della Segnatura im Vatikan (1508), in der Villa Farnesina in Rom (1512, v. a. Fresko mit der Hochzeit Alexanders d. Gr. mit Roxane), in der Kapelle der Hl. Katharina in S. Domenico zu Siena (1525–28). – **Tafelgemälde:** Kreuzabnahme (1505, Siena, Pinacoteca Nazionale); Anbetung der Könige (1528; ebd., S. Agostino); Hl. Sebastian (um 1525/27; Florenz, Palazzo Pitti), Opfer Abrahams (1542; Pisa, Dom).

Sodom und Gomorrha, bibl. Städte am Südende des Toten Meeres. – Bildende Kunst: →Lot.

Södra Råda [-r'o:da], Gem. nahe dem O-Ufer des Vänersees, Mittelschweden; im Chor der kleinen Kirche (14. Jh.) französisch beeinflußte Gemälde (1323), die zu den besterhaltenen got. Malereien in Schweden gehören; Gemälde im Langhaus von 1494.

Soest [zo:st], Stadt östlich von Dortmund, NRW, 40400 Ew., eine der ältesten westfäl. Städte, im MA. reiche Hansestadt; starke Zerstörung im 2. Weltkrieg. In der Mitte der von einer Mauer (12. Jh.) umschlossenen Altstadt liegt die Stiftskirche St. Patrokli (um 954 gegr., 1166 gew.), das bedeutendste roman. Bauwerk Westfalens; markanter W-Bau mit monumentalem Turm (zw. 1190 und 1230); Fresken (2. H. 12. Jh.) nur im N-Querhaus erh., sonst im Krieg zerstört; im Dom-Mus. u. a. roman. Glasfragmente. Gegenüber der Patroklikirche steht die Petrikirche (um 1150 beg., im 13. Jh. zur Emporenhalle umgebaut, der originell konstruierte got. Staffelchor 1322 gew.) mit umfangreichen roman. Wandmalereien (Ende 12. Jh.); überraschende Raumwirkung in der kryptaartigen fünfschiffigen Erdgeschoßhalle des W-Baus mit schönen Würfelkapitellen. Die Wiesenkirche (St. Maria zur Wiese) ist eine sehr hohe, lichte got. Halle (1331–1530) mit ganz in Fenster aufgelösten Wänden; ausgezeichnete Glasgemälde und Altäre der Erbauungszeit; der W-Bau mit Doppelturmfassade erst 1846–82 voll. Die Hohnekirche (St. Maria zur Höhe) ist eine entwicklungsgeschichtlich hochbedeutende, zum Zentralbau tendierende Halle (um 1220–30) mit reich gegliederter Schau-Südseite und Fresken des 13. Jh. (v. a. im Hauptchor). Die Nikolaikapelle (um 1200), eine kleine, zweischiffige Halle, birgt den Nikolausaltar des CONRAD VON SOEST (um 1400). Spätbarockes Rathaus mit Erdgeschoßarkaden (1713–18); spätgot. Osthofentor (1523–26, das letzte von 10 Stadttoren; Mus.). Im Burghof-Mus. (bestehend aus dem Roman. Haus, um 1200, und einem Renaissance-Herrenhaus 1559) bäuerl. und bürgerl. Kultur. Wilhelm-Morgner-Haus (Samml. von Expressionisten, bes. W. MORGNER, Stiche von H. ALDEGREVER).

Soest [zo:st], Konrad von, got. Maler, →Conrad von Soest.

Soffici [s'ɔffitʃi], Ardengo, ital. Schriftst., Maler, Kunstkritiker, *Rignano sull'Arno (Prov. Florenz) 7. 4. 1879, †Forte dei Marmi (Prov. Lucca) 19. 8. 1964, gelangte in der Malerei nach futurist. Anfängen zu einem traditionsbewußten Realismus; war v. a. als Anreger der modernen Kunst bedeutend.

Sofia: Alexander-Newski-Gedächtniskirche; 1904–12 (heute Museum)

Sofia, Sofija, Hauptstadt Bulgariens (seit 1879), in einem Hochbecken zw. Balkan und Witoscha-Gebirge, 1,1 Mio. Ew. Das röm. **Ulpia Serdica** wurde unter AURELIAN Hauptstadt der Prov. Thrakien, z. Z. KONSTANTINS DES GR. Nebenresidenz und Metropolitensitz, unter osman. Herrschaft (1382–1877) Sitz des Statthalters der Balkanprovinzen. Von der antiken Festung sind zahlreiche Reste (z. T. in späteren Gebäuden verwendet) erh. Ältestes Baudenkmal ist die Georgsrotunde, ein Grab- und Memorialbau des 4. Jh. Der Zentralbau war im 14./15. Jh. Metropolitenkirche, danach Moschee; heute (nach Restaurierung) Mus., mit Freskenfragmenten aus Früh- und Hoch-MA. Der wichtigste Sakralbau ist die Sophienkathedrale, im 5. Jh. auf der Grundlage von 4 Vorgängerbauten als dreischiffige Pseudobasilika mit Emporen, Querschiff und Vierungsturm errichtet, nach Zerstörungen im 9. Jh. zur Basilika umgebaut; später Moschee, nach 1900 notdürftig restauriert und wieder als Kirche geweiht; seit Beginn der 1980er Jahre eingehende Restaurierungsarbeiten. Aus türk. Zeit mehrere Moscheen, darunter die Bujuk Dschamija (1474), heute Teil des Nat.-Mus. (Archäologie), und der Zentralkuppelbau der 1527 von Mimar Sinan erbauten ›Schwarzen Moschee‹. Der türk. Konak wurde Mitte des 19. Jh. zum Königsschloß umgebaut (heute Nat.-Gal.). Die monumentale Alexander-Newski-Gedächtniskirche (1904–12) ist heute Ikonen-Mus. der Nat.-Gal.

Soft Sculpture [sɔft sk'ʌlptʃə, engl. ›weiche Skulptur‹], **Soft Art** [-ɑ:t], eine Tendenz der zeitgenöss. Bildhauerei, statt der traditionellen harten Werkstoffe (Stein, Metall, Holz) weiche Materialien (Tuch, Filz,

Gummi, Federn und Kunststoff) zu verwenden. Die Anfänge liegen bei M. DUCHAMP, M. RAY, MERET OPPENHEIM. In den 1960er Jahren folgten Beiträge von P. MANZONI, J. BEUYS, F. SPINDEL und v. a. C. OLDENBURG. Oft gestalten Künstlerinnen S. S. und betonen deren mag. Fetischcharakter (MAGDALENA ABAKANOWICZ, NANCY GRAVES, *1940). Einzelne Künstler machten den Gegensatz von ›hart‹ und ›weich‹ zu einem eigenen plast. Thema (CHRISTO, CÉSAR, R. RUTHENBECK).

Soft Art. Die Kunst des weichen Materials, hg. v. ERIKA BILLETER (1981).

sogdische Kunst, die spätantike und ma. Kunst Sogdiens, einer histor. Landschaft in Mittelasien, benannt nach dem Fluß Sogd (heute Serawschan), auf dem Gebiet der Usbek. und Tadschik. SSR. Die s. K. wurde bekannt durch ihre prunkvolle Palast- und Tempelarchitektur sowie die vielfältigen Wandmalereien und Plastiken aus unterschiedlichstem Material. Bedeutendste Kunstzentren: →Warachscha, →Afrasiab, →Pendschikent, →Termes, →Adschina-Tepe. Pendschikent war zumindest in den letzten Jahrhunderten vor dem Vordringen des Islam im 8. Jh. eine der berühmtesten Stätten sogdischen Kunstschaffens.

A. M. BELENIZKI: Mittelasien-Kunst der Sogden (1980).

Sögel, Gem. im Emsland, Ndsachs., mit dem barokken Jagdschloß **Clemenswerth,** für Kurfürst Clemens August von Köln 1737–47 durch J. C. SCHLAUN erbaut. Die originelle Anlage besteht aus dem Hauptschloß mit kreuzförmigem Grundriß und 8 sternförmig darauf bezogenen Pavillons. Hervorragende Innendekoration.

Sograf, Sacharij, bulgar. Maler, *Samokow 1810, †ebd. 14. 6. 1853, malte Fresken und Ikonen in bulgar. Kirchen und Klöstern (Rila-Kloster, Trojan-Kloster u. a.) und in der Großen Lavra (Megiste Lavra) des Athos, dann in Tempera- und Ölfarben dekorative, unmittelbar wirkende Porträts; auch Aquarellzeichnungen.

Sohlbank, Baukunst: der waagerechte untere Abschluß an der Außenseite des Fensters, an der innen die Fensterbank anschließt. Die S. ist leicht nach vorn abgeschrägt und mit einer Wassernase versehen, um das Abtropfen des Wassers zu ermöglichen.

Sohn, 1) Karl Ferdinand, Maler, Vater von 2), *Berlin 10. 12. 1805, †Köln 25. 11. 1867, Schüler von W. SCHADOW, seit 1832 einflußreicher Lehrer an der Akad. in Düsseldorf, malte Bilder aus Mythologie und Dichtung sowie Frauenporträts, die als seine besten Werke gelten. Zu seinen Schülern gehörte u. a. A. FEUERBACH.

2) Karl Rudolf, Maler, Sohn von 1), *Düsseldorf 21. 7. 1845, †ebd. 29. 8. 1908, Schüler seines Vetters und Schwagers Wilhelm S. (*1830, †1899), malte wie dieser Genrebilder und Porträts. S. war in Düsseldorf seit 1874 Prof. der Akad. (→Düsseldorfer Schule).

Soignies [swaɲ'i], Stadt in der belg. Prov. Hennegau. Von dem 640 gegr. Kloster ist nur die Kirche erh., eine roman. dreischiffige Basilika (11. Jh., Chor und

Querschiff 965 beg.), im Innern an die Kathedrale von Tournai erinnernd; Skulptur einer das Jesuskind stillenden Madonna (14. Jh.), barockes geschnitztes Chorgestühl (1676).

Soissons [swas'ɔ̃], Stadt in der Picardie, frz. Dép. Aisne, 31 100 Ew.; kath. Bischofssitz (seit dem 3. Jh.). Bedeutendstes Bauwerk ist die romanisch-got. Kathedrale (um 1180 beg., 1479 gew.), dreischiffig mit Chorumgang und Kapellenkranz. Von ehem. Abteien blieben die W-Fassade (13. und 15. Jh.) der Kirche von St. Jean-des-Vignes und die Kirche von St. Léger (13. Jh.; heute Städt. Mus. mit galloröm. Funden, Gemäldegal., ma. Bildwerken) erhalten; Hôtel de Ville (18. Jh.). Im Vorort St. Vaast Reste der Abtei St. Medard (Begräbnisstätte der Merowinger) mit Krypta des 9. Jh.

Sokkulam, buddhist. Tempel nahe der korean. Stadt Kyŏngju (KARTE koreanische Kunst). Er wurde auf dem Berg Toham von KIM DAESONG 774 als künstl. Höhlentempel aus Granitblöcken errichtet und anschließend mit Erde überdeckt, einem Tumulus vergleichbar. In der Mitte des runden Hauptraumes der Buddha Shakyamuni (weißer Granit) auf dem Lotos-Sockel. An der Wand hinter ihm befindet sich das Relief des elfköpfigen Avalokiteshvara. Die sanft fließende Linie seiner Gewänder und seine naturalistisch dargestellten Gesichtszüge zeigen vollendete Kunstfertigkeit. An der Wand sieht man noch weitere buddhist. Figuren wie 10 Lohan, Indra und Brahma, 7 Bodhisattva, 4 Himmelskönige, 8 Schutzgottheiten und 2 Tempelwächter.

Sol, alter röm. Sonnengott, der mit dem grch. Helios identifiziert wurde. Als **S. invịctus** erhob ihn im 3. Jh. Kaiser ELAGABAL zum höchsten Reichsgott, der aber Jupiter wieder weichen mußte. Erst unter AURELIAN wurde S. invictus wieder oberste Gottheit.

Solạnki-Dỵnastie, ind. Herrscherhaus in Gujarat, W-Indien, unter dem im 10.–13. Jh. bed. hinduist. Tempel (Modhera) und jinist. Kultanlagen (Abu, Satrunjaya, Girnar) entstanden. Ihr Skulpturenstil zeichnet sich durch extremen Detailreichtum und Tiefschnitt der Reliefs aus.

Solạri, Solạrio, 1) Andrea, ital. Maler, Bruder von 2), *Mailand um 1460, †ebd. 1524(?), war 1490–93 in Venedig, dann in Mailand tätig, übernahm in seinen Andachtsgemälden und Porträts von LEONARDO DA VINCI das Helldunkel, das seinen Gestalten den Ausdruck sanft verhaltener Stimmung verleiht, doch unter Wahrung leuchtender Lokalfarben und klarer Zeichnung. Zw. 1507 und 1509 war er mit Aufträgen für den Kardinal von Amboise in der Normandie beschäftigt, wodurch sich das Auftreten fläm. Einflüsse in seinem Spätwerk erklären dürfte.

HW: Ecce homo (um 1506; Mailand, Mus. Poldi Pezzoli); Ruhe auf der Flucht (1515; ebd.); Kopf Johannes des Täufers (1507; Louvre); Madonna (um 1507; ebd.); Kreuztragung (1511; Rom, Gal. Borghese); Himmelfahrt Mariä (Certosa di Pavia).

2) Cristoforo, ital. Baumeister, Bildhauer, gen. **il Gobbo** (›der Bucklige‹), Bruder von 1), *Angera (Varese) 1460, †Mailand 1527, wo er 1506 Dombaumeister wurde. Bei seinen Bauten arbeitete er in der Art BRAMANTES, seine plast. Arbeiten zeigen den realist. Stil der lombard. Renaissance.

HW: Maria della Passione in Mailand (1530 voll.); Doppelgrabmal des Ludovico il Moro und der Beatrice d'Este in der Certosa di Pavia (1497–99); Hl. Sebastian (Como, Dom).

3) Pietro Antonio, auch Pjotr **Frjasin,** ital. Baumeister, *Mailand (?) nach 1450, †Moskau November 1493; 1476 beim Bau des Mailänder Doms nachgewiesen. Seit etwa 1490 in Rußland tätig, war er v. a. am Bau der Mauern und Türme (Spasskij-Torturm, ab 1491) des Moskauer Kreml beteiligt; errichtete mit M. RUFFO den Facettenpalast ebd. (1486–91).

4) Santino, ital. Baumeister, Bildhauer, *Verna (Ramponio Verna, Prov. Como) 1576, †Salzburg 10. 4. 1646, seit 1612 Hof- und Dombaumeister ebd.; begründete mit dem Bau des Salzburger Doms (1614–28, nach Plänen V. SCAMOZZIS) den Vorrang oberital. Frühbarockarchitektur in Süd-Dtl. und Österreich.

WW: Schloß Hellbrunn bei Salzburg (1613–19); Gnadenkapelle in Einsiedeln (1615).

Soleri, Paolo, ital. Architekt, *Turin 21. 6. 1919, Schüler von F. L. WRIGHT, lebt und arbeitet in den USA. In seinen theoret. Arbeiten sieht S. die Stadt als Synthese kollektiver und individueller Bedürfnisse. Phantast. Megastrukturen, in ihren Einzelelementen von den Bewohnern ausgestaltet, und die Anwendung moderner Bau- und Computertechnik sollen der Verwirklichung von Ideen dienen.

HW: Arcology, Projekt für 30 Superstädte (1969); Arcosanti. Arcology, Paradise Valley, Arizona (1969).
Schrift: The sketch books (Cambridge, Massachusetts, 1971).

Soliman, Stadt in N-Tunesien, 32 km östlich von Tunis, Anf. 17. Jh. von span. Mauren gegr. Im Zentrum die malekit. Maurenmoschee mit quadrat. Minarett und Azulejosdach (8 Joche, antike Säulenkapitelle, Michrab mit Skulpturlaubwerk) und die hanefit. Moschee mit achteckigem Minarett.

Solimena, Francesco, gen. **l'Abate Ciccio** [-tʃ'ittʃo], ital. Maler, *Nocera oder Canale di Serino (Kampanien) 4. 10. 1657, †Barra bei Neapel 13. 4. 1747, seit 1674 in Neapel tätig, wo er ein Hauptvertreter der spätbarocken Dekorationsmalerei wurde. Seine v. a. von G. LANFRANCO und L. GIORDANO beeinflußten eleganten Kompositionen in kräftigem Helldunkel waren an europ. Höfen hoch geschätzt und fanden viele Nachahmer; er war gelegentlich auch als Architekt tätig.

HW (in Neapel): Fresken im Chor von S. Maria Donnaregina (1684–93, im 2. Weltkrieg z. T. zerstört), in der Chiesa del Gesù Nuovo (1725), in der Cappella di S. Filippo Neri der Chiesa dei Gerolomini (1727–30).

Solin, Stadtteil von Split, das antike →Salona.

Solis, Virgil d. Ä., Kupferstecher und Zeichner für den Holzschnitt, *Nürnberg 1514, †ebd. 1. 8. 1562, schuf, u. a. nach Vorlagen von A. DÜRER, A. HIRSCHVOGEL und H. BURGKMAIR, technisch meisterhafte, weit verbreitete Kupferstiche in kleinem Format (→Kleinmeister) sowie Vorlagen für Kunsthandwerker, auch zu größeren Porträts zusammengesetzte Holzschnitte. Zu seinen besten Arbeiten zählen die Bibelillustrationen für den Verleger S. FEYERABEND.

Söller, Baukunst: →Altan.

Solnhofen, Gem. im Altmühltal, Mittelfranken, Bayern, 1700 Ew. Von der ehem. karoling. Benediktinerpropsteikirche (um 755 gegr.) wurden Teile (9. Jh., mit vorzügl. Kapitellen) in den barocken Neubau (1782–85) einbezogen. Tumba des Hl. Sola (9. Jh.).

Solnhofener Steinätzungen, Bez. für in Schieferplatten aus Solnhofen vertieft oder erhaben eingeätzte Inschriften, Wappen, Ornamente u. a. Sie wurden für Tischplatten, Sonnenuhren, Kassetten u. a. im 16. und 17. Jh. bes. in Nürnberg, Regensburg, München und Passau gearbeitet.

Solo, Stadt auf Java, →Surakarta.

Solocha, Kurgan am mittleren Dnjepr (Ukraine). Der 1912/13 von dem russ. Archäologen N. I. WESSELOWSKIJ geöffnete Hügel enthält 2 Grabkammern, von denen eine ausgeraubt war. In der anderen Grabkammer, einem Schacht mit seitl. Kammer, 3 Nischen und Schatzversteck, war ein skyth. König mit Dienern und Pferden (Ende 5. Jh. v. Chr.) beigesetzt. Außerdem wurden zahlreiche Gold- und Silbergegenstände gefunden mit Darstellungen im Tierstil, u. a. ein Goldkamm mit Reiterkampfszene, eine für Skythen hergestellte grch. Arbeit (BILD skythische Kunst).

Solothurn, Hauptstadt des schweizer. Kt. S., an der Aare, 16 000 Ew.; die Altstadt ist z. T. noch ummauert; charakterist. Rundtürme als Eckbastionen (16. Jh.), Bieltor (12.–19. Jh.) und Baseltor (1504–08). An der Stelle mehrerer Vorgängerbauten entstand als völliger Neubau die Ursuskirche (1773 gew.) von den Tessiner Baumeistern G. M. und P. A. PISONI, deren breite Treppenanlage und monumentale Fassade einen eindrucksvollen Abschluß der Hauptgasse bilden; mit den qualitätvollen Stukkaturen, Gemälden und bildhauer. Werken ein Bauwerk von seltener Einheitlichkeit. Die Jesuitenkirche (1680–88), ein frühes Beispiel der Vorarlberger Bauschule, ist reich stuckiert. Rathaus mit spätgot. Kern, mehrfach umgebaut (Hauptportal und Treppenturm 17. Jh.). Das Zeughaus (1610–14) ist heute Mus. (Waffensamml.). Patrizierhäuser (16.–17. Jh.), Ambassadorenhof (1721 von F. BEER). Im Mus. der Stadt S. bed. Kunstsamml. (u. a. H. HOLBEIN D. J., F. HODLER, C. AMIET).

Solowezkij-Kloster, russisch-orth. Kloster auf den Solowez-Inseln im Weißen Meer am Eingang zur Onega-Bucht, um 1430 gegr., zählte zu den angesehensten Klöstern des alten Rußland. Die von starken Festungsmauern (1584–94) mit 8 Türmen umgebene Anlage umfaßt mehrere Kirchen des 16., 18. und 19. Jh. (darunter Uspenskij-Kathedrale, 1552–57, und, im Zentrum, Christi-Verklärungs-Kathedrale, 1556–64) und Klostergebäude.

Solsona, span. Stadt und Bischofssitz rd. 35 km

nordwestlich von Manresa, Katalonien. Die got. Kathedrale des 14./15. Jh. besitzt vom roman. Vorgängerbau (11. Jh.) Chor und Apsis; in einer Kreuzgangskapelle eine hochverehrte Kalkstein-Marienstatue (um 1170); Bischöfl. Palast (18. Jh.) mit Diözesanmus. (Fresken des 10. Jh. aus der mozarab. Kirche S. Quirle in Pedret, Prov. Barcelona; roman. Kapitelle des alten Kathedralkreuzgangs).

Solutréen [sɔlytre'ɛ̃, frz.; n. der Fundstätte Solutré im Dép. Saône-et-Loire] *das,* Kulturstufe des Paläolithikums (rd. 20000–17000 v. Chr.), gekennzeichnet durch kunstvoll gestaltete Feuersteingeräte. Die aus der Eiszeitkunst erhaltenen Reliefdarstellungen an Felswänden stammen zum größten Teil aus dem S.

SOM, die Architektengemeinschaft →Skidmore, Owings and Merrill.

Soma [Skt.], indischer Mondgott, dargestellt auf einem von Gazellen gezogenen Wagen. Urspr. war S. ein Rauschgetränk der altvedischen Inder, die sich den Mond als gefüllte Schale vorstellten.

Somaskạnda [Skt. ›Sa-Uma-Skanda‹], hinduist. Figurengruppe des Shiva, seiner Gattin Parvati (Uma) und seines Sohnes Skanda, v. a. in der Stein- und Bronzeplastik der Pallava- und Cholazeit. (BILD Shiva)

Sommerhausen, Markt im Kr. Würzburg, Bayern, mit altertüml., maler. Ortsbild: Befestigung (16. Jh.), Schloß mit Fachwerkoberbau (15./16. Jh.), Renaissance-Rathaus (1558), barocke Pfarrkirche (1740).

Somnạthpur, Ort in Karnataka, S-Indien, mit dem vishnuit. Keshava-Tempel (erbaut 1268 unter der Hoysshala-Dynastie). Er besteht aus 3 an eine gemeinsame Halle angeschlossene Sanktuarien von sternförmigem Grundriß mit Turmaufbauten im Vesara-Stil; plast. Schmuckzonen am Außenbau und reicher Dekor im Inneren.

Somnathpur: Keshava-Tempel; 1268

Somow, Konstantin Andrejewitsch, russ. Maler, Graphiker, *St. Petersburg 30. 11. 1869, †Paris 6. 5. 1939, lebte seit 1924 in Paris, Mitbegründer von Mir Iskusstwa. S. schuf histor. Szenen in einem verspielten Neorokoko; er belebte seine Genre- und Landschaftsbilder durch verfeinerte Erotik und unterhaltende Anekdotik. Seine glänzende Begabung zeigt sich in der Stilisierung der Sujets. Die besten Arbeiten sind seine von A. BEARDSLEY inspirierten Buchillustrationen.

Sompting [s'ɔmtɪŋ], südengl. Dorf bei Worthing in der Cty. W-Sussex, dessen Pfarrkirche einen angelsächs. Turm des frühen 11. Jh. besitzt. Seine 4 übergiebelten und mit einem Rautenhelm geschlossenen Seiten sind durch Ecklisenen und eine Mittellisene mit eng ansitzenden Schallöffnungen gegliedert. Die Kirche wurde 1184 über kreuzförmigem Grundriß erneuert.

Sonderborg, K. R. H., eigtl. Kurt Rudolf **Hoffmann,** Maler, *Sonderburg (Dänemark) 5. 4. 1923, Mitgl. der Gruppe Zen; sucht in informellen Bildern, v. a. in Schwarz-Weiß, rasche Bewegung und Rhythmus darzustellen. Datum und Uhrzeit ergeben die Bildtitel.

Sonderbundausstellung, erste internat. Ausstellung moderner europ. Kunst, 1912 in Köln, die vom 1909 gegründeten ›Sonderbund westdt. Kunstfreunde und Künstler‹ ausgerichtet wurde. Die S. dokumentierte v. a. die Entwicklung der nachimpressionist. Malerei durch Werke der Vorläufer (P. CÉZANNE, P. GAUGUIN, V. VAN GOGH, E. MUNCH) und der wichtigsten Vertreter zeitgenöss. Kunst (E. BARLACH, A. DERAIN, E. HECKEL, E. L. KIRCHNER, W. LEHMBRUCK, A. MACKE, E. NOLDE, P. PICASSO, M. DE VLAMINCK); Von der S. wurde v. a. die →Armory Show in den USA angeregt.

Sonderburg, dän. **Sønderborg** [s'ønərbɔr], Stadt auf der dän. Insel Alsen, S-Jütland, 28300 Ew. Das Schloß, an der Stelle einer im 13. Jh. erwähnten Burg, ist eine Vierflügelanlage der Renaissance (1557–74); Reste der Befestigung erh.; Flügelaltar (1550) und Taufstein (1567) in der Schloßkapelle vermutlich von den Antwerpenern F. und C. FLORIS.

Sondergotik, umstrittene dt. Bez. (eingeführt von K. GERSTENBERG) für die letzte Entwicklungsstufe der got. Architektur Dtl.s, auf der diese zur reinsten Entfaltung ihres eigenen, v. a. von der frz. Kathedral-Gotik unterschiedenen gestalter. Willens kam; am deutlichsten im Bau der Hallenkirchen.

K. GERSTENBERG: Die dt. S. (^{2}1969).

Sondershausen, Stadt im Bez. Erfurt, an der Wipper, Dt. Dem. Rep., 23100 Ew.; 1571–1918 Residenz von Schwarzburg-S. Schloß (16.–18. Jh., z. T. Mus.) mit reich ausgestatteten Räumen, bes. die Kleine Hofapotheke (um 1650), Riesensaal (um 1700) und Weißer Saal (2. H. 18. Jh.); das achteckige ›Karussell‹, 1708/09 als Lusthaus erbaut, mit Triebwerk für die Drehscheibe des Bodens im Keller, ist heute Konzerthaus.

Songe, Volksgruppe in O-Zaire, mit bed. Schnitztradition, die deutlich im Einflußbereich der benachbarten Luba gestanden hat und ähnl. Sujets kennt: stehende Figuren, Hocker mit Karyatiden und Masken, Zauberfiguren, Zeremonialstäbe und -beile (BILD afrikanische Kunst). Während jedoch die Luba weiche, idealisierend naturalist. Linien verfolgen, zeigen die S. abstrakte Formen, die bei den ›Kifwebe‹-Masken kubistisch anmuten. Die Figuren der S. stellen meist Männer dar (Mutterfiguren sind äußerst selten); haben sie mag. Bedeutung, so sind sie mit Medizin (magische Substanz) versehen, die sich in einem oder in mehreren aus dem Kopf herausragenden Tierhörnern befindet, aber auch im Körper untergebracht sein kann. Häufig sind diese Zauberfiguren mit Kupfernägeln und/oder -blech beschlagen und tragen Lendenschurze aus Stoff oder Tierfell. Um den Leib und den Hals hängen manchmal Ketten aus Glasperlen und mit Schlangenhaut umgebene Wülste sowie weitere Medizin in Beuteln. Ein typ. Merkmal der S.-Plastiken ist die eigenwillige Gestaltung des Mundes, meist in Form einer liegenden ›8‹, seltener eines nach oben zeigenden Bogens. Die Augen werden oft durch eingesetzte Kaurischnekken dargestellt.

Songe: ›Kifwebe‹-Maske aus schwarz und weiß gefärbtem Holz; 42 cm (Privatsammlung)

Sonkh, Ort in N-Indien bei Mathura, in Uttar Pradesh. Reste kontinuierl. Besiedlung seit Anf. des 1. Jahrtsd. v. Chr.; Ausgrabungsfunde (Painted grey ware, Terrakotta, Flachbronzen des 2.–3. Jh.) im Government Mus. von Mathura. 2 apsidiale Ziegeltempel aus dem 1. Jh. v. Chr., überbaut in der Kushana-Zeit (2. bis 3. Jh.), gehören zu den frühesten Zeugnissen hinduist. Kultbauten. Der Figurenschmuck eines Steinzauns deutet auf Naga-Verehrung hin.

Sonnenschein, Johann Valentin, Bildhauer, Stukkateur, getauft Stuttgart 22. 5. 1749, †Bern 22. 9. 1828, führte 1763 unter Leitung seines früheren Lehrers L. BOSSI zahlreiche Stukkaturen auf der Solitude bei Stuttgart aus. – In den Werken von S. (Porträtbüsten, Statuetten, Porträtmedaillons u. a., meist in Terrakotta, auch Modelle für die Porzellanfabrik in Bendlikon bei Zürich) wird der Übergang vom Rokoko zum Frühklassizismus spürbar.

HW: Sitzstatuette Pfarrer S. Hopf (1787; Bern, Histor. Mus.); Denkmal für R. L. v. Jenner (Modell um 1806; Basel, Histor. Mus.).

Sonnier [s'ɔnɪə], Keith, amerikan. Künstler, Mamou (Louisiana) 31. 7. 1941, schuf, von R. MORRIS beeinflußt, reliefartige Arbeiten an der Wand mit neuen Materialien wie Spiegeln, Glas, Kunststoff, oft in Verbindung mit Neonlicht. Seine Experimente weiteten sich zu Environments mit Ton, ultraviolettem Licht und Spiegelprojektionen aus (Mus. Eindhoven), später mit Videobändern und -installationen.

Sonnin, Ernst Georg, Baumeister, *Quitzow (Bez. Schwerin) 10. 6. 1713, †Hamburg 8. 7. 1794, schuf mit dem Zentralbau der Hamburger Michaeliskirche (1751–62, 1905 ausgebrannt, 1907–12 und erneut nach der Zerstörung im 2. Weltkrieg wiederhergestellt) den bedeutendsten prot. Kirchenbau in N-Dtl.

Sonntagberg, Wallfahrtsort im Ybbstal, NÖ, 4600 Ew. Die Wallfahrtskirche, eine kreuzförmige Anlage mit zweitürmiger W-Fassade, wurde 1706 von J. PRANDTAUER beg., von J. MUNGGENAST 1732 voll.; die Deckengemälde sind ein HW von D. GRAN (1738–43); qualitätvolle einheitl. Ausstattung (2. H. 18. Jh.).

Soochow [sudʒɔu], Stadt in China, →Suchou.

Sooden-Allendorf, Bad S.-A., Stadt in N-Hessen, an der Werra, 9800 Ew. Nach Zerstörung im 30jährigen Krieg Wiederaufbau Allendorfs zur einheitlichsten Fachwerkstadt in Hessen (Haus Bürger 1639, Haus Eschstruth 1642–44). In den 2 ma. evang. Pfarrkirchen gute Barockausstattung. Stadtbefestigung (13. Jh.).

Sophilos, grch. Vasenmaler aus dem Anf. der schwarzfigurigen Stilperiode, um 580 v. Chr. Als erster attischer Vasenmaler hat er einige Werke signiert, darunter 2 Kessel, von denen nur Fragmente erh. sind: Scherbe mit Wagenrennen und gestikulierenden Zuschauern auf einer Tribüne aus den Leichenspielen für Patroklos (Athen, Nat.-Mus.) und Scherbe mit Götterzug aus der Peleushochzeit (Athen, Akropolis-Mus.).

Sopoćani [-tsj-], Kloster im W von Novi Pazar in Serbien, Jugoslawien, 1265 als Mausoleum von König UROŠ gegr. Die Klosterkirche ist ein einschiffiger Bau mit Kuppel und halbrunder Apsis, über dem Eingang ein hoher Turm. Die Fresken (1263–68; v. a. gelb und gold) gehören zu den bedeutendsten Zeugnissen serb. Malerei des MA.

Sopraporte

Sopraporte [ital. ›über der Tür‹] *die,* **Supraporte,** Wandfeld über der Tür, auch Gemälde oder Relief, mit dem diese geschmückt ist, bes. in Wohnräumen des Barock und Rokoko.

Sopron [ʃ'opron], Stadt in Ungarn, →Ödenburg.

Sørensen, Henrik, norweg. Maler, *Fryksände (Värmland) 12. 2. 1882, †Oslo 24. 2. 1962, studierte 1908 und 1910 bei H. MATISSE in Paris, verband Anregungen der zeitgenöss. frz. Bewegungen mit der norweg. Tradition (E. MUNCH, E. WERENSKIOLD). Einen Höhepunkt seines Schaffens bilden seine mystisch betonten Landschaften. Seine Werke sind z. T. im H.-S.-Mus. in Holmsbu bei Drammen.

Sorge, Peter, Maler, Graphiker, *Berlin 14. 4. 1937, entwickelte nach Anfängen i. S. der Neuen Sachlichkeit eine medienkrit. Ausprägung des →Kritischen Realismus. Er überträgt Zitate aus Illustrierten sowie Zeitungs- und Magazinphotos collageartig in seine Bilder, Zeichnungen, Lithographien, Radierungen; ihre unerwartete Kombination richtet sich gegen die Abstumpfung im tägl. Bilderkonsum von Sex und Gewalt.

H. OHFF: P. S. nach 9 Jahren (1979).

Sorgh [sɔrx], Hendrick Martensz., gen. **Rokes,** niederländ. Maler, *Rotterdam um 1611, begraben ebd. 28. 6. 1670, Schüler von D. TENIERS D. J., malte Bauernszenen in helldunklen Innenräumen, oft mit sorgfältig ausgeführten Gemüsestilleben, sowie grautonige Seestücke und Porträts.

Soria, span. Provinzhauptstadt und Bischofssitz im O Altkastiliens, am Duero, 28 600 Ew.; mehrere roman. Kirchen: die Kathedrale S. Pedro (12. Jh., im 16. Jh. verändert) besitzt eine reiche Innenausstattung (platereske und churriguereske Altarretabel) und einen der am besten erh. roman. Kreuzgänge in Spanien; Kirche S. Juan de Rabanera (12. Jh.) mit orientalisch beeinflußter Bauplastik an der Apsis, Archivoltenportal mit Tympanon (aus S. Nicolás stammend); Kirche S. Domingo (Anf. 13. Jh.) mit Blendarkaden-Fassade, reich skulptiertem Archivoltenportal und Fensterrose; ehem. Klosterkirche S. Juan de Duero (12. Jh.) mit 2 auf vierfachen, kapitellgeschmückten Säulen ruhenden Baldachineinbauten im Innern und Resten des Kreuzgangs im Mudéjar-Stil mit übergreifenden, ineinander verschlungenen Arkaden. Palast des Grafen von Gómara (Ende 16. Jh.; prächtige Fassade, zweistöckiger Innenhof); Mus. Numantino mit zahlreichen Funden aus dem nahegelegenen keltiber. **Numạntia.**

Sorø, Stadt auf der dän. Insel Seeland. Vom ehem. Zisterzienserkloster blieb nur die Kirche erh. Die schlichte roman. Basilika (2. H. 2. Jh.) birgt viele Epitaphe und Grabmäler, u. a. das Grabmal König Christophs II. (†1332) und seiner Frau (bronzene Liegefiguren) und den Marmorsarkophag König Valdemars IV. Atterdag (†1375). In der Kirche von Vester-Broby bei S. reiche Ausmalung (12.–14. Jh.).

Sorolla y Bastida [sɔr'ɔʎa i βast'iða], Joaquín, span. Maler, *Valencia 27. 2. 1863, †Cercedilla (Madrid) 10. 8. 1923, lernte in Valencia, Rom und Paris, wo er bes. vom frz. Impressionismus beeinflußt wurde. S. y. B. überwand die Historienmalerei des 19. Jh. und führte die Freilichtmalerei in Spanien ein. In Madrid wurde sein Wohn- und Atelierhaus mit zahlreichen seiner Arbeiten (Porträts, Landschaften, Genreszenen) als Mus. Sorolla eingerichtet.

HW: Folge von dekorativen Paneelen, die span. Provinzen darstellend (1911–20; New York, Hispanic Society of America).

Sos del Rey Católico [-ðel rɛj-], span. Stadt etwa 50 km südöstlich von Pamplona, mit gut erh. ma. Stadtbild, umgeben von Stadtmauern mit Türmen des 12. Jh.; dreischiffige Kirche S. Esteban (11./12. Jh.) mit qualitätvollen Portalskulpturen und Taufbecken des 12. Jh.; in der Krypta eine Madonnen-Holzskulptur (13. Jh.). Casa de Sada (ehem. Königspalast, 15. Jh.; mit kleiner Kapelle, 13. Jh.).

Sosen, Familienname Mori, japan. Maler, *Nagasaki 1747, †1821, tätig in Osaka. Trotz Ausbildung in der Kano-Schule entschloß er sich, statt Gemälden die Natur selbst zu studieren. Berühmt wurden seine meisterhaften Tierdarstellungen (v. a. von Affen).

Sosos von Pẹrgamon, Mosaizist wohl der 1. H. des 2. Jh. v. Chr., Meister des Taubenmosaiks (Neapel, Archäolog. Nat.-Mus., und Rom, Kapitolin. Museen) und des ›asarotos oikos‹ (Trompe l'œil eines nicht aufgekehrten Speisesaal-Fußbodens, Aquileja, Archäolog. Mus.).

Sotatsu, Tawaraya, Beiname **Teiseiken,** †1643 (?), einer der Hauptmeister der dekorativen Malerei in Japan, erfand den später von der Rimpa-Schule formulierten Stil, der die Themen des Yamato-e ins Ornamentale umformte. Er arbeitete mit →Koetsu zus. und signierte, ebenso wie sein Studio, mit dem Siegel ›Inen‹. Durch seine großflächigen, starkfarbigen Bilderfindungen in kühnen, asymmetr. Kompositionen auf Stellschirmen und Fusuma (z. B. Sambo-in, Daigi-ji und Yogen-in in Kioto) und seinen Papierdekor für Gedichtblätter (Shikishi) und Fächer in Gold- und Silberfarben bekannt, gilt er auch als der Erfinder der Naß-in-Naß-Technik (Tarashikomi) in Japan.

Sotheby & Co [s'ʌðəbɪ-], Kunstauktionshaus in London, gegr. 1744, seit etwa 1920 bedeutendstes europ. und nach dem 2. Weltkrieg richtungweisendes Versteigerungshaus für histor. Kunstobjekte; übernahm 1965 auch das New Yorker Auktionshaus **Parke Bernet** [pɑːk b'əːnɪt]. Niederlassungen u. a. in Amsterdam, Florenz, Madrid, Mailand, München, New York, Paris, Stockholm und Zürich.

GERALDINE KEEN: The sale of works of art (London 1971); The season at Sotheby Parke Bernet, 1973/74, hg. v. M. STRAUSS (London 1974). – Jb.: The ivory hammer (1958–65, seit 1966: Art and auction).

Soto, Jesús Rafael (auch Raphael), venezolan. Maler, *Ciudad Bolívar (Venezuela) 5. 6. 1923, lebt seit 1950 in Paris; Vertreter der Op Art, der Verbindungen zur Kinet. Kunst herstellt. S. erzeugt in seinen reliefartigen Objekten opt. Bewegungsillusionen (›Vibrationen‹), indem er lineare, aus unterschiedl. Materialien bestehende Systeme in mehreren Ebenen verschränkt (z. B. Stabeisen-, Draht- oder Nylonfadenverspannungen vor einer mit eingeritzten Linien versehenen Acrylglasschicht).

Sotomayor y Zaragoza [-i θaraγ'oθa], Fernando **Álvarez de S. y Z.** ['alβarεð ðe-], span. Maler, *El Ferrol (La Coruña) 25. 9. 1875, †Madrid 17. 3. 1960, wurde 1921 Direktor des Prado in Madrid, malte in impressionist. Art bes. Porträts und Genrebilder.

Sotto|in|sụ-Ansicht [ital. ›von unten herauf‹], illusionist. Raumerweiterung durch kühne perspektiv. Verkürzung in der Gestaltungsweise der barocken Deckenmalerei.

Soufflot [sufl'o], Jacques-Germain, frz. Baumeister, *Irancy bei Auxerre 22. 7. 1713, †Paris 29. 8. 1780, seit 1731 in Rom, wo er 1734–37 Schüler der frz. Akad. war, arbeitete seit 1738 in Lyon und ging 1750 wieder nach Italien, wo er als erster die Tempel in Paestum aufmaß und BRAMANTE und A. PALLADIO studierte, anschließend in Paris tätig, seit 1776 als Generalinspektor der königl. Bauten.

S.s HW ist in Paris die Kirche Ste. Geneviève (Pläne 1755, beg. 1764, voll. 1789; seit 1791 ›Panthéon‹ gen.; BILD Klassizismus), ein aus den barocken Kuppelkirchen über kreuzförmigem Grundriß entwickelter klassizist. Bau mit einem dem antiken Pantheon entlehnten Säulenportikus und Tambourkuppel. Damit wurde S. zum Begründer des frz. Klassizismus (frz. Néoclassicisme).

Er veröffentlichte: ›Suite des plans... de trois temples antiques à Paestum‹ (1764) und ›Œuvres, ou Recueil de plusieurs parties d'Architecture‹, 2 Bde. (1767).

Souillac [suj'ak], Städtchen an der Dordogne im südfrz. Dép. Lot. Im Innern der roman. Kirche der ehem. Benediktinerabtei (seit der Frz. Revolution aufgehoben), einer einschiffigen Aquitan. Kuppelkirche (Ende 12. Jh.), befindet sich das ehem. Außenportal (im 17. Jh. restauriert) der Kirche mit hervorragenden Reliefs von Heiligen und bibl. Personen (v. a. der Prophet Jesaja).

Souk el-Jema'a el-Gour [suk ɛldʒɛma'a ɛl gur], Ruine eines vorislam. Berbergrabdenkmals in Zentral-Marokko, 23 km östlich von Meknès, etwa aus dem 3. Jh. Über runder Plattform (40 m ∅), von einer Mauer aus Großquadern umgrenzt, erhebt sich ein Tumulus aus konischen Steinringen, der die Grabkammer umschließt; vor der NO-Seite ein Podiumsaltar. Die baul. Struktur hat Ähnlichkeit mit den Berbergrabdenkmälern von Medracen, Kbor Roumia und den Djeddars.

Soulages [sul'a:ʒ], Pierre, frz. Maler, Graphiker, *Rodez (Aveyron) 24. 12. 1919, lebt seit 1946 in Paris und kam unter dem Eindruck der strengen roman. Architektur und der ostasiat. Kalligraphie in den 1950er Jahren zu abstrakten Bildern mit dunklen, balkenartig gebauten Zeichen vor hellem, meist braun oder gelb wie aus großer Distanz durchschimmerndem Grund. Er prägte damit eine bes. monumentale, mit der maler. Kultur der École de Paris verbundene Variante des Abstrakten Expressionismus; illustrierte außerdem Gedichtbände und entwarf Bühnendekorationen.

J. J. Sweeney: P. S. (a. d. Franz., 1973).

Sousse [sus], Stadt an der O-Küste Tunesiens, 173 000 Ew.; Aghlabidengründung des 9. Jh. über dem antiken **Hadrumetum.** Völlig erhaltener quadrat. Ribat (780) aus älterem Großquaderwerk mit Halbrundtürmen und Rundturm (›Nador‹; 821) auf quadrat. Unterbau; in der ehem. Ribatmoschee Mus. (arab. Kunst). Große Moschee (850; 1675 erweitert) mit 13 Schiffen und Kreuzgratgewölben. Probebau war die kleine Moschee Bou Fatata (838–41; quadrat. Minarett mit schönem Fayencedekor). Der Palastbau Kalaout El-Kubba (11.–13. Jh., heute maur. Café) hat eine kannelierte Muscheltrompenkuppel, die türk. Zawija Zakkak ein achteckiges Renaissanceminarett. Die Medinamauer (859 bis 874; 1205 restauriert) mit quadrat. Türmen und Rundzinnen weist byzantinischen und mesopotamischen Einfluß auf; in der SW-Ecke der weitläufigen Kasba das Archäolog. Mus. (röm. und byzantin. Kunst). Westlich der Medina die christl. Katakomben (auf 5 km 240 unterird. Gänge mit 15 000 guterhaltenen Gräbern aus dem 2.–4. Jh.) sowie Reste weiträumiger röm. Villen (Mosaiken).

Southwell [s'aʊθwəl], Stadt nordöstlich von Nottingham, Mittelengland; die um 1114 beg. Kathedrale, eine romanische Querhausbasilika mit Staffelchor, Vierungsturm und westl. Zweiturmfassade besitzt einen dreigeschossigen Mittelschiffaufriß mit mächtigen Rundpfeilern und durch Vorlagen gegliederten Emporenarkaden. Der kreuzrippengewölbte Chor wurde im

2. Viertel des 13. Jh. in hochgot. Formen mit steilem Obergadenlaufgang erneuert; sein Hallenlettner wurde um 1330 im Decorated Style eingefügt. Nördlich des Chors schließt sich das oktogonale Chapter House mit naturalistisch gearbeiteten Blattkapitellen an.

Soutine [sut'in], Chaim, eigtl. C. **Soutin,** frz. Maler litauisch-jüd. Herkunft, *Smilowitsch bei Minsk 1893, †Paris 9. 8. 1943, lebte seit 1913 in Paris (mit M. CHAGALL und A. MODIGLIANI im Kreis der École de Paris), 1919–22 in Céret (Pyrénées-Orientales), dann meist in Paris. S. malte farbenreiche Landschaften (v. a. aus den Pyrenäen), Stilleben und Figurenbilder von erregter, expressionistisch gesteigerter Art.

C. S. 1893–1943, hg. v. E.-G. GÜSE (1981); C. S., Ausst.-Kat., Köln (1982).

Chaim Soutine: Landschaft (Luzern, Sammlung Rosengart)

Soutter [sut'ɛ:r], Louis, schweizer. Maler, *Morges (Kt. Waadt) 4. 6. 1871, †Ballaigues (Kt. Waadt) 20. 2. 1942. Nach einem Leben als verkannter Maler und Musiker entstanden erst nach 1923 im Altersasyl von Ballaigues seine in Form und Ausdruck erschütternden Bilder, deren trag., oft ankläger. Gesamtstimmung durch den Helldunkel-Kontrast belebt ist.

Sowjetsk, russ. Name für →Tilsit.

Sozialistischer Realismus, wahrscheinlich am 20. 5. 1932 zum erstenmal gebraucht als Bez. der ›Grundmethode der Sowjetliteratur‹; vom Leiter der Propaganda-Abteilung des Zentralkomitees, A. SCHDANOW, auf dem ›I. Allunionskongreß der Sowjetschriftsteller‹ am 17. 8. 1934, nach Auflösung der zahlreichen Literatur- und Künstlergruppen durch ZK-Beschluß am 23. 4. 1932, definiert und seitdem bis heute für die UdSSR und ihre Verbündeten verbindlich. Die bereits 1933 einsetzende pauschale Übertragung des Begriffs S. R. auf die bildende Kunst verpflichtete die Künstler zu einer Überbetonung des literarisch-didakt. Inhalts gegenüber der Form und zwang sie teilweise zu einer Vernachlässigung der gattungsspezif. Möglichkeiten bildender Kunst. Gegenüber ›Verfall‹ und ›Fäulnis‹ der bürgerl. Kunst (›Formalismuskampagnen‹ 1936/1946

Sozialistischer Realismus: Wera I. Muchina, ›Arbeiter und Kolchosbäuerin‹; 1935–37, Moskau

in der UdSSR, 1951 in der Dt. Dem. Rep.) betont der S. R. einseitig die erzieher. und sinnstiftende Funktion der Kunst (›Typus‹ des schönen, tatbereiten, sozialist. Menschen). Die unvollkommenen Seiten des sozialist. Alltags sollen zugunsten der ›heroischen Perspektive‹ des Sozialismus ausgeklammert bleiben. Demgegenüber zeichnet sich seit den 1960er Jahren bes. in der Malerei der Dt. Dem. Rep. eine Lösung vom dogmat. sowjet. ›Vorbild‹ einer dem 19. Jh. verhafteten Genremalerei ab. Als Vorbild eines ›volkstümlichen‹, heroisch-pathet. S. R. galten lange Zeit A. M. GERASSIMOWS Gemälde ›Lenin auf der Tribüne‹ (1930, Zentralmus. W. I. Lenin, Moskau), SERAFINA W. RJANGINAS (*1891, †1955) Gemälde ›Höher und höher‹ (1934, Mus. der Russ. Kunst, Kiew) und auf dem Gebiet der Skulptur WERA I. MUCHINAS 25 m hohe Gruppe ›Arbeiter und Kolchosbäuerin‹, für den sowjet. Pavillon der Weltausst. in Paris 1937 (heute in Moskau; Modell in der Tretjakow-Gal., ebd.). ALEKSANDR A. DEJNEKA (*1899, †1969) dagegen versuchte auch in den 1930er Jahren Optimismus mit dem synthetisch-konstruktiven Stil der Plakatkunst aus den 1920er Jahren zu verbinden (›Wer wen?‹, 1932, Tretjakow-Gal. Moskau). In der Dt. Dem. Rep. greifen Künstler wie W. SITTE, ROLAND PARIS (*1933) inzwischen wieder auf dt. Kunsttradition wie Expressionismus und Neue Sachlichkeit zurück. Sie und ihre Schüler nutzen gezielt den neuen Spielraum eines enttabuisierten S. R., dessen ›Weite und Vielfalt‹ Kritik an den Widrigkeiten des Alltags und das Recht auf die eigene Subjektivität gegenüber dem Kollektiv nicht mehr ausschließt.

H. GASSNER u. E. GILLEN: Zw. Revolutionskunst u. S. R. (1979); KARIN THOMAS: Die Malerei in der DDR 1949–1979 (1980).

Spabrücken, Gem. im Kr. Bad Kreuznach, Rheinl.-Pf. Ehem. Franziskaner- und Wallfahrtskirche (1731 bis 1736), dem 1359 errichteten Vorgängerbau verpflichtet, in stark gotisierenden Formen erbaut; reizvoller Innenraum mit Wand- und Deckenmalereien im Rokokostil (1758), aufwendiger Baldachinaltar (1738).

Spachtel, Maltechnik: 1) verschieden geformte Geräte aus Metall, Holz, Bein u. a. zum Antragen oder Verteilen von Kitt, Farbe usw. 2) Massen zum Verfüllen von Löchern und Unebenheiten.

Spachteltechnik, Maltechnik: 1) Farbauftrag mit dem Spachtel, bei dem einerseits durch lokale Vermischung der Farben, andererseits durch unterschiedl. Reliefstrukturen Effekte erzielt werden. 2) Technik für moderne künstler. Wanddekoration, meist Kunststoffmassen, die verspachtelt spiegelglatt werden.

Spada, Lionello, ital. Maler, *Bologna 1576, †Parma 17. 5. 1622, schloß sich in Bologna der Malerfamilie der CARRACCI an, war um 1608 in Rom, um 1610 in Malta, dann wieder in Rom, wo er sich mit CARAVAGGIO auseinandersetzte, dessen naturalist. Auffassung er seit seiner Rückkehr nach Bologna um 1612 als einziger Künstler in der Emilia vertrat; war zuletzt als Hofmaler der FARNESE in Parma.

Spadini, Armando, ital. Maler, *Poggio a Caiano (bei Florenz) 29. 7. 1883, †Rom 31. 5. 1925, gehört zu den Spätimpressionisten; die Schwingung und Brechung des Lichts und der Farben kennzeichnen seinen Stil, v. a. in Alltagsszenen und Porträts (HW in Rom, Gal. Nazionale d'Arte Moderna).

Spagna [sp'aɲa], **lo Spagna,** eigtl. Giovanni **di Pietro,** ital. Maler span. Herkunft, *in Spanien um 1450, †Spoleto 19. 10. 1528, wahrscheinlich seit 1470 in Perugia und vor 1512 in Spoleto ansässig, stand zunächst unter dem Einfluß PERUGINOS, später RAFFAELS, schuf Altarbilder und Fresken für zahlreiche Kirchen Umbriens.

Spagnoletto [spaɲo-], **lo S.,** span. Maler, Jusepe de →Ribera.

Spagnuolo [spaɲu'ɔlɔ], **lo S.,** ital. Maler, Giuseppe Maria →Crespi.

Spalt, Stadt im Kr. Roth, Mittelfranken, Bayern, 4800 Ew. Rathaus im Rokokostil (um 1730/40, wohl von G. DE GABRIELI). S. besitzt 2 ehem. Stiftskirchen: St. Emmeram (Kern 12. Jh., barocker Umbau 1698/99) und St. Nikolaus (Anf. 14. Jh., 1767 aufwendig barockisiert), beide mit eindrucksvollen Doppelturmfassaden.

Spandrille [zu lat. expandere ›auseinanderspannen‹], Baukunst: →Zwickel.

Spangenberg, Stadt im Schwalm-Eder-Kr., Hessen, 6600 Ew., 14.–16. Jh. zeitweise Residenz der Landgrafen von Hessen; maler. Ortsbild mit Fachwerkhäusern und ausgedehnter Burg (14.–17. Jh.). Got. Pfarrkirche (13.–15. Jh.).

Spangenberg, Gustav, Maler, *Hamburg 1. 2. 1828, †Berlin 19. 11. 1891, schuf nach Studien in Paris (T. COUTURE) v.a. Bilder aus dem Leben M. LUTHERS und das Gemälde ›Zug des Todes‹ (1876; Berlin, Staatl. Museen). Sein Bruder Louis (*1824, †1893) malte grch., ital., auch niederdt. Architekturlandschaften.

Spangrün, Maltechnik: →Grünspan.

Spanisch Rot, Maltechnik: →Erdfarbe.

Spanplatten, Schreinerwerkstoff aus zerkleinertem, mit Leim zusammengepreßtem Holz, der auch als Bildträger verwendet wird.

Spanschachtel, ovale Schachteln aus dünnem furnierartigem Holz; bemalte S. dienten im 18./19. Jh. als Schmuckkästchen, Haubenschachteln und Brautschatzbehälter. Sie wurden bes. im Schwarzwald, Erzgebirge und in der Berchtesgadener Gegend hergestellt.

Sparta, ngrch. **Nea Sparti,** Stadt in der südl. Peloponnes (Griechenland), 12000 Ew. Von der bed. antiken Stadt sind nur geringe Baureste, v. a. aus röm. und byzantin. Zeit, erh. Im Mus. qualitätvolle Samml. grch. Skulpturen, Reliefs, Kleinfunde u. ä.

Spazialismo [ital. spaziale ›räumlich‹], von L. →Fontana 3) entwickelte Auffassung, die die neuen Raumerfahrungen in Technik und Wissenschaft als Grundlage der zeitgenöss. Kunst betrachtet.

Spechter [von Spessart], schlankes zylindr. dt. Trinkglas des 16. und 17. Jh., dem →Stangenglas oder Paßglas ähnlich. Das Nuppen- oder Waffelmuster wurde durch Blasen in eine Form erzeugt.

Speckstein, Steatit, dichte, weiße oder hellfarbige, auch schwarze und glänzende, sich fettig anfühlende Aggregate des Minerals Talk, das in vielen Teilen der Erde gefunden wird. S. ist relativ weich und kann leicht bearbeitet werden; daher fand er in Mesopotamien bes. für Rollsiegel Verwendung. Gefäße aus S. sind dort fast immer Importe aus dem Iran, wo die im Kerb- oder Flechtstil bearbeiteten Stücke im 3. Jahrtsd. v. Chr. verbreitet waren. In der kretisch-myken. Kunst wurden ebenfalls Gefäße (Rhyta, →Schnittervase) und Siegel aus S. hergestellt.

In China wurde während der Ming-Dynastie S. häufig als Ersatz für die kostspielige, nur begrenzt verfügbare Jade verwendet.

Aus S. sind hervorragende Arbeiten des brasilian. Künstlers →Aleijadinho. Kleinarbeiten aus S. stellen seit Ende des 19. Jh. auch die →Eskimo her.

In Afrika fanden sich alte Skulpturen aus S. in →Simbabwe sowie in Sierra Leone (→Nomoli, →Pomtan); in minderwertiger Qualität werden sie heute wieder gefertigt (Touristenkunst).

Speckter, 1) Erwin, Maler, Bruder von 2), *Hamburg 18. 7. 1806, †ebd. 23. 12. 1835, bildete sich an den Werken von P. O. RUNGE und F. OVERBECK, ging 1825 zu P. v. CORNELIUS nach München und gehörte 1830 bis 1834 zur jüngeren Gruppe der Nazarener in Rom. S. malte relig. und mytholog. Darstellungen, Porträts und Landschaften.

2) Otto, Zeichner, Maler, Bruder von 1), *Hamburg 9. 11. 1807, †ebd. 29. 4. 1871, zeichnete für die Steindruckerei seines Vaters Porträts, Ansichten und Kopien nach F. OVERBECK. Bed. sind seine Buchillustrationen.

Illustrationen: W. Heys Fabeln für Kinder (1837); Gestiefelter Kater (1843); Andersens Märchen (1847); K. Groths ›Quickborn‹ (1856); F. Reuters ›Hanne Nüte‹ (1865).

Speculum humanae salvationis [mlat.], →Heilsspiegel.

Speer, Albert, Architekt, Politiker, *Mannheim 19. 3. 1905, †London 1. 9. 1981, wurde 1925 Assistent von H. TESSENOW in Berlin. Seit 1931 Mitgl. der NSDAP, erhielt er bereits 1933 den Auftrag zur Gestaltung der Großkundgebung zum 1. Mai auf dem Tempelhofer Feld. S.s Improvisationstalent und Organisationsgabe ließen ihn nach dem Tod von P. L. TROOST 1934 zum mächtigsten Architekten unter HITLER werden, der ihn 1937 zum ›Generalbauinspektor für die Reichshauptstadt‹ Berlin ernannte, die nach gemeinsamen Plänen in den folgenden Jahrzehnten zur gigant. Welthauptstadt ›Germania‹ umgebaut werden sollte. Das Internat. Militärtribunal in Nürnberg verurteilte S. 1946 wegen seiner Beteiligung am Zwangsarbeiterprogramm zu 20 Jahren Haft. Eine abschließende Gewichtung seiner Bedeutung als Architekt und eine Wertung seiner Gestaltungen (u.a. Zeppelinfeld in Nürnberg 1934–36, Große Halle Berlin 1936 ff.) steht noch aus.

Schriften: Neue dt. Baukunst (Prag 1943); Erinnerungen (1969); Architektur, Arbeiten 1933–42 (1978); Technik und Macht (1979); Der Sklavenstaat (1981).

Architektur im Dritten Reich, hg. v. ANNA TEUT (1967); Die Neugestaltung der Reichshauptstadt, hg. v. L. O. LARSSON (Stockholm 1978).

Speeth, Peter, Baumeister, *Mannheim 1772, †Odessa 1831, Baumeister des Fürsten von Leiningen in Amorbach, seit 1807 des Großherzogs Ferdinand in Würzburg und seit 1826 Provinzialarchitekt von Zar NIKOLAUS I. in Bessarabien. – Sein künstler. Weg führte vom spätbarocken Klassizismus des N. DE PIGAGE zu den Werken der frz. Revolutionsarchitektur (C. N. LEDOUX). S. war auch ein hervorragender Zeichner.

HW: Ehem. Frauenzuchthaus bei St. Burkhard in Würzburg (1809/10); Wachthaus am Zeller Tor in Würzburg (1810–14).

Speicher, Lagergebäude für landwirtschaftl. Produkte oder Handelswaren. S. wurden oft vom Gehöft getrennt und z. T. als letzte Zuflucht mit Möglichkeiten der Verteidigung versehen. Der S. im →Holzbau ist im Grundriß meist quadratisch und turmartig ausgebildet. In den Handelsstätten bes. der Hanse sind S. vielgeschossige, in der Mehrzahl massive Gebäude oft monumentalen Ausmaßes (Lübeck, Danzig).

Speinshart, Gem. im Kr. Neustadt an der Waldnaab, Bayern. Die Kirche des Prämonstratenserklosters (1145 gegr.) entstand 1692–96 nach Plänen von W. DIENTZENHOFER; sie besitzt prunkvolle Stuckdekorationen von ital. Stukkateuren und prächtiges Barockgestühl. Die vierflügeligen Abteigebäude (1680 beg.) haben farbigen Fassadenputz.

Spencer [sp'ensə], Sir (1959) Stanley, engl. Maler, *Cookham (Berkshire) 30. 6. 1891, †Taplow (Buckingham) 14. 12. 1959, malte v. a. realist. Landschaften und relig. Bilder mit stark vereinfachenden Figurendarstellungen, z. T. mit surrealist. Anklängen.

Spengelin, Friedrich, Architekt, Städteplaner, *Kempten (Allgäu) 29. 3. 1925, lehrt seit 1961 in Hannover; gewann 1958 mit INGEBORG S. und F. EGGELING den 1. Preis im Wettbewerb Hauptstadt Berlin, baute Wohnsiedlungen in Hamburg und Göttingen, das Fernsehstudio des Norddt. Rundfunks in Hamburg (1964–67 mit Ingeborg S. und G. PEMPELFORT); Wiederaufbau von Helgoland, Berater der Bundesreg. bei der Planung der Bonner Bundesbauten.

Sperl, Johann, Maler, *Buch bei Fürth (heute Teil von Nürnberg) 3. 11. 1840, †Aibling (Obb.) 29. 7. 1914, anfangs Lithograph, bildete sich in München zum Maler, lebte 1875–81 mit W. LEIBL in Oberbayern (9 gemeinsam signierte Werke). – S. schuf nach 1869 unter dem Eindruck G. COURBETS und der Meister von Barbizon tonig gemalte Landschafts- und Gartenbilder, später auch bäuerl. Interieurs.

Sperlonga: Kopf des Odysseus aus der Polyphemgruppe von S. (Sperlonga, Nationalmuseum)

Sperlọnga [lat. spelunca ›Höhle‹], Ort südlich von Terracina (Italien). Bei S. wurde 1957 eine im 1. Jh. v. Chr. entstandene, wahrscheinlich von TIBERIUS bewohnte Villa freigelegt, mit künstlich ausgebauter Höhle, die mit überlebensgroßen Marmorgruppen ausgeschmückt war. Dargestellt waren 3 Abenteuer des Odysseus: die Durchfahrt durch Skylla und Charybdis, die Blendung des Polyphem, dazu die Gruppe des Menelaos mit dem Leichnam des Patroklos und der Raub des Palladions. Eine Inschrift bezeichnet eine der Gruppen als Werk der rhodischen Bildhauer ATHENADOROS, HAGESANDROS und POLYDOROS, der Meister der Gruppe des Laokoon. Die Datierung schwankt zw. dem 2. Jh. v. Chr. und der 1. H. des 1. Jh. n. Chr. Die Funde befinden sich im Nat.-Mus. von S., eine Rekonstruktion in der Univ. Bochum.

B. ANDREAE: Odysseus (1982).

Speyer, Stadt in der Oberrheinebene, Rheinl.-Pf., 43 600 Ew.; wohl seit dem 6. Jh. Bischofssitz, seit 1294 Reichsstadt, 1689 Einäscherung durch die Franzosen. Der am Hochufer des Rheins gelegene Dom (um 1030 unter dem salischen Kaiser KONRAD II. beg., 1061 gew., um 1080–1106 Umbau und Einwölbung unter Kaiser HEINRICH IV.) ist das größte roman. Bauwerk Dtl.s und wurde 1981 unter den Schutz der UNESCO gestellt. Er ist eine sechstürmige, dreischiffige, ungewöhnlich hohe Basilika von überwältigendem Raumeindruck (133 m lang); charakteristisch ist die Gliederung der Mittelschiffwände durch Blendarkaden. Apsis mit Zwerggalerie; Bauplastik von lombard. Steinmetzen. Die Krypta (um 1025–41) diente als Grablege der Salier. An der N-Seite die 1106 voll. Afrakapelle; an der S-Seite die romanisch-frühgot. Doppelkapelle St. Emmeram (Taufkapelle um 1080 mit prächtigen Kompositkapitellen)

Speyer: Dom; um 1030 begonnen

und St. Katharinen. Der W-Bau wurde 1854–58 von H. HÜBSCH rekonstruiert; die Ausmalung (1846–53) wurde bei der Restaurierung (1957–66) bis auf die Bilder im Mittelschiff wieder entfernt. Das Judenbad (12. Jh.) ist die monumentalste Anlage dieser Art in Dtl., in der Bauornamentik dem Dom verwandt. Die Dreifaltigkeitskirche (1701–17) mit bemalten hölzernen Doppelemporen und origineller Fassade zählt zu den bedeutendsten prot. Barockkirchen. Barockes Rathaus (1712–24). Die Protestationskirche (1893 beg.) ist ein neugot. Bau, während die Ludwigskirche (1912–14) Elemente der Gotik und Renaissance vereint. Von der Stadtbefestigung ist das Altpörtel (13./16. Jh.) erh. Histor. Mus. der Pfalz (mit Diözesan-Mus.).

Sphinx [grch.] *der* oder *die, Mz.* **Sphingen,** Mischgestalt mit dem Körper eines Löwen und dem Kopf eines Menschen (meist des Königs, seltener einer Königin); bei den Ägyptern Verkörperung der Königsmacht, daher Wächter an Tempeleingängen; aber auch Götter wurden als S. dargestellt. Der S. von Giseh ist eine aus dem Felsen gearbeitete, 20 m hohe und 73,5 m lange Figur, wohl den König CHEPHREN darstellend, aber auch als Harmachis göttlich verehrt. (BILD ägyptische Kunst)

Im 2. Jahrtsd. v. Chr. wurde der S. von Vorderasien übernommen, zunächst in der Glyptik (auch geflügelt), dann in der Großplastik, v. a. bei den Hethitern, z. B. in Alaca Hüyük, am S-Tor in Hattuscha und in N-Syrien (Säulenbasen z. B. in Sakçegözü). S. bilden auch den Thron der Astarte. Welche relig. Vorstellungen sich in Vorderasien mit dem S. verbanden, ist nicht bekannt.

Die Griechen übernahmen das oriental. Fabeltier schon früh – bereits in kretisch-myken. Zeit und erneut

Ende des 8. Jh. v. Chr. – in der Kleinkunst rein dekorativ und seit dem späten 7. Jh. auch in der monumentalen Plastik als Wächter von Grab und Tempel.

S. kamen auch in der Kunst des MA. (roman. Kapitellschmuck) und später vor, bes. im 18. und 19. Jh. (Gartenskulpturen, in der Malerei des Symbolismus).

Sphinx: Ausschnitt von einer Amphora des Achilleusmalers; 450–440 v. Chr. (Boston, Museum of Fine Arts)

Spiegel, 1) glatte Fläche, die Lichtstrahlen zurückwirft und ein Spiegelbild zeigt. In China spielten S. beim Totenkult eine bed. Rolle seit der Shang-Zeit. Die Entwicklung der meist runden, einösigen, grifflosen Bronze-S. mit kunstvollem Reliefdekor auf den Rückseiten setzte mit der Chou-Zeit ein. In der Han-Zeit war künstler. Höhepunkt der häufig mit längeren Inschriften versehenen S.; in ihrem Reliefdekor erscheinen kosmolog. Gedanken (Tierkreiszeichen und die Symboltiere der Vier Himmelsrichtungen: Phönix, von Schlange umwundene Schildkröte, Drache, Tiger). – Über japan. S. →Kagami.

Im vorkolumb. Amerika wurden für S. polierter Hämatit, Pyrit und Obsidian verwendet; die Rückseite, z. B. aus Schiefer, war oft verziert.

Aus ägypt. Gräbern sind S. aus Kupfer, Bronze, auch Silber, mit runden Scheiben und reichverzierten Griffen aus Holz, Elfenbein, Fayence erhalten. Runde Metall-S. mit Elfenbeingriffen wurden im kretisch-myken. Bereich gefunden. Metallene Griff- und Stand-S. mit runden Scheiben und vollplast. Frauenfiguren gab es in Griechenland seit dem 7. Jh. v. Chr. Um 400 v. Chr. wurden sie durch Klapp-S. abgelöst, die außen häufig Figurenreliefs, innen Gravierungen trugen. Die Etrusker übernahmen den Griff- und Klapp-S. In der röm. Kaiserzeit gab es auch kleine Glas-S. mit Zinnunterlage und Metalleinfassung, die PLINIUS D. Ä. als Erfindung der Phöniker bezeichnete. In Mitteleuropa ist der S. erst seit der Latènezeit sicher belegt, in Osteuropa kommen S. seit dem 6. Jh. v. Chr. in skyth. Gräbern häufig vor. Bei den skyth. S. kann man eine urspr. grch. Form mit Stielgriff und eine chinesisch-sibir. Form (Rundspiegel mit Öse auf der Mitte der Rückseite) unterscheiden. Die chinesisch-sibir. S. sind durch die Vermittlung der Hunnen auch zu den Germanen gekommen.

Im MA. wurden erst seit dem 13. Jh. S. wieder häufig, neben Metall-S., die noch lange im Gebrauch blieben, auch bereits Glas-S. Herstellungsort war v. a. Nürnberg. Als Bestandteil der Raumausstattung ist der S. durch das Gemälde der ›Verlobung des Giovanni Arnolfini‹ von J. VAN EYCK 1434 bezeugt. Die Rahmen wurden mit relig. oder moralisierenden Darstellungen (Tugenden) geschmückt. Seit Anfang des 16. Jh. wurden flache S. aller Art v. a. in Venedig hergestellt. Der in die Architektur eingebaute S. kam in Frankreich in den Schlössern LUDWIGS XIV. (1643–1715) auf (S.-Gal. von Versailles). Das S.-Kabinett war bes. im Rokoko beliebt.

Der S. ist Symbol der Prudentia wie der Vanitas. Beiden wird der ›S. vorgehalten‹ zur Erkenntnis der wahren Natur. Mahnbilder zeigen darum Teufel und Tod im S. – **Nonnen-S.** sind S. mit relig. Darstellungen in ausgekratzten Teilen der Verspiegelung; **S.-Bilder** hingegen sind volkstüml. Bilder der →Hinterglasmalerei des 18. Jh. mit nachträgl. Verspiegelung des Hinter-

Spiegelfetisch der Yombe, Zaire (Privatsammlung)

grundes. Spiegelschliffrahmen und Bilder wurden, bes. in Böhmen, vor der Verspiegelung in Kugel- und Mattschliff oder Ätzmattierung ornamental dekoriert.

2) die innere vertiefte Fläche von Tellern und Platten, der umgebende Rand wird als ›Fahne‹ bezeichnet.

Spiegelfetisch, aus Holz geschnitzte Darstellungen von Mensch und Tier mit einem meist in der Nabelgegend angebrachten Behälter, der eine Zaubermedizin enthält und durch Spiegelglas abgeschlossen ist; bes. am unteren Kongo verbreitet. Eine Beziehung zu christl. Reliquiaren wird vermutet.

HEIDE PALME: S. im Kongoraum..., Wiener Ethnohistor. Blätter, Beiheft 5 (1977).

Spiegelgewölbe, Baukunst: →Gewölbe.

Spiegler, Franz Joseph, Maler, *Wangen (Allgäu) 5. 4. 1691, †Konstanz 15. 4. 1757, schuf Altarbilder und bes. Deckenfresken von kühner, kraftvoller Raumwirkung (Übergang vom Spätbarock zum Rokoko). Sein HW ist die Decke der Klosterkirche in Zwiefalten (1747–51).

Spielbein, das vom Körper unbelastete Bein, im Unterschied zu dem die Last des Körpers tragenden →Standbein.

Spielkartenmeister, Meister der Spielkarten, Goldschmied und Kupferstecher oberrhein. oder schweizer. Herkunft, benannt nach den 13 Stichen des ältesten dt. Kartenspiels (vor 1446, Menschen, Raubtiere, Hirsche, Vögel). Er benutzte ein Mainzer Musterbuch für Randzeichnungen und arbeitete daher vermutlich in Mainz (evtl. Beziehungen zu J. GUTENBERG).

Spielkartenmeister: Vogel-Fünf aus dem Kartenspiel, vor 1446 (München, Staatl. Graph. Sammlung)

Spieskappel, Teil der Gem. Frielendorf im Schwalm-Eder-Kr., Hessen. Von der roman. Kirche des 1143 gen. Prämonstratenser-Chorherrenstifts, um 1190–1220 nach den Vorbildern der Dome zu Fritzlar und Worms erbaut, nur Langhaus und nördl. Seitenschiff erh.; vorzügl. Kapitelle (BILD Romanik), im spätgot. W-Turm (1500–04) roman. Säulenportal. Prächtiger Rokoko-Orgelprospekt (1769–71).

Spiez, Kurort im schweizer. Kt. Bern, am Thuner See, 10000 Ew.; Schloß (älteste Teile 10. Jh., barock ausgebaut, Festsaal 1614); in der Schloßkirche, einer Dreiapsidenbasilika, die sich über einer Saalkrypta erhebt, einzigartige Fresken des frühen 11. Jh.

Spik|öl, Maltechnik: ätherisches Öl; Verdünner und Trocknungsverzögerer für die Ölmalerei.

Spilimbergo, nordital. Städtchen in Friaul (Prov. Pordenone); dreischiffiger romanisch-got. Dom (1284 beg., 1359 gew.) mit reliefgeschmücktem Portal der Campionesen, Gemälden von G. A. PORDENONE und reicher Freskendekoration des 14. und 15. Jh. im Inneren; Schloß (Komplex von 4 Gebäuden der Gotik und Renaissance, darunter Palazzo Dipinto mit freskengeschmückter Front).

Spiller, Gottfried, Glasschneider, *im Hirschberger Tal (Schlesien) um 1663, begraben Berlin 9. 4. 1728, Schüler von M. WINTER, nach dessen Tod 1702 Königl. Glasschneider in Berlin. Er beherrschte sowohl den Hoch- wie den Tiefschnitt. S. dekorierte v. a. Pokale und Gläser mit mytholog. Szenen, z. B. den ›Orpheusbecher‹ und einen Deckelpokal aus Rubinglas mit reich eingelegtem Wappen um 1700 (Hamburg, Mus. für Kunst und Gewerbe; BILD Glas).

Spina, griechisch-etrusk. Handelsstadt im südl. Mündungsgebiet des Po, eine urspr. grch. Gründung; Blütezeit vom 6. bis 4. Jh. v. Chr.; S. verlor infolge Versandung der Küste später an Bedeutung. In den Nekropolen an der Lagune von Comacchio wurde eine Fülle kostbarer bemalter attischer Vasen der Zeit von 510 bis 400 v. Chr. gefunden (heute im Mus. von Ferrara).

Spindel, Ferdinand, Maler, Plastiker, *Essen 31. 1. 1913, fertigte seit 1963 weiß gefärbte Schaumstoffobjekte, die das künstl. Material durch Lichtmodulation und eine neue (haptische) Erfahrung ästhetisieren. Später gestaltete S. den rosa gefärbten oder unbemalten Schaumstoff zu höhlenartigen Environments.

Spinelli, Niccolò, gen. N. **Fiorentino,** ital. Medailleur, *Florenz 23. 4. 1430, †ebd. April 1514, Großneffe des SPINELLO ARETINO, Hof-Medailleur des LORENZO DE' MEDICI; erh. sind 5 signierte Porträtmedaillen, weitere rd. 150 werden ihm zugeschrieben.

Spinello Aretino, eigtl. Spinello di Luca **Spinelli,** ital. Maler, *Arezzo um 1346(?), †ebd. 14. 3. 1410, einer der späten Nachfolger GIOTTOS, malte Tafelbilder und Fresken in Arezzo, Florenz, Pisa und Siena.

HW: Fresken aus dem Leben Papst Alexanders III. (1408–10; Siena, Palazzo Pubblico).

Spirale [grch.-lat.], häufige Ornamentform v. a. vor- und frühgeschichtl. Kulturen. In reichen Variationen (als Reihen- und Rapportmuster) dominieren S.-Formen in der kyklad. Kunst (auf Specksteingefäßen und Kykladenpfannen). Auf Kreta gehörten S. und S.-Kompositionen zu den Hauptornamenten seit der späten Vorpalastzeit – v.a. in der Kamares-Keramik und auf Siegeln. – Die myken. Ornamentik hat S.-Motive bes. in der Zeit der Schachtgräber verwendet. – Die endlose, um einen Punkt herumlaufende Linie ist als ›figura serpentinata‹ ein symbol. Konstruktionsprinzip des ital. Manierismus. Spiralartige Formen tauchen in den Ornamentstichen des 16. Jh. auf; seit der Renaissance ist die S. als Volute ein gängiges Motiv der Architekturdekoration.

Spiro, Eugen, Maler, Graphiker, *Breslau 18. 4. 1874, †New York 26. 9. 1972, stand in Kontakt mit dem dt. Malerkreis im →Café du Dôme, kehrte 1914 nach Berlin zurück (1915–33 Präs. der Berliner Sezession). 1935 emigrierte er nach Paris, 1940 in die USA. In seinem Schaffen überwiegen Porträts, später kamen Stadtlandschaften hinzu.

Spišské Podhradie [sp'iʃskɛː p'ɔdhradjɛ], dt. **Kirchdrauf,** Ort im Ostslowak. Kr., ČSSR, westlich von Prešov, eine Siedlung aus dem 12./13. Jh., die im Schutz der Zipser Burg entstand. – Am Markt Renaissancehäuser (16./17. Jh.). Außerhalb des Ortes, von einer Mauer umgeben, das ›Zipser Domkapitel‹ (Spišská Kapitula), eine spätroman. Basilika mit Zweiturmfassade, 1245–73 gebaut, später (1472–80) z. T. umgebaut (Netzgewölbe, Bündelpfeiler), 1493 die ›Zápol'ský-Kapelle‹ angebaut; im Innern got. Fresken und Altäre (ehem. Ausstattung in Mus. in Preßburg, Kaschau, Budapest u. a.). Auf einem gegenüberliegenden Hügel die Ruine der ma. Zipser Burg, die auf älteren Fundamenten im 12. Jh. gebaut und später z. T. umgebaut wurde. Erh. blieben z. T. der roman. Palast, der Bergfried aus dem 13. Jh. sowie die im 14./15. Jh. verstärkten und den Hügel umschließenden Steinmauern.

Spišský Štvrtok [sp'iʃskiː ʃtv'rtɔk], dt. **Donnersmarkt,** Ort im Ostslowak. Kreis, ČSSR; ehem. Minoritenkirche St. Ladislaus (1263) mit barocker Innenausstattung; an der Südseite eine zierl. spätgot. Grabkapelle (1473).

Spital am Pyhrn, Gem. in OÖ, mit ehem. Kollegiatsstift; barocke Stiftskirche (1714–30, wohl von J. M. Prunner), deren zweitürmige Fassade mit der O-Front des Stiftsgebäudes (1642 bis um 1700) abschließt; ein HW B. Altomontes sind die Fresken im Chor (1737 bis 1740); Altargemälde von M. Altomonte und M. J. Schmidt. Spätgot. Leonhardskirche mit Unterkirche (1439 gew.) und Oberkirche (1488 gew.); Altargemälde von M. J. Schmidt (1774–80).

Spittal an der Drau, Stadt in Oberkärnten, Österreich, 15000 Ew.; Schloß Porcia (16. Jh.), einer der frühesten reinen Renaissancebauten im dt. Sprachraum, mit üppigem Portal, dreigeschossigem Arkadenhof und reicher Bauornamentik; Renaissance-Rathaus (urspr. Vizedomhaus, 1537) mit Laubengängen im Hof; Pfarrkirche (13. Jh., got. Umbau 1311 gew.).

Spitzbogen, Baukunst: ein in seinem Scheitel gebrochener →Bogen, v. a. in der Gotik verwendet.

Spitzweg, Carl, Maler, *München 5. 2. 1808, †ebd.

23. 9. 1885, Apotheker, bildete sich selbst zum Maler aus und schilderte in kleinformatigen Bildern humorvoll gesehene Szenen aus dem Leben von Kleinbürgern und Sonderlingen der Biedermeierzeit. Seine zunächst zeichnerisch bestimmte Art wandelte sich nach einem Aufenthalt in Paris (1851; Anregungen von E. DELACROIX und N. DIAZ DE LA PEÑA) zu gelöst-pastoser, den kolorist. und atmosphär. Reiz wiedergebender Malweise. Zuletzt erreichte S. nahezu impressionist. Wirkungen. In seinen Genredarstellungen gewannen die Landschaften an Bedeutung (z.T. auch ohne Staffage). Als Zeichner arbeitete S. seit 1844 bes. für die ›Fliegenden Blätter‹.

HW: Der arme Poet (1839, 2 Fassungen: Berlin-West, Staatl. Museen und München, Neue Pinakothek); Der Liebesbrief (1845–46; Berlin-West, Staatl. Museen); Der Schreiber (um 1850; München, Neue Pinakothek); Das Ständchen (1854; Hannover, Niedersächs. Landesgal.); Der Abschied (um 1855; München, Schack-Gal.); Span. Ständchen (1856; ebd.); Frauenbad in Dieppe I (um 1857; Berlin-West, Staatl. Museen); Der Witwer (1860; München, Neue Pinakothek); Der Alchimist (um 1860; Stuttgart, Staatsgal.); Ein Hypochonder (um 1865; München, Schack-Gal.); Der Besuch des Landesvaters (nach 1870; München, Neue Pinakothek); Gähnende Schildwache (um 1870; ebd.); Des Sängers Lohn (um 1880; ebd.); Wäscherinnen am Brunnen (um 1880; Darmstadt, Hess. Landesmus.); Der Bettelmusikant (um 1884; München, Neue Pinakothek).

C. ROENNEFAHRT: C. S. (1960, mit Werk-Verz. und Bibl.); S. WICHMANN: C. S. und sein Freundeskreis, Ausst.-Kat., München (1967/68); J. C. JENSEN: C. S. (1975); HEIDI C. EBERTSHÄUSER: C. S. (1981).

Split, Hafenstadt in Kroatien (Jugoslawien) auf einer Halbinsel, 151 900 Ew. – Der Stadtkern wird von den Überresten des 38 000 m² umfassenden Diokletianpalastes gebildet, von dem röm. Kaiser DIOKLETIAN 295–305 errichtet und nach seiner Abdankung 305 bis zu seinem Tod von ihm bewohnt. Innerhalb der Anlage stehen heute über 200 Häuser, die aus dem Material der Palastbauten im Lauf der Zeit errichtet wurden. Der nach dem System eines befestigten Lagers angelegte Komplex mit Palast-, Kult- und Wirtschaftsbauten sowie Mausoleum war an den 3 Landseiten von Wehrmauern mit Doppelturmtoren umgeben, die dem Meer zugewandte S-Seite war unbefestigt. Das oktogonale Mausoleum, von einer Säulenhalle umgeben, wurde im frühen MA. in eine Domkirche umgewandelt. Der Dom wurde mehrmals umgebaut, im 19. Jh. gründlich restauriert; am Eingang geschnitzte Nußbaumtür (1214), im Innern geschnitztes Gestühl (1. H. 13. Jh.); skulptierte roman. Kanzel; in der got. Kapelle St. Eustachius Ziborium und Sarkophag mit Relief der Geißelung Christi. Am Glockenturm (13./14. Jh., im 16. Jh. voll.) roman. Steinrelief. Aus dem röm. Tempel des Diokletianpalastes entstand im 8. Jh. die Taufkirche (Taufbecken mit Flechtornamentik, Reliefplatte mit Herrscherbildnis, 10./11. Jh.). Im Obergeschoß des röm. Goldenen Tores wurde im 11. Jh. die Martinskirche errichtet (urspr. Altarschranke im Innern). Über der Muttergotteskirche der 1100 erbaute Glockenturm mit roman. Zwillingsfenster. Am Stadtrand die Dreifaltigkeitskirche (11. Jh.), ein Zentralbau mit 6 halbrunden Apsiden. S. hat mehrere got. und Renaissance-Profanbauten, u. a. das Rathaus (1443; im 19. Jh. neugotisch erneuert, heute Mus.) und der Milsi-Palast (17. Jh.). –

Im nordöstl. Stadtteil Solin die Ruinen von →Salona. Archäolog. Mus. mit reicher Samml. antiker, frühchristl. und altkroat. Denkmäler.

Spoerri, Daniel, eigtl. **Spörri,** urspr. D. **Feinstein,** schweizer. Künstler rumän. Herkunft, *Galatz (Rumänien) 27. 3. 1930, übersiedelte 1942 in die Schweiz, 1959 nach Paris, lebt zeitweise in der Bundesrep. Dtl. und war 1960 Mitbegründer des Nouveau Réalisme. Gleichzeitig entstanden seine ersten ›Fallenbilder‹, für die gedeckte, teilweise abgegessene Tischplatten reliefartig fixiert und als Bild an die Wand gehängt wurden: eine ironische Deklaration von Alltagsdingen zum Kunstwerk, die ein wichtiger Beitrag zum Kunst-Leben-Thema der 1960er Jahre war. In späteren Assemblagen verwendete S. auch archäolog., volkskundl. Objekte und weitete seine Aufwertung des Alltags zu bizarren Ausstellungsinszenierungen aus (›Le Musée Sentimental de Prusse‹, 1981).

Spoleto, Stadt und Erzbischofssitz in der ital. Prov. Perugia, Umbrien, 37 500 Ew. Die am Hang eines Hügels gelegene Stadt hat Baureste aus röm. Zeit (u. a. Mauerring, Ehrenbogen, Theater und Amphitheater) und eine Festung (›Rocca‹) des 14. Jh. (mit Ehrenhof und Loggia). Der roman. Dom (Neubau des 12. Jh., im 17. Jh. verändert) mit reich gegliederter Fassade und Renaissance-Portikus (1491 beg.) birgt Fresken von PINTURICCHIO und FRA FILIPPO LIPPI. Außerhalb der Stadtmauern die frühchristl. Kirche S. Salvatore (Datierung umstritten zw. dem 4. und 8./9. Jh., später mehrfach verändert), S. Pietro (urspr. 5. Jh., im 13. Jh. erweitert), deren Fassade mit roman. figürl. Reliefs geschmückt ist, sowie der Ponte delle Torri (80 m hohe und 230 m lange Brücke des 14. Jh., zugleich Aquädukt). Zahlreiche Kirchen (S. Gregorio Maggiore, 1146 voll.; S. Eufemia, wohl 12. Jh.) und Paläste (Palazzo del Comune mit Pinakothek; Palazzo Ancaiani mit Gal. d'Arte Moderna, Palazzo Arroni mit Sgraffito-Dekoration); Mus. Civico (Altertümer).

Spoli|e [lat. ›Raub‹] *die, Mz.* **Spoli|en,** ein Kunstwerk oder ein Bauteil aus einer älteren Kultur, das in einem neuen Zusammenhang wiederverwendet wurde, z. B. antike Gemmen und Reliefs auf ma. Buchdeckeln und Reliquiaren; antike Säulenschäfte, Kapitelle und Gesimse in der islam., frühchristl. und ma. Baukunst.

Sponheim, Gem. im Kr. Bad Kreuznach, Rheinl.-Pf., mit ehem. Benediktinerkloster (1101 gegr.). Von der romanisch-frühgot. Kirche wurden nur Vierungsturm und ein Mittelschiffsjoch (12. bis 13. Jh.) ausgeführt; Plattenmosaikfußboden (Mitte 13. Jh.).

Sponsa [lat. ›Braut‹], allegor. Darstellung Mariens, auch der Kirche als Braut Christi v. a. in Kommentaren zum Hohenlied um 1200 und Bibeln des 13./14. Jh., im Barock v. a. in Deckengemälden (u. a. F. A. MAULBERTSCH, 1752/53; Wien, Piaristenkirche). Die Kirche als S. findet sich auf einem Fresko der Klosterkirche in Regensburg-Prüfening (um 1130), an ihre Stelle tritt in graph. Zyklen seit der 2. H. des 15. Jh. die Seele.

Sporer, Stukkatorenfamilie aus Wessobrunn

(→Wessobrunner Schule), die im 18. und im frühen 19. Jh. in Oberbayern, Oberschwaben, auch in Ungarn (z. B. in Erlau) arbeitete. Zu den bed. Meistern des Rokoko gehörte Thomas S. (*Wessobrunn 18. 12. 1710, †ebd. 6. 2. 1769); er war in Amorbach, Bruchsal, Sigmaringen und Ottobeuren tätig.

Sposalizio [ital. ›Hochzeit‹] *das,* ital. Bez. für die Darstellung der Verlobung oder Vermählung Mariens mit Joseph, als eigenständiges Bildthema (RAFFAEL, um 1504; Mailand, Brera) oder im Rahmen des Marienlebens; in übertragenem Sinn auch die myst. Vermählung der Hl. Katharina (auch der Hl. Agnes) mit dem Jesusknaben.

Spøttrup [sb'ødrɔb], Burg in N-Jütland, Dänemark; wehrhafte Dreiflügelanlage mit Torturm an der vierten Seite (um 1450 beg.), Umbauten im Renaissancestil (16. Jh.).

Spranger, Bartholomäus, niederländ. Maler, *Antwerpen 21. 3. 1546, †Prag Juli oder August 1611, Schüler von J. MANDYN, F. MOSTAERT, wurde von F. FLORIS sowie von den Manieristen in Parma und Rom (1566–75) beeinflußt, war seit 1575 Hofmaler Kaiser MAXIMILIANS II. in Wien, ab 1581 Kaiser RUDOLFS II. in Prag; schuf allegor. und mytholog. Bilder (bes. erot. Szenen) in manierist. Stil. Die meisten seiner Werke, die nach seinen Zeichnungen in Stichen von H. GOLTZIUS weit verbreitet wurden, sind heute in Wien (Kunsthistor. Mus.).

Sprengel, Bernhard, Industrieller, Kunstsammler, *Hannover 17. 4. 1899, †ebd. 22. 1. 1985, schenkte eine Sammlung von Gemälden, Graphiken und Skulpturen des 20. Jh. (u. a. Werke von E. NOLDE, P. KLEE, E. L. KIRCHNER, OTTO MUELLER) 1969 seiner Vaterstadt, die 1979 einen Neubau (Architekten D. QUAST, P. und URSULA TRINT) für das Kunstmuseum Hannover mit der Sammlung Sprengel eröffnete.

Sprengwerk, Baukunst: waagerechter Träger (Balken), der von unten her durch Streben und Riegel abgestützt ist.

Springiersbach, ehem. Augustinerchorherrenstift (1102 gegr.) in der Gem. Bengel, Kr. Bernkastel-Wittlich, Rheinl.-Pf., mit einer Kirche im ausklingenden Barockstil (1769–72), die nach Brand 1940 in alten Formen rekonstruiert wurde. In den barocken Klostergebäuden (17./18. Jh.) der wiederhergestellte roman. Kapitelsaal (12./13. Jh.).

Springinklee, Hans, Maler und Zeichner für den Holzschnitt, *Nürnberg(?) um 1490/95, †um 1540, Schüler A. DÜRERS und an dessen Holzschnitten des Triumphzugs für Kaiser MAXIMILIAN I. beteiligt. Eigenständig sind seine Illustrationen zu Bibeln und Stundenbüchern (›Hortulus animae‹, 1516 und 1518).

Spruchband, Banderole, bandartiger Streifen, oft in Form einer Schriftrolle, auf dem in bildl. Darstellungen des MA. die den Figuren zugedachten Worte (Legende) geschrieben sind.

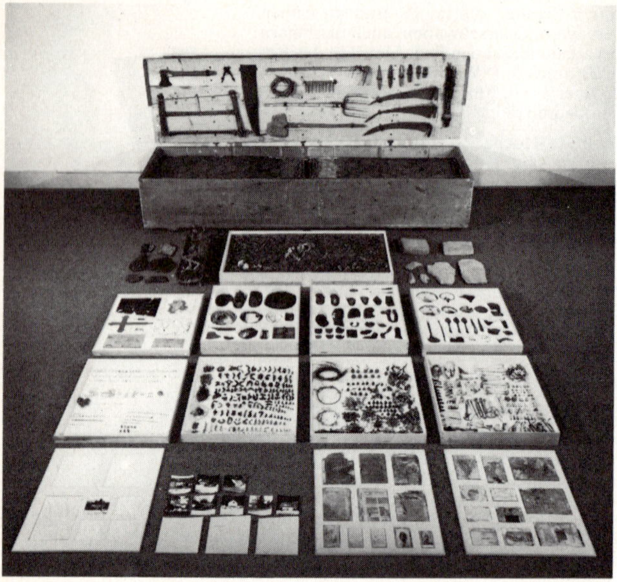

Spurensicherung: Nikolaus Lang, Kiste für die Geschwister Götte; abgeschlossen 1974 (Bayersoien, N. Lang)

Spurensicherung, eine Richtung der zeitgenöss. Kunst seit Anfang der 70er Jahre des 20. Jh. Aus Relikten der Vergangenheit (Gebrauchsgegenstände, Photographien, Autographen) werden z. B. die eigene Kindheit (C. BOLTANSKI), die Lebensgeschichte eines fremden Schicksals (N. LANG) oder eine antike Siedlung rekonstruiert (ANNE und P. POIRIER, C. SIMONDS). Dabei stehen die subjektive Interpretation und nicht die Methoden der Archäologie und Ethnologie im Vordergrund; S. überschneidet sich z. T. mit →Individueller Mythologie und →Narrative Art.

Sqarcione [skuartʃ'o:ne, Francesco, ital. Maler, *Padua 1397, †ebd. 1468 oder wenig später, war v. a. als Lehrer von Bedeutung; so beeinflußte er den Frühstil seines Schülers A. MANTEGNA. Sein Interesse an der Kunst des Altertums bezeugen die von ihm zusammengetragenen Abgüsse nach Antiken.

HW: Altartafel mit dem Hl. Hieronymus u. a. Heiligen (1449–52; Padua, Gal.); Madonna (Berlin-West, Staatl. Museen).

Square [skw'eə, engl.], heute allg. ein Platz in engl. Städten. Zunächst bezog sich diese Bez. auf eine umzäunte Grünanlage, die nur den Anwohnern zur Verfügung stand. Dieser Platztyp ist im engl. Städtebau seit dem 18. Jh. bekannt.

Sravana Belgola, Ort in Karnataka, S-Indien, mit umfangreichen jinist. Tempelanlagen, die bis in das

10. Jh. zurückreichen. Im Zentrum erhebt sich auf dem Indra-Hügel die 17 m hohe monolith. Statue des Asketen Gommata in Kayotsarga-Haltung (983 n. Chr.).

Sravasti, die heutige Ortschaft Sahet Mahet in N-Indien, bed. Stätte der Buddhalegende (Stiftung des Jetavana-Hains und Wunder von S.) mit Resten zahlreicher buddhistischer Stupas und Viharas aus den ersten Jahrhunderten n. Chr., sowie einem hinduistischen Terrakotta-Tempel der Gupta-Zeit mit Reliefszenen aus dem Ramayana-Epos.

Sri Ksetra, →Shri Kshetra.

Sri Lanka, Ceylon, Insel vor der S-Spitze Indiens; seit dem 3. Jh. v. Chr. buddhistisch missioniert und abgesehen von hinduist. Einflüssen aus S-Indien noch heute Heimstatt des Theravada-(Hinayana-)Buddhismus, der maßgeblich die Kunst in S. L. bestimmt. Der ältesten Kulturepoche in den Jh. um die Zeitenwende entstammen die Stupas und Klöster von Anuradhapura und Mihintale, ferner die Felsenburg Sigiriya mit Fresken (Ende 5. Jh.), gefolgt von den Kultanlagen der 2. Hauptstadt Polonnaruwa (780–1290). Trotz enger Beziehungen zur →indischen Kunst erreichte die ceylonesische Kunst in Architektur und Plastik eigene Formen und Ausdrucksmöglichkeiten, die ihrerseits nach Hinterindien ausstrahlten. Die neuzeitl. singhales. Kultur ist mit der Residenz und Pilgerstadt Kandy (1592 bis 1814) verbunden; heutige Hauptstadt ist Colombo (bed. Museum). KARTE indische Kunst

Srinagar, Hauptstadt des ind. Bundesstaates Kaschmir, 403 600 Ew., gegr. im 6. Jh. Aus der Zeit vor der muslim. Eroberung stammen nur wenige Zeugnisse (bed. hinduist. Skulpturen des 8.–12. Jh. im Sri-Pratap-Singh-Museum). Das heutige Stadtbild wird beherrscht von Moscheen (die hölzernen Shah-Hamadan-Masjid und Jama-Masjid, 1404, erneuert 1674, sowie die Patthar Masjid, 1620) und Wohnhäusern mit reich geschnitzten Galerien. In der Nähe die Shalimar-Gärten der Mogulzeit.

Srirangam, Stadt auf einer Insel im Kaveri-Fluß nahe Tiruchirapalli in Tamil Nadu, S-Indien, 51 100 Ew.; mit großem hinduist. Tempelbezirk, gegr. z. Z. der Chola-Dynastie, im 13.–17. Jh. stetig erweitert. Das zentrale Heiligtum, der runde Ranganatha-Tempel, liegt inmitten von 7 konzentr. Höfen mit zahlreichen Gopuras und Kulthallen, darunter das 1000-Pfeiler-Mandapa, dessen frontale Säulen als Pferd-und-Reiter-Figuren skulptiert sind.

Środa Śląska [sjr'ɔda sjl'ɔ̃ska], poln. Name für die Stadt →Neumarkt 3).

Staatliche Bildstelle, bis 1921 **Königlich Preußische Meßbildanstalt,** bestand 1885–1945 in Berlin; ein großer Teil der Photographien (v. a. Aufnahmen von Baudenkmälern) wurde 1945 nach München überführt, vom Zentralinstitut für Kunstgeschichte ebd. betreut, 1970 an die Stiftung Preuß. Kulturbesitz nach Berlin weitergeleitet und der Kunstbibliothek der Staatl. Museen zur Aufbewahrung übergeben.

Staatliche Muse|en in Berlin. In Berlin-Ost (S. M. zu Berlin) sind die Museumsabteilungen größtenteils in den traditionellen Gebäuden auf der von F. A. STÜLER konzipierten Museumsinsel untergebracht: Das **Bode-Museum,** das ehem. →Kaiser-Friedrich-Museum, vereinigt Ägypt. Mus., Frühchristlich-Byzantin. und Skulpturen-Samml., Gemälde-Gal., Münzkabinett und Mus. für Ur- und Frühgeschichte. Von der →Nationalgalerie sind Teile im **Alten Museum** (nach Entwürfen von K. F. SCHINKEL 1822–30 errichtet) untergebracht, wo sich heute nach Beseitigung der Kriegsschäden (Wiedereröffnung 1966) auch das Kupferstichkabinett und die Samml. der Handzeichnungen befindet. Das **Neue Museum** (1843–46 von Stüler erbaut) ist heute als Magazin genutzte Ruine. Im **Pergamon-Museum** befinden sich das Vorderasiat., Ostasiat. und Islam. Mus. sowie die Antiken-Samml. – Das **Kunstgewerbe-Museum** ist seit 1963 im Schloß Köpenick. 1904 wurde den S. M. das **Museum für Dt. Volkskunst** angegliedert.

Die S. M. in Berlin-West der →Stiftung Preußischer Kulturbesitz umfassen u. a.: das **Ägypt. Museum,** heute im östl. Teil der 1851–59 von F. A. Stüler erbauten ehem. Gardekasernen (gegenüber dem Charlottenburger Schloß); es enthält v. a. Kleinkunst von der Vorgeschichte bis zur röm. Kaiserzeit aus den ehem. preuß. Samml. in Schloß Monbijou und dem Neuen Mus. Die Bestände des **Antikenmuseums** im westl. Flügel der Gardekasernen (Vasen, Bronzen, Gemmen, Gläser, Schmuck und die röm. Gefäße des →Hildesheimer Silberfundes) stammen z. T. aus dem Antiquarium, der Samml. antiker Kleinkunst, die bis 1932 eine selbständige Abteilung im Alten, später im Neuen Mus. war. Im Theaterbau des Charlottenburger Schlosses ist seit 1960 das **Museum für Vor- und Frühgeschichte** untergebracht. Die Gemälde-Gal., Kupferstichkabinett, Skulpturen-Gal. und Frühchristlich-Byzantin. Samml., die Museen für Ind. Kunst, Islam. Kunst, Ostasiat. Kunst und Völkerkunde sind in Berlin-Dahlem in einem von B. PAUL 1914–21 auf Betreiben des Generaldirektors der Berliner Museen, W. v. BODE, errichteten Museums-Komplex untergebracht, der nach Erweiterung bis 1970 und nach Rückführung der während des Krieges ausgelagerten Bestände als Mus. eingerichtet wurde. Die neue **Nationalgalerie** mit den nach dem 2. Weltkrieg nach Berlin zurückgeführten Werken des 19. und 20. Jh. wurde 1968 von L. MIES VAN DER ROHE erbaut. Das **Museum für Völkerkunde,** seit 1886 in einem von H. ENDE errichteten Gebäude mit reichen Samml. (u. a. Alt-Amerika, Afrika, Südsee, Südostasien) wurde nach schweren Verlusten im 2. Weltkrieg z. T. in einem Neubau (1971) von F. BORNEMANN untergebracht. – Außerdem gehören zu den S. M. das **Musikinstrumenten-Museum,** die **Kunst-** und die **Museums-Bibliothek.**

Die S. M. in Berlin-Ost und -West besitzen Werke von außerordentl. Qualität und haben Weltrang.

H. BOCH: Die neue Nat.-Gal. (1968); R. KLESSMANN: Gemälde-Gal. Berlin (1972); Reclams Kunstführer, Dtl. VII: Berlin (1980).

Staatliche Porzellạn-Manufakturen, →Berliner Porzellan, →Meißener Porzellan, →Nymphenburger Porzellan.

Stab, Baukunst: 1) im Holzbau ein stabförmiges Konstruktionsglied; 2) als Profil, z.B. an Säulen, ein stabförmiger Zierteil als Viertel-, Dreiviertel-, Rund-S., auch in Variationen als Tau-, Eier-, Perl- oder Birn-S.

Stabiae, antike Küstenstadt in Kampanien, am Golf von Neapel (Italien), in deren Bereich sich das heutige **Castellamare di Stabia** entwickelte; der von Oskern gegr. Ort wurde 89 v.Chr. von SULLA zerstört; auf Grund der Heilquellen entstand ein neuer Villen- und Badeort, der beim Vesuvausbruch 79 n.Chr. verschüttet wurde. Am Hang liegende Villenanlagen mit Wandmalereien von größter Qualität wurden freigelegt, v.a. in der Villa di S. Marco, einem sanatoriumsähnl. Baukomplex mit Höfen, Wandelhallen, Bädern, Wohnräumen.

Stabkirche, Holzkirche, deren Konstruktionsgerüst aus senkrecht gestellten Pfosten besteht, ein- oder dreischiffig, mit steilem, mehrstöckig gestuftem Dach. Die S. sind keine Übertragungen der kontinentalen Steinbauweise in Holz, sondern eine selbständige Entwicklung, vielleicht hervorgegangen aus der altnorweg. Königshalle, jedoch sind bei jüngeren S. roman. Einflüsse spürbar. Die Bauweise wurde zuerst bei Profanbauten des 9. Jh. in Haithabu nachgewiesen und erreichte ihren Höhepunkt in den norweg. S. des 12. und 13. Jh. Die Verzierungen, geschnitzte Drachen- und Rankenornamente, sind bis in die Gotik nicht vom Christentum bestimmt. In Norwegen sind etwa 30 S. erh.; zu den ältesten gehören die von →Borgund, von →Heddal und von Gol (seit 1885 im Freilichtmus. →Bygdøy). Vereinzelte Beispiele auch in England und Schweden.

Stabwerk, im →Maßwerk senkrechte, oft gitterartige Stäbe zur Unterteilung der Glasflächen.

Stabkirche in Borgund

Stacco-Verfahren, im 18. Jh. in Italien erfundene Methode, gefährdete Wandmalereien mit dem Putzuntergrund abzunehmen und zu übertragen. Sie wird wie die →Strappo-Methode nur dann unter Aufsicht der Denkmalpflege angewendet, wenn andere Mittel nicht möglich sind (Kriegsfall, Naturkatastrophe). Sinn des S.-V. ist, die abgenommenen Wandmalereien nach Instandsetzung des Gebäudes wieder am alten Ort anbringen zu können.

Stade, Stadt an der Unterelbe, Ndsachs., 44600 Ew., ehem. Hansestadt; die ma. Stadt wurde weitgehend durch Brand 1659 zerstört. In den beiden got. Kirchen St. Wilhadi (Backsteinhalle des 13.–14. Jh.) und St. Cosmae et Damiani (13./15. Jh., im 17. Jh. erneuert) großartige Barockorgeln; der Barockhelm auf dem Vierungsturm von St. Cosmae ist das Wahrzeichen der Stadt (1682). Rathaus (1667), Zeughaus (1697–99), Stadtwaage in Fachwerk (1753). Am Bürgermeister-Hintze-Haus manierist. Fassadenstuck (1621).

Städelsches Kunstinstitut, von dem Bankier J. F. Städel (*1728, †1816) zus. mit einer Kunstschule gestiftete Gemälde-Gal. in Frankfurt am Main. Das S. K. wurde 1817 in Städels Privathaus eingerichtet, 1878 wurde ein eigenes Museumsgebäude nach Plänen von O. Sommer (*1840, †1894) fertiggestellt. Die durch weitere Stiftungen und Neuerwerbungen vermehrte Samml. bietet v. a. europ. Malerei und Graphik: Altdeutsche, Altniederländer, Italiener des 14.–18. Jh., Malerei des Barock, des 19. Jh., bes. der Romantik und des Impressionismus, Malerei, aber auch Plastik des 20. Jh. Aus der Kunstschule ging die Städelschule (Staatl. Hochschule für bildende Kunst) hervor.

Städel-Jahrbuch (1921–36, 1967 ff.); Verzeichnis der ausgestellten Gemälde (1966); Städelschule Frankfurt a. M. (1982).

Stadion [grch., n. dem antiken Längenmaß S.], in der grch. Antike Anlage mit der Laufbahn für Wettkämpfe, häufig mit Kultstätten verbunden (Olympia, Delphi). Das langgestreckte Rechteck (später meist mit halbkreisförmigem Abschluß) hatte an den Längsseiten Zuschauerwälle.

Stadler, 1) Anton von, genannt Toni, österr. Maler, Vater von 2), *Göllersdorf (NÖ) 9. 7. 1850, †München 17. 9. 1917, malte Landschaften des oberbayer. Voralpengebiets. Sein Stil zeigt den Einfluß der Schule von Barbizon und von H. Thoma. Anfangs dunkeltonig, hellte sich sein Stil allmählich immer mehr auf. In seinem Spätwerk verbinden sich Elemente des Impressionismus und des Jugendstils. – S. war Mitbegründer der Münchner Sezession.

2) Toni, Bildhauer, Sohn von 1), *München 5. 9. 1888, †ebd. 5. 4. 1982, Schüler von A. Gaul in Berlin, war 1925–27 in Paris (Einfluß von A. Maillol), war 1946–58 Prof. an der Akad. München. S. schuf in stark vereinfachter Formgebung Köpfe, Menschen- und Tierfiguren.

T. S., Ausst.-Kat., München (1978).

Stadt, nach der Einwohnerzahl größere Siedlung mit geschlossener Bebauung, hoher Bebauungsdichte,

Arbeitsteilung der Einwohner, mit Anziehungskraft auf ihre Umgebung (Herrschaftssitz, Handelsplatz, kult. Mittelpunkt u.a.). Im rechtl. Sinn ist S. eine Siedlung, der S.-Recht verliehen wurde, im statist. Sinn gliedert die Einwohnerzahl die S. in Klein-, Mittel-, Groß- und Welt-S. Vielfach sind heute geographisch und statistisch die Grenzen einzelner S. nicht mehr erkennbar, es bilden sich Verdichtungsräume, Verdichtungsbänder u.a.

Altoriental. und antike S. Die Anfänge der S.-Kultur stammen aus Asien; Sitze früher S.-Anlagen waren auch die dichtbesiedelten Gebiete Mesopotamiens, Turkestans sowie das Indusgebiet. Die S. waren Zentren großer Gebietsherrschaften, von Großgrundbesitz und z.T. Sitz der Organisation von Bewässerungsanlagen. Herrenpaläste, Adelssitze, Tempelanlagen und S.-Tore bestimmten die ummauerte altoriental. S.

In der grch. Polis blieb das wirtschaftl. Leben von der aristokrat. S.-Kultur scharf getrennt. Die röm. S. setzte die grch. S.-Kultur mit Einflüssen der etrusk. Herren-S. (gleichmäßiges Straßensystem) fort und breitete sich in den von den Römern unterworfenen Gebieten aus. Während die Römer in Gallien bereits städt. Anlagen (kelt. Oppida, →Oppidum) vorfanden, die unter ihnen zu galloroman. S. umgeformt wurden, besaß Germanien nur Vorformen der S. Hier entstanden v.a. an der Rhein- und Donau-Linie, in Anlehnung an die röm. Kastelle, Garnisons- und Verwaltungs-S.

Die europ. S. zw. MA. und Neuzeit hatte, soweit sie keine planmäßige Gründung (Gebiet der dt. Ostsiedlung) war oder an eine röm. Stadt anknüpfte, i.d.R. einen unregelmäßigen Grundriß.

Mit der Renaissance begann die Zeit, seit der die Gestalt und Funktion der S. Gegenstand der Stadtbaukunst wurde (→Idealstadt). Im Barock wurde die geplante S. Abbild des gesellschaftl. und polit. Systems des Absolutismus (Stuttgart, Mannheim). Mit der Frz. Revolution wurden in vielen S. die Befestigungsanlagen geschleift und in der Folge mit Promenaden und neuen Straßensystemen versehen. Das 19. Jh. ist die Epoche der S.-Erweiterungen, in der den alten S.-Kernen neue Wohn-, Geschäfts- und Industrieviertel, nach Funktion getrennt, angegliedert wurden. Als Reaktion auf die regelmäßigen Straßenraster der Gründerzeit entstand zu Ende des 19. Jh. die Idee der →Gartenstadt. Nach dem 1. Weltkrieg entwickelte sich die S.-Planung als Disziplin, die das immer komplexere System S. mit Flächen- und Strukturplanung zu steuern sucht.

K. Gruber: Die Gestalt der dt. S. (1952); E. Egli: Geschichte des Städtebaus (1967); L. Mumford: Die S., 2 Bde. (a. d. Amerikan., 1979).

Stadtbaukunst, Aufgabenbereich der Architektur, der die gestaltende Ordnung räuml. und baul. Entwicklungen größerer Ansiedlungen zum Gegenstand hat. Bis zur Entwicklung des Städtebaus als Architekturfach im 20. Jh. sprach man in der Kunstwissenschaft von S. Seit der Antike (grch. und röm. Kolonistenstädte) ist das Schachbrettraster auf Grund seiner Funktionalität eines der Grundmuster der S. Dt. Stadtgründungen des

12./13. Jh. bes. im Nordosten benutzen ein ähnl. Schema, allerdings mit abgerundeten und befestigten Rändern; Markt und Kirche bildeten das Zentrum. Die S. der Renaissance ist von der Theorie der →Idealstadt geprägt und betont die Festungsbaukunst. Im Barock sind die Beziehungen zw. Schloß und Stadt durch die Axialität des Straßensystems ausschlaggebend. Es entstanden dabei radiale (Stuttgart) und rasterförmige (Mannheim) Grundmuster. Bezeichnend für die S. des 19. Jh. sind die Schleifung der ma. Befestigungen (Wien, Frankfurt a. M.) und die darauf folgenden Stadterweiterungen. Dabei wurde neben den radialen und rasterförmigen Straßensystemen als Neuheit die Ring- und die Diagonalstraße eingeführt. Als Reaktion auf diese als starr empfundenen Schemata wurden in der Gartenstadt um die Wende zum 20. Jh. gewundene und geschwungene Straßen in malerischer Absicht genutzt, wie man sie aus ma. Städten kannte. In der S. des 20. Jh. wurden gestalter. und ästhet. Ansprüche überlagert durch verkehrstechn. und wohnungspolit. Probleme, deren Lösung Aufgabe des modernen →Städtebaus ist.

Städtebau, die vorausschauende Tätigkeit der Gemeinde, ihre räuml. Entwicklung, d. h. die Bodennutzung und die Gestaltung des Orts- und Landschaftsbildes, innerhalb ihres Hoheitsgebietes zu lenken. Das Tätigkeitsfeld umfaßt sowohl die städtebaul. Planung als auch ihre Realisierung mit den Mitteln der Bodenwirtschaft sowie mit der Aufschließung städtebaul. Infrastruktur. Die künstler., gestalter. und histor. Leistungen des S. werden in der Kunstgeschichte als →Stadtbaukunst bezeichnet.

Stadthagen, Stadt in Ndsachs., nördlich der Bückeberge, 23 100 Ew., hat innerhalb der ma. Stadtmauer (15. Jh.) zahlreiche Gebäude im Stil der Weserrenaissance und des Barock: großes vierflügeliges Schloß (1534–45), Amtspforte (1553) in Fachwerk mit reicher Schnitzdekoration, Lateinschule (1565), Rathaus (1595–1613). Angebaut an den Chor der Martinikirche, einer got. Halle (13.–14. Jh.) mit reicher manierist. Ausstattung (16. Jh.), das monumentale Mausoleum des Fürsten Ernst von Schaumburg-Lippe (1608–25 von G. M. Nosseni), bedeutendster frühbarocker Zentralbau in Dtl., mit Bronzeplastiken von A. de Vries (1618–20).

Stadt|ilm, Stadt im Kr. Arnstadt, am Thüringer Wald, Dt. Dem. Rep., 5800 Ew. Stadtkirche (Mitte 13. Jh. beg., 1335 gew.), 1784 barock umgebaut; in frühgot. Formen erh. sind N- und S-Portal des Langhauses mit plast. Schmuck. Renaissance-Rathaus (Anf. 17. Jh.); Stadtbefestigung z. T. erh.

Stadtroda, Stadt westlich von Gera, Dt. Dem. Rep., 5400 Ew.; in der Heiligkreuzkirche (beg. 2. H. 12. Jh.) mit got. Chor und barockem Langhaus (1681) spätgot. Schnitzfiguren; die Stadtkirche St. Salvator ist ein Zentralbau der Renaissance. Ruine der frühgot. Kirche eines Zisterzienserinnenklosters. Einfaches Barockschloß (1663–68).

Staeck, Klaus, Graphiker, *Pulsnitz (Bez. Dresden)

28. 2. 1938, kam 1956 in die Bundesrep. Dtl., studierte Jura, ist als Künstler Autodidakt. S. entwickelte im Anschluß an J. HEARTFIELD und die russ. Konstruktivisten das Plakat, die Postkarte, den Aufkleber zu massenwirksamen Medien der polit. Provokation und Satire. Er übersteigert ironisch vorgegebene Text- oder Bildklischees.

K. S., Ausst.-Kat., Frankfurt a. M. (1978).

Staël [stal], Nicolas de, frz. Maler russ. Herkunft, *St. Petersburg 5. 1. 1914, †(Selbstmord) Antibes 16. 3. 1955, kam 1932 nach Brüssel, dann nach Frankreich. S. malte seit 1942 Landschaftsbilder und Stilleben mit klar gebauten, starkfarbigen Flächenformen vor meist monochromen Hintergründen. Seit 1952 suchte er Abstraktes und Gegenständliches zu vereinbaren; er verwendete nun nur wenige Farben in zartesten Nuancen.

Staffage [-ʒə, frz.] *die*, Menschen- und Tierfiguren zur Belebung von Landschafts- und Architekturbildern, auch zur Verdeutlichung von Raumtiefe und Größenverhältnissen, für das eigentliche Bildmotiv jedoch nebensächlich. Im Barock wurde die S. häufig von Spezialisten in die Bilder hineingemalt. In Figurenbildern bezeichnet man auch jede Art von Beiwerk zur Verdeutlichung der Raumtiefe als S.

Staffel, Altarstaffel, →Predella.

Staffelbasilika, Baukunst: mindestens fünfschiffige →Basilika, deren Seitenschiffe sich, ausgehend vom Mittelschiff, nach außen kontinuierlich in fallender Höhe staffeln.

Staffelchor, roman. Baukunst: bes. von den Cluniazensern gepflegte Chorform, bei der die Nebenchöre im Verhältnis zueinander und zum Hauptchor staffelweise kleiner werden.

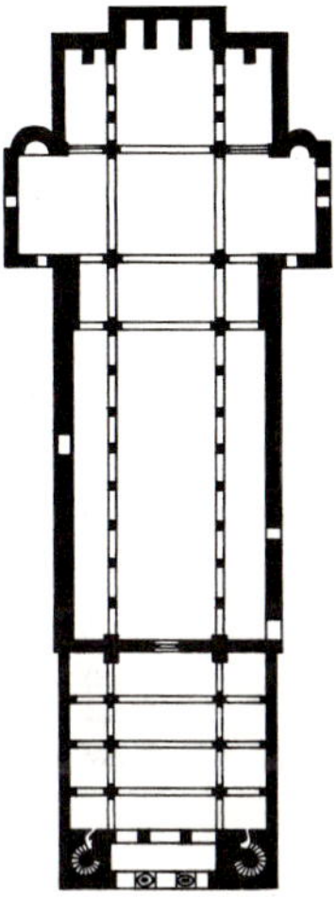

Staffelchor (St. Peter und Paul in Hirsau; geweiht 1091)

Staffelei, Gestell mit höhenverstellbarer Auflage, auf der das Bild während des Malens steht. Neben den schweren Atelier-S. gibt es zusammenlegbare kleine für die Freiluftmalerei.

Staffeleibilder, Malerei: auf der Staffelei gemalte Bilder auf Leinwand, Holz, Blech u. ä.

Staffelgiebel, Treppengiebel, →Giebel.

Staffelhalle, →Stufenhallenkirche.

Staffelstein, Stadt im Kr. Lichtenfels, Bayern, 10000 Ew., hat eines der schönsten fränk. Fachwerkrathäuser (1687) und eine spätgot. Pfarrkirche (14./15. Jh., 1724–31 umgebaut).

Staffieren [frz.], ältere Bez. für die Dekorations- und Illusionsmalerei der Raumkunst, zu der auch die oft aufwendigen Faßtechniken für die Vertäfelung (z. B. Vergoldung, Marmorierung) zählen; auch Bez. für Fassen (→Fassung).

Stahlbau, Bauten, deren konstruktive Elemente aus Stahl bestehen. Stahl ersetzt Schmiedeeisen seit den 80er Jahren des 19. Jh. Mit Stahl entwickelten sich keine neuen, wohl aber leistungsfähigere Konstruktionen. Erster großer S. ist die Eisenbahnbrücke über den Firth of Forth (1890). Durchbruch und Höhepunkt des S. waren um die Jahrhundertwende Bauten der Schule von →Chicago. Mußte in den USA die Konstruktion bereits feuerfest ummantelt werden, so durfte in Europa während des Jugendstils Stahl innen und außen sichtbar bleiben: Maison du Peuple, Brüssel (V. HORTA, 1896 bis 1899). L. MIES VAN DER ROHE schuf mit dem Seagram Building, New York (1956/58) den Prototyp des Skeletthochhauses. Korrosion und mangelnde Feuerbeständigkeit sind im Hochbau Gründe für die heute geringere Bedeutung des Stahls und die bevorzugte Verwendung von Stahlbeton.

Stahlbeton, bewehrter Beton, Verbundbaustoff aus Beton und Stahl (Betonstahl), bei dem vom Beton die Druckspannungen und vom Stahl als Bewehrung v.a. die Zugspannungen und größere Schubspannungen aufgenommen werden.

Stahlplastik, künstler. Konstruktion aus Stahl, kommt erst im 20. Jh. vor. Sie wird meist der Eisenplastik zugeordnet, mit der sie die besondere Eignung für räuml. Konstruktionen an Stelle plast. Massen teilt. Darüber hinaus machen die Härte, die federnde Biegsamkeit und glänzende Oberfläche Stahl zum idealen Material raumgreifender Gestängeplastik (H. UHLMANN, N. KRICKE, G. RICKEY) und maschinell bearbeiteter Skulpturen mit stark verformter Außenhaut (E. HAUSER, A. NIERHOFF). Seit den 70er Jahren wird im Außenbereich oft Corten-Stahl verwendet, der nach einer bestimmten Phase des Rostens nicht weiterrostet und seine braunsamtene Oberfläche behält (E. REUSCH, R. SERRA, C. OLDENBURG, F. BERNHARD).

D. MAHLOW: 100 Jahre Metallplastik (1981).

Stahlstich, um 1820 in England erfundenes graph. Verfahren, bei dem in einer dem →Kupferstich entsprechenden Technik eine Stahl- statt einer Kupferplatte verwendet wird. Der S. bot, bevor man die Kupferplatte verstählen konnte, den Vorzug, eine höhere Auflage zu ermöglichen. Er zeichnet sich durch klare Linien von großer Feinheit aus und wurde im 19. Jh. bes. für Veduten angewendet.

Stainz, Marktgem. in der W-Steiermark, Österreich, mit ehem. Augustiner-Chorherrenstift (1229–1782). Die Dekanatskirche, ehem. Stiftskirche, ist eine barokke Wandpfeilerkirche (1605–29), die W-Türme des frühgot. Vorgängerbaus wurden beim Umbau beibehalten. Stiftsgebäude (17./18. Jh.) mit 2 Innenhöfen, heute Schloß.

Stalaktitengewölbe, Gewölbeform in der islam. Baukunst: übereinander aufsteigende Zellenwölbungen mit tropfsteinartigen Schmuckformen (Stalaktiten, →Mukarnas). BILD S. 181

Stalbemt, Adriaen van, fläm. Maler, *Antwerpen 12. 6. 1580, †ebd. 21. 9. 1662, malte in der Art von J. BRUEGEL D. Ä. kleinformatige Landschaften mit bibl. und mytholog. Staffage sowie Dorfansichten.

Stallen, →Chorgestühl.

Stalaktitengewölbe in der Alhambra, Granada

Stam, Mart, eigtl. Martinus Adrianus S., niederländ. Architekt, *Purmerend 5. 8. 1899, †Febr. 1986, Mitarbeiter von A. POELZIG, M. TAUT und am Bauhaus; Mitbegr. des →CIAM. Arbeitete 1930–34 in der UdSSR, danach in Amsterdam, Dresden, Berlin. Seine Bauten gehören zu den bedeutendsten Beispielen des Funktionalismus.

HW: Bahnhof Genf-Cornavin (Entwurf 1925); Reihenhäuser in der Weißenhof-Siedlung, Stuttgart (1927); Niederländ. Pavillon der Weltausstellung New York (1939); Wohnanlage in Amsterdam (1956–59).

Stambha [Skt.], die indische Säule als Stützelement der Sakral- und Profanbauten, auch Pfeiler der Stupazäune sowie freistehende Kult- und Ediktsäule. Die urspr. Form der in einem schützenden Topf aufgestellten Holzstütze wurde bei Höhlenbauten seit dem 2. Jh. v. Chr. in Stein übertragen. Die anfangs schlanken S. mit Kissen- oder Glockenkapitellen und figurenreichen Kämpferblöcken wurden seit dem 5. Jh. gedrungener und in einen hohen kubischen Sockelbereich, häufig mit Purna-ghata-Motiv, und einen 8-/16eckigen oder fein kannelierten Schaft mit ausladendem Kapitell und Auflagen für die Deckenunterzüge gegliedert.

Stammel, Josef Thaddäus, österr. Bildhauer, getauft Graz 9. 9. 1695, †Admont 21. 12. 1765, wo er seit 1726 für das Kloster arbeitete (Bildwerke der Stiftsbibliothek; 1760, mit allegor. Holzfiguren der 4 letzten Dinge: Tod, Gericht, Himmel, Hölle). S. folgte der Überlieferung der alpenländ. Schnitzkunst, v. a. in seinem ausdrucksvollen Spätwerk mit volkstüml. Prägung.

WW: Hochaltar (1738–40; Straßgang bei Graz, St. Martinskirche); weitere Arbeiten in Holz und Stein (Admont, Kallwang); Weihnachtskrippen.

Josef T. Stammel: Die Hölle; 1760 (Kloster Admont, Bibliothek)

Stammeskunst, Kunstform, die im wesentlichen den relig. Belangen der einzelnen Stammesgesellschaften und ihrer bünd. Organisationen (Masken, Kultgeräte und -figuren u. a.), aber auch den Bedürfnissen der einzelnen Stammesmitgl. nachkommt (Ahnen- und Zauberfiguren, Miniaturmasken u. a.). → Naturvölker.

Stamnos [grch.] *der*, größeres Gefäß der grch. Antike, der Amphora verwandt, mit sehr niedrigem Hals und 2 Horizontalhenkeln am Gefäßkörper. Der S. findet sich v. a. unter den Vasen im attisch-rotfigurigen Stil und bei den Etruskern. (BILD Vasen)

Stamos [st'eɪməs], Theodoros, amerikan. Maler grch. Herkunft, *New York 31. 12. 1922, malte zunächst Bilder, in denen er surrealistisch geprägte, abstrakte Formen mit organ., submarinen Elementen (Muscheln, Seepflanzen) zusammenstellte. In den 1950er Jahren beruhigte sich sein Stil zu einer atmosphärisch leuchtenden Form des Abstrakten Expressionismus mit landschaftl. Assoziationen.

Stams, Gem. am oberen Inn, Tirol, Österreich, 1050 Ew., mit 1273 gegr. Zisterzienserstift. Die Stiftskirche, urspr. eine roman. flach gedeckte Pfeilerbasilika (1284 gegr.), wurde 1607–09 gewölbt und 1729–32 barock umgebaut; reiche Stukkaturen von F. X. FEUCHTMAYER, Fresken von J. G. WOLKER (*1700, †1766), monumentaler frühbarocker Hochaltar (1613), Fürstengruft (1670 bis 1681) mit Statuen der hier beigesetzten Landesfürsten; barocke Heiligblutkapelle (1715–17). Stiftsgebäude (17. bis 18. Jh.), ausgedehnte Anlage mit 3 Höfen.

Standbein, Bildhauerkunst: das mit dem Körpergewicht belastete Bein; Ggs.: →Spielbein. (→Kontrapost)

Standbild, →Statue.

Standen [st'ændən], Landhaus bei East Grinstead in der engl. Cty. Sussex, 1891–94 von P. WEBB in spätviktorian. Stil erbaut. Die Baukörpergruppierung knüpft an traditionelle engl. Wohnhausarchitektur an. Im Innern Einrichtung und Tapeten von MORRIS, MARSHALL & Co.

Ständerbau, 1) Baukunst: Bau, der auf einzelnen, senkrecht stehenden Holzpfosten (Ständern) ruht.

2) Fachwerkbau: frühe (ma.) Konstruktionsform, bei der i. Ggs. zum Rähm- oder Geschoßbau die Stockwerke in mehrgeschoßhohe Ständer eingezapft sind.

Stand|öl, Maltechnik: unter Luftabschluß erhitztes und dadurch polymerisiertes Leinöl. S. trocknet zwar langsamer, bleibt aber heller und verläuft besser als natürl. Rohöl.

Standpositur indischer Bildwerke, →Sthanakamurti.

Stangenglas, hohes zylindr. Glasgefäß des 16. und 17. Jh., das dem Paßglas ähnelt. Neben einfachen Standringen gibt es reichgestaltete Fußzonen; die Böden sind teilweise tief eingezogen. Der Dekor wurde in Form von Nuppen, Diamantritzung (→Diamantriß) oder in Emailfarben aufgebracht.

Stangenhenkelkrater, Kolonettenkrater, Korinthischer Krater, wohl in Korinth erfundene Form des Kraters, bei der 2 Griffplatten an der Mündung durch je 2 ›Säulchen‹ auf der Gefäßschulter aufgesetzt wurden.

Stankiewicz [stæŋkj'evɪtʃ], Richard Peter, amerikan. Bildhauer, *Philadelphia 18. 10. 1922, †Worthington (Massachusetts) 27. 3. 1983, ein Hauptvertreter der Junk Sculpture. Seine zw. Abstraktion und figurativer Anspielung stehenden Skulpturen aus Schrott und Maschinenteilen setzen P. PICASSO und DAVID SMITH voraus, besitzen aber eine eigene choreograph. Räumlichkeit, verbunden mit Witz und Poesie.

Stanley Pool [st'ænlı pu:l], in Zaire jetzt **Malebo Pool,** seeartige Erweiterung des Kongo nordöstlich der beiden Hauptstädte Kinshasa (Zaire) und Brazzaville (Rep. Kongo). In dem Gebiet um den S. P. leben ackerbautreibende, kunstschaffende Stämme (→Bembe, →Teke), die v.a. durch ihre Kleinplastiken (Zauber- und Schutzfiguren) bekannt geworden sind.

R. LEHUARD: Statuaires du S. P. (Villiers-le-Bel 1974).

Stanniol [zu lat. stannum ›Zinn‹], Maltechnik: Zinnfolie, die z. B. anstelle von Silber als Unterlage für Lüster verwendet wurde.

Stans, Hauptort des schweizer. Halbkantons Nidwalden, 5700 Ew.; frühbarocke Pfarrkirche (1641–47) mit reich gegliedertem roman. Turm (Ende 12. Jh.), wertvollstes Ausstattungsstück ist ein got. Kronleuchter (um 1430, flandr. Bronzeguß); Rathaus (1715).

Stanzen [ital. stanza ›Zimmer‹], die von →Raffael, seinen Schülern und Nachfolgern mit Wand- und Deckenmalereien geschmückten Gemächer des Vatikans: Stanza della Segnatura (1508–11; Schule von Athen, 1508; BILD Renaissance); Stanza di Eliodoro (1511 bis 1514); Stanza dell'Incendio (1514–17).

Stanzione, Massimo, ital. Maler, *Orta di Atella (bei Neapel) 1585, †Neapel 1656, erhielt seine entscheidende künstler. Ausbildung in Rom (1617/18) bei den Nachfolgern CARAVAGGIOS. In Neapel nach 1631 mit großen Aufträgen für Kirchen bedacht (u. a. Fresken in der Certosa di S. Martino), wurde S. zum Wegbereiter der nach Lichteffekten strebenden neapolitan. Barockmalerei des 17. Jh.

Stappen [st'apə], Charles van der, belg. Bildhauer, *Brüssel 19. 12. 1843, †ebd. 21. 10. 1910, schuf monumentale Bronzegruppen im Stil der Gründerzeit, u. a. am Palais des Beaux-Arts und am Rathaus in Brüssel.

Stará Boleslav [st'ara: -], →Altbunzlau.

Staraja Ladoga, Ort im Gebiet Leningrad, Russ. SFSR, südlich von Nowgorod am Wolchow. Von der ma. Stadt, die im 11.–15. Jh. ein bed. Handelsplatz war (im 12. Jh. mit einer Steinmauer mit 5 Türmen umgeben), ist die Georgskirche (wohl Ende 12. Jh.) erh., mit quadrat. Grundriß, 3 Apsiden und einer Kuppel auf 4 Pfeilern; reiche Innenausstattung mit Freskenfragmenten aus dem 12. Jh.

Staré Město [st'arɛ: mj'ɛstɔ], durch Ausgrabungen (seit 1948) freigelegte stadtartige Anlage des Großmähr. Reiches bei Ungarisch-Hradisch (Uherské Hradiště, SO-Mähren). Aus frühslaw. Anfängen des 8. Jh. erwuchsen im 9. Jh. mehrere nichtagrar. Siedlungen;

Reste von Kirchen, umgeben von reich ausgestatteten Gräbern (v.a. Schmuck), wohl zu Mitgliedern fürstl. Familien gehörend. S.M. wurde Anf. des 10.Jh. von den Ungarn zerstört.

Stargard i. Pom., poln. **Stargard Szczeciński** [-ʃtʃɛtsj'iĩski], Stadt in der poln. Wwschaft Szczecin (Stettin), 56000 Ew. – Die Stadtmauer (13.Jh.) mit Basteien und Toren, rings um die im 2. Weltkrieg stark zerstörte Altstadt, blieb größtenteils erh.; im 15./16.Jh. umgebaut. In der Altstadt die bes. schöne got. Marienkirche, im 13.Jh. eine Halle, um 1400 durch H. Brunsberg zur Basilika ausgebaut (Gewölbe z.T. 1637–61, und nach 1845 rekonstruiert); unweit ein Patrizierhaus (15. bis 16.Jh.) und am Marktplatz das spätgot. Rathaus (1569) mit Elementen aus der Spätrenaissance (nach Zerstörungen 1945 wiederhergestellt). Am Rande der Altstadt die spätgot. Johanneskirche, eine Halle mit Chorumgang (1408; 1429–64 und im 19.Jh. umgebaut).

Stari Bar, die Altstadt von Bar, einer Kleinstadt an der Adriat. Küste in Montenegro, Jugoslawien. S. B. war seit dem 10. Jh. Zentrum des serb. Fstt. Zeta und seit 1089 Erzbischofssitz, 1443–1571 unter venezian., danach (bis 1878) unter türk. Herrschaft. Erh. blieben Reste eines ma. Bischofspalastes, eines Aquädukts und einer türk. Burg (17./18. Jh.)

Starke, Johann Georg, Baumeister, *Dresden um 1640, †ebd. 1695, seit 1672 kursächs. Oberlandbaumeister, verband in seinem HW, dem Palais im Dresdner Großen Garten (1679–83), Elemente des Pariser Louvre und anderer frz. Schloßanlagen mit dem Typ des einheim. Lusthauses und fand damit für seine weiteren Dresdner Bauten (Schloßportal, 1682, Umbau des Komödienhauses am Taschenberg, 1691, Engl. Treppe am Stallgebäude Johanneum, 1692/93) zum Hochbarock.

Starnberg, Stadt am N-Ende des Starnberger Sees, Oberbayern, 17300 Ew. In der Spätrokoko-Pfarrkirche (1764–70) erlesene Ausstattung: Hochaltar und Kanzel von I. Günther, Fresken von C. Wink, Stuck von F. X. Feuchtmayer d. J. Das Schloß ist eine wuchtige Vierflügelanlage des 16./17.Jh.

Starnina, Gherardi, eigtl. Gherardo di **Jacopo,** ital. Maler, *um 1360, †zw. 1409 und 1413, seit 1387 Mitgl. der Lukasgilde in Florenz, um 1393–1401 in Toledo und Valencia tätig, seit 1404 wieder in Florenz. Obwohl sein Werk nur bruchstückhaft überliefert ist (Freskenfragmente in Florenz, Chiesa del Carmine und S. Croce), zählt er zu den bedeutendsten Vertretern der florentin. Malerei seiner Zeit.

Starow, Iwan Jegorowitsch, russ. Baumeister, *St. Petersburg 23. 2. 1745, †ebd. 17. 4. 1808, einer der Begründer der klassizist. Baukunst in Rußland: Umgestaltung des Alexander-Newskij-Klosters (seit 1774) mit Alexander-Newskij-Kathedrale (1778–90) sowie Taurisches Palais (1783–89, beide St. Petersburg).

Stassow, Stasov, 1) Wassilij Petrowitsch, russ.

Wörter, die man unter S vermißt, suche man unter Sch oder Z

Baumeister, Vater von 2), *Moskau 4. 8. 1769, †St. Petersburg 5. 9. 1848, leitete seit 1817 die Baumaßnahmen für alle kaiserl. Paläste in St. Petersburg und den übrigen Residenzen, war an vielen Umbauten und Innenausbauten von Palästen beteiligt (u. a. Innenausbau des Smolnyj-Klosters, seit 1832; Wiederaufbau des Winterpalastes, 1838).

2) Wladimir Wassiljewitsch, russ. Kunsthistoriker, Kunst- und Musikkritiker, Musikschriftst., Sohn von 1), *St. Petersburg 14. 1. 1824, †ebd. 23. 10. 1906, verfaßte zahlreiche wissenschaftl. und kunstkrit. Bücher und förderte die künstler. Bestrebungen der Peredwischniki.

Statu|e [lat., von statuere ›hinstellen‹], **Standbild,** in der →Bildhauerkunst vollplastisch gestaltete Einzelfigur, meistens auf einem Postament aufgestellt; in der Gotik wurde sie durch den Statuenbaldachin räumlich isoliert (→Baldachin 3). **Statuette,** kleine S., in der Antike als Weihgabe, seit der Renaissance als reines Kunstgebilde verbreitet. In der Malerei spricht man von **statuarisch,** wenn eine Figur statuenhaften Charakter hat.

Stauffer-Bern, Karl, schweizer. Maler, Radierer, *Trubschachen (Kt. Bern) 2. 9. 1857, †Florenz 24. 1. 1891, war nach Studien in München und Berlin (A. v. WERNER) ebd. Porträtmaler, wandte sich 1884 unter Anleitung von P. HALM der Radierung zu und malte in meisterhafter Technik lebensnah erfaßte Porträts. Seit 1888 in Italien tätig, versuchte er sich als Plastiker. – Zu seinen Schülern gehörte KÄTHE KOLLWITZ.

HW: Porträts. Gemälde: G. Freytag (1886; Berlin, Staatl. Museen); Radierungen: Selbstporträts, A. v. Menzel, G. Keller (1886; Zürich, Kunsthaus).

staufische Kunst, die Kunst während der Regierungszeit und im Herrschaftsbereich stauf. Könige und Kaiser (1138–1254). Der Begriff wurde analog zu dem der karoling., otton. und sal. Kunst geprägt und bezeichnet sowohl Erscheinungen der hoch- und spätroman. Kunst als auch die ersten got. Kunstwerke im dt. Sprachgebiet und in Unteritalien. Als zusammenhän-

staufische Kunst: Karlsschrein; 1200–15 (Aachen, Domschatz)

staufische Kunst: Cappenberger Barbarossakopf, Kopfreliquiar aus vergoldeter Bronze; 12. Jh. (Cappenberg, Kirche)

gende Epoche in der Umbruchphase des MA. um 1200 wurde die s. K. erst durch Ausstellungen der 70er Jahre des 20. Jh. in der Kunstgeschichte deutlicher erfaßt.

Die roman. Sakralarchitektur im dt. Sprachgebiet ist im wesentlichen staufisch. Dazu gehören viele der großen Dome am Rhein, das Baseler Münster, die O-Teile des Straßburger Münsters, der Dom zu Worms, in großen Teilen der Mainzer Dom, St. Quirin in Neuss, St. Gereon und Groß St. Martin in Köln. Eng mit dem Mittelrhein verbunden ist die Bauschule des Elsaß (z. B. Maursmünster, Rosheim). Allen diesen Bauten gemeinsam ist die Einwölbung im gebundenen System, ein klares Gliederungsprinzip (Stützenwechsel), massive Pfeiler und monumentale, sehr dicke Mauermassen, die durch eine reiche Ornamentik (Zwerggalerien) belebt sind. Häufig sind die Kirchen noch doppelchörig wie der Bamberger Dom, obwohl die Einzelheiten z. T. schon Kenntnis zisterziens. Frühgotik verraten. Die Zisterzienser vermittelten in stauf. Zeit als erste got. Formen nach Dtl. (Walkenried, Ebrach, Vorhalle im Kloster Maulbronn). Der erste Großbau mit got. Grundriß ist der Dom von Magdeburg (beg. 1209). In die Spätphase stauf. Herrschaft fällt dann die Übernahme frz. Hochgotik (Liebfrauenkirche in Trier, Elisabethkirche in Marburg), gipfelnd mit dem Beginn des Kölner Dombaus (1248). Der Überlieferungsbestand des Pfalz- und Wehrbaus ist insgesamt lückenhafter. Aus der Regierungszeit FRIEDRICHS I. (1152–90) sind nur die Ruine von Kaiserswerth, Teile der Pfalzkapelle zu Ingelheim und Nimwegen erh. geblieben. Die Pfalz in Gelnhausen (BILD) hat er nur beg., der Palas mit seinen prächtigen Kapitellen muß der Zeit HEINRICHS VI. (1190–97) entstammen. Um 1200 entstand die Kaiserburg Nürnberg und die Pfalz zu Eger, beide mit doppelgeschossigen Palastkapellen. In die Zeit FRIEDRICHS II. (1212–50) gehören die größte dt. Pfalz Wimpfen (BILD Pfalz), Teile von Goslar, Seligenstadt und der Trifels als Aufbewahrungsort der Reichskleinodien. Die stauf. Pfalz unterscheidet sich von den älteren Pfalzen durch reichhaltigere Bauplastik und durch Wehranlagen wie

staufische Kunst: Thronendes gekröntes Paar (Weltenherrscher und Ecclesia oder Kaiser Otto I. und Königin Edith?); um 1250 (Magdeburg, Dom)

staufische Kunst: Kastell in Bari, Ansicht von SO, unter Friedrich II. umgebaut (1233–40)

Ringmauern und Bergfriede (öfter mit Buckelquadern). – In der sakralen Architektur ist der neue Gestaltungswille weniger augenfällig.

Eine Sonderentwicklung nahm der Wehrbau im südital. Herrschaftsbereich Friedrichs II. (→Castel del Monte, Kastell in Bari). Ähnlich bedeutsam sind die Kastelle in Lucera und Lagopesole (Prov. Potenza). Eine mit der Antike rivalisierende Baugesinnung findet sich am weitgehend zerstörten Brückentor zu Capua.

In der Zeit Friedrichs II. verbanden sich spätroman. Formen mit solchen der frz. Kathedralgotik. Die Bauplastik gewann auch in Dtl. Bedeutung. Zu den frühesten Beispielen zählt der →Samson-Meister in Maria Laach. Der →Naumburger Meister gehört zu den großen Individualitäten dieser Phase; er übertrug Reimser Formen nach Mainz (Lettner, 1239) und Naumburg (Stifterfiguren, um 1248). Von Chartres beeinflußt war der Straßburger Ecclesia-Meister (Südquerhauswand und Engelspfeiler, um 1235), noch spätromanisch ist der Schmuck der Chorschranken im Bamberger Dom (um 1225), während die jüngeren Bildwerke, voran der Bamberger Reiter (um 1235), erneut Reimser Einfluß spiegeln. Programmatisch ist das Reiterdenkmal Ottos d. Gr. auf dem Marktplatz von Magdeburg (um 1240) und die Sitzfiguren eines gekrönten Paares (Weltenherrscher und Ecclesia oder Kaiser Otto I. und Königin Edith) im Magdeburger Dom. Hervorragende Grabmäler sind jenes Heinrichs des Löwen und seiner Gemahlin Mathilde im Braunschweiger Dom um 1250 und das (hölzerne) Standbild des Grafen Heinrich von Sayn im German. Nat.-Mus. Nürnberg.

Wandmalereien sind z.B. in der Doppelkapelle Schwarzrheindorf (3. Viertel des 12. Jh.) erhalten. Eine Sonderentwicklung, parallel zur Gotik und wahrscheinlich unter byzantin. Einfluß ist der Zackenstil in der Malerei Sachsens, Thüringens, Niedersachsens und Westfalens. Beispiele für die Monumentalmalerei haben sich in Hildesheim (Decken von St. Michael), im Braunschweiger Dom (beide 2. Viertel des 12. Jh.) und in Soest (St. Maria zur Höhe, um 1220) erhalten. Die Buchmalerei des Zackenstils wird durch Werke wie den →Landgrafenpsalter und das Goslarer Rathausevangeliar (→Thüringisch-sächsische Malerschule) repräsentiert.

Seit Heinrich IV. wurden in der bildenden Kunst antikisierende Formen nach Vorbildern der vorchristl. Antike deutlich: Kapitelle an den Hochschiffdiensten und in der Afrakapelle des Speyerer Domes. Anstelle antiker Spolien holte man lombard. Steinmetzen ins Land, →Comasken, die an den kaiserl. Bauten, aber auch in Lund und Braunschweig arbeiteten.

Neben der Legitimation des Kaisertums aus der Tradition des Imperium Romanum knüpfte man an Reich und Person KARLS D. GR. (768–814) an. Ihren Höhepunkt fand diese ›Renaissance‹ unter Friedrich I. mit der Erhebung der Gebeine Karls d. Gr. 1165; für sie entstand 1200–15 der Karlsschrein, etwa gleichzeitig die lebensgroße Statue Karls d. Gr. (St. Johann in Münster, Graubünden; BILD Münster 2).

Zu ähnl. polit. Bedeutung gelangten die Gebeine der Heiligen Drei Könige, die 1162 dem Kanzler RAINALD VON DASSEL aus Mailand zugefallen waren. Als ›königliche‹ Reliquien legitimierten sie das stauf. Königtum und den Anspruch des Kölner Erzbischofs auf die Königskrönung in Aachen (Dreikönigsschrein um 1200 von NIKOLAUS VON VERDUN). Sinnbild imperialen Anspruchs ist auch der Cappenberger Barbarossakopf, ähnlich der Braunschweiger Löwe (BILD Braunschweig), von Heinrich dem Löwen vor seiner Burg Dankwarderode 1166 errichtet, die erste monumentale Tierplastik seit der Antike.

C. A. WILLEMSEN: Kaiser Friedrichs II. Triumphtor zu Capua (1953); ders.: Apulien, Land der Normannen – Land der Staufer (1965); K. NOTHNAGEL: Stauf. Architektur in Gelnhausen und Worms (1971, bearb. v. F. ARENS); Kunst an Rhein u. Maas, 2 Bde., Ausst.-Kat., Köln (1972); Die Zeit der Staufer, 5 Bde., Ausst.-Kat., Stuttgart (1977–79).

Staurothek [grch. ›Kreuzbehälter‹] *die,* Reliquiar für eine Reliquie des Hl. Kreuzes, etwa die 948–959 entstandene S. mit kostbaren Zellenemailplatten (in der Mitte die von je einem Engel umgebene Deesis, oben und unten je 6 Apostel) im Domschatz von Limburg a. d. Lahn, die 1204 von Kreuzfahrern aus dem Kronschatz der Kaiser von Byzanz in Konstantinopel entführt wurde. (BILD S. 189)

Stavanger, Stadt in S-Norwegen, 89600 Ew; Bischofssitz (seit 12. Jh.). Der roman. Dom, eine dreischiffige Pfeilerbasilika im anglo-normann. Stil (um 1125 beg.), erhielt nach dem Brand von 1272 einen got. Chor; reich geschnitzte Kanzel (1658), die sonstige, urspr. reiche Barockausstattung im 19. Jh. entfernt. Städt. Mus. (u. a. archäolog. und kulturgeschichtl. Samml.), Kunst-Galerie (u. a. Gemälde von L. HERTERVIG).

Stavelot [stavl'o], Stadt in der belg. Prov. Lüttich,

Staurothek: Vorderansicht der Limburger S.; 948–959, byzantinisch (Limburg a.d. Lahn, Domschatz)

4800 Ew. Von der im 7. Jh. gegr. Benediktiner-Doppelabtei (mit Malmédy) ist nur der roman. Turm der Kirche erh. Die schlichte Pfarrkirche St. Sébastien (1751) birgt den kostbaren Remaklusschrein (13. Jh.), ein hervorragendes Beispiel der maasländ. Schmiedekunst, und die Reliquienbüste des Hl. Poppo (1626).

Stazewski [staz'ɛvski], Henryk, poln. Maler, *Warschau 9. 1. 1894, lebte 1926–32 v. a. in Paris und war Mitgl. der Gruppe ›Abstraction-Création‹. S. war auch Mitbegründer der Warschauer kubistisch-suprematist. Avantgardevereinigungen ›Blok‹ (1924) und ›Praesens‹ (1926) und zählt zu den Hauptvertretern der geometr. Abstraktion in Polen. Seit den 1960er Jahren zeigen seine Bilder reliefartige Formen, die durch ihre Gruppierung kinetisch (bewegt) erscheinen.

Steatịt [grch.], →Speckstein.

Stedelijk Museum [st'e:dəlɛjk mys'e:ym], Amsterdam, eine der herausragenden Samml. für internat. moderne Kunst und Design. 1895 von der Stadt und privaten Stiftern gegr., 1950 durch einen modernen Anbau erweitert. Die Samml. enthält Malerei, Plastik von 1850 bis heute (M. CHAGALL, H. MATISSE, P. MONDRIAN, J. DUBUFFET, ARMAN, R. RAUSCHENBERG, Y. KLEIN), Möbel (G. RIETVELD), Keramik, Textilien, Industrie-Design und Photographie.

Stedelijk Museum ›De Lạkenhal‹ [st'e:dəlɛjk mys'e:ym-], Leiden (Niederlande). Grundstock der Samml. waren die seit dem 16. Jh. im ›stadhuis‹ aufbewahrten Gemälde, Plastiken, Dokumente und Kunstgegenstände v. a. aus Leiden. Dank privater Initiativen konnte 1869 die 1639–40 von dem Leidener Stadtbaumeister A. VAN GRAVENSANDE erbaute Tuchhalle

(Lakenhal) erworben und 1872 als Stadt-Mus. eröffnet werden.

Stedum, Gem. in der niederländ. Prov. Groningen; die reich gegliederte romanisch-got. Kirche (3. Viertel 13. Jh.) mit ornamentaler Gewölbemalerei (Ende 15. Jh.) birgt ein Grabmal von R. VERHULST (1672).

Steen, Jan, holländ. Maler, *Leiden 1626, begraben ebd. 3. 2. 1679, tätig ebd., in Den Haag und Haarlem, Schüler von N. KNÜPFER, A. VAN OSTADE und J. VAN GOYEN, nahm Einflüsse von A. BROUWER, P. DE HOOCH und F. MIERIS D. Ä. auf, war der vielseitigste Schilderer des holländ. Volkslebens. In seinen meist vielfigurigen, in Rottönen abgestimmten Bildern stützte sich S., wie sonst keiner seiner Zeitgenossen, auf die Bildtradition des 16. Jh., v. a. auf Kompositionen von P. BRUEGEL D. Ä., und schuf humorvolle Sittenbilder sprichworthafter, oft lehrhaft-moral. Bedeutung.

HW: Wie gewonnen, so zerronnen (1661; Rotterdam, Mus. Boymans-van-Beuningen); Nikolausabend (um 1667; Amsterdam, Rijksmus.); Wie die Alten sungen, so pfeifen die Jungen (1668; Den Haag, Mauritshuis); Der Wirtshausgarten (Berlin-West, Staatl. Museen); Das Dreikönigsfest (1668; Kassel, Gemäldegal.); Musizierendes Paar auf einer Terrasse (London, Nat.-Gal.).

K. BRAUN: J. S. (Rotterdam 1980).

Steenwijk, Steenwyck [st'e:nwɛjk], Hendrik van S. d. Ä., niederländ. Maler, *Steenwijk um 1550, begraben Frankfurt am Main 1. 6. 1603, ebd. seit etwa 1580 tätig, Schüler von H. VREDEMAN DE VRIES, malte Palasthöfe, Stadtplätze und bes. Innenräume meist got. Kirchen in feinem Raumdunkel und wirklichkeitsgetreuer Wiedergabe. Sein Sohn Hendrik van S. d. J. (*Antwerpen(?) um 1580, †London 1649) ahmte ihn nach, doch bei schärferer Durchführung der Einzelheiten.

Steer [stɪə], Philip W., engl. Maler, *Birkenhead 28. 12. 1860, †London 21. 3. 1942. Ausgehend von J. WHISTLER begann er in den späten 1870er Jahren mit naturalistisch aufgefaßten Porträts, wurde 1883/84 in Paris von den Impressionisten beeinflußt und malte zw. 1888 und 1895 aus einfachen Formen aufgebaute und in flächig angelegten reinen Farben gehaltene Küstenansichten, die dem frz. Nachimpressionismus entsprechen (›Laufende Mädchen auf der Landungsbrücke von Walberswick‹, 1894; London, Tate Gal.).

Stefano da Zevio, Stefano da Verona, eigtl. Stefano di Giovanni **da Verona,** ital. Maler, *Verona um 1374, †nach 1438, tätig in Verona, malte Fresken und Tafelbilder. S. da Z. war einer der bedeutendsten Vertreter des Schönen Stils in Oberitalien. In seiner Kunst verbinden sich Einflüsse der höf. Gotik Burgunds mit den lyr. Zügen der Malerei Veronas und ihrer Vorliebe für landschaftl. Motive.

HW: Anbetung der Könige (1435; Mailand, Brera).

Steffeck, Carl, Maler, Graphiker, *Berlin 4. 4. 1818, †Königsberg 11. 7. 1890, Schüler von F. KRÜGER, tätig in Berlin, seit 1880 Direktor der Akad. in Königsberg. S. malte v. a. realist. Pferdebilder. – Zu seinen Schülern gehörte M. LIEBERMANN.

Steigbügelgefäß, typ. Form von Keramikgefäßen

der Küstenkulturen N-Perus aus vorkolumb. Zeit: Dem annähernd kugeligen oder zylindr., in der Moche-Kultur auch figürlich ausgearbeiteten Gefäßkörper ist ein hohler, bogenförmiger Henkel aufgesetzt, in dessen Mitte der Ausguß sitzt.

Stein, 1) S. am Rhein, Stadt im schweizer. Kt. Schaffhausen, 2700 Ew., mit sehr gut erh. maler. Stadtbild. Die ehem. Benediktinerabtei St. Georgen am Rheinufer ist eines der schönsten Klöster des späten MA.; die Klosterkirche (um 1080), heute Stadtkirche, ist eine flachgedeckte Säulenbasilika; südlich schließt sich der spätgot. Kreuzgang (15.–16. Jh.) an; von den Klostergebäuden ist die Abtswohnung am reichsten ausgestattet (Festsaal mit hervorragenden Gemälden der Frührenaissance); zahlreiche Bürgerhäuser mit bemalten Fassaden und Erkern.

2) S. an der Donau, Stadtteil von →Krems an der Donau.

Stein|abreibung, ein Abklatsch-Verfahren: Die Schriftzeichen einer Kalligraphie oder das Lineament eines Gemäldes werden in die glatte Steinfläche geschnitten, darüber legt man ein Blatt saugfähigen Papiers, drückt es in die eingravierten Vertiefungen und tupft die Oberfläche mit einem tuschegetränkten Tampon ab; ist die Tusche getrocknet, wird das Papier vom Stein genommen. Die Zeichnung steht weiß auf schwarzem Grund und gibt das ursprüngl. Vorbild somit im Negativ wieder. Die S. ist in China seit alters bis heute verbreitet; sie ermöglichte die Vervielfältigung und Verbreitung der konfuzian. Klassiker (→Sian, Stelenwald) und gewann damit staatspolit. Bedeutung. Sie diente aber auch der Überlieferung und Vervielfältigung bed. Werke der Malerei und Kalligraphie, die, wie im Fall der 922 publizierten Musterschriftensamml. ›Shun Hua Ko T'ieh‹ mit Werken der Schule des WANG HSI-CHIH (→Kalligraphie), für Jahrhunderte einen klass. Standard und einen verbindl. Kanon setzten und das hochgeschätzte ›Studium der Meister des Altertums‹ erst ermöglichten. Heute bedient man sich dieser zuverlässigen Reproduktionsmethode v.a. in der Archäologie und der Paläographie, um alte Steininschriften, Steinreliefs in Gräbern (Shantung-Reliefs), Inschriften und Dekorelemente auf Bronzen zu kopieren.

G. POMMERANZ-LIEDTKE: Die Weisheit der Kunst. Chines. S. (1963).

Steinamanger, ungar. **Szombathely** [s'ombɔthɛj], Hauptstadt des Bez. Vas, westlich von Budapest, Ungarn, 80 000 Ew. S. entstand an der Stelle des röm. **Savaria.** Durch Ausgrabungen (1938–41) wurden Reste einer Isis-Kapelle (um 210) und einer gewaltigen, aus einem röm. Palast entstandenen Basilika mit halbrunder Apsis und Fußbodenmosaik (4. Jh.) freigelegt. Im Zopfstil entstanden 1778–83 das Bischofspalais (im Festsaal Wandgemälde von F. A. MAULBERTSCH) und der Dom (1945 stark beschädigt).

Steinabreibung

Der Arhat Nandimitra aus der Serie der 16 Lohans des Tempels Sheng Yin Ssu in Hangchou; 1764 in Stein graviert nach den Originalen des Kuan Hsiu; 832–912 (Berlin-West, Museum für Ostasiatische Kunst)

Steinau an der Straße, Stadt im oberen Kinzigtal, Hessen, 10500 Ew., mit repräsentativem Renaissanceschloß (1528–56, Mus.), spätgot. Katharinenkirche (1481–1511) und barocker Reinhardskirche (1724–31).

Steinbach, 1) →Michelstadt.

2) Steinbach, Maria-S., Wallfahrtsort bei Memmingen, Bayern, mit sehr reich gegliederter, hervorragend ausgestatteter Barockkirche (1749–65); Stukkaturen, Altäre und Kanzeln schuf J. G. ÜBLHÖR.

Steinberg [st'aɪnbə:g], Saul, amerikan. Graphiker rumän. Herkunft, *Rîmnicu-Sărat (bei Bukarest) 15. 6. 1914, lebt in New York, Mitarbeiter u. a. an der Ztschr. ›The New Yorker‹. S. beeinflußte maßgebend die satir. Graphik der Gegenwart. In oft spielerisch wirkenden Linien verarbeitet er vielseitig realist., surrealist. und abstrakte Elemente.

Sammelwerke: Umgang mit Menschen (1954); Passeport (1957); Das Labyrinth (1961).

Steindl, 1) Imre (Emmerich) von, ungar. Baumeister, *Budapest 29. 10. 1839, †ebd. 31. 8. 1902, baute in prunkvollem neugot. Stil v. a. das Parlamentsgebäude in Budapest (1885–1902).

2) Matthias, →Steinl.

Steindruck, die →Lithographie.

Stein|einlege|arbeiten, →Inkrustation, →Intarsia.

Steinfeld, ehem. Prämonstratenserkloster in der Eifel, Kr. Euskirchen, NRW; in der roman. Klosterkirche (1142 beg.), einer kreuzgratgewölbten Pfeilerbasilika, ausgezeichnete got. Gewölbemalereien (um 1510) und reiche Barockausstattung (u. a. Orgel 1690/1727). Eindrucksvolles Westwerk mit 2 Rundtürmen. Weitläufige Abteigebäude (v. a. 17./18. Jh.); Kreuzgang (1495 bis 1587).

Steingaden, Gem. im Kr. Weilheim-Schongau, Oberbayern, 2400 Ew. Die doppeltürmige Kirche des ehem. Prämonstratenserklosters (1147 gegr.) ist romanisch (1176 gew.); die got. Vorhalle mit Wandmalereien stammt aus der 2. H. 15. Jh. Das Innere erhielt eine festl. Barockausstattung; die Stuckdekoration in Chor und Seitenschiffen schuf J. SCHMUZER (1663), im Mittelschiff F. X. SCHMUZER (1740–42), die Fresken (1741–51) stammen von dem Augsburger J. G. BERGMÜLLER; Renaissance-Chorgestühl (1534). Vom roman. Kreuzgang (13. Jh.) ist nur der stimmungsvolle W-Flügel erh. Zu S. gehört die Wallfahrtskirche →Wies.

Steingefäße, Gefäße aus Stein, im Alten Orient seit dem 9. Jahrtsd. v. Chr. (Natufien) hergestellt, galten im weiteren Neolithikum meist als Luxusgut (Salb-, Miniaturgefäße). S., z. T. mit Einlagen von Muscheln in Bitumen, hatten in der sumer. Kleinkunst eine große Bedeutung, wie z. B. die →Uruk-Vase aus Alabaster und eine Gruppe S. aus Kalkstein mit dreiviertelplast. Reliefs belegen. Als Grabbeigaben fanden sich zahlreiche S. im Königsfriedhof von Ur (etwa 2500 v. Chr.).

In Ägypten traten bereits in vorgeschichtl. Zeit (4. Jahrtsd. v. Chr.) S. als Grabbeigaben neben Keramikgefäße. Hier wurden erste Erfahrungen in der Bearbeitung von Hartgesteinen (Basalt, Granit, Diorit) gesammelt, bevor erste Bauten aus Stein ausgeführt wurden. Seit etwa 3000 v. Chr. erreichten die S. höchste Vollendung der Form und des Materials; als Weihgaben wurden sie auch mit Namen von Königen beschriftet. Mit dem Beginn des Alten Reiches (um 2640 v. Chr.) verschwanden S. in Ägypten fast völlig, nur Alabastergefäße blieben bis in die Spätzeit ein beliebtes Material für Salb- und Schminktöpfe.

Auf Kreta haben ägypt. Vorbilder schon in der Vorpalastzeit zur Herstellung von S. angeregt (→kretisch-mykenische Kunst). Schöne Beispiele aus unterschiedl., teils importierten Steinen (Alabaster, Basalt, Obsidian, Porphyr, Bergkristall, Malachit, Marmor) mit oft bewußt genutzten Maserungen fanden sich in Mochlos und in frühen Gräbern der Messara. – S., zu denen man auch die steinernen Lampen zählt, wurden auf Kreta wenigstens bis ins 14. Jh. v. Chr. gefertigt. Auf dem grch. Festland finden sich kret. Importstücke und Nachahmungen. Eine eigene Gattung bilden kret. Specksteinvasen (→Schnittervase), deren Reliefs offenbar alle mit Blattgold überzogen waren. Große Bedeutung hatten S. (Marmor) auf den Kykladen (→kykladische Kunst).

Steingruber, Johann David, Baumeister, *Wassertrüdingen 26. 8. 1702, †Ansbach 5. 11. 1787, seit 1727 im Hofbauamt der Markgrafenschaft Ansbach, schuf hier viele Schloß-, Kirchen- und Schulbauten in klassizist. Schlichtheit.

Steinguß, noch ungeklärtes ma. Verfahren zur Herstellung großer Plastiken aus Kalkmörtel (Schöne Madonnen). Da die Figuren bildhauerisch überarbeitet sind, ist die Frage, ob sie tatsächlich gegossen oder wie Stuck angetragen sind, bisher nicht zu beantworten.

Im 20. Jh. wurde der S. durch die Herstellung von Kunststein abgewandelt.

Steingut, engl. **Earthenware** ['ə:θnweə], eine Keramik mit im Unterschied zum Steinzeug porösem, weißem oder gelbl., nichtverglastem, aber ebenfalls undurchscheinendem Scherben. Bei farbigem Scherben wird S. auch **Irdengut** genannt. Die leicht formbare Masse, v. a. aus Ton, Quarz und Feldspat, wird zunächst bei etwa 1250° C gebrannt. Die meist blei- oder zinnhaltige Glasur wird in einem zweiten Brand bei niedrigeren Temperaturen aufgeschmolzen. Unterglasurfarben können in vielen leuchtenden Farbtönen verwendet werden.

Geschichte. Seit der 2. H. des 18. Jh. wurde S., von England ausgehend (→Wedgwood), als Kaffee- und Teegeschirr in Massenproduktion hergestellt. Es wurde zur Konkurrenz für die Fayence, zumal sich S. bes. für die billige Herstellung dekorierter Ware durch Aufdrucke mit Kupferstich- und Lithographie-Abzügen eignet. Mit dem Einfuhrverbot engl. Ware nach Dtl. (1806–10) begann auch hier die industrielle Herstellung von S.

Steinhausen, Ortsteil von Bad Schussenried, Bad.-Württ. Die Wallfahrtskirche, 1728–33 von D. ZIMMER-

Steinkreuze 1): Cross of the Scriptures auf dem Klosterkirchhof in Clonmacnoise; 10. Jh.

MANN auf ellipt. Grundriß erbaut und zusammen mit seinem Bruder J. B. ZIMMERMANN farbenprächtig ausgestattet, ist ein HW des süddt. Spätbarock.

Steinheim, Stadtteil von Hanau, Hessen, auf dem linken Mainufer, mit urspr. staufischer Burg (spätroman. Kapitelle erh.), im 15. Jh. von den Mainzer Kurfürsten zum Schloß umgebaut. Die klassizist. Fassade wurde 1804 vorgeblendet.

Steinkreide, Maltechnik: pulverisierter Dolomit, →Kreide.

Steinkreuze, 1) engl. **High Crosses** [haɪ kr'ɔsɪz], im Freien stehende, z. T. über 5 m hohe Steinmonumente in Form eines christl. Kreuzes. Sie wurden wohl als Denkmäler für verstorbene Kleriker errichtet, zunächst im Norden Englands (Bewcastle) im 7. Jh., dann vielfach in Irland (Ahenny, Monasterboice, Kells, Clonmacnoise) im 8.–10. Jh. Dort sind sie bes. reich dekoriert mit Szenen aus dem A. T. und N. T. und von den Wikingern beeinflußter Flechtbandornamentik.

2) steinerne Kreuze meist am Wegrand und manchmal mit figürl. Einritzungen verziert, in nachma. Zeit aber meist beschriftet. Häufig sind S. Mordkreuze, an denen Totschlagsagen haften. Man deutet die S. als Ruhestätte für die Seele des Erschlagenen oder als Sühnezeichen. Bisweilen sind sie auch Grenzsteine des MA. oder Wahrzeichen von Gerichtsstätten. In nachma. Zeit wurden sie von den →Bildstöcken abgelöst.

Steinl, Steindl, Matthias, österr. Baumeister, Bildhauer, *um 1644, †Wien 18. 4. 1727, schuf reich bewegte bauplast. Arbeiten (Portale, Altäre, Kanzeln, Gestühl) und Elfenbeinschnitzereien. Sein Stil steht an der Wende vom Spätbarock zum Rokoko.

HW: Portal der Stiftskirche und Turm in Dürnstein (1721–27); Turmfassade der Stiftskirche in Zwettl (1722–27, ausgeführt von J. MUNGGENAST); Elfenbeinstatuetten Leopold I., Joseph I., Karl VI. (Wien, Kunsthistor. Mus.).

Steinle, Edward Ritter von (1879), österr. Maler, *Wien 2. 7. 1810, †Frankfurt a. M. 18. 9. 1886, gehörte 1828–33 in Rom zum Kreis der Nazarener, war seit 1839 in Frankfurt a. M. tätig, seit 1850 als Prof. der Städelschule. S. schuf kirchl. Wandmalereien und Altarbilder in kühler zeichner. Manier. Frischer sind seine Porträts sowie seine Aquarelle und Zeichnungen aus Märchen und Legende.

Steinlen, Théophile Alexandre, schweizer. Zeichner, Graphiker, *Lausanne 10. 11. 1859, †Paris 14. 12. 1923, war seit 1882 in Paris vorwiegend für satir. Blätter tätig. Mit seinen meist sozialkrit., die gesellschaftl. Situation seiner Zeit treffsicher erfassenden Darstellungen (auch Plakaten) und seinem H. DE TOULOUSE-LAUTREC nahestehenden Flächen- und Umrißstil steht er am Wendepunkt zur modernen Kunst.

Steinmetz, Steinbildhauer, Steinbearbeiter, der aus Platten und Blöcken aus Natur- und Kunststein Bauteile, Denkmäler, Skulpturen, Grabmäler, Ornamente herstellt. Der **Steinmetz** bearbeitet nach Zeichnungen und Schablonen den Rohblock, überträgt die

Maße, schafft ebene Flächen u.a. durch Bossieren, Rillen, Scharrieren und stellt Profile her. Die ein- und mehrhäuptig (mehrseitig) bearbeiteten Steine werden durch S. am Bau verlegt. Der **Steinbildhauer** formt aus Ton oder Gips Modelle, überträgt durch →Punktieren die Maße auf den Werkblock und stellt v.a. Skulpturen, Reliefs und Ornamente her.

Steinmetz|zeichen, monogrammartige oder geometr. Zeichen, die von den Steinmetzen seit Mitte des 12. bis Anfang des 16. Jh. in die von ihnen bearbeiteten Steine eingehauen wurden. Sie waren Erkennungsmittel (z.B. für die Lohnberechnung), in den Bauhütten des MA. auch Ehrenzeichen.

staufische **Steinmetzzeichen**

Steinmüller, Hans, Bildhauer, *Rochlitz in Sachsen um 1554, †Augsburg 1619, ebd. seit 1585. Der Stil seines Werks ist von H. GERHARD abhängig.

HW: Tonfiguren: Christus und die 12 Apostel (1586; Augsburg, St. Ulrich und Afra).

Stein|öl, Maltechnik: →Petroleum.

Steinradierung, seltene graph. Technik des Tiefdruckverfahrens, die die Druckform des Flachdrucks (den lithograph. Stein; →Lithographie) verwendet. Der Stein wird mit einer fettabstoßenden Schicht (Gummiarabicum-Lösung) versehen, in die man die Zeichnung mit einer Nadel einritzt. Anschließend wird Leinöl aufgetragen, das in die vertieften Partien eindringt. Die Gummilösung wird vor dem Druck mit Wasser abgewaschen. Beim Druck bleibt der Stein feucht, so daß die aufgetragene öl- und fetthaltige Farbe nur von der Ritzzeichnung aufgenommen wird.

Steinschneidekunst, →Glyptik.

Steinwerk, Steinkammer, Kemenạte, massiv gemauertes, ein- bis dreigeschossiges und vielfach mit gewölbten Decken ausgestattetes, kleineres Nebenhaus, bes. in Ndsachs., zur Sicherung von Familien und wertvoller Habe gegen Feuer; häufig auch repräsentativ ausgestattet und mit einem Kamin versehen.

Steinzaun, in der ind. Architektur →Vedika.

Steinzeug, frz. **Grès** [grɛ], engl. **Stoneware** [st'əʊnweə], Keramik aus Tonsorten, die sich zum Brennen bei hohen Temperaturen eignen. Durch Sinterung wird der Scherben bei 1200–1300° C wasserundurchlässig gemacht und bei 1400–1600° C gebrannt. Während des Brandes wird i.d.R. eine Salzglasur (→ Glasur) aufgetragen. I. Ggs. zum Steingut und zur Fayence hat S. einen verglasten, dichten farbigen oder weißen Scherben. Dem Gefüge des Scherbens nach ist S. bis auf die fehlende Transparenz dem Porzellan verwandt.

Geschichte. Künstlerisch bearbeitetes S. war in Ostasien früh bekannt; von besonderer Schönheit der Formen und Glasuren sind die Arbeiten der Sung-Zeit. Ähnl. S. wurde auch in Japan und Korea hergestellt. In N-Europa gelangte das S. im 16. und 17. Jh. zu künstler. Bedeutung. Plast. Verzierungen waren hier aufgelegte Reliefs oder eingedrückte Muster, der farbige Dekor ist auf Kobalt und Mangan beschränkt. Bekannt ist S. aus dem Rheinland (Siegburg, Köln, Frechen, Raeren: Bartmannskrüge), dem Westerwald (Kannenbäckerland), Franken (Creußener Steinzeug), Sachsen (Waldenburg) und Niederschlesien (Bunzlau: Bunzlauer Gut). Eine neue Entwicklung begann mit der Imitation des ostasiat. roten S. durch den Holländer A. DE MILDE und durch J. F. BÖTTGER sowie mit der Jasperware von J. WEDGWOOD.

T. DEXEL: S.-Industrie ([3]1970); S. Katalog des Kunstgewerbemus. Köln, hg. v. GISELA REINEKING V. BOCK (1971); J. HORSCHIK: S. des 15. bis 19. Jh. ([2]1981).

Stele [grch.] *die*, freistehende Platte oder Pfeiler aus Stein, seltener aus Metall, als Grenzstein, Inschriften- oder Grabstein.

In Ägypten ist die S. seit Beginn der dynast. Zeit (um 2900 v. Chr.) mit dem Grab verbunden. Anfangs nur den Namen des Verstorbenen tragend, wurde sie seit dem Alten Reich immer reicher ausgestaltet, nahm biograph. und königl. Inschriften, Hymnen und Gebete auf. Texte und Darstellungen wurden meist in bemaltem Relief ausgeführt, als Material wurde neben Stein auch Holz verwendet. Königl. Erlasse oder Siegesberichte konnten auf S. ›veröffentlicht‹ werden, auch Grenz-S. wurden von ägypt. Königen errichtet. V. a. aber diente die S. in Ägypten dem Fortleben des Toten; in Abydos sicherten Tausende von S. an der Prozessionsstraße des Osiris die Teilnahme der Verstorbenen am dortigen Kult.

Im Zweistromland kam die S. spätestens mit Beginn des 3. Jahrtsd. v. Chr. in Gebrauch, zunächst als roher Steinblock mit Hochrelief (Jagdstele aus Uruk), dann meist als rundum bearbeitete, flache, längl., oben häufig abgerundete Steinplatte. Es wurden krieger. (Siegesstele des Naramsin; BILD akkadische Kunst) oder kult. Szenen, oft in mehreren Registern und mit Beischrift (z. B. Geierstele des Eannatum), dargestellt; gelegentlich ist die S. fast nur Schriftträger (Gesetzesstele Hammurapis, Grenzsteine; BILD babylonische Kunst). Assyr. Könige verherrlichten ihre Siege auf frei stehenden oder in den Fels gehauenen S. Die S.-Reihe in Assur scheint chronolog. Zwecken gedient zu haben. Den S. verwandt sind die Kudurrus sowie die Orthostaten der späthethit. und neuassyr. Paläste.

In Griechenland dienten S. als flache, aufrecht stehende Steinplatten vielfältigen Zwecken, u. a. als Grenzmarkierungen, als Votiv- und Urkundensteine. Schon seit myken. Zeit (Gräberrund von Mykene) waren sie jedoch v. a. als Schmuck des Grabplatzes vor den Mauern der Städte in Gebrauch. In archaischer Zeit bestanden diese Grab-S. aus schlanken, hoch aufragenden Steinplatten, bekrönt von einer Sphinx, später von Palmetten. Die Vorderseite trug die Inschrift, das Reliefbild des Toten oder auch Malerei. Die Entwicklung wurde in Athen um 500 v. Chr. durch ein Verbot (›erstes Luxusgesetz‹) unterbrochen, in anderen grch. Landschaften verlief sie ungestört. Seit etwa 440 v. Chr. wurde auch in Athen das Grab wieder mit einer S. ge-

Steinzeug: OBEN Tüllenkanne aus Siegburg; 1591. MITTE Wappenkrug aus Raeren; 1598. UNTEN Westerwälder Kirchturmhahn; um 1700. (Alle Objekte: Köln, Kunstgewerbemuseum)

schmückt; sie hatten nun die Gestalt einer von Pfeilern und Giebel gebildeten Nische, die ein ein- oder mehrfiguriges Relief umschloß. Der Tote wurde in einer eigenartigen Atmosphäre der Versunkenheit dargestellt, jugendlich oder auch älter, nie gebrechlich; Hinweise auf den Beruf (Arzt, Krieger, Töpfer) waren gelegentlich vorhanden; in mehrfigurigen Reliefs wurde der Verstorbene in der Blüte seines Lebens mit den überlebenden Angehörigen (oder Dienern) dargestellt (attische Grab-S. im Athener Nat.-Mus.). Mit dem Gesetz gegen den Gräberluxus des DEMETRIOS VON PHALERON 317 v. Chr. brach die Entwicklung der attischen Grab-S. jäh ab, wurde aber im Hellenismus und der röm. Kaiserzeit vereinfacht fortgesetzt. (BILD griechische Kunst)

Etrusk. S., v. a. aus N-Etrurien (Fiesole, Volterra, Vetulonia), stammen fast alle aus archaischer Zeit. Sie tragen meist nur ein Relief auf der Vorderseite (oft die Figur des Toten); eine Ausnahme bilden die S. aus Bologna, bei denen alle Seiten, auch die Schmalseiten, mit übereinander angeordneten Relieffeldern verziert sind; ihr Vorkommen ist bis ins 4. Jh. v. Chr. festzustellen. In Ligurien, Apulien und dem Picenum finden sich im 7./6. Jh. v. Chr. anthropomorphe S., z. T. mit geritztem, figürl. Dekor (→italische Kunst).

In China war im Altertum die Preis-S. (chines. Pei) verbreitet. Frühestes erh. Beispiel ist die S. des sich darauf selbst als ›ersten Kaiser‹ bezeichnenden CH'IN SHIH-HUANG-TI (†210 v. Chr.) bei seiner Grabanlage in Lint'ung. In der Han-Zeit wurde es üblich, vor den Gräbern von Staatsbeamten und Adligen große S. mit eingravierter Biographie des Verstorbenen aufzustellen; eine analoge Funktion hatten später die S.-Pavillons auf dem Grabweg repräsentativer Grabanlagen. 175 n. Chr. wurden die standardisierten Texte der ›Fünf Klassiker‹ auf kaiserl. Befehl auf S. graviert und vor den Toren der kaiserl. Akad. aufgestellt, was für die Verbreitung des Konfuzianismus von größter Bedeutung war. Im Zeichen des Buddhismus erlebte die S., die dem Stifter zu relig. Verdienst und somit zu einer besseren Wiedergeburt verhelfen sollte, in N-China in der Zeit der Sechs Dynastien (221–589) eine große Blüte. Die Vorderseiten der S. zeigen meist rund- oder halbrund-plastisch gearbeitete Kultfiguren, die Rückseiten Reliefzonen mit Darstellungen aus dem Wirken des Buddha, Darstellungen der Stifter und eingemeißelte Stiftungsinschriften. Bestes Zeugnis der Geschichte der S. in China und zugleich der Entwicklung der Schrift ist der ›Stelenwald‹ (Pei-lin) des ehem. Konfuziustempels in Sian.

Amerika. In den Andinen Hochkulturen sind S. mit Reliefdarstellungen, v. a. aus der Chavín-Kultur und San Agustín, überliefert; häufig dargestellt ist ein Mischwesen aus Jaguar und Mensch. In Mesoamerika sind S. von den Zapoteken, v. a. aber von den Maya, erhalten. Während die S. der Zapoteken kaum Inschriften haben, zeigen die der Maya sowohl äußerst kunstvolle Reliefs mit bildl. Darstellungen als auch reiche Inschriften. (BILD Mesoamerikanische Hochkulturen)

Afrika. Eine eigentüml. Form der S. entwickelte sich in den ersten nachchristl. Jh. in →Aksum. In Form von

Stele: ›Stele Giustiniani‹; grch., um 460 v. Chr. (Berlin-Ost, Staatl. Museen)

reliefierten oder behauenen Platten finden sich S. v. a. in S-Äthiopien (Djandjero und im Sala-Land; Gedenk- oder Begräbnis-S.). Häufiger sind sie dagegen in Säulenform, ebenfalls in S-Äthiopien, wo sie als phall. Steinsetzungen v. a. im Seengebiet und bei den Sidamo in großer Zahl (nach A. E. JENSEN etwa 10 000) vorkommen. Phallisch konzipiert sind ebenfalls die S. im Gebiet des →Cross River und der Yoruba in Ife, Nigeria.

GISELA M. A. RICHTER: The archaic gravestones of Attica ... (New Haven, Connecitcut, 1961); H. STRAUBE: Westkuschit. Völker Südäthiopiens (1963); H. BIESANTZ: Die thessal. Grabreliefs (1965); P. ALLISON: African stone sculpture (London 1968); H. DIEPOLDER: Die attischen Grabreliefs des 5. u. 4. Jh. v. Chr. (Nachdr. 1969); JUTTA BÖRKER-KLÄHN: Altvorderasiat. Bildstelen u. vergleichbare Felsreliefs (1982).

Stella [st'elə], **1)** Frank, amerikan. Maler, *Malden (Massachusetts) 12. 5. 1936, ging 1958 vom Abstrakten Expressionismus zu schwarzen Bildern mit Bandmotiven über, aus denen er seit 1960 farbige ›shaped canvases‹ (geformte Leinwände) entwickelte, in denen das Bildformat der Komposition folgt und Bild und Objekt identisch werden. Mit diesen streng geometr., räumlich komplexen Streifenkompositionen in V- oder sternförmigen Umrissen wurde S. zum Mitbegründer der Hard-Edge-Malerei; seit 1975 v. a. riesige Aluminiumreliefs in betont dekorativen Farben.

F. S., Working Drawings/Zeichnungen, Ausst.-Kat., Basel (1980).

2) Joseph, amerikan. Maler ital. Herkunft, *Muro Lucano (Reg. Basilicata, S-Italien) 13. 5. 1879, †New York 5. 11. 1946, studierte ebd., arbeitete zunächst als Illustrator. Beeinflußt vom Futurismus, entstanden Bilder der New Yorker Stadtszene (›Brooklyn Brücke‹, 1917/18; New Haven, Yale Univ. Art Gal.).

Stellenbosch [st'ɛlənbɔs], Stadt im Kapland, Rep. Südafrika, 30 000 Ew.; 1679 gegr., viele Bauten im kapholländ. (niederländ. Kolonial-)Stil (17./18. Jh.).

Stellschirm. In Japan waren der einteilige S. (japan. ›Tsuitate‹) und der meist in Paaren gefertigte Faltschirm aus 2 bis 6 papierbespannten Holzrahmen (japan. ›Byobu‹) üblich. Sie sind meist mit dekorativer Malerei (z. B. der Kano-Schule) geschmückt und das einzige Inventar, das die rechtwinklige Anordnung in japan. Häusern durchbricht (BILD japanische Kunst). In China diente der S., ein oder mehrteilig, nicht nur der Raumgliederung, sondern auch als Hoheitssymbol der vor ihm sitzenden Person. S. wurden mit figürlich bemalter Seide oder Papier bespannt oder auch aus Paneelen in Holz oder Lack gearbeitet (BILD Lackkunst).

Stempelung, Goldschmiedekunst: Kennzeichnung des Feingehalts an Edelmetallen bei Schmuckstücken und Geräten. Die S. wird mit Punzen ausgeführt. In Dtl. ist die S. in 1000 Teilen vorgeschrieben und im Punzierungsgesetz von 1884 festgelegt. Außerdem sind bei goldenen Geräten als S. Krone und Sonne, bei silbernen Geräten Krone und Halbmond vorgeschrieben. Die Krone steht für das Edelmetall, die Zeichen der beiden Gestirne für die Metallart. Außerdem kann der Hersteller sein individuelles Zeichen einstempeln.

Schon in byzantin. und merowing. Zeit wurden Goldschmiedearbeiten gestempelt. Seit dem MA. bestand das Gebot, Stadt- oder Meisterstempel auf Edelmetallobjekten anzubringen (im 14. Jh. belegt für Dtl.). Der Meisterstempel kann seit der Renaissance z. T. als eine Art Künstlersignatur angesehen werden (→Beschauzeichen).

Stendal, Stadt in der Altmark, Dt. Dem. Rep., 42900 Ew.; ehem. Hansestadt. Höhepunkt der Bautätigkeit (Backstein) im 14. und 15. Jh.: spätgot. Dom (1423–67), dreischiffige Halle, reicher Treppengiebel am nördl. Querschiffsarm, von der reichen Ausstattung bes. bemerkenswert die Glasmalereien des 15. Jh.; spätgot. Marienkirche (1435–47), dreischiffige Halle, Chor mit Umgang, reich ausgestattet, u. a. spätgotischer Lettner (Ende 15. Jh.) mit älteren Schnitzfiguren im Gesprenge, geschnitzter Hochaltar (1472); Petrikirche (um 1300) mit reichem Backsteinlettner; Jakobikirche (14./15. Jh.) mit gleichzeitigen Glasgemälden und spätgot. Chorschranke; die ehem. Klosterkirchen St. Annen und St. Katharinen entstanden im 15. Jh.; in den erh. Teilen des Katharinenklosters Altmärk. Mus. mit Kunstsamml. Rathaus (15. Jh.) mit Treppengiebeln und Gerichtslaube, davor Roland (1525). Tangermünder (13.–15. Jh.) und Uenglinger Tor (14./15. Jh.) zählen zu den eindrucksvollsten Wehrbauten der Mark Brandenburg.

Stengel, Friedrich Joachim, Baumeister, Ingenieur, *Zerbst 29. 9. 1694, †Saarbrücken 10. 1. 1787, seit 1733 ebd. Hofarchitekt des Fürsten von Nassau-Saarbrücken (seit 1752 Generallandbaumeister). In klassizistisch-kühlem rhein. Spätbarock (Einfluß von A. PALLADIO) schuf S. in Saarbrücken die Ludwigskirche, den bedeutendsten prot. Kirchenbau seiner Zeit. Auf ihn geht das alte Stadtbild von Saarbrücken zurück.

HW: Floravase (1728; Fulda, vor der Orangerie); Residenz Saarbrücken (1739 ff.); ehem. reformierte Kirche (1743–46; Saarbrücken, im 2. Weltkrieg zerstört, 1962–66 rekonstruiert); Jagdschloß Neunkirchen (1752); kath. Pfarrkirche St. Johann (1754–58; Saarbrücken); Ludwigskirche (1762–75, 1944 ausgebrannt, bis 1975 wiederhergestellt, Saarbrücken) mit Platz (1760–69).

Stenvert, Curt, eigtl. C. **Steinwendner,** österr. Maler, Objekt- und Filmkünstler, *Wien 7. 9. 1920. S. stellte seit 1963 sein Schaffen unter das Thema ›Funktionelle Kunst des 21. Jh.‹ und kombinierte aus Alltagsgegenständen surreale Objektmontagen, die ein fetischartiges Panoptikum menschl. Situationen suggerieren; seit den 1970er Jahren ›Kybernet. Malerei‹ und Experimente zur Darstellung von Veränderung und Bewegung.

Stephanos, grch. Bildhauer aus der 2. H. des 1. Jh. v. Chr., Vertreter einer klassizist. Strömung dieser Zeit. Eine von ihm signierte Athletenstatue lehnt sich an ein Werk aus der Zeit um 470 v. Chr. an.

Stephanus, im N. T. einer der 7 Almosenpfleger der christl. Urgemeinde, nach Disputation mit Diasporajuden gesteinigt; der 1. christl. Märtyrer. Die Darstellung seiner Steinigung findet sich in der christl. Kunst schon früh (karoling. Fresken, um 850; Auxerre, St. Germain). Sehr oft wurde seine Legende von der frz. Kunst des 13. Jh. dargestellt (Rouen, Paris, Bourges). Aus späterer Zeit stammen Bilder von FRA ANGELICO, B. GOZZO-

LI, FILIPPO LIPPI, V. CARPACCIO, A. ELSHEIMER u.a., an plast. Darstellungen bes. die Statue von L. GHIBERTI (Florenz, Or San Michele), auch die Steinigungsszene von J. HENSELMANN (1953 aufgestellt; Passau, Dom St. Stephan, Hochaltar). – S. wird meist als Diakon dargestellt; Attribute: Steine, Buch, Palmzweig.

Steppenkunst, die Kunst der eurasiat. Nomadenvölker etwa zw. dem 8. Jh. v. Chr. und dem Beginn des 2. Jh. n. Chr. An der Peripherie der Hochkulturen Eurasiens lebten spätestens seit dem ausgehenden 3. Jahrtsd. v. Chr. Viehzüchternomaden. Aus ihren Wanderungen erklärt sich z. B. die Infiltration Indiens durch die Arier. Zu Beginn des 1. Jahrtsd. v. Chr. wurden die ›Nördl. Nomaden‹, die sich in den eurasiat. Steppengürtel zw. Karpaten im W und Chingankette im O vorgeschoben hatten, zu Reiterkriegern. Techn. Fortschritt auf vielen Ebenen mit intensiven Rückkoppelungsvorgängen trieben die Entwicklung voran, das kultisch überhöhte Königtum benachbarter Hochkulturen wurde übernommen, später zurückgedrängt. Wie in einer Kettenreaktion erfaßte die S. Europide wie Mongolide und unterschiedl. Sprachgruppen (im W v. a. Iranier, im O Vorfahren der Türken und Mongolen). Sie ließ typische Denkmäler (Hügelgräber und Menhire) sowie ein von den Seßhaften sich unterscheidendes Dekorationssystem für persönl. Schmuck, Waffen und Zaumzeug entstehen. Die S. der ›Nördl. Nomaden‹ bevorzugt expressionistisch übersteigerte Tiermotive (›Tierstil‹): v. a. Jagdwild (bes. Hirsche), Raubtiere und Raubvögel, in Seiten- oder Frontalansicht wiedergegeben; nicht Bewegung, sondern spannungsgeladene Fähigkeit zur Dynamik wird ausgedrückt, selbst bei Tierkämpfen. Teile der Körper werden überprägnant und oft in phantast. Kombination verwendet. Unnatürl. Posen wie Hochklappen des Hinterleibes (Inversion) sind durch den Einfluß einer abstrakten Ornamentik mit Voluten und S-Spiralen zu erklären. In dem riesigen Verbreitungsbereich sind Provinzen unterscheidbar: Die Kunst der Pontischen Skythen (→skythische Kunst) ist nach einer Frühphase, in der Tierkörper wie in einer Schnitztechnik aus scharfkantig abgesetzten gewölbten Flächen aufgebaut werden, durch Einfluß grch. Hand-

Steppenkunst: LINKS Goldplatte mit Drachen in Durchbrucharbeit (Pferdeschmuck), 3. Jh. v. Chr., gefunden bei Djnepropetrowsk; RECHTS Tierkampfszene (Steinbock und Adlergreif), Filzapplikation auf einer Satteldecke, etwa 13 cm lang, 6.–4. Jh. v. Chr., gefunden im Altaigebiet

werker geprägt. Aus Ostkasachstan stammt der Schatz PETERS D. GROSSEN (Leningrad, Eremitage), der schwere, gegossene goldene Schmuckplatten enthält. Im Altai blieb aus dem Inhalt der Fürstengräber durch Einfrieren im Eis auch vergängl. Material mit phantasievollen polychromen Kompositionen erh. (→Pasyryk). In S-Sibirien ist der Einfluß einer älteren Bronzegießertradition spürbar.

Da die S. fast überall bereits im 7. und 6. Jh. v. Chr. ausreift, ist ein Diffusionszentrum schwer zu ermitteln. Wichtigste Motive stammen aus dem Vorderen Orient, andere aus China. Bereits in den letzten Jh. v. Chr. weicht der Tierstil anderen Dekorationssystemen. Die Weiterverwendung einzelner Motive ist in der sibir. Taiga, im Ordosgebiet (→Ordosbronzen) und in Tibet belegt. Auch Dynastien nomad. Herkunft bewahren Motive und kostbare Werke (Goldfund von Tillja-Tepe in Afghanistan, 1. Jh. n. Chr.).

K. JETTMAR: Die Kunst der frühen Steppenvölker – Der eurasiat. Tierstil (1964).

Stereobat [grch.] *der*, Quaderfundament des antiken Tempels.

Stereochromie, Maltechnik: Verfahren der Seccomalerei (→Silikatfarben).

Sterl, Robert, Maler, Graphiker, *Großdobritz/Dresden 28. 6. 1867, †Naundorf bei Wehlen/Sachsen 18. 1. 1932, seit 1904 Lehrer, seit 1905 Prof. der Kunstakad. in Dresden. Anregungen von A. v. MENZEL, M. LIEBERMANN und J. F. MILLET verarbeitete S. in seinen Porträts, v. a. in der impressionist. Malweise seiner Darstellungen aus der Arbeitswelt und Konzertsälen.

Stern [stəːn], Robert A. M., amerikan. Architekt, Architekturkritiker und -theoretiker, *New York 23. 5. 1939. In der spieler. Verwendung von Symmetrien, maskenhaften Fassaden, barocken Raumstrukturen, der Verarbeitung von Elementen des amerikan. Shingle Style und formalen Zitaten der Pioniere der modernen Architektur sowie der Art Déco wendet sich S. gegen jede Festlegung auf einen Stil, ohne damit der gelegentl. Zuordnung zum Postmodernismus zu entgehen.

HW: Badehaus, Greenwich, Connecticut (1973–74, mit J. HAGMANN); Wohnhaus Lang, Washington, Connecticut (1974); Wohnhaus Westchester Residence, Armonk, New York (1974–76, mit J. HAGMANN); Siedlung für Senioren ›St. Joseph's Village‹, Wettbewerbsentwurf, Long Island, New York (1976).

P. ARNELL: R. A. M. S., 1965–80 (New York 1981).

Sternberg, Stadt im Bez. Schwerin, Dt. Dem. Rep., 5300 Ew.; Stadtkirche (wohl Ende 13. Jh. beg.), frühgot. Backstein-Hallenkirche mit Wandmalereien (1. H. 14. Jh.); barocke Ausstattung.

Sterngewölbe, →Gewölbe.

Sterzing, ital. **Vipiteno,** Stadt an der Brennerstraße, Südtirol, 5100 Ew., mit spätgot. Bürgerhäusern und Laubengängen, Rathaus (1468–73, Erker Anf. 16. Jh.; mit Städt. Mus.), Stadtturm (›Zwölferturm‹, 1486), Spitalkirche zum Hl. Geist (um 1380, Fresken des 15. Jh.). Pfarrkirche Unserer Lieben Frau (dreischiffige Hallenkirche, 15./16. Jh.) mit geschnitztem Hochaltar von H.

Hans Stethaimer d. Ä.: St. Martin in Landshut; begonnen um 1385

MULTSCHER (1456–58, Madonna mit Kind und 4 weibl. Heiligenfiguren; übrige Teile des Flügelaltars im Multschermus. in S., im Bayer. Nat.-Mus. in München und im Mus. Ferdinandeum in Innsbruck). Bei S. die Burgen Reifenstein (im Palas ›Grüner Saal‹, 1499), Sprechenstein u. a.

Stethaimer, Stettheimer, 1) Hans d. Ä., spätgot. Baumeister, vermutlich Vater von 2), *Burghausen um 1350–60, †Landshut 10. 8. 1432. Als sein Werk führt das Denkmal des Meisters ›Hanns Stainmezz‹ an der südl. Außenwand der St.-Martinskirche in Landshut auf: ebd. die St.-Martinskirche (beg. um 1385) und die (Hl.-Geist-)Spitalkirche (1407 ff.), St. Nikolaus in Neuötting (1410 ff.), die Karmeliterkirche in Straubing (um 1371–1466), St. Jakob in Wasserburg (1410 ff.) und die Franziskanerkirche in Salzburg (um 1408 ff.). Von S. stammt wahrscheinlich auch St. Jakob in Straubing (beg. 1415). – Die frühen Hallenkirchen von S. haben einen gesonderten einschiffigen, die späteren einen hallenförmigen Chor mit Umgang, von dem ein Pfeiler in der Mittelachse hinter dem Hochaltar steht und das Schlußfenster überschneidet.

2) Hans d. J., Baumeister, Bildhauer, vermutlich Sohn von 1), *1390, †nach 1459, vollendete die von 1) nicht mehr ausgeführten Bauten. In der St.-Martinskirche in Landshut stammt von ihm die Kanzel (1422), die Skulpturen des W-Portals an der N-Seite (1429) und des westl. Hauptportals (1432) u. a. Sein Stil zeigt den Einfluß der Parler-Werkstatt.

Stettin, poln. **Szczecin** [ʃtʃ'ɛtsjin], Hauptstadt der poln. Wwschaft Szczecin, Hafenstadt an der Oder,

Pommern, 385 000 Ew. – S. war Residenz der pommerschen Herzöge und bed. Handelsplatz; gehörte 1637 bis 1720 zu Schweden, dann zu Preußen. – Die histor. Bauten in der im 2. Weltkrieg stark zerstörten Altstadt wurden z. T. wiederhergestellt oder rekonstruiert, u. a. das Renaissanceschloß, das sich am Steilufer der Oder an der Stelle einer ma. Siedlung erhebt, 1674 gebaut, mit Lustgarten und Kapelle mit Doppelemporen von 1575–77 (1720–36 und 1872–74 umgebaut), Jakobikirche (z. T. rekonstruiert), eine got. Hallenkirche mit Seitenschiffen und Kapellenkranz (14./15. Jh.) sowie zweitürmiger Fassade (1504), ferner das Rathaus (13. Jh.; im 15. und 18. Jh. umgebaut), das spätgot. Loitzhaus (16. Jh.) sowie andere Häuser aus dem 15. bis 16. Jh. Zu den älteren Bauten gehören u. a. noch die got. Johanneskirche (13./14. Jh.) mit frühgot. Keramikdekor (vor 1300) und Kapelle (1400, z. T. erneuert) sowie die Peter- und Pauls-Kirche, urspr. hallenförmig, seit 1677 einschiffig mit Gewölbemalereien (1703). S. hat mehrere Paläste aus dem 18./19. Jh. Von der 1873 abgetragenen Wehrmauer (1725–40 gebaut) blieben die barocken Tore (Königstor, 1726–28, Berliner Tor, 1725 bis 1771) erhalten.

Stevens, 1) [stev'ɛ̃s], Alfred, belgisch-frz. Maler, *Brüssel 11. 5. 1823, †Paris 24. 8. 1906, begann als Genremaler, trat mit elegant-dekorativen Frauenporträts, häufig mit japan. Stillebenmotiven, hervor, war ein blendender Schilderer des Lebens im 2. Kaiserreich. Sein Bruder Joseph (*1819, †1892) war v. a. Tiermaler.

2) [st'i:vnz], Alfred George, engl. Bildhauer, *Blandford Forum (Dorset) 30. 12. 1817, †London 1. 5. 1875, war 1841/42 Schüler von B. THORVALDSEN in Rom. Neben kunsthandwerkl. Arbeiten gilt das Grabmal für den Herzog von Wellington in der St. Pauls Cathedral, London, als seine beste Arbeit.

Steyr, Stadt an der Mündung der Steyr in die Enns, OÖ, 43 000 Ew., mit gut erh. histor. Stadtbild; viele Bürgerhäuser des 15.–18. Jh., v. a. am Stadtplatz und Grünmarkt, bes. schön das unverändert erh. spätgot. Bummerlhaus (1497). Das Rokoko-Rathaus (1765–78) ist ein HW des Steyrer Baumeisters J. G. HAYBERGER. Die das Stadtbild beherrschende spätgot. Stadtpfarrkirche (1443 beg.), eine dreischiffige Halle, entstand im Zusammenhang mit dem Wiener Stephansdom; im 17. und 18. Jh. barock eingerichtet, Innenraum im 19. Jh. regotisiert. Ehem. Dominikanerkirche (1642–47) mit zweitürmiger Fassade, einer der ersten österr. Bauten nach der Gegenreformation, Ausstattung v. a. Rokoko; ehem. Bürgerspitalskirche (1305 gew., 16. Jh. umgebaut); barocke Michaelskirche (urspr. Jesuitenkirche, 1635–77) mit Doppelturmfassade und monumentalem Portal, Ausstattung v. a. Rokoko. Das Schloß an der Stelle der 985 genannten Burg wurde nach dem Stadtbrand von 1727 von J. M. PRUNNER nach 1731 als repräsentativer Barockbau völlig neu gebaut. Im Innerberger-Stadel (urspr. Speicher, 1612) das Städt. Mus. Im Stadtteil **Gleink** ehem. Benediktinerkloster; ehem. Stiftskirche im Kern romanisch, got. Neubau (1436 gew.), im Innern barockisiert (17. und Anf. 18. Jh.); der Hochaltar (1664) ist ein HW des Knorpelwerkstils.

Samabhanga

Abhanga

Tribhanga

Sthanakamurti

Sthaṇakamurti [Skt.], indisches Bildwerk in Standpositur. Unter den versch. Haltungen sind die häufigsten: 1) Samabhanga, 2) Abhanga und 3) Tribhanga.

Stichbogen, Flachbogen, Baukunst: segmentförmiger Bogen.

Stichel, graph. Technik: Stahlwerkzeug zur Bearbeitung der Platten des Kupfer- oder Stahlstichs oder der Holztafel des Holzschnitts (→Grabstichel).

Stichkappe, kleines →Gewölbe, das senkrecht zur Achse des Hauptgewölbes in dieses einschneidet.

Stickerei, mit der Nadel ausgeführte Darstellungen oder Verzierungen auf Geweben, seltener auf Leder oder Papier, durch ein- oder aufgenähte Fäden, Bänder oder Applikationen.

Versch. Materialien dienten als Grundlage: Wollstoff (in der Bronzezeit in Skandinavien und der Mongolei), Leinen bei den alten Ägyptern (14.–11. Jh. v. Chr.) und den Griechen (5.–4. Jh. v. Chr.), Seide im 11. Jh. in Byzanz und Italien, Samt Ende des 13. Jh., Baumwolle erst seit dem 17./18. Jh. Die Stickfäden bestanden aus Wolle, Leinen, Seide oder Metall.

Im Altertum galten die Phryger als Künstler in der S. Die Inselgriechen benutzten Anregungen aus dem Orient. In frühchristl. Zeit wurden kirchl. Gewänder mit S. geschmückt. Die sakrale S. in England um 850 hatte als Opus anglicanum einen großen Namen und blühte noch im 13./14. Jh. Der Bildteppich von →Bayeux ist wahrscheinlich engl. S. In Dtl. wurden sakrale Gewänder seit dem 11. Jh. mit S. verziert. Fürstl. Aufträge wurden in den königl. Werkstätten zu Palermo bearbeitet, wo um 1133/34 der purpurne Krönungsmantel FRIEDRICHS II. entstand, der mit Gold, Perlen und Emailleplättchen bestickt war (→Reichskleinodien). In Spanien entfaltete sich die islam. S.

Im MA. war S. eine Beschäftigung der höf. Frauen und der Nonnen. Kunstvolle Antependien befinden sich in Salzburg (um 1320) und im Kloster Königsfelden (12. Jh.). Auch die großen Bildteppiche (→Bildwirkerei) in farbiger Wollstickerei waren klösterl. Gemeinschaftsarbeit, wie der Genesis-Teppich aus Katalonien (12. Jh.). Erst im 14. Jh. kamen dabei auch profane Themen auf, z. B. beim 4 m langen Tristan-Teppich im Kloster Wienhausen bei Celle. Im 15./16. Jh. entwickelte sich in der Schweiz eine Leinen-S. in weißen und farbigen Fäden, die kirchl. und häusl. Zwecken diente. In Italien und Frankreich lieferten im 14./15. Jh. Künstler die Entwürfe zu den szen. S. in Seide-, Gold- und Silberfäden. – Hervorragende S. sind aus vorkolumb. Zeit in Peru (Paracas) erh.

Stična [st'itʃna], Ort in Slowenien, Jugoslawien, südlich von Laibach; Zisterzienserstift (1136 gegr.) mit Kirche von 1156 (dreischiffige Basilika mit Querschiff und 3 halbrunden Apsiden). Das Klostergebäude hat Kreuzgang mit Kreuzrippengewölbe, Fresken aus dem 15. Jh. Kloster und Kirche wurden in der Gotik umgebaut und im Barock-Stil erneuert (u. a. barocke Gemälde in der Kirche).

Stieler, Josef, Maler, *Mainz 1. 11. 1781, †München 9. 4. 1858, war nach Studien in Wien (H. FÜGER) und Paris (F. GÉRARD) seit 1812 in München und wurde 1820 nach Aufenthalt in Wien (1816–20) bayer. Hofmaler. S. malte v. a. idealisierende Porträts.

HW: Goethe (1828; München, Neue Pinakothek); F. W. v. Schelling (1835; ebd.); Schönheitsgal. für die Münchner Residenz, 36 Porträts schöner Frauen (1830–50; München, Schloß Nymphenburg).

Stiermensch, →Mischwesen, →Minotaurus, →Lamassu.

Stierspringer, Bez. für ein Meisterwerk der kretischen Elfenbeinplastik um 1600 v. Chr.: Der nackte Jüngling (Länge etwa 30 cm) ist in einem Augenblick des Sprunges über den Kopf des Stieres dargestellt. Die linke Hand greift in das Horn eines (verlorenen) Stieres. Die Locken bestanden aus vergoldetem Bronzedraht. Über die Deutung des Sprunges herrscht keine volle Übereinstimmung.

Stifter, Adalbert, Dichter, Maler, *Oberplan (Böhmerwald) 23. 10. 1805, †Linz 28. 1. 1868; als Maler und Zeichner Autodidakt; malte v. a. Landschaften von einer Ausdruckskraft, die gleichwertig neben seinen dichter. Landschaftsschilderungen steht. Ausgehend von einer romant. Malerei, verwendete er später reich differenzierte Farbwerte, deren atmosphär. Stimmungen ihn als einen Vorläufer des Impressionismus kennzeichnen. Eine Samml. von Gemälden und Zeichnungen befindet sich im Besitz der 1918 in Wien gegr. A.-S.-Gesellschaft.

Stifterbildnis, Altargemälde oder Fresko, auf dem der Donator (Stifter) meist als Betender dargestellt ist; schon seit frühchristl. Zeit (5./6. Jh.; Rom, S. Lorenzo fuori le mura), im MA. meist sehr viel kleiner als die umgebenden Heiligen (Bedeutungsperspektive), seit der Renaissance oft in gleicher Größe. Auch eine Statue – in der Hand die gestiftete Kirche als Modell – heißt S. (Stifterfiguren in Naumburg und Nordhausen); in übertragenem Sinn auch die auf einem Hochgrab liegende Statue und entsprechende Statuen im Halbrelief auf dem Epitaph.

Stiftmosaik, eine Art der Wandverkleidung im südl. Mesopotamien (bes. Uruk, auch Ur, Eridu), in dem in den Lehmverputz von Mauern und Pfeilern viele konische Stifte aus gebranntem Ton oder Stein dicht aneinander eingebettet wurden; die Stiftköpfe wurden schwarz, rot oder weiß eingefärbt, so daß versch. Muster entstanden, die offenbar gewebte oder geflochtene Wandbehänge imitieren sollten. Nach erstem Auftreten in Uruk (Schicht IV, kurz vor 3000 v. Chr.) wurde das S. in Schicht III noch aufgelockert durch Einlagen von gebranntem Ton mit der Darstellung von Tieren und Menschen, Blütensternen und Symbolzeichen, die allerdings im Mauerverband bisher nicht gefunden wurden.

Stiftskirche, von einem Stiftsherrenkollegium als Kollegienkirche oder allg. vom Grundherrn gestiftete Kirche mit einem Kapitel, einer an sie gebundenen Gemeinschaft (Kollegium) von Priestern.

Stiftung Preußischer Kulturbesitz, 1957 geschaffene Stiftung des öffentl. Rechts in Berlin-West zur Pflege, wissenschaftl. Auswertung und Fortentwicklung von ehem. dem preuß. Staat gehörenden kunst- und kulturgeschichtl. Samml. und wissenschaftl. Einrichtungen. Sie umfaßt die Staatl. Museen u. a. Träger sind die Bundesrep. Dtl. und alle Bundesländer.

Stiglmaier, Johann Baptist, Erzgießer, Bildhauer, Medailleur, *Fürstenfeldbruck 18. 10. 1791, †München 2. 3. 1844, richtete ebd. 1824 die Königl. Erzgießerei ein. S. schuf (v. a. nach eigenem Modell) Medaillen und Erzgüsse: Obelisk (Karolinenplatz München), Tore (Glyptothek ebd., Walhalla bei Regensburg), Denkmal für König Max I. Joseph (nach C. D. RAUCH), Reiterstandbild des Kurfürsten Maximilian I. (nach B. THORVALDSEN), 12 vergoldete Kolossalfiguren der Wittelsbacher für die Münchner Residenz (nach L. v. SCHWANTHALER).

Stijl [stɛjl], **De Stijl,** 1917 gegr. Gruppe niederländ. Künstler, zu der sich die Maler P. MONDRIAN, T. VAN DOESBURG (BILD) und B. A. VAN DER LECK, die Architekten J. J. P. OUD, J. WILS, R. VAN'T HOFF und der Bildhauer G. VANTONGERLOO zusammenschlossen; auch Name der von van Doesburg hg. Ztschr. (1917–31). Für die Kunsttheorie der De-S.-Bewegung und die angewendeten Techniken prägte Mondrian die Bez. →Neoplastizismus.

De S. 1917–1931, visions of utopia, hg. v. MILDRED FRIEDMAN, Ausst.-Kat., Amsterdam (1982).

Stiklestad, ma. Wallfahrtskirche in der norweg. Gem. Verdal nördlich von Trondheim, im 12. Jh. an der Stelle errichtet, wo der Hl. Olaf 1030 gefallen war; alte Kalkmalereien wurden bei der Restaurierung 1927–30 aufgedeckt; Wandmalerei von A. ROLFSEN (1930).

Stil [lat. stilus ›Schreibgriffel‹], urspr. ein Begriff der röm. Rhetorik. In der bildenden Kunst bedeutet S. die ästhet. Eigengesetzlichkeit der visuell-künstler. Aneignung der Wirklichkeit. Die großen ital. Kunstschriftsteller der Renaissance (L. GHIBERTI, G. VASARI, G. P. LOMAZZO) kannten nur den Begriff der ›maniera‹. Im Deutschen verwendete J. J. WINCKELMANN 1756 erstmals den Begriff S. in der Bedeutung von ›maniera‹. Er unterschied S. von Völkern (Ägypter, Etrusker, Griechen); als S.-Phasen unterschied er Aufnahme, Wachstum und Fall eines S., entsprechend dem heutigen Sprachgebrauch von Früh-, Hoch- und Spätphasen. In der Romantik, als mit der Ausbildung einer systemat. Geschichtswissenschaft auch die Kunstgeschichte eine selbständige Disziplin wurde, erkannte man zunächst den byzantin. S., der sich mit dem heutigen Begriff des ›romanischen S.‹ deckt. Über die Einteilung und Namensgebung weiterer **Epochenstile** →Gotik, →Renaissance, →Manierismus, →Barock. In den alten Nationalstaaten wie Frankreich u. a. wurde der **Zeitstil** (vgl. die chronolog. Übersicht zum Stichwort Zeittafel) nach Herrscherhäusern oder einzelnen Herrschern benannt (z. B. Louis-quatorze).

In der modernen Kunstwissenschaft sind **Stilanalyse** und **Stilkritik** Methoden zum Erfassen des **Individual-** oder **Personalstils** eines Künstlers, auf Grund dessen

Zuschreibung und Datierung eines Kunstwerks vorgenommen werden. Ein nach den Entwicklungsstufen modifizierter Personal-S. ist z. B. der **Altersstil**. Die wichtigsten S.-Kategorien sind: flächig oder plastisch, linear oder malerisch, naturalistisch oder stilisiert. Die S.-Kritik spielt eine besondere Rolle für Epochen mit geringer schriftl. Überlieferung, so für die Antike und das MA. (relative Chronologie in der Archäologie; Zuschreibung an anonyme Meister). Weiterhin wird die S.-Übernahme durch eine Schule oder Künstlergruppe unter Berücksichtigung der generationsbedingten S.-Gepflogenheiten untersucht. Außerdem erfaßt die S.-Kritik einen **Raum-** oder **Lokalstil** (Kunstlandschaften). Die soziolog. Beweggründe für das Erscheinen bestimmter S.-Phänomene werden bes. in den kommunist. Ländern untersucht.

J. JAHN: Die Problematik der kunstgeschichtl. S.-Begriffe (1966); Belser S.-Geschichte, 12 Bde. (1968–71); EVA BÖRSCH-SUPAN: Europ. S.-Kunde (1975); Vollmers S.-Kunde, hg. v. URSULA HATJE (Neuaufl. 1978); Hb. der Formen- u. S.-Kunde, 3 Bde. (1980–83); J. BIALOSTOCKI: S. und Ikonographie (1981); W. WORRINGER: Abstraktion u. Einfühlung; ein Beitrag zur S.-Psychologie (²1981); Keysers großes S.-Lexikon Europas, 780–1980, hg. v. CLAUDIA LIST-FREYTAG (1982); W. KOCH: Baustilkunde (1982); H. POTHORN: Das große Buch der Baustile (Tb. 1982).

Stil de grain [stildəgr'ɛ̃, frz.], Maltechnik: →Schüttgelb.

Stilisieren, das Gestalten eines Kunstwerks nach bestimmten ästhet. und formalen Kriterien (i. Ggs. zu einem naturnahen Erfassen des Gegenstandes).

Still [stɪl], Clyfford, amerikan. Maler, *Grandin (North Dakota) 30. 11. 1904, †New York 23. 6. 1980, Vertreter des Abstrakten Expressionismus. Seine überdimensionalen Bilder sind meist auf eine zentrale dunkle Farbfläche beschränkt, die erst an den Rändern durch splittrige Farbflächen gebrochen wird. S. beruhigte damit die expressive Gestik des Action-Painting (J. POLLOCK) zur chromat. Farbmeditation, der er tiefgreifende emotionale Wirkungen zuspricht.

Stilleben, frz. **Nature morte** [natyr m'ɔrt], ital. **Natura morta** [›tote Natur‹], die Darstellung unbewegter oder lebloser Gegenstände (Blumen, Früchte, Tiere, Geräte aller Art u. a.) in einer vom Maler gewählten ästhet. Anordnung fern ihrer natürl. Umgebung und in (bis in die Neuzeit) naturgetreuer Wiedergabe, bis zur gesuchten Nachahmung der Wirklichkeit (→Trompe l'œil); auch beigeordnete Menschen (meist in Halbfigur) oder Tiere sind möglich. Nach ihren Inhalten werden S. als **Blumenstücke** (→Blumenmalerei), **Küchenstücke, Frühstücksstücke** und **Jagdstücke** bezeichnet. Seit dem 17. Jh. ist die S.-Malerei eine selbständige Disziplin.

Motive in Art des S. finden sich schon in der spätantiken Dekorationsmalerei (Pompeji, Herculaneum), hingegen kaum in der ma. Kunst: Die absichtslose Darstellung eines Gegenstandes war mit ihrer ›sprechenden‹ Bildaussage nicht vereinbar. So sind noch die Arrangements von Pflanzen und Geräten auf Bildern (bes. Marienbildern) Ende des 14. Jh. und bes. im frühen 15. Jh. (JAN VAN EYCK, MEISTER VON FLÉMALLE, R. VAN DER WEYDEN, HUGO VAN DER GOES) i. d. R. als allegor. Hinweise

Stilleben: Jacopo de' Barbari, ›Rebhuhn mit Eisenhandschuhen und Armbrustbolzen‹, 1504 (München, Alte Pinakothek)

auf das dargestellte Thema zu verstehen. S. der folgenden Zeit begegnen als Teil eines größeren Ganzen (Außenseiten von Altarflügeln, Holzintarsien als Wandverkleidung). Auch die kleinformatigen, als eigenständige Bilder überlieferten S., wie das von JACOPO DE' BARBARI 1504 gemalte ›Rebhuhn mit Eisenhandschuhen und Armbrustbolzen‹ (München, Alte Pinakothek) und die Blumenstücke von L. TOM RING D. J., dienten wohl als Schrankverkleidungen. In einem Bild von P. AERTSEN (›Christus bei Maria und Martha‹, 1553; Rotterdam, Mus. Boymans-van Beuningen) wird die weitere Entwicklung deutlich: die bibl. Szene wird zum Hintergrund eines prächtig gemalten S. – Einen traditionellen Bedeutungsgehalt bewahrte das Vanitas-S. (→Vanitas).

Zu allg. Blüte kam das S. im 17. Jh., gleichzeitig mit den emblemat. Darstellungen, aber weniger in Italien (M. DA CARAVAGGIO, ›Früchtekorb‹, 1596/97) als in Spanien (J. SÁNCHEZ COTÁN, D. VELÁZQUEZ, F. DE ZURBARÁN) und v. a. in den Niederlanden (F. SNYDERS, P. CLAESZ, J. BRUEGEL D. Ä., W. C. HEDA, A. BOSSCHAERT, W. KALF). In den versch. Regionen der Niederlande entwickelten sich spezif. S.-Motive, etwa in Haarlem Darstellungen mit gedeckten Tischen, in der Univ.-Stadt Leiden mit Büchern, Folianten und Bierkrügen, in Den Haag, nahe dem Fischmarkt Scheveningen, mit toten Fischen, in Utrecht mit Blumen und Früchten. Einige Maler wendeten sich bes. bestimmten Motiven zu, so der nach seinen Blumenstücken benannte ›Blumen-

Stilleben: Willem Claesz Heda, ›Stilleben‹; 1632 (Köln, Wallraf-Richartz-Museum)

bruegel‹ (Jan Bruegel d. Ä.). Von der akadem. Kunst Frankreichs wurde das S. wegen des geringen Werts des Gegenstandes nicht geschätzt, dennoch gab es dort im 17. Jh. einige namhafte Künstler (F. DESPORTES, J.-B. OUDRY). Im 18. Jh. fand das S. in der subtilen Kunst J.-B. CHARDINS zu einem (erst im 19. Jh. von den Brüdern GONCOURT erkannten) Höhepunkt.

Das lebhafte Interesse der Maler des 19. Jh. an der Darstellung des S. entzündete sich eher an den formalen Möglichkeiten der Wiedergabe frei gewählter Gegenstände als an der inhaltl. Bedeutung des S. (G.

Stilleben: Paul Cézanne, ›Die blaue Vase‹; 1885/87 (Paris, Musée d'Orsay)

Courbet, É. Manet, L. Corinth). Unter diesem Gesichtspunkt ist das S. bis in das 20. Jh. gemalt worden (P. Cézanne, G. Braque, O. Kokoschka, H. Matisse, P. Picasso u. a.). – Weitere Bilder E. Bernard, J.-B. Chardin, P. Claesz, H. Fantin-Latour, W. Kalf, A. Kanoldt, O. Kokoschka, G. Morandi, M. Pechstein, F. Snyders.

In China sind S. im Sinn des Ch'an-Buddhismus (als Ausdruck der in jedem Gegenstand lebenden Buddha-Natur) auf Tuschebildern des 13. Jh. nachweisbar (Bild Mu-hsi), die Vorbilder der japan. Zen-Malerei wurden. Als älteste bekannte S. in europ. Sinn können Gewandmotive auf japan. Stellschirmen (Tagasode-Schirme) aus der Zeit um 1600 gelten. Im japan. Farbholzschnitt (Surimono) der bürgerl. japan. Kunst des 18.–19. Jh. fand das S. weite Verbreitung.

S. Die große Zeit des europ. S., bearbeitet von I. Bergström u. a. (a. d. Ital., 1979); S. in Europa, Ausst.-Kat., Münster (1979); Niederländ. S. von Bruegel bis van Gogh, Ausst.-Kat., Braunschweig (1983).

Stilmöbel, Möbel aus der heutigen Produktion, an denen Elemente aus vergangenen Stilepochen ornamental verwendet werden.

Stilo, südital. Ort in der Prov. Reggio Calabria, an einem Felsabhang, überragt von der Cattolica, einer byzantin. Kreuzkuppelkirche des 10. Jh. (Ziegelbau mit 5 Kuppeln, im Innern Freskenreste).

Stimmer, Tobias, schweizer. Maler, Zeichner für den Holzschnitt und die Glasmalerei, *Schaffhausen 17. 4. 1539, †Straßburg 4. 1. 1584. Seine Malweise zeigt den Einfluß von H. Holbein d. J. (v. a. die Porträts). Bedeutend war S. als Zeichner für Holzschnittillustrationen (Bibel, 1576; Basel).

HW: J. Schwytzer und seine Gemahlin (1564; Schaffhausen, Mus. Allerheiligen); Zürcher Arzt R. Geßner (1564; ebd.); Fassadenmalerei am Haus zum Ritter, Schaffhausen (1567–70); Ausschmückung der Astronom. Uhr im Straßburger Münster (1571–74); Neue künstl. Figuren bibl. Historien, 170 Holzschnitte (Basel 1576); Fresken im Festsaal des Schlosses in Baden-Baden (1578–84, 1689 zerstört).

Stippen, Technik der Glasverzierung, →Diamantstippen.

Stirling [st'əːlıŋ], James, engl. Architekt, *Glasgow 22. 4. 1926, gilt als der bedeutendste engl. Architekt seit C. R. Mackintosh. Als entschiedener Gegner des funktionsneutralen und räumlich indifferenten ›plan libre‹ bildet er in seinen zahlreichen Verwaltungsgebäuden fest umrissene Funktionsbereiche mit jeweils eigener, den spezif. Bedingungen angepaßter räuml. und konstruktiver Ausbildung.

HW: Studentenwohnheim der St. Andrews Univ. Schottland (1964–68); Landesgal. Nordrhein-Westfalen, Düsseldorf, Projekt (1975); Wallraf-Richartz-Mus., Köln, Projekt (1975); Staatsgal. und Kammertheater, Stuttgart (1977–84); Wissenschaftszentrum, 1. Preis des Wettbewerbs, Berlin (1980).

J. M. Jacobus: J. S., Bauten und Projekte (1975).

Stirnziegel, →Antefix.

Štítnik [ʃtj'iːtnik], dt. **Schnittnich,** Ort im Ostslowak. Kr., ČSSR, westlich von Kaschau. – Got. Kirche, seit dem 13. Jh. in mehreren Etappen gebaut, hat Netz-

und Sterngewölbe, wertvolle Innenausstattung (Wandgemälde, Musikaliensamml.).

Stoa [grch.] *die,* in der grch. Architektur Bez. für eine lange, schmale Säulenhalle. Die Form läßt sich bereits in myken. Zeit belegen, gewinnt aber erst in archaischer Zeit die eigenständige Gestalt einer freistehenden Halle mit geschlossenen Stirn- und Rückseiten, v. a. in Heiligtümern (Samos, Delphi, Olympia), u. a. zur Aufbewahrung von Weihgeschenken. In hellenist. Zeit dienten solche meist mehrschiffigen und zweigeschossigen Hallen der Einfriedung von Heiligtümern und profanen Platzanlagen (Agora von Athen: Attalos-S., S. →Poikile); mit ihren Kellern und Läden übernahmen sie häufig die Funktion von Hangstützen, z. B. Assos, Pergamon. Der grch. S. entspricht der röm. →Portikus 1).

Stobi [st'ɔbi], Ruinen einer altertüml. Stadt in Makedonien, Jugoslawien, nahe Gradsko. S., wo schon zu illyr. Zeiten eine Festung bestand, bauten die Römer zur größten Stadt Nordmakedoniens aus. S. wurde durch Goten im 5. Jh. und 518 durch ein Erdbeben zerstört, danach wieder neu errichtet; seit dem 12./13. Jh. verfallen. Freigelegt wurden Amphitheater, Stadttor, Skulpturen, Bodenmosaiken und Reste frühchristl. Kirchen; bed. Funde in Museen, v. a. in Skopje.

Stobwasser, Johann Heinrich, Lackmeister, *Lobenstein (Vogtland) 16. 11. 1740, †Braunschweig 31. 8. 1829, gründete dort 1763 eine Lackwarenfabrik, in der Gerät aller Art, v. a. aus Papiermaché (z. B. Teebretter, Schnupftabakdosen, Möbel, Schatullen), bemalt und mit einem Speziallack überzogen wurden.

Stockholm, Haupt- und Residenzstadt Schwedens, auf Inseln und Halbinseln zw. Mälarsee und Ostsee, 654 400 Ew. Die ›Stadt zw. den Brücken‹ ist der histor. Kern der Stadt; nur hier sind z. T. die gedrängten ma. Straßenzüge erh. In der NO-Ecke der Altstadtinsel liegt das Königl. Schloß, im Stil des röm. Hochbarock von N. TESSIN D. J. 1697 beg., 1720 von C. HÅRLEMAN fortgesetzt. Nahe dem Schloß steht die Große Kirche (Storkyrka), eine fünfschiffige Halle, in den ältesten Teilen 13. Jh., 1736–43 Inneres und Fassade barock umgestaltet; sie birgt die St.-Georgs-Gruppe, das HW B. NOTKES (1489), und eine holzgeschnitzte Kanzel. Südlich der Kirche die Börse von E. PALMSTEDT (1773), das schönste Rokokogebäude der Stadt. Die St. Gertrudskirche (Dt. Kirche, Tyska Kyrkan, 1636–42), im Äußeren noch spätgotisch, ist barock ausgestattet. Das Ritterhaus (1641–75) ist eines der prächtigsten Beispiele der Baukunst in der schwed. Großmachtzeit. Aus dem 17. Jh. sind einige Bürgerhäuser im dt.-niederländ. Renaissancestil erh. (u. a. Petersensches Haus, 1645–49, Schantzsches Haus, 1650), ferner die Paläste Bonde (1662, jetzt Oberster Gerichtshof) und Oxenstierna (1652–54). Im ehem. Wrangelschen Palais (um 1650) auf der Insel Riddarholmen befindet sich das Oberlandesgericht. Die Riddarholmskirche (Ende 13. Jh. beg.) wurde als Grablege der schwed. Könige nach und nach mit einem Kapellenkranz umgeben. Auf der kleinen Insel Helgeandsholmen liegt das Reichstagsgebäude (1897 bis 1906).

Jüngere Stadtteile sind Norrmalm und Östermalm. Hier liegen die Adolf-Frederiks-Kirche (1768–74) und die Klarakirche (1751–53). Am Gustav-Adolfs-Platz stehen die Königl. Oper (1894–98) und das Erbfürstenpalais (1783–94 von Palmstedt), nördlich davon das Schauspielhaus (Dramaten, 1904–07), ein HW des Jugendstils in Schweden. Ein Wahrzeichen von S. ist das Stadthaus (1911–23 von R. Östberg), ein HW der schwed. Nationalromantik. Die Geschäftsstadt um Sergelstorg, Hötorget (mit Konzerthaus, 1926, davor Orpheusgruppe von C. Milles, 1936) und Kungsgatan entstand v.a. nach dem 2. Weltkrieg. Den einschneidenden baul. Veränderungen fielen z.T. auch historisch wertvolle Gebäude zum Opfer. Das herausragende Gebäude ist hier der Kulturhauskomplex (1970–74).

Als kulturelles Zentrum Schwedens ist S. reich an Museen. Die wichtigsten sind: Nat.-Mus., 1850–66 von F. A. Stüler gebaut, mit der bedeutendsten Gemälde-Samml. des Landes; Modernes Mus. (Kunst des 20. Jh.); Nord. Mus. (u.a. Volkskunst); Histor. Mus. (u.a. Bildsteine, Kunst der Völkerwanderungs- und Wikingerzeit); Ethnograph. Mus.; Ostasiat. Mus.; Thielsche Gal. (in einer Jugendstilvilla, v.a. schwed. Malerei des 19.–20. Jh.).

Stocklack, Maltechnik: →Schellack.

Stolberg/Harz, Stadt im Südharz, Bez. Halle, Dt. Dem. Rep., 2100 Ew.; Schloß, im Kern 13./14. Jh., im 16. Jh. im Renaissancestil umgebaut; spätgot. Stadtpfarrkirche (1484–90) mit wertvoller Ausstattung (u.a. Taufstein 1599, Bronzegrabplatte des Pfarrers U. Rispach, †1488, wohl Werkstatt P. Vischers d. Ä.); Rathaus (1455–82) u.a. Fachwerkhäuser, bes. schön die Alte Münze (1535).

Stollenkrypta, auch **Gangkrypta,** eine aus mehreren sich kreuzenden Gängen (Stollen) bestehende →Krypta.

Stollenschrank, mit Türen verschließbares Kastenmöbel, dessen Eckpfosten zu hohen Füßen (›Stollen‹) verlängert sind; meist aus Eichenholz. Der S. ist eine Variante des frz. **Dressoir** [drɛsw'a:r] und war im 16. Jh. am Niederrhein und in Flandern verbreitet.

Stolp, poln. **Słupsk,** Hauptstadt der polnischen Wwschaft Słupsk, Pommern, 82000 Ew., mit z.T. erh. Stadtmauern (Anf. 15. Jh.) mit Basteien und teilweise später umgebauten Toren. Das nach 1945 wiederhergestellte Renaissanceschloß (16. Jh., urspr. Burg aus dem 13. Jh.) beherbergt ein Mus.; unweit die ehem. Burgmühle und die spätgot. Dominikanerkirche (15. Jh., später umgebaut). Die got. Marienkirche (14. Jh.) wurde 1858–60 umgebaut.

Stolpen, Städtchen östlich von Dresden, Dt. Dem. Rep. Über S. liegt die Veste, eine ausgedehnte Anlage mit 4 Höfen, im wesentlichen 15.–16. Jh., z.T. Ruine, erh. u.a. einige Türme. Schloß-Mus.

Stolzenfels, Schloß am Rhein bei Koblenz, Rheinl.-Pf., 1836–40 nach Plänen von K. F. Schinkel auf den Ruinen einer Burg des 13./14. Jh. errichtet, ein HW der dt. Romantik. Erlesene Innenausstattung in meist neugot. Formen (Mus.).

URSULA RATHKE: Preuß. Burgenromantik (1979).

Stomer, Matthias, holländ. Maler, *Amersfoort um 1600, †Sizilien(?) nach 1650, war um 1630 in Rom, nach 1631 in Neapel und seit 1641 in Sizilien tätig. G. VAN HONTHORST vermittelte S. den für dessen ›Nachtstücke‹ kennzeichnenden caravaggesken Stil, der sich in Sizilien, unter dem Eindruck der dortigen Werke CARAVAGGIOS, noch verstärkte.

Ston [stɔn], Kleinstadt im S der Halbinsel Pelješac an der Adriaküste, Jugoslawien, mit Resten einer röm. Siedlung. Das spätere S., zu dem auch Mali Ston gehört, wurde auf dem Hügel St. Mihailo 1333/34 gegr. und im 14./15. Jh. von Festungsmauern mit Forts (z. T. erh.) umgeben. An der Stelle des Domes (S. war früher Bischofssitz) die neugot. Kirche St. Blasius. Außerdem got. und Renaissance-Paläste, got. Franziskanerkloster, spätroman. Nikolauskirche von 1347. Auf dem Berg St. Mihailo die vorroman. Michaelskirche (11./12. Jh.) mit Fragmenten von Wandmalerei.

Stone [stəʊn], Nicholas d. Ä., engl. Bildhauer, Baumeister, *Woodbury bei Exeter 1586, †London 24. 8. 1647, erhielt seine Ausbildung in Amsterdam, baute ebd. die Vorhalle der Westerkerk, in London die Vorhalle von Old St. Paul's. Neben zahlreichen Grabmälern in Westminster Abbey schuf er die Statue der Königin Elisabeth I. in der Guildhall Chapel.

Stonehenge [st'əʊnhendʒ, altengl. ›hängende Steine‹], große Anlage aus dem späten Neolithikum und der älteren Bronzezeit bei Salisbury (Wiltshire, England). In mehreren Bauphasen wurden in einen urspr. Wall- und Grabenring mit radialem Fortsatz fast konzentr. Steinkreise eingefügt, deren Baumaterial z. T. aus Wales stammt. Gut erh. ist ein äußerer Ring aus 30 durch Decksteine verbundenen, 4 m hohen Steinpfeilern und darin eine hufeisenförmige Setzung aus 5 riesigen Steintoren (›Trilithen‹). Die Anlage setzt astronom. Wissen voraus; ihre Bestimmung scheinen Sonnen-

Stonehenge (Luftaufnahme)

Stonehenge

und Mondbeobachtungen (Vorhersage von Finsternissen?) gewesen zu sein. Die Umgebung von S. ist ungewöhnlich reich an Gräbern und Erdwerken aus derselben Zeit. Ähnl. Anlagen auf den Brit. Inseln werden als →Henge-Monumente zusammengefaßt.

Store-Heddinge [sdo:rəh'eðəŋə], Ort im SO der dän. Insel Seeland, mit achteckiger Kirche (Ende 12. Jh., mehrfach erneuert), dem einzigen ma. Bau dieses Typs in Dänemark; zweigeschossiger Chor mit got. Blendgiebel von 1425.

Störleim, Maltechnik: →Fischleim.

Story Art [st'ɔ:rɪ ɑ:t, engl.], →Narrative Art.

Stoß, Veit (Weit), Bildhauer, Kupferstecher, Maler, *Horb am Neckar(?) 1447/48, †ebd. 22. 9. 1533, bildete sich an Werken des N. GERHAERT V. LEYDEN und des Meisters des Nördlinger Hochaltars, gab 1477 sein ererbtes Nürnberger Bürgerrecht auf und folgte einem Ruf nach Krakau, wo er den Hochaltar der dt. Marienkirche schuf. 1485 reiste er nach Breslau, war 1486/87 vorübergehend in Nürnberg und Ende 1488 wieder in Krakau. 1496 übersiedelte er endgültig nach Nürnberg, wo er wieder das Bürgerrecht erwarb. Hier kam er 1503 wegen Schuldscheinfälschung, die er begangen hatte, um zu seinem Recht zu gelangen, in Haft und wurde öffentlich gebrandmarkt. Seitdem lebte er mit dem Rat der Stadt in dauerndem Streit; später von Kaiser MAXIMILIAN I. rehabilitiert.

Veit Stoß: Kopf des Apostels Johannes am Mittelschrein des Hochaltars der Marienkirche in Krakau; 1477–89

S. ragt unter den spätgot. Bildhauern durch sein feuriges Temperament und die leidenschaftl. Ausdruckskraft seiner großartig geformten Köpfe und pathetisch (›barock‹) aufgewühlten Gewänder hervor. Sein Werk beeinflußte den gesamten dt. Osten und strahlte nach Polen, Ungarn und Siebenbürgen aus.

HW: Geschnitzter Hochaltar (1477–89; Krakau, Marienkirche; der größte Flügelaltar der dt. Spätgotik: Höhe 13 m, Hauptfiguren 2,80 m; im Mittelschrein: Tod Mariä, 1866–71 restauriert, mit falschen Ergänzungen; auf den inneren und äußeren Flügeln: die 7 Freuden und Leiden Mariä; im Gesprenge: Krönung Mariä, die Hl. Adalbert und Stanislaus; in der Predella: Wurzel Jesse). – Andere Werke der Frühzeit: Ölbergrelief (Krakau, Nat.-Mus.); Marmorgräber für König Kasimir IV., †1492 (ebd., Dom), für Erzbischof Oleśnicki, †1493 (Gnesen, Dom), für Bischof Bnin, †1493 (Leslau, Dom); Sandsteinreliefs mit Passionsdarstellungen (1499; Nürnberg, St. Se-

Veit Stoß: Englischer Gruß; 1517/18 (Nürnberg, St. Lorenz)

bald); Maria, vom Haus des Künstlers in Nürnberg (um 1499; ebd., German. Nat.-Mus.). – Mittlere Zeit: Hl. Rochus (vor 1503; Florenz, SS. Annunziata, ungefaßtes Eichenholz); Hl. Andreas (um 1505–07; Nürnberg, St. Sebald). – Spätzeit (z. T. Renaissance-Einflüsse): Sandsteinrelief der Verkündigung (1513; Langenzenn, Klosterkirche); Hl. Paulus (1513; Nürnberg, St. Lorenz); Erzengel Raphael mit dem Tobiasknaben (1516; Nürnberg, aus St. Jacob, German. Nat.-Mus.); Engl. Gruß (1517/18; ebd., St. Lorenz; Hängeleuchter mit der Verkündigung, in den Kranzmedaillons die 7 Freuden Mariä; 1817 zerbrochen, 1825 und 1971 restauriert); Hausmadonna aus Sandstein vom Weinmarkt (um 1517/18; ebd., German. Nat.-Mus.); Kruzifix (1520; ebd., St. Sebald); Hochaltar für die Karmeliter (1520–23; Bamberg, Dom). – Kupferstiche: Hl. Familie, Maria mit dem Apfel, Hl. Genovefa, Martyrium der Hl. Katharina (alle in Zusammenhang mit den Bildwerken, bes. den Reliefs des Krakauer Altars). – Gemälde: 4 Tafeln aus dem Leben des Hl. Kilian (um 1500; Münnerstadt, Pfarrkirche, für den Altar von T. RIEMENSCHNEIDER).

Z. KĘPIŃSKI: V. S. (a. d. Poln., Dresden 1981); V. S. in Nürnberg, Ausst.-Kat., Nürnberg (1983).

Stosskopf, Sebastian, elsäss. Maler, getauft Straßburg 31. 7. 1597, †Idstein 10. 2. 1657, arbeitete in den Niederlanden und zw. 1621 und 1640 in Paris und Venedig, seit 1641 in Straßburg; malte feine und detailgetreue Stilleben, meist vor dunklem Hintergrund.

Stourhead [st'aʊəhed], Landhaus westlich von Salisbury, S-England, 1721 von C. CAMPBELL im Stil der palladian. Villenarchitektur entworfen und 1796–1800 um Flügelbauten erweitert. Der viersäulige Portikus wurde 1840 nach den urspr. Plänen angefügt, 1902 nach einem Brand das heutige Treppenhaus eingebaut und ein zusätzl. Attikageschoß aufgesetzt. Der Landschaftsgarten mit künstl. See entstand 1741–83; korinth. Pantheon und dorischer Floratempel. (BILD Gartenkunst)

Stow [stəu], Ort nördlich von Lincoln, Mittelengland, mit vollständig erh. angelsächs. Pfarrkirche des 10. Jh. Der kreuzförmige Saal besitzt eine abgeschnürte Vierung mit stark profilierten Archivolten und vorgelegten Diensten. Im 12. Jh. wurde der Chor romanisch erneuert und im 19. Jh. kreuzrippengewölbt, im späten MA. der heutige Vierungsturm aufgesetzt.

Stowe [stəu], Herrenhaus des 18. Jh. in der engl. Cty. Buckinghamshire, inmitten eines von W. KENT entworfenen Landschaftsgartens mit Gartengebäuden, darunter eine Kopie der Palladian Bridge von 1738 aus der Gartenanlage von Schloß Wilton.

Stra, Ort an der Brenta südwestlich von Venedig, Italien, mit der **Villa Pisani** (seit 1882 ital. Nationaldenkmal, daher auch **Villa Nazionale** gen.), einem Schloßbau (nach 1735 errichtet; nach 1807 im Besitz von NAPOLEON I.) mit bed. Innenausstattung (Möbel des 18. Jh., Wandmalereien und v. a. das Deckenfresko von G. B. TIEPOLO, 1761/62, im Ballsaal).

Strack, Johann Heinrich, Baumeister, *Bückeburg 6. 7. 1805, †Berlin 13. 6. 1880, Schüler von K. F. SCHINKEL, seit 1839 Lehrer an der Kunst- und der Bauakad. in Berlin, zuletzt Geheimer Oberhofbaurat.

HW: Nat.-Gal. Berlin (1866–76, nach A. STÜLERS Entwürfen), Siegessäule (1873) und Kirchen. – Athen: Ausgrabung des Dionysostheaters (1862).

Straelen [-a:-], Stadt an der niederländ. Grenze, Kr. Kleve, NRW, 11 400 Ew. Die Pfarrkirche St. Peter und Paul besteht aus einem got., kreuzrippengewölbten Backstein-Hallenlanghaus (Ende 14. Jh.), an das sich im O eine sehr steile, spätgot. Säulenbasilika mit figurierten Gewölben (Anf. 16. Jh.) anschließt. Reiche Ausstattung, u. a. 2 Antwerpener Schnitzaltäre (um 1525), Renaissancekanzel (1628).

Strakonitz, tschech. **Strakonice** [str'akɔnjitsɛ], Stadt im Südböhm. Kr., ČSSR, 16 000 Ew. – Die Burg (heute Mus.) in S. wurde zw. 1220 und 1235 im roman. Stil (roman. Tor erh.) erbaut, 1243 dem Kreuzritterorden geschenkt. Sie hat jetzt got., barocke und Renaissance-Merkmale. Am Gewölbe des got. Kreuzganges Fresken aus dem 14. Jh. 1580–83 wurde die Renaissancekirche der Hl. Margarete gebaut (1777 im Barockstil umgebaut, 1874 erneuert); got. Friedhofskapelle.

Stralsund, Stadt gegenüber der Insel Rügen, Dt. Dem. Rep., 73 900 Ew., bed. ehem. Hansestadt, 1648 bis 1815 in schwed. Besitz. Neben Lübeck und Danzig besitzt S. die schönsten Denkmäler der norddt. Backsteingotik: Nikolaikirche (13.–14. Jh.), nach dem Vorbild der Lübecker Marienkirche, Chor mit Umgang und Kapellenkranz, Türme mit reicher Blendengliederung, in der überaus reichen Ausstattung ›Anna selbdritt‹ (um 1290), monumentales spätgot. Kruzifix, geschnitztes Gestühl mit Jagdszenen aus Rußland (2. H. 14. Jh.), mehrere wertvolle Altäre; Marienkirche (14. bis 15. Jh.), mächtige dreischiffige Basilika mit dreischiffigem Querhaus; Jakobikirche, urspr. Hallenkirche, Ende 14. Jh. oder Anf. 15. Jh. zur Basilika umgestaltet, 1944 schwer beschädigt, Wiederaufbau im Gang. Das got. Rathaus, urspr. 2 Giebelhäuser (13. Jh.), im 15. Jh. mit prunkvoller N-Fassade versehen, bildet mit der danebenliegenden Nikolaikirche eines der reizvollsten norddt. Ensembles. Das spätgot. Katharinenkloster (im wesentlichen 15. Jh.) mit eigenartigen Gewölbemalereien im Remter ist Städt. Mus. (u. a. ma. sakrale Kunst). Zahlreiche Bürgerhäuser aus Gotik, Renaissance, Barock und Klassizismus. Teile der Stadtmauer mit Knieper- und Kütertor (beide 15. Jh.) erh.

Strandglas, bräunl. Natronglas, bei dessen Herstellung Soda aus der Asche von Strandpflanzen verwendet wurde. S. war im MA. neben dem →Waldglas die gebräuchlichste Glassorte.

Strängnäs, Stadt in Södermanland, Schweden, am Mälarsee, 23 100 Ew., Bischofssitz. Das Stadtbild wird vom hochgelegenen Dom beherrscht, einer got. Halle (1291 gew., mehrfach verändert) mit kräftigem W-Turm (1424–44); Fresken im Langhaus (Ende 13. Jh.) und im Chor (1462–63), Grabmäler aus Renaissance und Barock, Grabkapellen (die der Familie Gyllenhielm mit Stuckreliefs, 1642–52), im Chor Brüsseler Altarschrein (1490). In der ›Roggeborg‹ (ehem. Bischofspalast, um 1490) Histor. Mus. der Stadt.

Strappo-Methode [ital. strappare ›abreißen‹], Verfahren zur Abnahme gefährdeter Wandmalereien. Dabei wird im Unterschied zum Stacco-Verfahren nur die Malschicht vom Mörtel abgezogen oder abgerissen. Die S.-M. erlaubt zwar, größere und gekrümmte Flächen abzulösen, ihr Nachteil besteht aber im Verlust des Malgrundes. Die Struktur des Putzes und die Unregelmäßigkeit der Wand gehen verloren; das übertragene Gemälde wirkt flach ohne Höhen und Tiefen.

Strasbourg [strasb'u:r], frz. für →Straßburg 2).

Strasburg, poln. **Brodnica** [brɔdn'itsa], Stadt in der poln. Wwschaft Toruń (Thorn), 20 000 Ew. – Ruine einer got. Kreuzritterburg (1317–39), daneben Renaissanceschloß (16.–17. Jh.) der Prinzessin Anna Wasa. Reste der Stadtmauer (1320–30) mit Tor (um 1370). Pfarrkirche, eine got. Hallenkirche mit Steinskulpturen (14. Jh.; 15.–16. Jh. ausgebaut).

Straßburg, **1)** Stadt im Gurktal, Kärnten, Österreich, bis 1780 Sitz der Bischöfe von Gurk; ehem. Bischofsburg (12.–17. Jh.), nach Brand (1856) verfallen, seit 1956 renoviert (Mus.). Got. Pfarrkirche (Mitte 15. Jh.), Ausstattung v. a. barock. Frühgot. Spitalskirche (14. Jh.), ein Rundbau mit angefügtem Chor.

2) frz. **Strasbourg** [strasb'u:r], größte Stadt des Elsaß, 257 300 Ew. Die winkelig gebaute Altstadt liegt zw. 2 Armen der Ill mit maler. Fachwerkbauten, u. a. das Haus Kammerzell (1589) am Münsterplatz und das Gerberhaus (›Gerwerstub‹, 1651) am Pflanzbad (Rue du Bain-aux-Plantes) im Viertel der Fischer, Gerber und Müller im SW der Altstadt (›La Petite France‹ gen.), wo die Gedeckten Brücken (Ponts Couverts; 4 quadrat. Türme durch 3 gedeckte Brücken verbunden, 14. Jh.) die Staden (Quais) der Ill überqueren. Weitere sehenswerte Häuser am Stephansplatz (Place St. Étienne; u. a. Böcklinshof), Kleberplatz (Place Kléber), am Alten Fischmarkt (Rue du Vieux Marché aux Pois-

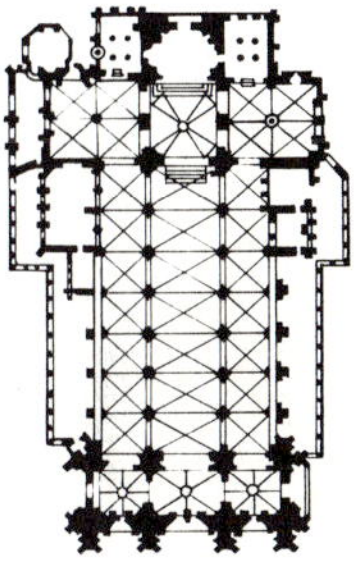

Straßburg 2):
Grundriß des Münsters

sons), Ferkelmarkt (Place du Marché aux Cochons-de-Lait) und den Gewerbslauben (Rue des Grandes Arcades); Renaissancehäuser: Große Metzig (Grande Boucherie, 1586; stadtgeschichtl. Mus.) und der Neue Bau (Hôtel du Commerce, 1582–85; Handelskammer), beide wohl von J. SCHOCH, Zeughaus (Arsénal, 1529). Bauten des 18. Jh. sind das Schloß Rohan (1730–42, nach Plänen von R. DE COTTE) mit Gemäldegal., Kunsthandwerkmus. (bed. Samml. Straßburger Fayencen), Archäolog. Mus. u.a. Museen, der Hanauer Hof (1730; heute Rathaus), Zweibrücker Hof (Hôtel des Deux-Ponts, 1754), ehem. Präfektur (Hôtel du Préteur Royal, 1730–36) u.a.; außerdem zahlreiche bürgerl. Barockhäuser.

Die Altstadt wird überragt vom **Straßburger Münster,** einem der mächtigsten Bauwerke des MA., errichtet über dem Grundriß einer 1176 durch Brand beschädigten Basilika aus otton. Zeit (1015). Beg. wurde mit dem spätroman. Chor und dem Querhaus, dessen jüngere Teile bereits im Übergang zur got. Bauweise entstanden. Das Langhaus wurde in den Formen der reifen Gotik erbaut, wahrte jedoch i. Ggs. zu den westl. Vorbildern die Weiträumigkeit des otton. Grundrisses (voll. 1275). 1276 wurde der Grundstein zum Westbau gelegt (BILD Gotik). Der wohl von →Erwin von Steinbach stammende Plan wurde nur z. T. und verändert ausgeführt. Vorgesehen waren 2 Türme. Nur der nördliche wurde von U. ENSINGER 1392–1417 gebaut und von J. HÜLTZ 1419–39 voll. Die Glasmalereien (13.–15. Jh.) sind größtenteils erh., so im nördl. Seitenschiff die Fenster mit den Bildern der römisch-dt. Kaiser. Die Bildwerke der W-Fassade (spätes 13. Jh.) und des südl. Querschiffs (Engelspfeiler; Ecclesia und Synagoge, um 1235; BILD Ecclesia und Synagoge) gehören zu den höchsten Leistungen der damaligen Bildhauerkunst (die Originale befinden sich mit anderen Kunstwerken des MA. und der Renaissance im Münstermus. im Frauenhaus).

Bed. sind ferner u.a. die Kirchen St. Thomas (Neubau im 13.–14. Jh.; mit Grabdenkmal des Marschalls von Sachsen von J.-B. PIGALLE, 1753–77, und Sarkophag des Bischofs Adeloch in der Sakristei, um 1130), Jung St. Peter (Saint Pierre-le-Jeune, Neubau nach 1290), St. Wilhelm (Saint-Guillaume, 15. Jh.). Unter den Gebäuden neuerer Architektur sind bed. das alte (1950–54, B. MONNET) und das neue Europahaus (Palais du Conseil de l'Europe, 1977, H. BERNARD).

Straßburger Fayence [-faj'ãs], →Hannong.

Straßburger Terpentin, Maltechnik: →Lärchenterpentin.

Straßenkunst, Gestaltung und Belebung der Stadt durch Plastiken (i. Ggs. zum Denkmal **Platzmal** genannt), Fassaden- und Asphaltbemalung (Graffiti), Wasser- und Lichtaktionen, an denen Passanten mitwirken können, vorzugsweise in Fußgängerzonen. Die ersten Versuche begannen schon in den 1960er Jahren.

Stratford-upon-Avon [str'ætfəd əp'ɔn 'eɪvən], Stadt südlich von Birmingham in der Cty. Warwickshire, Mittelengland, 19000 Ew., mit zahlreichen Fachwerkhäusern des 15. und 16. Jh., darunter das Geburtshaus von W. SHAKESPEARE. Die got. Kollegiatskirche Holy Trinity des 13. Jh. erhielt 1466–90 einen spätgot. Chor mit Perpendicular-Maßwerk. 1879–81 entstanden die Gebäude des ›Shakespeare Memorial‹, dessen Theater nach einem Brand 1932 von ELIZABETH SCOTT erweitert wurde.

Straub, Johann Baptist, Bildhauer, getauft Wiesensteig (bei Göppingen) 25. 6. 1704, †München 15. 7. 1784, wurde 1737 nach Ausbildung in Wien (um 1726 bis 1734, J. E. FISCHER V. ERLACH u. a.) Hofbildhauer in München. V. a. für Klöster und Kirchen in München und Oberbayern schuf S. in die Architektur eingepaßte Altäre und Holzplastiken (in weißer Fassung, vergoldet) im Stil des Rokoko, im Spätwerk im Stil des frühen Klassizismus. Sein bedeutendster Schüler war I. GÜNTHER. – Seine Brüder Joseph, Johann-Georg und Jakob waren als Bildhauer in Laibach, Radkersburg und Graz tätig.

HW: Kanzel (1730; Laxenburg, Pfarrkirche); Seitenaltäre (1739 bis 1741; Dießen, ehem. Stiftskirche); Tabernakel (1741; Fürstenzell, ehem. Klosterkirche Mariae Himmelfahrt); Hochaltar (1745 ebd.); Altäre (1743/44, 1758/59, Hochaltar 1767; München-Berg am Laim, Pfarrkirche St. Michael); Altäre (1748–57; Reisach am Inn, Klosterkirche St. Theresa); Altäre (Hochaltar 1755/56, Seitenaltäre um 1764; Schäftlarn, Klosterkirche); Altäre (1757–62; Ettal, Klosterkirche); Tabernakel (1764; Polling, ehem. Stiftskirche).

P. STEINER: J. B. S. (1974).

Straubing, Stadt an der Donau, Niederbayern, 42 700 Ew. Den Mittelpunkt der Stadt bildet der langgestreckte Straßenmarkt (Ludwigs- und Theresienplatz) mit reizvollen Patrizierhäusern (15.–18. Jh.), got. Stadtturm (1316 beg.), barocker Dreifaltigkeitssäule (1709) und dem Rathaus (1382). Got. Schloß (1356). Die spätgot. Jakobskirche zählt zu den schönsten bayer. Hallenkirchen mit schlanken, hohen Rundpfeilern (Ende 13. Jh. beg., um 1580 voll.), Baumeister war H. STETHAIMER D. Ä.; prächtige Rokokokanzel (1753). Die spätgot., ebenfalls unter Stethaimers Einfluß entstandene Karmeliterkirche (um 1371–1466) wurde 1700–10 durch W. DIENTZENHOFER barockisiert; monumentaler Hochaltar (1741/42). Auch die barocke Jesuitenkirche (1683) entstand aus einem got. Vorgängerbau. Die Ursulinenkirche, ein kleiner Zentralbau über Vierpaßgrundriß mit kostbarer Innendekoration, ist das letzte gemeinsame Werk der Brüder ASAM (1736–41). Die Peterskirche, etwas außerhalb der Stadt, ist eine roman. Pfeilerbasilika mit Doppelturmfassade (um 1180 beg.); reich mit Kerbschnittornamentik verziertes W-Portal.

Strausberg, Stadt östlich von Berlin, im Barnim, Dt. Dem. Rep., 22 900 Ew.; got. Marienkirche (13. bis 15. Jh.) mit spätgot. Freskenzyklus in den Gewölbekappen, spätgot. Flügelaltar (Mitte 15. Jh.); klassizist. Rathaus (1818), Reste der Stadtmauer mit 2 Toren.

Strawberry Hill [str'ɔːbərɪ hɪl], 1748 nach Ideen des Schriftst. und Kunstsammlers H. WALPOLE (*1717, †1797) erbautes engl. Landhaus in Twickenham (heute Greater London Borough Richmond Upon Thames), das erstmals neugot. Formen auf den Profanbau übertrug. Von der Innenausstattung sind das ›Great Par-

Strebewerk

lour‹ und die Library von 1754 erwähnenswert, deren Bücherschränke als got. Tabernakel gestaltet sind.

Strebewerk, Baukunst: Pfeiler und Mauervorlagen, die den Seitenschub der Gewölbe auffangen, seit der Spätantike verwendet (Konstantins-Basilika, Rom). In der Gotik kamen die **Strebebögen** auf, die den Seitenschub der Mittelschiffgewölbe auf die **Strebepfeiler** an den Außenwänden der Seitenschiffe übertragen. Später wurde das S. mit Maßwerk und Krabben aufs reichste geschmückt. Der Rücken der Strebebögen ist meist mit einer Rinne versehen, in der das Wasser von den Dächern zu den Wasserspeiern abfließt. Die Last der →Fialen auf den Strebepfeilern sichert deren Widerstand gegen den Seitenschub. In spätgot. Kirchen sind die Strebepfeiler oft nach innen gestellt und dienen als Trennwände der Seitenkapellen. (→Wandpfeilerkirche)

Strehla, Stadt im Kr. Riesa, Dt. Dem. Rep., am linken Elbufer; Schloß (15.–16. Jh.), im SW-Turm Trinkstube mit interessanter Ausmalung (1532), am O-Flügel Maßwerkgiebel; in der spätgot. Stadtkirche (15. bis 16. Jh.) Altaraufsatz mit lebensgroßen Holzfiguren der Stifterfamilie (1605), farbig glasierte Keramikkanzel (1565), qualitätvolle Grabdenkmäler.

Strenger Stil, Frühphase der klass. →griechischen Kunst in der Plastik.

Streumuster, Muster aus lose über die Fläche verteilten Einzelmotiven, meist Blüten oder Blumensträußchen, in der Porzellan- und Fayencemalerei des 18. Jh., auch in der Weberei, Stickerei und bei Lederarbeiten.

Striegau, poln. **Strzegom** [stʃ'ɛgɔm], Stadt in der poln. Wwschaft Wałbrzych (Waldenburg in Schles.), 16000 Ew., inmitten großer Steinbrüche; z. T. erh. Steinmauer aus dem 13.–15. Jh. mit Toren und der Antoniuskapelle (um 1500); Pfarrkirche (14. Jh.), eine got. Steinbasilika mit Querschiff und zwei Türmen, Sakramentshaus (15. Jh.).

Strigel, Bernhard, Maler, *Memmingen 1460/61, †ebd. 1528, malte als Gehilfe seines Vaters, des Bildhauers Ivo S. (*1430, †1516), Altarflügel für Disentis (1489), war dann in Ulm Schüler von B. ZEITBLOM. Seit 1507 bevorzugte ihn Kaiser MAXIMILIAN I. als Porträtmaler. Sein Malstil zeigt zunächst niederländ. Einfluß und öffnet sich seit 1505 dem Einfluß der Renaissance (Raumtiefe, Landschaftshintergrund).

HW: Mindelheimer Sippenaltar (um 1505; Nürnberg, German. Nat.-Mus.); Porträts Kaiser Maximilians I. (1507; Straßburg, Mus. des Beaux-Arts; viele Werkstattwiederholungen); Geburt Christi (um 1507/08; Salem, Schloßmus.); 2 Porträts von Frauen der Familie Freyberg (um 1513; München, Alte Pinakothek, Schaffhausen, Mus.); Bild der kaiserl. Familie (1515; Wien, Kunsthistor. Mus.); Karl V. (um 1515; Rom, Villa Borghese); K. Rehlingen und seine Kinder (1517; München, Alte Pinakothek); Porträt der Familie Cuspinian (1520; Burg Kreuzenstein); Montfort-Porträts (1520, 1522; Schloß Harburg, Donaueschingen, Dublin).

Stroganow-Stil, Stilrichtung der russ. Kunst des 17. Jh., nach der Familie Stroganow benannt, in deren Auftrag Ikonen, Werke der Monumentalmalerei und der angewandten Kunst (v. a. Stickereien und Emailarbeiten) entstanden. Mit dem Begriff **Stroganow-Ikonen** (nicht in den Werkstätten der Stroganows entstanden) verbindet man eine ikonograph. Sondergruppe innerhalb der russ. relig. Kunst: Die Ikone verliert ihren bis dahin untrennbaren Zusammenhang mit der Innenausstattung der Kirche, sie wird Andachtsbild für den privaten Gebrauch. Die Malerei nimmt miniaturhafte Züge an, die Kompositionen werden durch viele, neu hinzugefügte Szenen komplizierter. Das Erzählerische tritt in den Vordergrund. Die lineare und ornamentale Gestaltung wird durch umfangreiche kalligraph. Inschriften betont. Die Figuren, in kostbare Gewänder gehüllt, zeichnen sich durch schlanke Körper mit kleinen Köpfen und Händen, dünnen Armen und in den Knien gebeugten Beinen aus, die kaum den Boden berühren. Die Bewegungen sind elegant und manieriert. Die Farbskala ist gedämpft, die Grundfarben werden in mehreren Nuancen wiedergegeben. Unter den Ikonenmalern des S.-S. sind P. TSCHIRIN, ISTOMA-SAWWIN und dessen Söhne zu nennen. Kunstgewerbl. Werkstätten des S.-S. schufen Werke des ›Pfannenschmelzerz mit Emaileinlagen‹ (Schmuck).

Stroh|marketerie, im 16. Jh. in Italien aufgekommene Verzierung für Dosen, Spiegelrahmen u. a. aus gefärbten Strohhalmen, die zu geometr. Mustern oder einfachen Bildern auf Holz-, Metall- oder Papiermachégrund aufgeklebt waren.

Strongylion, um 400 v. Chr. tätiger grch. Bildhauer, dem die literar. Überlieferung die Bronzeplastik eines Trojan. Pferdes auf der Athener Akropolis, eine Musengruppe auf dem Berg Helikon und das Bild der Artemis Soteira in Megara zuschreibt (weder Originale noch Kopien erhalten).

Stroter [grch.] *der,* Flachziegel des antiken Daches.

Strozzi, florentin. Patriziergeschlecht. Filippo d. Ä. (*1428, †1491) beauftragte 1489 BENEDETTO DA MAIANO mit dem Bau des **Palazzo S.,** einem der bedeutendsten Stadtpaläste der ital. Renaissance, der erst 1536 fertiggestellt wurde. Sein Grabmal in S. Maria Novella und Porträtbüsten (Berlin, Paris) stammen ebenfalls von Benedetto da Maiano.

Strozzi, Bernardo, genannt **il Prete Genovese** [-dʒenov'e:se] oder **il Cappuccino** [-kapputtʃ'i:no], ital. Maler, *Genua 1581, †Venedig 2. 8. 1644, seit 1598 Kapuziner, floh 1630 aus dem Kloster nach Venedig. Durch seine maler. Begabung und fesselnde Wirklichkeitstreue wurde S. zunächst führender Maler der genues. Schule und gewann später, durch D. FETTI beeinflußt, bed. Einfluß auf die venezian. Malerei. Er malte v. a. Altar- und Andachtsbilder (Hl. Sebastian, Venedig, S. Benedetto) sowie repräsentative Porträts (Kardinal Federico Correr, Venedig, Mus. Correr).

Strudel, 1) Paul (seit 1707 **Frhr. v. S. und Vochburg**), Bildhauer, Architekt, Ingenieur, Bruder von 2), *Cles (Prov. Trient) 1648, †Wien 1708, erhielt 1696 den Auftrag, eine Ahnengalerie der Habsburger in weißem Marmor zu gestalten, von der bis zu seinem Tod 16 Figuren fertiggestellt waren (Prunksaal der Nat.-Bibl.,

Wien, und in der Franzensburg in Laxenburg). S. gehört zu den virtuosen Hofkünstlern des Hochbarock, die sich v. a. um dekorative Wirkung bemühten.

2) Strudl, Peter (seit 1701 **Frhr. v. Strudendorff**), Maler, Bruder von 1), *Cles (Prov. Trient) 1660, †Wien 1714, Schüler von C. LOTH in Venedig, seit 1690 Hofmaler in Wien (Gründung einer Akad.). S. malte in Helldunkel gehaltene Altarbilder (Einfluß venezian. und bolognes. Meister, auch von P. P. RUBENS) und dekorative Werke (häufig Kinderszenen) von kräftiger Farbigkeit.

Strukturalismus, Baukunst: Bestrebungen niederländ. Architekten (P. BLOM, A. VAN EYCK, H. HERTZBERGER, F. VAN KLINGEREN) seit etwa 1958, die wissenschaftlich-theoret. Denkmethode des S. in ein baul. Konzept zu fassen. Gestützt auf die Theorien des Ethnologen C. LÉVI-STRAUSS und auf die Kenntnis früher Kulturen, formal beeinflußt durch den →Brutalismus, erklären die Vertreter des S. den Raster im konstruktiv-kleinteiligen wie im städtebaul. Maßstab zum Grundmuster (›Archeform‹) aller Bautätigkeit. Die vertikale und horizontale Addition gleicher Einzelelemente zur geplanten baul. Struktur wird so zum Planungsprinzip. Multifunktionalität der Einzelräume und rohbauartige Ausführung der Entwürfe sollen die Möglichkeit einer späteren Gebäudeerweiterung offenhalten und dem Gebäudenutzer individuelle Freiheit in der Ausgestaltung geben. Die zunächst neutrale baul. Hülle dient also nicht der Selbstdarstellung des Architekten, sondern als Basis kontinuierl. Gestaltung.

Bauten: A. VAN EYCK: Kinderheim in Amsterdam (1960); F. VAN KLINGEREN: Gemeinschaftszentrum ›De Meerpaal‹, Dronten (1967–69); H. HERTZBERGER: Bürogebäude ›Centraal Beheer‹, Apeldoorn (1972); P. BLOM: Wohnbebauung ›Kasbah‹, Hengelo (1972–73).

A. LÜCHINGER: S. in Architektur und Städtebau (1980).

Strüth, Gem. im Rhein-Lahn-Kr., Rheinl.-Pf., mit ehem. Benediktinerkloster **Schönau** (1125 gegr.), jetzt Prämonstratenser-Chorherrenstift. Die Kirche besteht aus spätgot. Chor (1. H. 15. Jh.) und schlichtem barokkem Langhaus (1. H. 17. Jh., 1780–86 klassizistisch umgestaltet) und besitzt eine bed. Barockausstattung. Barocke Klostergebäude (1725–32).

Strützel, Otto, Maler, *Dessau 2. 9. 1855, †München 25. 12. 1930, ausgebildet in Leipzig und Düsseldorf, ging 1885 nach München. Seine oberbayer. Landschaften zeichnen sich durch die kolorist. Prinzipien des Impressionismus aus.

Strzegom [stʃ'ɛgɔm], poln. Name für →Striegau.

Strzelno:
Prokopioskirche; 2. H. 12. Jh.

Strzelno [stʃ'ɛlnɔ], Stadt in der Wwschaft Bydgoszcz (Bromberg), Polen, 5800 Ew., mit 2 roman. Bauten: Prokopioskirche (2. H. 12. Jh.) und die nach 1175 gebaute (im 18. Jh. z. T. umgebaut) Dreifaltigkeitskirche (frühere Prämonstratenserinnen-Klosterkirche), eine Steinbasilika mit Querschiff, 2 Türmen, Portal mit spätroman. Tympanon (um 1230). Im Innern roman. Säulen mit figürl. Relief.

Strzemiński [stʃɛm'iĩski], Władysław, poln. Maler, Graphiker, *Minsk 21. 11. 1893, †Lodz 28. 12. 1952, studierte 1918–19 in Moskau und entwickelte, ausgehend vom Werk von K. →Malewitsch, einen unabhängigen Stil (›Unismus‹). Seine meist weißen, in Vibrationsfelder eingeteilten Bilder sind ein bed. Bestandteil der neueren Malerei. S. war auch Kunsttheoretiker und Erzieher; postum erschien seine ›Lehre vom Sehen‹ (Teorija widzenia, Krakau 1958).

Stuart [stj'uət], Gilbert, amerikan. Maler, *North Kingstown, Kings (Rhodes Island) 3. 12. 1755, †Boston 9. 7. 1828, kam 1775 nach London, wo er in B. WESTS Atelier arbeitete. Er porträtierte führende Persönlichkeiten seiner Zeit mit psycholog. Einfühlungsvermögen.

Stubbins [st'ʌbɪnz], Hugh A(sher) jr., amerikan. Architekt, *Birmingham (Alabama) 11. 1. 1912, wurde von W. GROPIUS entscheidend geprägt, bevor er 1949 ein eigenes Büro in Cambridge (Massachusetts) eröffnete. In seinem Werk überwiegen Großbauten in der Formensprache des Internationalen Stils, deren Zeichencharakter und Repräsentationswert Vorrang vor der Übereinstimmung von Gebäudenutzung, Konstruktion und Gestaltung eingeräumt wird.

HW: Botschaftsgebäude der USA in Tanger (1955); Kongreßhalle, Berlin-West (1957; 1980 z. T. eingestürzt); Anbau des Mus. of Fine Arts, Boston (1968); Citicorp Center, New York (1978).

Stubbs [stʌbz], George, engl. Maler, *Liverpool 24. 8. 1724, †London 10. 7. 1806, studierte Anatomie, veröffentlichte 1766 das Kupferstichwerk ›The anatomy of the horse‹ und schuf vollendete Tierbilder (›Landschaft mit Stuten und Fohlen‹, 1763–68; London, Tate Gal.), Genredarstellungen und Porträts.

Stuccolustro [ital. ›blanker Stuck‹], Marmorimitation für große Wandflächen, bei der die Stuckmasse aus Kalk, Marmormehl und einem Zusatz von Kalkseife dünn aufgetragen und mit einem heißen Bügeleisen geglättet wird. In den noch weichen Grund werden die Adern gemalt und die Fläche anschließend bis zu Spiegelglanz geglättet.

Stuck [ital. stucco], plast. Wanddekorationen, Reliefs und Figuren aus Kalk- oder Gipskalkmörtel. In formbarer Konsistenz mit Zusätzen von Kasein oder ähnlichem angemacht, dient S. seit frühester Zeit der Ausstattung repräsentativer Bauten. Während an Außenfassaden nur gipsfreier Mörtel, u. U. mit Traßbeischlägen, verwendet werden kann, wird für Arbeiten im Innern meist Gips in unterschiedl. Mengen zugesetzt, um Antrag- und Modellierfähigkeit zu verbessern. Reiner Gips wird nur für **Gieß-S.** verwendet, der, in Modeln gegossen, in fertigen Stücken versetzt wird. Beim **Antrag-S.** unterscheidet man **Zugarbeiten** und **Modellier-S.** Für Zugarbeiten (Herstellung von Gesimsen und Profilen) wird die Form mit einem auf einer Lehre laufenden Hobel in den angeworfenen Mörtel gezogen. Modellier-S. wird entweder aus frisch aufgezogenem und geglättetem Putz mit der Spachtel herausmodelliert und darauf weiter angetragen **(Flach-S.)** oder auf Mauerwerk oder getrocknetem Putz angeworfen, mit der Kelle ausgeschnitten und übermodelliert. Bei sehr vortretenden Formen und bei Plastiken muß in mehreren, jeweils festwerdenden Schichten angetragen werden. Ausgreifende Plastiken erhalten zudem ein Metall-

bis 1196), ein einschiffiger Kuppelbau mit 3teiligem Altarraum, reichem bauplast. Schmuck und Fresken von 1208, 1235 und 1569; Nikolauskirche (Anfang 13. Jh.), ein einfacher, kleiner Bau aus Bruchstein; ›Königskirche‹ (auch St. Joachim und Anna), ein Kuppelbau mit kreuzförmigem Grundriß (1314) und gut erh. Fresken.

Studi|e [lat.], Vorarbeit, bes. für die Ausführung eines Kunstwerks; sie kann eine nach der Natur gefertigte Zeichnung von Einzelheiten (Kopf, Gewand u. a.), aber auch ein freier Entwurf sein.

Studiolo [ital.], **Scrittoio, Studio,** ital. Bez. für Studier- und Arbeitszimmer. Das S. entwickelte sich im Lauf des 15. Jh. vom einfachen Arbeitsraum zum festen Raumtyp im ital. Stadtpalast mit aufwendiger Ausstattung und reichem Bildprogramm. Im 16. Jh. vollzog sich der Übergang zum Sammlungsraum, in dem Prunkgefäße, Gemmen, Luxusgegenstände, Edelsteine, Bücher, Tafelbilder, Kleinplastiken, Schreibgeräte, Hss., Münzen und Medaillen aufbewahrt wurden. Bed. S. sind das des FEDERICO DA MONTEFELTRO in Urbino, der ISABELLA D'ESTE in Mantua und des FRANCESCO DE' MEDICI im Palazzo Vecchio in Florenz.

W. LIEBENWEIN: S., Die Entstehung eines Raumtyps (1977).

Stufenbrunnen, Treppenbrunnen, in der indischen Architektur seit etwa dem 11. Jh. bekannte, über Treppenläufe zugängl. Tiefbrunnen (Vava). Unter Pavillons zu ebener Erde senkt sich die Anlage in mehrgeschossigen Galerien bis zur Wasseroberfläche hinab. Diese Nutzbauten erhielten bes. in Gujarat, W-Indien, durch reichen Reliefschmuck sakralen Charakter. Zu den bekanntesten und ältesten zählen der Rani Vav in Anahilavada (um 1050) und Vethiya Vav bei Mukhana (11. Jh.).

Stufenhallenkirche, Staffelhalle, Pseudobasilika, Hallenkirche, bei der die Außenschiffe gestaffelt niedriger sind als das Mittelschiff, jedoch ohne Belichtung des Obergadens.

Stufenportal, Baukunst: Portal mit abgestuftem Gewände.

Stuhlweißenburg, ungarisch **Székesfehérvár** [s'e: kɛʃfɛhe: rva: r], Hauptstadt des Bez. Fejér, Ungarn, südwestlich von Budapest, 95 700 Ew. – Als röm. Siedlung entstanden, war S. bis zum 13. Jh. Hauptstadt Ungarns und im MA. Krönungsstadt und Begräbnisstätte vieler Könige. In der Zeit der türk. Herrschaft (1543 bis 1688) wurden fast alle Bauten des MA. zerstört (im ›Ruinengarten‹ u. a. Fundamente einer roman. Basilika, der alten Krönungsstätte), erh. blieben die Annenkapelle (vor 1478) und got. Wohnhäuser. Später entstanden v. a. Barockbauten; Rathaus (1730), Dom (1758–68, an der Stelle einer Kirche aus dem 10. Jh.); Seminarkirche (1745) mit Fresken und Altarbildern von F. A. MAULBERTSCH; Bischofspalast und Schloß der Zichy im Zopfstil.

Stüler, Friedrich August, Baumeister, *Mühlhausen (Thüringen) 28. 1. 1800, †Berlin 18. 3. 1865, der maßgebende Berliner Architekt der Jahrhundertmitte. S. ging vom Klassizismus K. F. SCHINKELS aus und verwendete im Kirchenbau got. und frühchristl. Formen. Bei seinen Landhäusern suchte er durch maler. Gruppierung die Verbindung zur Landschaft.

HW: Neues Mus., Berlin (1843–46); Pläne für die Berliner Nat.-Gal. (voll. von H. STRACK 1876); Kirchen in Berlin; Entwürfe für den Berliner Dom; Univ. Königsberg (1844–63); Nat.-Mus., Stockholm (1850–66); Schloß in Schwerin (1851); Wallraf-Richartz-Mus., Köln (1855–61; zerstört); Burg Stolzenfels am Rhein (voll. 1842 nach K. F. SCHINKELS Plänen); Burg Hohenzollern (1850–67).

Stundenbuch [n. den Gebeten für die Tageszeiten], lat. **Horarium, Horae,** frz. **Livre d'heures** [livr d'œ:r], Gebetbuch für Laien, entstanden im 12. Jh., bes. beliebt im 14. und 15. Jh. Es sind die Gebetbücher, die trotz ihres kleinen Formats bes. reich ausgestattet wurden. Sie enthielten u.a. ein Kalendar mit Heiligen, das mit →Monatsbildern geschmückt sein konnte, Evangelientext mit Darstellungen aus dem Leben Christi, Bußpsalmen, Totenvigilien. Höhepunkte bilden in der spätgot. →Buchmalerei die S. des 15. Jh. im frankofläm. Kunstkreis, z. B. die S. für Jean I., Herzog von →Berry.

Stupa [Skt.] *der, Mz.* **Stupen,** in Sri Lanka **Dagoba,** in Thailand **Chedi** [tʃ-], in Birma **Pagode,** in Tibet **Chörten** [tʃ-], ein massiver, hügelartiger Kultbau der buddhist. und jinist. Architektur zur Aufnahme von Reliquien. Der S. entstand in Indien vermutlich aus älteren Grabhügeln bald nach dem Tod des Buddha (um 480 v. Chr.), doch reichen die erhaltenen nicht vor das 2. Jh. v. Chr. zurück (in Mihintale und Anuradhapura, Sri Lanka, in Bharhut, Pauni, Sanchi u. a.). Der halbkugelige, mit Steinplatten verkleidete Erd- oder Ziegelbau, der durch Umwandlung (Pradakshina) verehrt wird, erhebt sich über einer zylindr. Sockelzone und wird von einem kleinen, quadrat. Steinzaun (Harmika) gekrönt, der einen Ständer mit mehreren steinernen Ehrenschirmen (Chattra) umschließt. Den Baukörper umgibt ein reliefgeschmückter Steinzaun (Vedika) mit meist 4 Toren in den Himmelsrichtungen, die die opt. Schwerpunkte setzen. Ihre Säulen (Stambha) und dreifachen Architrave tragen Reliefszenen der Buddhalegende oder Verehrungsszenen von Baumheiligtümern oder S. (Sanchi, S. 1. WEITERES BILD Sanchi).

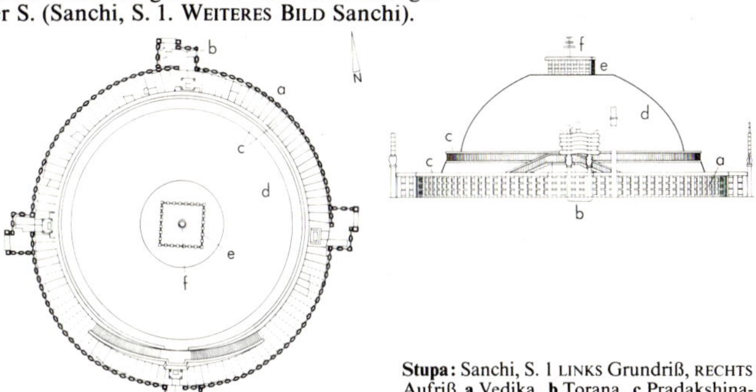

Stupa: Sanchi, S. 1 LINKS Grundriß, RECHTS Aufriß **a** Vedika, **b** Torana, **c** Pradakshinapatha, **d** Anda, **e** Harmika, **f** Chattra

In der 1. H. des 1. Jahrtsd. bildeten sich regional unterschiedl. Typen heraus. In Gandhara erhöhte sich zunehmend der hier quadrat. Sockelbereich, der gegenüber der Kuppel dominierendes Bauglied wurde und wahrscheinlich zur Entwicklung der Pagodenform O-Asiens führte. Die kosmologisch-myst. Bedeutung des S. wird bei dem Augen tragenden Svayambhunath (BILD nepalesische Kunst) und Bodhnath in Nepal, den Chörten in Tibet und bes. bei dem Terrassen-S. in Borobudur (BILD) auf Java offenbar.

H. G. FRANZ: Pagode, Turmtempel, S. (1978); A. GOVINDA: Der S. (a. d. Engl., 1978).

Stupfen, Maltechnik: Aufklopfen des Pinsels auf den Malgrund, um eine rauhe Struktur der Farbe zu erzeugen oder um eine innigere Verbindung der Farbe mit dem Grund zu erreichen.

Stupinigi [-n'i:dʒi], Ort rd. 10 km südwestlich von Turin, Italien, mit dem unter König VIKTOR AMADEUS II. von Sardinien von F. JUVARRA 1729 beg. Jagdschloß mit zentralem Kuppelsaal, im Innern reich mit Stuckarbeiten und Fresken im Stil des Rokoko ausgeschmückt (heute Mus.).

Stuppach, Stadtteil von Bad Mergentheim, Bad.-Württ.; in der Pfarrkirche das Tafelbild der ›Stuppacher Madonna‹, ein 1517–19 gemaltes HW von M. GRÜNEWALD, Teil des ehem. Maria-Schnee-Altars der Aschaffenburger Stiftskirche.

Sturm, Der S., von H. WALDEN in Berlin gegr. Kulturzeitschr. (1910–32), der seit 1912 eine Gal. und seit 1916 eine Kunstschule (Leiter G. MUCHE) angegliedert war; um sie bildete sich der **Sturmkreis,** dem u.a. O. KOKOSCHKA sowie Mitgl. der Brücke und des Blauen Reiters angehörten. Der S. trat für die avantgardist. Richtungen in Kunst und Dichtung ein (Expressionismus, Futurismus, Kubismus). Höhepunkte der außerordentlich aktiven Galeriearbeit war der ›Erste deutsche Herbstsalon‹ 1913.

Sturm, 1) Anton, Bildhauer, *im Weiler Faggen bei Landeck (Tirol) 30. 5. 1690, †Füssen 25. 10. 1757, seit 1717 ebd. nachweisbar. Er schuf v.a. 16 Kaiserfiguren im Kaisersaal der Benediktinerabtei Ottobeuren (1724/27) und die Gestalten der 4 Kirchenväter in der →Wies bei Steingaden (1752/54).

2) Leonhard Christoph, Architekturtheoretiker, Baumeister, *Altdorf 5. 11. 1669, †Blankenburg 6. 6. 1719, urspr. Theologe, dann Mathematiker, als Baumeister in Schwerin, Hamburg und Braunschweig tätig. Ausgehend von den Schriften des Architekturtheoretikers N. GOLDMANN (*1611, †1665) entwickelte S. eine mathematisch regelhafte Baulehre des norddt. Klassizismus. In seinen Hbb. sind u.a. Typen prot. Predigtkirchen zusammengestellt.

Schriften: Goldmanns vollständige Anweisung zu der Civilbaukunst (1691, viele Auflagen); Architekton. Bedenken von der prot. Kirchen Figur und Einrichtung (1712).

Sturmgold, Transfergold, Maltechnik: Blattgold, das für den Gebrauch im Freien auf Seidenpapier geschlagen wird, mit dem es auf die zu vergoldende Fläche aufgelegt wird.

Štursa [ʃt'ursa], Jan, tschech. Bildhauer, *Nové Město 15. 5. 1880, †(Selbstmord) Prag 2. 5. 1925, nach Studien an der Akad. (J. MYSLBEK) Prof. ebd. seit 1916; entfaltete seinen Stil aus dem Eindruck des Symbolismus zu einem lyr. Neuklassizismus. S. schuf Denkmäler und Bauplastik, auch Porträtbüsten und ›freie‹ Statuen.

Sturz, Baukunst: Träger aus Holz, Mauerwerk, Stahl oder Stahlbeton über einer Wandöffnung, nimmt die Last des Mauerwerks über der Öffnung auf. Eine besondere Art des S. ist das gemauerte scheitrechte (geradlinige und waagerechte) Gewölbe (fälschlich scheitrechter Bogen).

Sturzbecher, fußloser, trichterförmiger Becher, der, leergetrunken, ›gestürzt‹, d. h. mit der Öffnung nach unten, abgestellt wurde. S. aus Glas gab es schon in fränk. Zeit; beliebt waren sie bes. im 16. Jh., wo sie v. a. in Augsburg und Nürnberg aus Edelmetall hergestellt wurden.

Sturzbecher aus Augsburg; Ende 16. Jh. (Kassel, Staatl. Kunstsammlungen)

Stuttgart, Hauptstadt des Landes Bad.-Württ., 578 000 Ew.; um 1160 erwähnt, wurde 1482 Residenzstadt. Das Alte Schloß (Kern 13./14. Jh.) wurde ab 1553 zu einer repräsentativen Renaissance-Vierflügelanlage mit runden Ecktürmen, maler. dreistöckigem Arkadenhof und nachgot. Schloßkapelle (1560–62) ausgebaut; darin das Württ. Landes-Mus. (u. a. Antiken, Merowingerkunst, europ. Kunsthandwerk, Herzogl. Kunstkammer, Kronschatz). Davor der Schillerplatz mit Alter Kanzlei (1543), Prinzenbau (17./18. Jh.), Renaissance-Stiftsfruchtkasten (1592 von H. SCHICKHARDT), Schillerdenkmal (1839 von B. THORVALDSEN) und der Stiftskirche mit ihrem ungleichen Turmpaar (von der spätgot. Halle des 14./15. Jh. nach Kriegszerstörung nur der Chor 1953 rekonstruiert, darin die originelle Grabdenkmälerreihe der Grafen von Württemberg, 1578–84; das Langhaus 1958 modern ausgebaut). Der Bau des Neuen Schlosses, 1746 von L. RETTI und P. DE LA GUÊPIÈRE als dreiflügelige Ehrenhofanlage beg., 1763 eingestellt, wurde ab 1797 nach Entwürfen N. THOURETS weitergeführt. Netzgewölbte spätgot. Kirchen sind St. Leonhard (1463–66) und die Dominikaner-(Hospital-)Kirche (1471–93) mit ausdrucksstarker Kreuzigungsgruppe (1501). Im Stadtteil **Mühlhausen** die vollständig ausgemalte got. Veitskirche (ab 1380 von Mitgl. der Prager Bauhütte errichtet). Im 19. Jh. entstanden das Wilhelmspalais (1834–40), die Gebäude des zoologisch-botan. Gartens ›Wilhelma‹ (1842–53 im maurischen Stil mit klassizist. Theater), die Villa Berg (1845–53 im Neorenaissancestil) und der Königsbau mit Säulenfassade (1856–60); im Stadtteil **Rotenberg** das Mausoleum auf dem Wirtemberg (1820 bis 1824 von G. SALUCCI, ein klassizist. Zentralbau); im Stadtteil **Bad Cannstatt** das Schloß Rosenstein (1824 bis 1829 von Salucci) und der klassizist. Kursaal (1825 bis 1827 von Thouret). Das neoklassizist. Große Haus, 1907–12 als Königl. Oper erbaut, wurde 1956 purifizierend modernisiert; die originale Dekoration wurde 1983/84 rekonstruiert. Aus dem 20. Jh. stammen

Stützenwechsel

Rheinischer S.

Niedersächs. S.

der Hauptbahnhof mit 57 m hohem Turm (1914–28 von P. BONATZ), die Weißenhofsiedlung als Mustersiedlung des Dt. Werkbundes (1926/27, Gesamtplan von L. MIES VAN DER ROHE, ferner P. BEHRENS, LE CORBUSIER, W. GROPIUS, H. SCHAROUN u. a.), der Tagblatt-Turmbau (1928), der Zeppelinbau (1931), der 217 m hohe Fernsehturm (1954–56), das Konzerthaus ›Liederhalle‹ (1956), der Landtag (1961) u. a. In der klassizist. Staatsgalerie (1838–42, Erweiterungsbau von J. STIRLING und M. WILFORD 1979–84) europ. Malerei des 14.–20. Jh. und Graph. Samml.; in der Gal. der Stadt S. Otto-Dix-Samml. und Gemälde des 19./20. Jh. Im Stadtteil **Hohenheim** klassizist. Schloß (1785–97, heute Univ.) mit 500 m langer Gartenfront und reizvollen Raumdekorationen. Westlich von S. das Lustschloß **Solitude** (1763 ff.), im späten Rokokostil mit klassizist. Anklängen nach Plänen des Herzogs CARL EUGEN von Württemberg, höfisch-elegante Innendekoration nach Entwürfen von de la Guêpière; in den halbkreisförmig vorgelagerten Nebengebäuden die frühklassizist. Schloßkapelle und ein Theatersaal.

Stützenwechsel, im Langhaus roman. Basiliken der rhythm. Wechsel von Pfeiler (a) und Säule (b) in der Abfolge a-b-a-b (Rheinischer S.), auch von einem Pfeiler und zwei Säulen a-b-b-a (Niedersächs. S., Sächs. S.).

Stützmauer, Mauer zur Stützung von Erdmassen, die steiler als mit natürl. Böschung begrenzt werden müssen. Arten: Futtermauern, Gewichts-S., gegliederte S. (Winkelstützmauer).

Style Rayonnant [stilrɛjɔn'ã, frz. ›strahlender Stil‹], Stil der frz. Hochgotik, etwa zur Regierungszeit LUDWIGS IX. (1226–70). Der S. R. ist gekennzeichnet durch reiches ›ausstrahlendes‹ Maßwerk (Sainte-Chapelle, Querhausfronten von Notre-Dame in Paris).

Styliten [grch.], →Säulenheilige.

Stylobat [grch.] *der,* oberste Stufe des Unterbaus (Krepis) beim grch. Tempel (BILD Säulenordnung).

Suaheli-Stil, arabisch-islam. Stil an der ostafrikan. Küste (→Lamu, →Siyu, →Takwa, →Sansibar, →Gedi).

Subeita, hebr. **Schiwta,** Ruinenstätte einer byzantin. Stadt aus nabatäischer Zeit, 50 km südlich von Beerscheba, mit im Grundriß (z. T. auch bis zum 2. Stock) erh. Häusern und Ruinen von 3 byzantin. Kirchen.

Subiaco, Stadt in der Prov. Rom, Italien, am oberen Aniene, 8800 Ew. – Bei S., dem röm. **Sublaqueum** (Reste einer Villa Neros), soll der Hl. Benedikt von Nursia seine Mönchsregel niedergeschrieben haben; 2 Benediktinerklöster: S. Scolastica mit 975 gegr. Kirche (im 18. Jh. erneuert) und 3 Kreuzgängen (v. a. der prächtige von den Cosmaten errichtete Kreuzgang des 13. Jh.) sowie S. Benedetto oder Sacro Speco (›hl. Höhle‹) mit Ober- und Unterkirche sowie Kapelle und Grotte (Fresken des 13.–15. Jh. in der Felsengrotte des 8./9. Jh.).

Subleyras [syblɛr'a], Pierre, frz. Maler, Radierer, *Saint-Gilles-du-Gard (bei Nîmes) 25. 11. 1699, †Rom 28. 5. 1749, ab 1726 Schüler der Akad. in Paris, seit 1728 in Rom tätig, wo er zu den angesehensten Künstlern zählte. S. malte großformatige Historien- und Altarbilder, Porträts (Gastmahl im Hause Simons, 1737, Louvre; Messe des Hl. Basilius, 1747, für St. Peter in Rom, seit 1752 in S. Maria degli Angeli, ebd.; Porträt Papst Benedikts XIV., 1740/41, Chantilly, Mus. Condé).

Subow, Zubov, russ. Künstlerfamilie des 17. und der 1. H. des 18. Jh. – Fjodor Jewtichijewitsch (†1689) arbeitete als kirchl. Maler in Moskau mit S. USCHAKOW zus. Sein Sohn, der Kupferstecher Iwan Fjodorowitsch (*1667, †nach 1744), war seit 1708 in der Senatsdruckerei in St. Petersburg tätig. Ein weiterer Sohn Fjodors, der Kupferstecher und Radierer Aleksej Fjodorowitsch (*1682, †nach 1750), war seit 1711 ebenfalls in der Senatsdruckerei in St. Petersburg tätig, seit 1732 in Moskau. Seine Werke (nach eigenen Zeichnungen) gab er als Radierungen, Kupferstiche und Mezzotinto heraus (mehr als 100 Blätter, Porträts, Stadtansichten, Darstellungen von Schlachten und Feuerwerken).

Substrat [lat. ›Unterlage‹], Maltechnik: weißes oder farbloses Mineral, auf das ein →Farbstoff verlackt werden kann, um ihn als Pigment gebrauchen zu können.

Suceava [sutʃe'ava], Kreisstadt in N-Rumänien, 66900 Ew. – S. war seit dem 14. Jh. bis 1566 Residenz der Moldaufürsten. Erh. ist die Ruine einer Festung aus dem 15./16. Jh. Zahlreiche Kirchen, darunter die frühere Krönungskirche (Mirauţilor; um 1400 gebaut). Die Kirche des Georgsklosters (1514–22) ist eine der größten Dreikonchenanlagen der Moldau, mit Wandmalereien von 1527–34 und Silberschrein des Hl. Johannes Novus. An der Stelle älterer Bauten wurde 1534–35 die Demetriuskirche erbaut (Gotik und frühe Renaissance). Das Kloster Zamca der armen. Kolonie aus dem 17. Jh. ist ein einfacher Bau in moldauischer Tradition; Kreismuseum.

Suceviţa [sutʃev'itsa], Ort im Kr. Suceava, N-Rumänien, 3000 Ew., mit befestigtem Kloster, 1582–86 als Stiftung einer Fürstenfamilie erbaut. Die Kirche, ein Beispiel des voll ausgebildeten Kirchentyps (Dreikonchenanlage) der Moldau (→Moldauklöster), besitzt innen und außen gut erh. Wandmalereien (1595/96).

Suchou, Soochow, amtlich chines. **Suzhou** [sudʒɔu], Stadt in der chines. Prov. Kiangsu, am Kaiserkanal unweit des T'aihu-Sees, war seit der T'ang-Dynastie (618–906) Zentrum der Seidenherstellung und heißt wegen seiner zahlreichen Brücken und Kanäle auch ›chines. Venedig‹. Im NO histor. Museum mit archäolog. Funden und kunsthandwerkl. Erzeugnissen. In der Ming-Zeit (1368–1644) war S. Zentrum der Wu-Schule (→chinesische Kunst). Bis heute ist S. Mittelpunkt chines. Gartenbaukunst: Miniaturlandschaften mit Pavillons, künstl. Felsen, Teiche, Brücken, offene Säulengänge, Bäume und Strauchwerk bilden ein vielgestaltiges, in sich geschlossenes Universum und waren Ausdruck der philosophisch-ästhet. Konzeptionen des klassisch gebildeten Beamtentums. Im NO der ›Garten der Politik eines anspruchslosen Mannes‹ (16. Jh.); südlich davon ›Garten des Löwenhains‹ (14. Jh.), ›Garten des Meisters der Netze‹ (12. Jh.), ›Garten der Harmonie‹ (19. Jh.). Im SW der K'ai-yüan-Tempel mit Halle aus der Ming-Zeit; ihre gewölbte Decke gleicht der Wu-liang-Halle in →Nanking. Im nordwestl. Außenbezirk der Tigerhügel mit Tempel Yün-an-ssu (im 19. Jh. neugebaut) und siebengeschossiger Backsteinpagode (50 m hoch) auf oktogonaler Basis aus dem Jahr 961.

Sucre, Hauptstadt von Bolivien, 2800 m ü. M., 68 400 Ew. In S., 1538 gegr., sind bed. Bauten aus der Kolonialzeit erh.: die Klosterkirche S. Francisco (16. Jh.), einschiffig mit Renaissanceportal und vergoldeten kassettierten Holzdecken; die Kirchen La Merced (16. Jh.), dreischiffig mit Kassettendecken, Retabel, Skulpturen und geschnitzter Kanzel im indian. Stil; die Kathedrale (um 1550–1712), dreischiffig, von Renaissance und Barock geprägt, mit Kreuzrippengewölben und Offener Kapelle; S. Miguel (gegr. 1612 als Jesuitenkirche, 1767 gew.), Renaissancebau mit polychromen Kassettendecken, Retabel, Skulpturen und Gemälden; S. Domingo (1580–1620), dreischiffig mit Kreuzrippengewölben, churrigueresken Retabel und reichverzierter Fassade; S. Bárbara (1559) mit Renaissanceportal; S. Mónica (1612) mit Barockfassade; die vom Klassizismus geprägte Klosterkirche S. Felipe Neri (1794–99) mit Kuppel und Zweiturmfassade. Im Mus. Charcas Kolonialkunst.

Südseekunst, →Ozeanien.

Sufetula, röm. Stadt in N-Afrika, →Sbeïtla.

Sugai, Kumi, japan. Maler, Bildhauer, *Kobe 13. 3. 1919, kam 1952 nach Paris und entwickelte hier als Vertreter der École de Paris einen Bildstil, der die Kraft der traditionellen japan. Zeichensprache erneuerte.

Su Han-ch'en [-tʃen], chines. Maler, *K'aifeng, tätig 1110–60, diente an der Akad. des Kaisers Hui-tsung, später an der Akad. der Südl. Sung-Dynastie in Hangchou. Er war spezialisiert auf Genremalerei, bes. Frauen- und Kinderszenen. Zu den wenigen ihm mit Sicherheit zuzuschreibenden Werken gehört das signierte Fächerblatt des Boston Mus. of Fine Arts ›Dame am Frisiertisch‹.

Suhl, Bezirkshauptstadt in der Dt. Dem. Rep., am Südhang des Thüringer Waldes, 42 300 Ew.; Stadtkirche, im Kern spätgotisch (1487–91), barock verändert; barocke Kreuzkirche (1731–39). Im Ortsteil Heinrichs zahlreiche Fachwerkhäuser (seit 16. Jh.), bes. eindrucksvoll das Rathaus (1657).

Suiboku-ga, japan. lavierende →Tuschmalerei im Stil der chines. Süd-Sung-Zeit und im Geist des Zen.

Sukhothai, Stadt in Thailand, im oberen Menambecken, etwa 16 800 Ew. – Bei S. die Überreste des alten S., der Hauptstadt des Thai-Königreiches S. (Mitte 13. bis Mitte 15. Jh.), das künstlerisch so bedeutend war, daß der Stil von S. in den darauf folgenden Perioden der →thailändischen Kunst (Ayutthaya und Bangkok) nachwirkte. Stilistisch wurden die Gesichter der (v. a. Bronze-) Figuren (nach wie vor meist buddhistisch) länglicher als die vom Khmer-Stil beeinflußten der Lopburi-Kunst; Lippen, Nase und Augen sind geschwungen; die Figuren haben weiche, fließende Körperformen. Dazu paßt die ikonograph. Neuerung des Schreitenden Buddha als Plastik; vorher in der buddhist. Kunst nur aus einigen Malereien, bes. Ceylons, bekannt. Die Keramik der S.-Zeit wurde hergestellt nach chines. Verfahren des Seladon-Typs, v. a. in Öfen in S. selbst und in Si Sacchanalai. Auch als Baudekor fanden glasierte Ziegel und Keramik Verwendung.

Die Tempel der Stadt S. sind größtenteils nur als Ruinen erh. Einige, z. B. Wat Pra Luang und Wat Si Savai, waren Umgestaltungen bereits vorhandener Khmer-Tempel. Der bedeutendste Tempel von S. ist das Wat Mahathat (14. Jh.) im Zentrum der Stadt; sein zentrales Heiligtum ist umgeben von zahlreichen kleineren Chaityas, die durch bes. schöne Stuckarbeiten (Darstellungen aus dem Leben des Buddha) verziert waren (im vergangenen Jh. stark beschädigt). Weitere wichtige Tempel sind Wat Si Chum mit einer 14,7 m hohen Buddhafigur (14. Jh.) und Jataka-Illustrationen, in Schiefer graviert, sowie Wat Trapang Thong Lang (14. Jh.) mit Stuckreliefs an den Außenwänden des Mandapa, die Szenen und Legenden aus dem Leben Buddhas darstellen. – Im Ram-Kaheng-Mus. repräsentative Werke der S.-Kunst.

Suku: weibliche Figur aus Holz, mit Glasperlenketten; 60 cm (Privatsammlung)

Suku, kleine Volksgruppe in S-Zaire mit bed. Schnitztradition. Mit ihren westl. Nachbarn, den →Yaka, zeigen sie große Stilverwandtschaft (lange Zeit wurden die Werke der S. für die der Yaka gehalten) und teilen mit diesen auch einige ihrer kult. Institutionen und die dazugehörigen Gerätschaften, wie z. B. die große ›Kagungu‹-Maske. Typisch für die S.-Werke sind Helmmasken in naturalist. Form, die häufig ein Tier (Vogel) tragen, seltener einen Menschen, sowie Figuren mit zickzackförmigen Beinen und sich ans Kinn greifenden Händen. Die Skulpturen und Masken der S. haben jedoch nicht die für die Yaka typischen nach oben gebogenen Nasenspitzen (›Himmelfahrtsnasen‹).

Sukuh, Candi S. [tç-], altes Terrassen- und Megalith-Heiligtum am O-Abhang des Lawu, O-Java (KARTE indonesische Kunst), im 15. Jh. z. T. für den hinduist. Kult umgebaut. Reliefs am Hauptheiligtum zeigen Figuren im Wayang-Stil.

Sulejów [sul'ɛjuf], Stadt in der Wwschaft Piotrków, Polen, 5600 Ew. Im Ortsteil **Podklasztorze** [pɔdklaʃt'ɔʒɛ] Zisterzienserabtei (1176 gegr.), umgeben von Wehrmauern mit Basteien und Türmen (15.–16. Jh.). Vom Klostergebäude blieb u. a. der Ostflügel (1250) mit spätroman. Kapitelsaal und got. Kreuzgang (1574) erh. Die Kirche (um 1232 gew.) ist eine spätroman. Steinbasilika mit Querschiff und barocker sowie Rokoko-Innenausstattung.

Sullivan [s'ʌlıvən], Louis Henry, amerikan. Architekt, *Boston 3. 9. 1856, †Chicago 14. 4. 1924, Hauptvertreter der Schule von →Chicago und damit der Erneuerung der internat. Architektur um 1890, schuf die ersten funktionellen Bauten in den USA und legte mit ihnen den Typus des Wolkenkratzers, des Geschäftshauses und des Warenhauses fest; Lehrer von F. L. WRIGHT.

HW: Wainwright Building, St. Louis (1890); Transportation

Louis Henry Sullivan: Wainwright Building, St. Louis, 1890

Building, Weltausstellung Chicago (1893); Guaranty Building, Buffalo (1894/95); Warenhaus Carson Pirie Scott, Chicago (1899 bis 1904).

Schriften: Inspiration (1886); The young man in architecture (1900); The autobiography of an idea (1924); A system of architectural ornament (1924).

Sully [s'ʌlɪ], Thomas, amerikan. Maler, *Horncastle (England) 19. 6. 1783, †Philadelphia 5. 11. 1872, erhielt eine Ausbildung als Miniaturenmaler. Seine Porträts stehen unter dem Einfluß von B. WEST und T. LAWRENCE (›Musidora‹, 1813–35; New York, Metrop. Mus.). Neben zum Sentimentalen neigender Genremalerei schuf S. Historienbilder (›Washington überquert den Delaware‹, 1819; Boston, Mus. of Fine Arts).

Sully-sur-Loire [syl'i syrlw'a:r], Stadt rd. 40 km südöstlich von Orléans, 5000 Ew., mit Schloß des 14. Jh., nach Erwerb (1602) durch M. de Béthune, später Herzog von Sully, verändert und erweitert; im Donjon kastanienholzgetäfelter Saal des 14. Jh.

Sultanatsmalerei, Bez. für die im 15. Jh. in den ind. Sultanaten als Mischung mehrerer Malstile entstandene Miniaturmalerei, die von der pers. und →jinistischen Miniaturmalerei beeinflußt wurde. Die →Mogul-Malerei löste die S. ab.

Sultan Han, Name mehrerer Karawansereien der seldschuk. Zeit, Stiftungen des Sultans ALA ED-DIN KAIKOBAD I. Bed. ist der S. H. rd. 100 km nordöstlich von Konya (Türkei), eine 1229 begonnene festungsartige Anlage. Eine etwas kleinere Anlage, nordöstlich von Kayseri an der Straße nach Sivas, entstand 1232–36. Beide S. H. haben an den Portalen und an den kioskartigen Moscheen im Hof reichen Ornamentschmuck. Die monumentalen, gewölbten Pfeilerhallen mit hoher Zentralkuppel sind von beeindruckender Wirkung.

Sultaniye, Soltaniyeh, Ort nordwestlich von Kaswin, NW-Iran, 1290 gegr., von ÖLDJÄITÜ (1304–16) zur

Wörter, die man unter S vermißt, suche man unter Sch oder Z

Residenz gemacht, 1384 von TIMUR zerstört. Erh. blieb das Mausoleum Öldjäitüs. Diese aus luftgetrockneten Ziegeln errichtete Moschee hat quadrat. Form, ihr innerer Kern ist ein Oktogon mit 8 Minaretten (nur Stümpfe erh.) und der gewaltigen Kuppel (51 m hoch, 25,5 m Ø). Den Bau bekrönt ein Stalaktitenfries aus glasierten Fliesen mit geometr. Mustern. An der N-Seite Stuckplastiken mit Weinranken und Blattwerk sowie arab. Inschriften. Innen Stuckplastik, Fliesenmosaiken und Malereien, Wandverkleidung aus Rosetten, Schildern, Sternen, Medaillons u. a.

Sultạn Muhammạd, neben und nach BEHSAD der bedeutendste pers. Maler des frühen 16. Jh., aus Täbris, †nach 1543. Sein Werk, reiche Kompositionen mit einer Vielzahl lebendiger Figuren in blühender Landschaft und mit außergewöhnlicher Farbigkeit, ist die Synthese der turkmen. (Täbriser) und der – durch Behsad vermittelten – timurid. (Herater) Tradition. Er war der verantwortl. Meister bei der Ausführung der großen Bilderhandschriften für Schah TAHMASP I. (1524–76), der als Prinz sein Schüler gewesen war.

Sulzbach-Rosenberg, Stadt im Kr. Amberg-Sulzbach, Bayern, 18000 Ew.; 1614–1742 Residenz des Hzgt. Pfalz-Sulzbach. Renaissanceschloß (1582 beg.); mächtiges got. Rathaus (um 1400) und spätgot. Pfarrkirche (14./15. Jh.).

Sumạtra, zweitgrößte Insel des Malaiischen Archipels, Indonesien; eine der früh, in den ersten Jh. n. Chr., indisierten Regionen. Die Zeit der Shrivijaya-Dynastie, deren Anfänge noch im histor. Dunkel liegen, war eine Zeit der Blüte des Mahayana-Buddhismus und seiner Kunst. Früheste Skulpturen, vornehmlich in Bronze im Stil von Anuradhapura auf Sri Lanka, stammen aus dem 7. Jh. Baudenkmäler dieser Zeit sind nicht erh., weil sie aus vergängl. Material gefertigt waren. Kulturelles Zentrum war Palembang. In Padang Lawas sind buddhist. Monumente aus dem 11. Jh. in Backstein erh., deren Innenräume mit der Tempelarchitektur der Zentraljavan. Periode (→indonesische Kunst) vergleichbar sind.

Sümeg [ʃ'ymɛg], Kleinstadt in Ungarn, südwestlich von Veszprém, mit unregelmäßigem Grundriß. Auf einem Hügel die Ruinen einer Steinburg aus dem 13. Jh. mit Bergfried, Wehrgang und Mauerstreben in der Ringmauer. In der Stadt barocke Bauten: Bischofspalast (um 1650), Franziskanerkirche (1652–1657) mit kunstvoll geschnitztem Altar (1652), Wallfahrtskirche (1756) mit bed. Fresken von A. F. MAULBERTSCH.

Šụmen [ʃ-], Stadt in Bulgarien, →Schumen.

sumerische Kunst, die Kunst im 4. und 3. Jahrtsd. v. Chr. in Sumer, dem seit Ende des 3. Jahrtsd. so gen. Gebiet des südl. und mittleren Babylonien. Die s. K. läßt sich in 3 Zeitabschnitte aufgliedern: frühsumerisch (Uruk VI–IV und Djemdet-Nasr-Zeit, etwa 3300 bis 2900/2800), frühdynastisch (etwa 2800–2350) und neusumerisch (etwa 2150–1900). Für die Zeit zw. 2350 und 2150 →akkadische Kunst, für die Zeit nach 2000/1900 →babylonische Kunst, →assyrische Kunst.

Am Anfang der s. K. steht die Einführung von Schrift und Rollsiegel, die die Kulturen und die Kunst Meso-

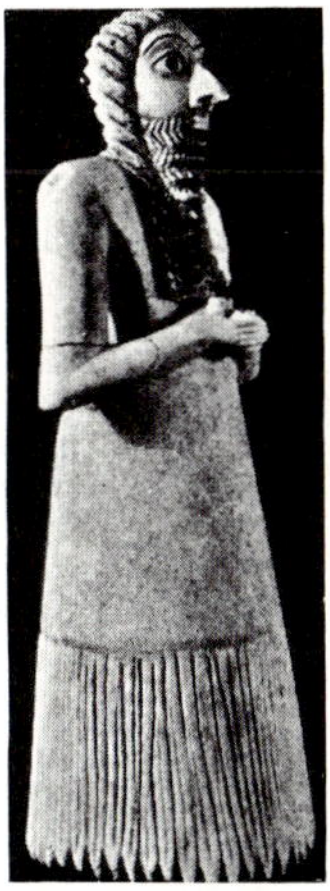

sumerische Kunst: Statue eines Beters aus Eschnunna (Tell Asmar); frühdynastisch, Gipsstein, 29 cm hoch (Bagdad, Irak-Museum)

potamiens prägten. Wie für die Schrift in den ›Zählsteinen‹ Vorstadien zu erkennen sind, verweisen auch andere Denkmalsgattungen (Architektur, bedingt auch Plastik) auf eine länger zurückreichende Entwicklung, so daß eine plötzl. Entstehung der sumer. Kultur und Kunst und damit verbundener Theorien (Einwanderung) nicht haltbar erscheinen.

Die Baukunst der frühsumer. Zeit ist durch die Kultbauten mit dreischiffigem Hallengrundriß geprägt. Weitere Merkmale sind die →Stiftmosaiken und die typ. Nischengliederung der Außenfassade. Demgegenüber ist die Architektur der Djemdet-Nasr-Zeit stark verändert: Neben einem Hochtempel (Zikkurat) bestehen kleinteilige Gebäudekomplexe (Uruk).

In der frühdynast. Zeit scheint das Bestreben zu stärkerer Abgrenzung vorzuliegen. Die Hochtempel von Tell el-Obeid und Chafadji waren von ovalen Mauern umgeben; im Tempelbau gruppierte man die Räume um einen Hof; die Stadt Uruk wurde von einer Stadtmauer umschlossen. Das Baumaterial bestand jetzt aus plankonvexen Ziegeln gegenüber den langrechteckigen (›Riemchen‹) vorher. Aus neusumer. Zeit liegt beispielhaft in seiner architekton. Gestaltung der hl. Bezirk aus Ur vor mit einer Zikkurat, einem Gerichtsgebäude, dem Priesterinnen-Haus, dem Schatzhaus und einem Palast (Zeit des Urnammu, etwa 2100 v. Chr.).

sumerische Kunst: Kultstandarte aus Ur; frühdynastisch (London, Britisches Museum)

sumerische Kunst: Rollsiegel aus Uruk; frühsumerisch, Kalkstein, 5,5 cm hoch (Berlin-Ost, Staatl. Museen)

Die Rundplastik der frühsumer. Zeit ist blockhaft geschlossen (v. a. stehende Figuren aus Uruk), nur der Frauenkopf aus Uruk (BILD Porträt) zeigt einen aufgelockerteren Ausdruck. Die Rundplastik in der frühdynast. Zeit ist dagegen von einer fast geometr. Gestaltung des Körperbaus bestimmt. Der jetzt vorherrschende Typ der Beterstatue (z. B. aus Tell Asmar) wirkt trotz gemeinsamer Merkmale wie übergroße Augen, perückenartiger Haartracht und ›Zottenrock‹ bei freiem Oberkörper individueller; die ›unsteingemäße‹ Ausarbeitung der Körperglieder einiger Steinplastiken läßt stilist. Abhängigkeit von Werken der Toreutik vermuten. Am Ende der frühdynast. Zeit ist wieder eine Hinwendung zu Körperlichkeit und Blockhaftigkeit zu beobachten (Statue des Entemena, Bagdad, Irak-Mus.). Sie setzte sich trotz des akkad. Zwischenspiels in neusumer.

sumerische Kunst: Gudea von Lagasch aus Girsu (Tello); neusumerisch, Diorit, 45 cm hoch (Paris, Louvre)

Zeit mit anderen ikonograph. Merkmalen (Gewand, Breitrandkappe) fort (Statuen des Gudea).

Früheste Reliefdarstellungen der frühsumer. Zeit können in Bildstreifen gegliedert (→Uruk-Vase) oder über den Bildraum verteilt sein (Jagdstele aus Uruk, Bagdad, Irak-Mus.). Thematisch steht (wie auch in Siegelkunst und Rundplastik) der mit einem Vollbart dargestellte und mit Rundkappe und (Netz-)Rock bekleidete Mann im Vordergrund, der u. a. in einem engeren relig. Zusammenhang mit der Göttin Inanna zu sehen ist. Für die frühdynast. Zeit ist die →Weihplatte als Reliefträger typisch. In der neusumer. Zeit erlangt neben dieser auslaufenden Denkmalsgattung die bogenförmig abschließende →Stele größere Bedeutung (Gudea und Urnammu-Stelen).

In der Siegelkunst frühsumer. Zeit wird häufig das Thema des bärtigen Mannes aufgegriffen; neben einem plast. Stil zeigen andere Gruppen von Beginn an eine abstraktere Auffassung (›pig-tail-figures‹), die am Anf. der frühdynast. Zeit in einen fast rein geometr. Stil mündet (›Brokat-Stil‹). Danach entsteht das →Figurenband. Für die neusumer. Zeit ist die →Einführungsszene typisch, die den akkad. Bild- und Gedankenreichtum fast stereotyp ablöst: Ein Beter wird von einer niederen Gottheit zu einem (Schutz-)Gott eingeführt.

Die Kleinkunst und das Kunsthandwerk sind mit hervorragenden Beispielen vertreten, die bes. aus dem Königsfriedhof von Ur (frühdynast. Zeit) stammen (Gefäße aus Edelmetall, Schmuck, Prunkwaffen, Einlegearbeiten aus Perlmutt, Lapislazuli, Schiefer auf versch. Gegenständen wie z. B. die →Ur-Standarte) sowie aus Girsu (Silbervase des →Entemena von Lagasch, Lanzenspitze).

Der Alte Orient, hg. v. W. ORTHMANN, Propyläen Kunstgesch. 14 (1975); A. MOORTGAT: Die Kunst des Alten Mesopotamien I, Sumer und Akkad (1982).

Sumpfkalk, Maltechnik: →Kalk.

Sünching, Gem. im Kr. Regensburg, Bayern. Im achteckigen Wasserschloß Rokoko-Festsaal mit Deckenfresko von M. GÜNTHER, Stuck von F. X. FEUCHTMAYER und Plastik von I. GÜNTHER (1759–61). Von denselben Künstlern wurde auch die Kapelle 1760 dekoriert.

Sundahl, Jonas Erickson, schwed. Architekt, *1678, †Zweibrücken 5. 6. 1762, arbeitete seit 1702 ebd., baute dort das monumentale spätbarocke Herzogl. Schloß (1720–25) und das Lustschloß Tschifflik (1717 ff., Ruine).

Sundi, Gruppe der →Kongo nördlich des unteren Kongo, Zaire/Rep. Kongo. (BILD afrikanische Kunst)

Sung, chines. Dynastie. Über die Kunst der Nördl. Sung-Zeit (960–1127) und der Südl. Sung-Zeit (1127 bis 1279) →chinesische Kunst.

Sunion, Steilkap an der S-Spitze von Attika, Griechenland; in der Antike lag hier ein Poseidonheiligtum; auf einer befestigten Terrasse hoch über dem Meer Reste des dorischen Tempels (z. T. wiederaufgebaut) aus der 2. H. des 5. Jh. v. Chr.

Superga, Ort etwa 10 km östlich von Turin, Italien; auf einem Hügel der Klosterkomplex von S. mit der von F. JUVARRA 1717–31 erbauten Votiv-Grabkirche der Savoyer (Gräber in der Krypta), einem spätbarocken Zentralbau mit 75 m hoher Kuppel, achtsäuliger Vorhalle und prunkvollem Inneren. (BILD F. Juvarra)

Superstudio, ital. Architektengruppe, 1966 in Florenz von ADOLFO ALFREDO AMERIGO NATALINI (*1941) gegr. Weitere Mitgl.: C. TORALDO DI FRANCIA, P. FRASSINELLI, A. und R. MAGRIS. S. beschäftigt sich auf philosoph. und graphisch-künstler. Weise mit Architekturutopien und versucht seit 1978, lehrend und lernend mit künftigen Gebäudenutzern zu einem neuen Umweltbewußtsein zu gelangen.

HW: Projekte: ›Das kontinuierl. Monument‹ (1969/70); Fundamental Acts: 5 Filme über Leben, Erziehung, Zeremonie, Liebe und Tod (New York 1972); Wiederherstellung des Römerbergs, Frankfurt (1979); Forschungsarbeit ›Elemente der Architektur‹ (1979 ff.).

S. 1966–1982. Storie, figure, architettura, hg. v. G. PETTENA (Mailand 1982).

Suppedane|um [lat.], das Stützbrett unter den Füßen des gekreuzigten Jesus (→Kruzifix).

Supports/Surfaces [syp'ɔ:r syrf'as], frz. Künstlergruppe, gegr. 1970, die unter Einbeziehung von polit. Gedankengut (Marxismus, Maoismus) die materielltechn. Grundlagen des Bildes (support ›Bildträger‹, surface ›Bildfläche‹) zum ausschließl. Inhalt ihrer Malerei macht. Die Mitgl. wechseln häufig; sie stehen der Analyt. Malerei nahe. An der 1. Ausstellung 1970 nahm u.a. L. CANE teil.

Supraporte, Wandschmuck, →Sopraporte.

Suprematismus, um 1913 von K. MALEWITSCH ge-

Suprematismus: Kasimir Malewitsch, ›Acht rote Rechtecke‹; nach 1914 (Amsterdam, Stedelijk Museum)

prägte Richtung der gegenstandslosen Malerei, die auf der absolut reinen, geometr. Abstraktion basierte. Malewitsch war der Auffassung, daß in der bildenden Kunst die Empfindung die Oberherrschaft (Suprematie) haben müsse. Suprematist. Gemälde zeigte zum 1. Mal 1915 die ›Letzte Futurist. Ausst. 0,10‹ in Petrograd (Malewitschs ›Schwarzes Quadrat auf weißem Grund‹, 1913; Leningrad, Russ. Mus.). 1919 verkündete Malewitsch das Ende des S., der durch W. KANDINSKIY, E. LISSITZKY, L. MOHOLY-NAGY in ganz Europa bekannt wurde.

K. MALEWITSCH: S. Die gegenstandslose Welt, hg. v. W. HAFTMANN (a.d. Russ., 1962).

Sur, Sour [sur], **Tyr,** Stadt in S-Libanon, 40000 Ew., das antike →Tyros.

Surakarta, Solo, Stadt in Zentraljava (Indonesien) mit 165500 Ew. S. ist ein altes Kulturzentrum mit langer kunsthandwerkl. Tradition, v.a. in der Herstellung von Batiken und Wayang-Figuren. Ein prächtiges Bauwerk ist der Sultanspalast, Kraton Sunan, Ende 18. Jh.

Surasundari [Skt.], schöne Frauengestalt der indischen Kunst, in vielfältigen Posen an Zaunpfeilern und Tempelwänden reliefiert (Mathura, Khajuraho).

Surawana, Candi S. [tç-], hinduist. Heiligtum (um 1400) bei Kediri, O-Java (KARTE indonesische Kunst). Vom Candi S. ist nur noch der Sockel mit Reliefs aus der Arjuna-Legende im Wayang-Stil erh.

Surburg, frz. **Surbourg** [syrb'u:r], Gem. im Unterelsaß, südwestlich von Weißenburg. Die Kirche der ehem. Benediktinerabtei (im 6. Jh. gegr.) ist eine dreischiffige kreuzförmige Basilika (etwa Mitte 11. Jh.) mit quadrat. Vierungsturm.

Surimono von Ando Hiroshige; Farbholzschnitt, 1844/46 (Köln, Museum für Ostasiat. Kunst)

Surikow, Wassilij Iwanowitsch, russ. Maler, *Krasnojarsk 24. 1. 1848, †Moskau 19. 3. 1916, Mitgl. der Peredwischniki, schuf monumentale Historienkompositionen, die neben den Werken I. REPINS zu den bedeutendsten der russ. Kunst zählen. Er behandelte Ereignisse der neueren russ. Gesch. mit ihren dramat. Gegensätzen, sozialen Widersprüchen und Problemen, auch Themen der Volksbräuche und Volkskunst (›Die Einnahme der Schneefestung‹, 1891, Leningrad, Russ. Mus.).

WW: Moskau, Tretjakow-Gal.: Am Morgen der Hinrichtung der Strelitzen (1881); Menschikow in Berjosow (1883); Die Bojarin Morosowa (1887). – Leningrad, Russ. Mus.: Die Eroberung Sibiriens durch Jermak (1895); Der Übergang Suworows über die Alpen (1899).

Surimonos, *Ez. das* **Surimono** in Japan seit Ende des 18. Jh. als neue Form des Privatdrucks auftretende kleine Glückwunschblätter, bes. zum Neujahrsfest, von ausgezeichneter Qualität, mit Darstellungen und Gedichten, in Holzschnitt-Technik auf dickes Papier gedruckt. Dargestellt sind v.a. die ›Shichi-fukujin‹, Glückssymbole, Heldengestalten, Stilleben oder ein Jahrestier (BILD S. 240)

Surkh Kotal, Grabungsstätte in N-Afghanistan mit den Resten eines Palastes und Feuertempels aus der Kushana-Zeit (Kanishka-Inschrift). Neben figürl. Bauschmuck im Stil der Gandhara-Kunst fanden sich hellenistisch-iran. Säulenbasen.

Surrealismus, frz. **Surréalisme** [syreal'izm], eine Richtung moderner Literatur und Kunst. Die Bez. ›surréal‹ wurde erstmals 1917 von dem Dichter G. APOLLINAIRE verwendet. Der S. sucht, im Anschluß an die Psychoanalyse S. FREUDS, die eigtl. Wirklichkeit des Menschen im Unbewußten und verwertet Traum- und Rauscherlebnisse, somnambule und hypnot. Zustände

Surrealismus:
Salvador Dalí, ›Vorahnung des Bürgerkriegs‹; 1936 (Philadelphia, Museum of Art)

Surrealismus: Max Ernst, ›Die Horde‹; 1927 (Amsterdam, Stedelijk Museum)

als Quelle der künstler. Eingebung und der Erkenntnis. Die Grenzen zw. Realem und Phantastischem wurden aufgehoben. Diese Erweiterung des Schaffensprozesses und die damit verbundene Ausklammerung einer log. Konzeption aus dem künstler. Werk äußerte sich in automatist. Techniken (→Automatismus); Bildformen wurden neu- oder weiterentwickelt (→Collage, →Frottage). Die Einflüsse moderner Tiefenpsychologie unterscheiden den S. von der ›Phantast. Malerei‹ vergangener Jh. (H. Bosch, G. Arcimboldo, die ›Symbolisten‹des 19. Jh.). In der Malerei gehört die →Pittura Metafisica mit ihrer verfremdeten Dingwirklichkeit zu den wichtigsten Voraussetzungen; ein weiterer bed. Anreger war M. Ernst. 1925 fand in Paris die erste Gruppenausstellung des S. statt, auf der auch P. Picasso, P. Klee, H. Arp und M. Ray vertreten waren. Y. Tanguy und S. Dalí stellten nicht zusammengehörige Dinge oder Formen im perspektiv. Raum naturalistisch dar; A. Masson, J. Miró u. a. bedienten sich einer abstrakten, symbolhaften Formensprache. Im Werk von R. Magritte waren die Bestrebungen des S. programmatisch artikuliert; diesem ›Veristischen S.‹ gehörte auch P. Delvaux an (um 1934). In der Plastik dominierte die Erfindung des ›surrealist. Gegenstands‹, der Erfahrungen des Traums konkretisieren sollte (Alberto Giacometti 1930, M. Ray, Meret Oppenheim) oder sich als alltägl. Objekt den Projektionen aus dem Unterbewußtsein öffnet (→Objet trouvé). Ausläufer der surrealist. Konzeption bestimmten weitgehend die expressiv-totemist. Plastik der 1940er und 1950er Jahre.

Der S. war eine weltweite Erscheinung der →modernen Kunst, bes. nachdem während des 2. Weltkrieges

Ernst, Masson, Tanguy in die USA emigriert waren und W. LAM, W. PAALEN, LEONORA CARRINGTON in Mittel- und Südamerika diese Richtung vertraten. Verglichen mit Frankreich, Italien, Spanien und den USA hat der S. in Dtl. weniger nachhaltig gewirkt (R. OELZE, E. ENDE, M. ZIMMERMANN). Nach dem 2. Weltkrieg regte der Automatismus (A. →Masson 1) den →Tachismus und das →Action Painting an, während der Verist. S. im →Postsurrealismus weiterlebt; einige Tendenzen des S. kehren in der →Wiener Schule des Phantastischen Realismus wieder. (Weitere BILDER S. Dalí, M. Ernst)

Lexikon des S., hg. v. J. PIERRE (a. d. Frz., 1973); G. PICON: Der S. in Wort und Bild (a. d. Frz., 1978); W. S. RUBIN: S. (a. d. Amerikan., 1979); Dictionnaire général du surréalisme et de ses environs, hg. v. A. BIRO u. R. PASSERON (Freiburg/Schweiz 1982). – Ztschr.: Minotaur (1933–39, Nachdr. 1982).

Surrogatporzellan, Bez. für Fritten-, Knochen- und Biskuitporzellan.

Sursee, Stadt im schweizer. Kt. Luzern mit gut erh. histor. Straßenbild. Das spätgot. Rathaus (1538–46) mit Treppengiebel zählt zu den bedeutendsten der Schweiz; gegenüber Haus Beck mit Renaissancefassade (1631). Die Pfarrkirche St. Georg (1639–40) ist eine der wenigen schweizer. Kirchen der Spätrenaissance.

Survage [syrvˈaːʒ], Léopold, frz. Maler finn. Herkunft, *Moskau 31. 7. 1879, †Paris 31. 10. 1968, lebte seit 1908 ebd. (Schüler von H. MATISSE), wurde u. a. vom Kubismus beeinflußt. Er verband weiträumige Architekturen und Landschaftskulissen mit vom Surrealismus geprägten Motiven.

Surya [Skt.], der indische Sonnengott, dargestellt seit dem 1. Jh. v. Chr. (Bodh Gaya, Khandagiri-Udayagiri, Mathura) auf einem von Pferden gezogenen Sonnen-

Surrealismus: Yves Tanguy, ›Demain‹, 1938 (Zürich, Kunsthaus)

wagen in Begleitung von weibl. Personifikationen der Morgenröte und Abenddämmerung sowie dem Wagenlenker Aruna. S. tritt als stiefeltragender, geharnischter Ritter auf, was auf seine iranische Herkunft hindeutet. In seinen erhobenen Händen trägt er 2 Lotosblüten.

Susa, heute **Schusch** in SW-Iran (KARTE Alter Orient), alte Hauptstadt von Elam, um 640 v. Chr. von dem assyr. König ASSURBANIPAL zerstört. Nach der pers. Eroberung (um 550 v. Chr.) wurde die alte elam. Metropole bald zur eigtl. Hauptstadt des Imperiums (Persepolis war Sommerresidenz). Frz. Ausgrabungen erschlossen Schichten vom 4. Jahrtsd. v. Chr. bis ins 7. Jh. n. Chr. Die bes. feine bemalte Keramik (S. I, etwa 3900 bis 3500, S. II, etwa 2800–2400 v. Chr.) wurde bedeutsam für die Datierung der vorderasiat. Frühgeschichte. S. ist Fundort vieler elam. und hierher verschleppter babylon. Denkmäler, u. a. der Gesetzesstele HAMMURAPIS und zahlreicher Grenzsteindokumente. – Aus pers. Zeit blieben 2 große Paläste der Könige DAREIOS I. und ARTAXERXES II. erh., deren Wände mit mächtigen Steinsäulen und Schmelzfarbenmalereien auf glasierten Ziegeln, z. T. als Reliefarbeiten, geschmückt waren (Flügelstiere, Drachen, Löwen, Reihen von elam. Palastgarden u. a., heute im Louvre); Motive und Formen lassen eine Mischung altoriental. und pers. Elemente erkennen. (BILD Baukeramik)

Susanna, nach dem A. T. eine schöne und gottesfürchtige Jüdin in Babylon, die von 2 von ihr verschmähten jüd. Ältesten fälschlich des Ehebruchs angeklagt, doch durch Daniels geschicktes Verhör gerettet wird. – In der bildenden Kunst finden sich Szenen dieser Erzählung seit dem 4. Jh. (Rom, Priscillakatakombe), in der Sarkophagplastik, auf Goldgläsern und auf der Glasschale von Podgorica (Herzegowina; 9. Jh.?). In der ›Biblia Pauperum‹ steht die (ungerechte) Anklage S.s dem Bild ›Christus am Ölberg‹ gegenüber. In der Renaissance und im Barock ist ›S. im Bade‹ häufig gemalt worden (A. ALTDORFER, P. P. RUBENS, REMBRANDT u. a.).

Susdal, Stadt im Gebiet Wladimir, Russ. SFSR, an der Kamenka, rd. 11 000 Ew. – S., im 12./13. Jh. Hauptstadt eines Teil-Fstt., war 1347–1788 Bischofsresidenz. Noch heute bestimmen zahlreiche Kloster- und Kirchenbauten das Stadtbild: im Kreml die Roschdestwenskij-Kathedrale (1222–25, später umgebaut; Ikonostase 17. Jh.; am S- und W-Portal zweiflügelige Bronzetüren mit Darstellungen aus dem A. T. und N. T., 1230), in der Nähe die kleine Nikolaj-Kirche (1720), Spasso-Jefimij-Kloster (1352 gegr., mit Grabkirche des ersten Abtes, Jefimij, 1507–11, Refektoriumskirche, um 1525, und Glockenturm mit Kirche, 16./17. Jh.; Befestigungen mit 12 Rundtürmen, Mitte 17. Jh., über dem inneren Tor die Blagoweschtschenskij-Kirche, Anf. 16. Jh.), Pokrowskij-Kloster (1364 gegr., mit ›Heiligem Tor‹ und Torkirche, um 1518, und Kathedrale, 1510–18; Befestigungen mit niedrigen Ecktürmen aus dem 17./18. Jh.), neben dem Pokrowskij-Kloster die Peter-und-Pauls-Kirche (1694), Rispoloschenskij-Kloster (16.–19. Jh., mit ›Heiligem Tor‹, 1688, und Kathedrale, Anf. 16. Jh., mit 2 Galerien mit dekorativem

Susdal: Nikolaj-Kirche und Roschdestwenskij-Kathedrale

Schmuck, 1688); weitere kleinere Kreuzkuppelkirchen um den Marktplatz; in der Nähe von S. das Dorf **Kidetschka** mit der Boris-und-Gleb-Kirche (1152; Vier-Pfeiler-Kuppel-Kirche mit 3 Apsiden).

Sušice [s'uʃitsɛ], Stadt in der ČSSR, →Schüttenhofen.

Süß von Kulmbach, Hans, Maler, →Kulmbach.

Susteren [s'ystərə], Ort in der niederländ. Prov. Limburg mit ehem. Stiftskirche, einer roman. Basilika (2. H. 11. Jh.) mit runder Chorapsis und daran angebauter, halb oberird. Krypta; in der Schatzkammer ein Evangeliar mit Miniaturen (9. Jh.) und ein silbernes Relief (um 1100) von einem Reliquienschrein.

Sustermans [s'ystərmans], **Sutterman,** Justus, fläm. Maler, *Antwerpen 28. 9. 1597, †Florenz 23. 4. 1681, ging 1616 für 3 Jahre nach Paris und von dort nach Florenz, wo er von COSIMO II. DE'MEDICI zum Hofmaler ernannt wurde. Er schuf v.a. die Porträts dreier Generationen des Hauses Medici. Er war auch für die Höfe von Wien (1623/24), Parma, Modena, Ferrara und Mantua sowie für den päpstl. Hof und fürstl. Familien in Rom tätig; malte auch relig. und allegor. Bilder.

Sustris [niederländ. s'ystris], **1)** Friedrich, Maler, Dekorateur, Baumeister, Sohn von 2), *wohl in Italien um 1540, †München 1599, Schüler von G. VASARI in Rom, wurde 1573 von Herzog WILHELM V. nach München berufen und war hier seit 1580 leitender Baumeister des Hofes.

HW: Ausbau des Antiquariums, Bau und Schmuck des Grottenhofs (1581–86; München, Residenz); St. Michael, Querhaus und Chor (1583–97; München).

2) Lambert, niederländ. Maler, Vater von 1), *Amsterdam um 1515, †Padua(?) nach 1568, tätig in Venedig und Padua, wahrscheinlich Schüler TIZIANS, schuf Porträts, mytholog. Szenen und Landschaften.

Graham Sutherland:
Dornenkreuz; 1954 (Berlin-West, Staatl. Museen)

Sutherland [s'ʌðələnd], Graham, engl. Maler, *London 24. 8. 1903, †ebd. 17. 2. 1980, war zunächst als Graphiker tätig, 1940–45 als offizieller Kriegsmaler. Ende der 1930er Jahre fand er seinen Stil mit fremdartigen, u. a. vom Surrealismus geprägten pflanzl. und kristallinen Formen, aus denen in immer neuen Abwandlungen häufig das Dornenmotiv als Symbol des Bedrohlichen und Unheimlichen auftaucht. S.s ›Gekreuzigter Christus‹ für die Matthäuskirche in Northampton (1946) gehört zu den HW christl. Kunst im 20. Jh. S. verwendete auch Motive aus der Welt der Maschine. Er malte außerdem präzis analysierende Porträts (S. Maugham, 1949; W. Churchill, 1954; K. Adenauer, 1965).

G. S., Ausst.-Kat., Darmstadt (1982).

Sutterman [s'ytərman], Justus, →Sustermans.

Sutton Hoo [sʌtn hu:], Fundort (1939) eines Schiffsgrabes in Suffolk (England). In dem 4 m hohen Hügel lag ein 27 m langes Holzboot (heute im Brit. Mus., London) mit außergewöhnlich reicher Grabausstattung eines angelsächs. Königs: Herrschaftszeichen (Zepter, Standarte, Goldschmuck), Waffen (Helm, Schild, Kettenhemd, Speere, mehrere Lanzen, Schwert), Trinkhörner, Silberschalen, Harfe, Holz- und Metallgefäße, Textilien u. a.; in einer Tasche 3 ungeprägte Goldstücke und 37 merowing. Goldmünzen (etwa 620–30). In dem reichen Grabfund vermischen sich einheim., irische, skandinav., merowing. und ostmediterrane Einflüsse und Kunststile; den christl. Symbolen einiger Fundstücke steht der insgesamt heidn. Charakter der Grablege gegenüber. (BILDER S. 247)

R. BRUCE-MILFORD: The S. H. ship burial, 1 (New York 1979).

Suvero [səv'eərəʊ], Mark di, amerikan. Bildhauer ital. Herkunft, *Schanghai 18. 10. 1933, seit 1941 in den

Sutton Hoo: LINKS eiserner Maskenhelm mit vergoldeten und verzinnten Bronzeauflagen; RECHTS Beschlag einer Geldbörse (London, Brit. Museum)

USA, begann mit Holzskulpturen, die konstruktivist. Kompositionen mit der Gestik des Abstrakten Expressionismus verbinden, schuf dann monumentale, raumgreifende Außenskulpturen aus massiven Stahlteilen.

Suys [sœys], Tielman François, belg. Baumeister, *Ostende 1. 7. 1783, †Munken bei Brügge 11. 6. 1861, Schüler von C. PERCIER und P. F. L. FONTAINE in Paris, führender Architekt des belg. Klassizismus. Er schuf in Brüssel die Treibhäuser des Botan. Gartens (1827–29) und die Josefskirche (1849 voll.). Sein Sohn Léon (*1823, †1887) baute die Börse in Brüssel (1868–73) und die St. Georgskirche in Antwerpen (1848–53).

Suzhou [sudʒɔu], Stadt in China, →Suchou.

Svạneholm, Schloß im schwed. Län Malmöhus, um 1530 als dreistöckige Vierflügelanlage gebaut, der O-Flügel Ende 17. Jh. in ital. Barockstil aufgestockt.

Svạrtsjö [-ʃø:], Schloß bei Stockholm, an der Stelle eines 1687 durch Brand zerstörten Schlosses 1735–39 von C. HÅRLEMAN im Stil der frz. Architektur und Ausstattung der Zeit errichtet.

Svạstika [Skt.], das indische Hakenkreuz, als Glückszeichen ornamental an Kultgeräten angebracht oder als Körpermal auf den Fußsohlen und Handflächen des Buddha und der Tirthankaras reliefiert.

Svayạmbhunath, buddhist. Kultanlage mit großem Stupa auf einem Hügel nordwestlich von Katmandu, Nepal; gegr. im 5. Jh. Der Stupa wurde im 14. Jh., die Gesamtanlage im 17. Jh. in der jetzigen Form erbaut. Über der weißen Stupakuppel erhebt sich ein vergoldeter kubischer Aufbau mit allseitig aufgemalten Augenpaaren, darüber ein Schirmständer mit 13 runden Chattras. (BILD nepalesische Kunst)

Svẹnstorp, Schloß bei der südschwed. Stadt Lund, einer der schönsten Schloßbauten Schonens, 1596–99 im fläm. Renaissancestil erbaut.

Swanevelt [sw'a:nəvɛlt], Herman van, niederländ. Maler, *Woerden bei Utrecht um 1600, †Paris 1655, lebte 1629–38 in Rom, malte und radierte Landschaften in der Art von CLAUDE LORRAIN mit bibl. oder mytholog. Figürchen.

Swat, Landschaft im gleichnamigen Flußtal in N-Pakistan, mit zahlreichen, zur Gandhara-Kunst gehörigen buddhist. Kultstätten (Butkara u.a.). Bed. Werke der Bronzekunst entstanden vom 5./6. bis 10. Jh.

Sweelinck, Gerrit Pietersz., →Pietersz 2).

Sweerts, Michiel, fläm. Maler, Brüssel 1624, †Goa (Indien) 1664, bildete sich 1646–54 in Rom, war in Brüssel und Amsterdam tätig, ging 1662 als Missionar in den Fernen Osten. Er malte ital. Volksszenen, Soldatenbilder, Atelierdarstellungen und Porträts. In seinen reifen Werken verbindet S. schlicht-großartige Komposition mit feinster Beobachtung der Lichtwerte.

Swenigorod, Zvenigorod, Ort im Gebiet Moskau, Russ. SFSR, an der Moskwa, etwa 50 km westlich von Moskau. S. war im 14.–16. Jh. bed. Grenzfestung an der W-Grenze des Moskauer Staates. Auf einem Felsen über der Moskwa, im ›Städtchen‹, liegt die Uspenskij-Kathedrale (1399; Vier-Pfeiler-Kreuzkuppelkirche aus weißem Kalkstein mit Kuppel und 3 Apsiden; im Innern Freskenfragmente von A. RUBLJOW, um 1417–20); an der Mündung der Storoschka in die Moskwa das Sawwino-Storoschewskij-Kloster (1398/99 gegr., mit Kathedrale, 1405, später umgebaut; Fresken des 15. bis 17. Jh.).

Świdnica [ʃjfidn'itsa], polnisch für →Schweidnitz.

Świebodzin [sjfjɛb'ɔdzjin], poln. Name der Stadt →Schwiebus.

Święta Lipka [sjfj'ɛnta-], poln. Name von →Heiligelinde.

Świny [sjf'ini], poln. Name von →Schweinhaus.

Syberg [s'y:bɛr], Fritz, dän. Maler, *Fåborg 28. 7. 1862, †Pilegården (Fünen) 20. 12. 1939, Schüler von K. ZAHRTMANN, malte v.a. Landschaften Fünens, anfangs lyrisch gestimmt und in dunklen Tönen, später heller und klarer. Ein HW sind seine Illustrationen zu H. C. ANDERSENS ›Geschichte einer Mutter‹ (1895–98).

Sydney [s'ɪdnɪ], Hauptstadt des Bundesstaats New South Wales, Australien, an der SO-Küste, 3,232 Mio. Ew. In der 1788 gegr. Stadt sind die Bauten des 19. Jh. (viktorian. Stil) zunehmend von modernen Hochhäusern verdrängt worden; Wahrzeichen wurde das 1957 bis 1966 nach Plänen von J. UTZON auf einer Landzunge am Hafen erbaute Opernhaus mit seinen Muschelschalen oder Segeln gleichenden Dachkonstruktionen aus weißem Beton.

Syfer, Hans, Bildhauer, →Seyfer.

Symbol [grch.] *das,* Sinnbild. Die bildende Kunst bedient sich in den Kulturen aller Völker und Zeiten einer großen Zahl von S.: Zeichen-S. (Rad, Kreis, Rhombus, Oval, Hakenkreuz), Pflanzen-S. (Baum, z.B. als Lebens- oder Lichterbaum, Weizenähre, Traube), Tier-S. (Seelenvogel, Schlange), v.a. die →christlichen Sym-

Symbolismus: Max Klinger, ›Erste Zukunft‹; Radierung aus dem Zyklus ›Eva und die Zukunft‹, 1880

bole der frühchristl. und ma. Kunst sowie die Farbensymbolik.

Symbolismus, Bez. für geistige Bewegungen, die sich auf symbol. Deutung oder Ausdrucksweise gründen. Der Name S. wurde erstmals in Frankreich von dem frz. Schriftst. J. MORÉAS 1886 für eine literar. Richtung verwendet, v. a. in der Lyrik.

In der bildenden Kunst reichen die Anfänge des S. bis ins 18. Jh. zurück, entstanden als Antithese zur Aufklärung (F. DE GOYA, W. BLAKE, J. H. FÜSSLI, P. O. RUNGE u. a.). Im ganzen 19. Jh. stand der S. im Widerspruch zu der jeweils anerkannten Kunstauffassung, die von rationalist., realist. oder naturalist. Tendenzen bestimmt wurde. Der S. stellte den Glauben an den Wert allg. gültiger Maximen in Frage und versuchte, die Welten der Phantasie und des Traums, die sich einer rationalist. Festlegung entziehen, wiederzugeben. Die symbolist. Kunst, stilistisch nicht einheitlich, ist mehr vom Inhalt her zu definieren. Grundlage ihres Ausdrucks war das Gefühl. In enger Beziehung zum literar. S. begegnet der S. in der Malerei nach 1885 bei einer Künstlergruppe um P. GAUGUIN und É. BERNARD. Zu ihren Hauptvertretern gehörten außerdem M. DENIS, P. SÉRUSIER, P. RANSON (Gruppe der →Nabis), die sich auch in theoret. Schriften äußerten. Der S. war eine gesamteurop. Erscheinung, die keine nat. Eigenheiten entwickelte. Hauptvertreter in Frankreich waren außerdem G. MOREAU, G. DORÉ, P. PUVIS DE CHAVANNES, A. RODIN, E. CARRIÈRE, O. REDON (BILD), in Belgien F. KHNOPFF (BILD), J. DELVILLE, F. ROPS, J. ENSOR, in den Niederlanden J. TOOROP, in Dtl. M. KLINGER, A. BÖCKLIN (BILD), F. v. STUCK, in England E. BURNE-JONES (BILD), G. F. WATTS, in Polen J. MALCZEWSKI (BILD), in Finnland A. GALLÉN-KALLELA (BILD), in Rußland M. A. WRUBEL u. a. In ihren Bildern kehren irrationale Themen wie kosm.

Symbolismus:
P. Puvis de Chavannes, ›Der arme Fischer‹; 1881 (Paris, Musée d'Orsay)

Landschaftsbilder, nächtl. Szenen, Visionen und Beschwörungen, Vergänglichkeitsbilder, Tod und Eros in unmittelbarer Gegenüberstellung, Traumbilder u.a. wieder. In der Graphik mit ihren Hell-Dunkel-Kontrasten konnte das Phantastische und Märchenhafte am besten erfaßt werden. Die Wirkung des S. reicht weit ins 20. Jh. hinein und beeinflußte den Jugendstil und den Surrealismus; auch der Expressionismus und die gegenstandslose Kunst mit ihrer Psychologie und Symbolik von Farben und Formen knüpften an ihn an.

H. H. Hofstätter: S. und die Kunst der Jahrhundertwende (1973); S. in Europa, Ausst.-Kat., Baden-Baden (1976); Maly u. D. Gerhardus: S. und Jugendstil (1977).

Symmetrie [grch. ›Ebenmaß‹] *die,* die harmon. Zuordnung mehrerer Teile. Neben der bilateralen S. von Körperdarstellungen treten in bildender Kunst und Architektur Translationen (Wiederholungen in regelmäßigem räuml. Rhythmus) und Kombinationen versch. S.-Arten auf. So verbindet das grch. Palmette-Muster Translation und Spiegelung, manche Ornamente zeigen Spiegelung an der Mittellinie, Flächenornamente doppeltunendlichen Rapport (z. B. die geometr. Ornamentik der arab. Alhambra in Granada, das chines.

Symbolismus: Paul Gauguin, ›Der Verlust der Jungfräulichkeit‹; 1890–91 (Norfolk, Virginia, Chrysler Museum)

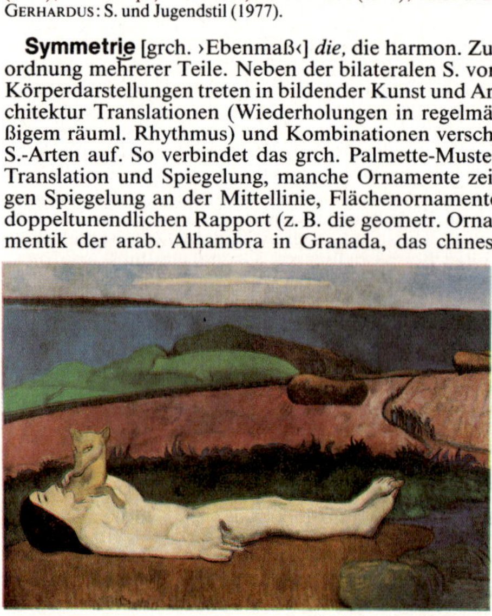

Fenstergitterwerk). Ein ermüdendes Übermaß an S. sucht die Kunst durch leichte Variation (gebrochene S.) zu vermeiden. In der Architektur treten bei Kapitellen, Kuppeln und Türmen Rotations-S. auf (Baptisterium und Turm von Pisa, die oktogonale Zentral-S. des Aachener Domes) und die zykl. oder Zylinder-S. der Fensterrosen.

Syn, 1965 in Stuttgart gegr. Künstlervereinigung, die eine Synthese der abstrakten Tendenzen der Nachkriegskunst anstrebte. Künstler. Ziel war ein Ordnungsgefüge der ausgleichenden Kräfte durch eine im Ontologischen begründete Harmonisierung der frei existierenden Gegensätze in der bildner. Darstellung. Ihr theoret. Begründer war KLAUS JÜRGEN-FISCHER (*1930); weitere Mitgl.: BECHTOLD BERNER (*1930), ROLF-GUNTER DIENST (*1942), EDUARD MICUS (*1925). Anfang der 1970er Jahre löste sich die Gruppe auf.

Synagoge [grch. ›Versammlung(sort)‹] *die,* im Judentum die sich versammelnde Gemeinde und ihr Versammlungsort. Die gottesdienstl. Räume der S. sind nach Jerusalem ausgerichtet; zur Inneneinrichtung gehören ein Podest (Bema) für den Vorleser, ein Ehrensessel (Kathedra des Moses) und – in jüngeren Beispielen – eine (die Richtung nach Jerusalem angebende) Wandnische für den Schrein mit den Thora-Rollen. Als Ausschmückung dienen Steinreliefs mit ornamentalen und figürl. Darstellungen, in den späteren S. z. T. reiche Bodenmosaiken; bed. Wandmalereien bes. in der S. aus Dura Europos am mittleren Euphrat (3. Jh.).

Archäologisch sind S. im gesamten Mittelmeerraum nachgewiesen, das älteste S.-Gebäude aus dem 3. Jh. v. Chr. in Schedia (Ägypten), in Jerusalem vor 70 n. Chr., aus der Zeit davor die weithin übereinstimmenden Anlagen von Masada und vom Herodeion bei Bethlehem. – Die ma. S. übernahmen oft Formen der Profan- und Kirchenarchitektur (seit dem Hoch-MA. etwa die Aufbauten des Hochaltars als Vorbild für den Thora-Schrein). Zweischiffig ist die älteste S. in roman. Formen in Worms (beg. 1034, 1938 zerstört, nach 1945 in alten Formen wiederaufgebaut) und die Altneuschul in Prag (um 1270). Die span. S. des MA. in Córdoba und Toledo sind in ihrer ornamentalen Ausstattung von der maur. Kunst beeinflußt. Seit Mitte des 19. Jh. entstanden in allen größeren Städten S., zumeist in eklektizist. Formen. Beispiele moderner Architektur bieten in Jerusalem die S. auf dem Campus der Hebr. Univ. und die S. des Hadassa-Krankenhauses (Chagall-Fenster).

Syntaktik [grch.], Teilgebiet der Semiotik, das sich mit den Elementen, Relationen und Ordnungen der Zeichen sowie den Zeichenbildungs- und Verknüpfungsprozessen befaßt. In der semiot. Kunsttheorie bes. die Lehre von den gestalter. Mitteln, ihren technisch-materialen Beschaffenheiten und ihren Verwendungsmöglichkeiten.

Syrakus, ital. **Siracusa,** Stadt in SO-Sizilien, Italien, 122 500 Ew.; die antike Stadt wurde 735 v. Chr. von dem Korinther ARCHIAS gegr. und entwickelte sich zur bedeutendsten grch. Kolonie Siziliens. Blütezeiten erlebte S. unter den Tyrannen HIERON I. (485–467/66 v. Chr.) und DIONYSIOS I. (405–367 v. Chr.) sowie unter dem 269 v. Chr. zum König ausgerufenen HIERON II. Die Einnahme von S. durch die Römer 212 v. Chr. beendete die Selbständigkeit der Stadt.

Die antike wie die neuzeitl. Stadtentwicklung begann auf der der Küste unmittelbar vorgelagerten Insel Ortygia, dehnte sich aber in der Antike auf das Küstengebiet aus, während die ma. Stadt mit Dom (urspr. Bau im 7. Jh. in einen Athenatempel des 5. Jh. v. Chr. eingebaut, Barockfassade), Palästen und stauf. Kastell (Castello Maniace) auf Ortygia beschränkt blieb; geringe antike Baureste sind hier erh. (Apollotempel, um 560 v. Chr., ion. Tempel, Ende 6. Jh. v. Chr., unter dem Rathaus), der größte Teil antiker Hinterlassenschaft liegt auf dem ausgedehnten Kreideplateau Epipolai, das von Dionysios I. mit einer Mauer umzogen wurde: großes grch. Theater (von Hieron II. an Stelle einer Anlage des 5. Jh. v. Chr. erneuert), Fundamente des monumentalen Altars Hierons II. (199 × 23,5 m), röm. Amphitheater, die Latomien (Steinbrüche, die in der Antike auch als Gefängnis dienten), Nekropole sowie Reste des antiken Kastells Euryelos; südlich des Kreideplateaus nahe dem Fluß Ciane (grch. Kyane) Reste des Zeustempels (um 550 v. Chr.). Aus frühchristl. Zeit Katakomben. Im Mus. Nazionale antike und frühchristl. Werke, im Palazzo Bellomo (15. Jh.) ma. Kunst.

syrische Kunst: Bronzestatuette einer männlichen Gottheit; 17,9 cm hoch, aus Ugarit, mittelsyrisch (Paris, Louvre)

syrische Kunst, die Kunst im Gebiet des heutigen Syrien vom 4. Jahrtsd. bis zum 6. Jh. v. Chr. Sie wurde in dem Vielvölkerstaat weder jemals von einer ethn. Gruppe allein getragen, noch spiegelt sie ausschließlich den Einfluß der altoriental. Großmächte auf Syrien wider; die Verbindung von beidem erwies sich für die s. K. z. T. als sehr schöpferisch. Die s. K. läßt sich in 4 Zeitabschnitte aufgliedern: frühsyrisch (etwa 3300–2000), altsyrisch (2000–1600), mittelsyrisch (1600–1200/1100) und neusyrisch (1200/1100–540).

In frühsyr. Zeit ist im östl. Landesteil der Einfluß der urukzeitl. Kultur unübersehbar (Tempel in Tell Qannas und Djebel Aruda, Tontafeln mit Zahlzeichen und Siegelabrollungen aus Habuba Kabira). Im westsyr. Bereich beginnt mit den Kupferstatuetten von Tell Djudede (Türkei) am Anf. der frühsyr. Zeit eine eigenständige syr. Tradition gerade stehender oder schreitender, auch sitzender Votivfiguren mit flach gestalteten Körperformen; Statuetten dieses Typs sind in unterschiedl. stilist. Ausprägung (in Byblos z. B. unter starkem ägypt. Einfluß) durchgehend bis in die neusyr. Zeit belegt. Seit der 1. H. des 3. Jahrtsd. ist in der Baukunst ein langrechteckiger Tempelgrundriß mit Vorraum bis in die neusyr. Zeit zu verfolgen (Tell Chuera, Ebla, Tell Mumbaqat, Emar, Tell Taiynat). In der Rundplastik aus der Zeit etwa 2800–2350 v. Chr. zeigen sich im Typ der Werke von Tell Chuera und Mari Züge der sumer. Kunst, in der Stilisierung der Trachten kommen dagegen hier wie in den Einlegearbeiten aus Mari syr. Merkmale zum Ausdruck.

Aus altsyr. Zeit stammen einige hervorragende Werke der Rundplastik, z. B. die Bronzestatuette aus Qatna (Louvre), Kopf aus dem Jarim-Lim-Palast in Alalach (Antakya, Mus.), Statue einer Göttin aus Mari. Einzig-

syrische Kunst: Kultdiener; Ausschnitt aus einem Wandgemälde mit Darstellung einer Opferszene aus dem Palast des Zimrilim in Mari; altsyrische Zeit (Paris, Louvre)

artig in Konzeption und Verarbeitung babylon. und ägypt. Elemente (z. B. fürbittende Gottheit, Sphinx) unter Beibehaltung syr. Merkmale (Tracht) ist die Wandmalerei in Mari (Investitur des →Zimrilim). Eine ältere, in der Frontalität der Figuren, der scharfen Abgegrenztheit und der groben Innenzeichnung eher auf spätere Orthostaten verweisende Stilgruppe bilden die Reliefs der Kultbecken von Ebla (1900/1800 v. Chr.). Bes. typisch aber ist die Siegelkunst, die thematisch Einflüsse aus Babylonien, Ägypten und Anatolien schöpferisch verarbeitet; die Siegel sind meistens in hohem Relief und detaillierter Innenzeichnung gearbeitet.

Für die mittelsyr. Zeit steht stellvertretend das Zentrum Ugarit (auch Alalach), in dem erstmalig ägäischer Einfluß deutlich bemerkbar wird (Deckel aus Elfenbein mit Darstellung einer Göttin); Relief- und Siegelkunst sind grob gearbeitet; in dem rundplast. Elfenbeinköpfchen aus Ugarit (Damaskus, Nat.-Mus.) und einigen Bronzestatuetten aus Tell Kamid el-Loz bleibt dagegen der vorher erreichte Standard erh., während sich hurrit. Einfluß in der Sitzstatue des Idrimi von Alalach (Brit. Mus., London) ausdrückt.

Die Kunst der neusyr. Zeit steht unter dem Einfluß der Assyrer, Aramäer und Phöniker; eine davon zu trennende s. K. ist noch nicht erkennbar.

Vgl. auch die Artikel aramäische Kunst und phönikische Kunst.

syrische Kunst: Statue einer wasserspendenden Göttin, aus dem Palast des Zimrilim in Mari; altsyrische Zeit; Kalkstein, Höhe 1,42 m (Aleppo, Nationalmuseum)

Jörg Syrlin d. Ä.: Vergil, Büste am Chorgestühl des Ulmer Münsters; 1469–74

Der Alte Orient, hg. v. W. ORTHMANN, Propyläen Kunstgesch. 14 (1975); H. KLENGEL: Gesch. und Kultur Altsyriens (1980); Land des Baal, Syrien, Ausst.-Kat., Berlin-West (1982).

Syrlin, 1) Jörg d. Ä., Schreiner, Bildschnitzer, Bildhauer, Vater von 2), *Ulm um 1425, †ebd. 1491, seit 1449 hier nachweisbar. Er schuf (nach Probearbeiten: 1468 Dreisitz mit der Gestalt Christi, 2 Wangenbüsten) 1469–74 in spätgot. Stil das Chorgestühl des Ulmer Münsters (unter seiner Leitung auch andere Bildhauer und Handwerker), zweireihig mit hoher Rückwand und Baldachinen. In den klaren architekton. Aufbau sind lebensnahe Bildwerke eingeordnet: in 18 Wangen Büsten von 9 Philosophen und Dichtern und 9 Sibyllen (die Voraussage des Heils durch das antike Heidentum), an den Rückwänden und Wimpergen 91 Reliefbüsten (die Bezeugung des Heils durch Propheten, Apostel und Märtyrer). Sein Werk zeigt den Einfluß des N. GERHAERT VON LEYDEN und der altniederländ. Malerei.

WW: Evangelienpult (1458; Ulm, Stadtmus.); Truhenschrank (1465; ebd.); Büstenreliquiar (ebd.); Christoffelbrunnen am Weinmarkt und Fischkasten (1482; Ulm, am Rathaus; Statuen von beiden, Ulm, Stadtmus.).

600 Jahre Ulmer Münster, hg. v. H. E. SPECKER u. R. WORTMANN (1977).

2) Jörg d. J., Bildschnitzer, Bildhauer, Sohn von 1), *Ulm um 1455, †ebd. nach 1521, war ebd. Zunftmeister (1493 zuerst erwähnt) und führte mit den Bildhauern N. WECKMANN – tätig 1481–1526 – und C. LANGEISEN die Werkstatt des Vaters weiter. Er schuf v. a. Chorgestühle (1493 in Blaubeuren, 1512 in Geislingen, 1519 in Zwiefaltendorf) und Altarschreine (v. a. die 5 Altarfiguren in Bingen bei Sigmaringen).

Systematic Painting [sɪstɪm'ætɪk p'eɪntɪŋ, eng. ›systemat. Malerei‹], Titel einer 1966 im New Yorker Guggenheim-Mus. gezeigten Ausstellung mit Bildern von F. STELLA, K. NOLAND u. a., seitdem Bez. für eine Malerei ohne handschriftl. Merkmale mit streng geometr. Flächenformen, deren Anordnung, i. Ggs. zum klass. Konstruktivismus, rational kalkuliert ist.

Szczecin [ʃtʃ'ɛtsjin], poln. Name für →Stettin.

Székely von Ádámos [s'e:kɛj - 'a:da:moʃ], Bertalan (Bartholomäus), ungar. Maler, *Klausenburg 8. 5. 1835, †Mátyásföld bei Budapest 21. 8. 1910, wurde 1871 nach Studien in Wien (C. RAHL) und München (W. v. KAULBACH, K. v. PILOTY) Prof. an der Hochschule für bildende Kunst in Budapest. Im Stil von Piloty malte S. Motive aus der ungar. Gesch., in leuchtendem Kolorit und ausgewogener Komposition, seit 1880 monumentale Fresken. Seine späten Landschaftsbilder nähern sich dem Impressionismus.

Székesfehérvár [s'e:kɛʃfɛhe:rva:r], Stadt in Ungarn, →Stuhlweißenburg.

Szentendre [s'ɛn-], Stadt im Bez. Pest, Ungarn, an der Donau, 15 400 Ew.; entstand an der Stelle eines röm. Kastells (Wachtürme aus der Zeit um 370 erh.). Auf got. Stützpfeilern errichtete barocke Pfarrkirche; grch.-orth. ›Belgrader‹ Kirche (1756–64) mit barocker Ikonostase (1777).

Szermentowski [ʃ-], Józef, poln. Maler, *Bodzentyn bei Kielce 16. 2. 1833, †Paris 6. 9. 1876, malte bis 1860 Landschaften aus der direkten Beobachtung der Natur, dann dörfl. Motive vor einem fernen, effektvoll beleuchteten Hintergrund (Sonnenuntergang u.a.). Aus dem Eindruck der Schule von Barbizon ergab sich in Paris ein vereinfachter Bildaufbau, ein intensives Licht betonte die Umrisse.

Szinyei Merse ['sinjɛi mɛrʃɛ], Pál, ungar. Maler, *Szinyeujfalu 4. 7. 1845, †Jernye 2. 2. 1920, wandte sich nach Studien in München (K. v. PILOTY; A. BÖCKLIN), angeregt von W. LEIBL, dem Realismus und unter dem Eindruck des frühen frz. Impressionismus einer Freilichtmalerei zu (HW ›Frühstück im Freien‹, 1872/73; Budapest, Nat.-Gal.), wurde erst spät (von der Malerschule von Nagybánya) anerkannt.

Szolnok ['solnok], Malerkolonie der ungar. Tiefebene (2. H. des 19. Jh.), die sich der unmittelbaren Beobachtung der Natur in Landschaft und ländl. Leben widmete. Ihre Mitglieder (S. BIHARI, L. MEDNYÁNSZKY u.a.) malten v.a. Landschaftsbilder. Seit dem Ende des Jh. gehörten zu ihnen auch österr. Künstler.

Szombathely [s'ombɔthɛj], Stadt in Ungarn, →Steinamanger.

Szymanski, Rolf, Bildhauer, *Leipzig 22. 10. 1928, lebt seit 1950 in West-Berlin, studierte u.a. bei B. HEILIGER. S. steht in der Nachfolge von A. RODIN und H. LAURENS. Sein zentrales Thema ist die weibl. Figur (Bronzeplastiken, Zeichnungen, Radierungen).

Werkverz. der Plastiken 1958–75, Brusberg Dokumente 7 (1975).

T

Tabatière [tabatj'ɛ:rə, frz.] *die,* Dose für Schnupftabak aus Edelmetallen, Messing, Porzellan, Fayence, Bergkristall u.a., im 18. Jh. mit besonderer künstler. Feinheit gearbeitet; als fürstl. Ehrengabe häufig mit Edelsteinen und Porträtminiaturen versehen.

Tabernakel [lat. tabernaculum ›Hütte‹] *das* oder *der,* **1)** bes. in der got. Architektur meist turmartiges, offenes Gehäuse für Statuen, oft auch gleichbedeutend mit Baldachin oder Ciborium.

2) seit dem 16. Jh. bis zum 2. Vatikan. Konzil (1962 bis 1965) ein in die Mitte des Hauptaltars (auch des Sakramentsaltars) fest eingebautes Schränkchen (im Stil des Altars) zur Aufbewahrung des Allerheiligsten; in neuester Zeit oft in seiner Funktion vom ehem. →Sakramentshäuschen abgelöst.

Tabgha, grch. **Heptapegon** [›Siebenquell‹, nach den noch heute fließenden heißen Quellen], Pilgerstätte am See Genezareth, etwa 4 km südwestlich von Kapernaum, nach der Tradition Ort der Brotvermehrung (Mk. 6, 30–44; 8, 1–10) mit Resten einer ersten Kirche (um 350 n. Chr.) und einer großen Basilika (zw. 400 und 450 n. Chr.); Fußbodenmosaik hinter dem Altar (Korb mit 4 Broten und 2 Fischen).

Tablinum [lat.] *das,* im röm. Haus das dem Eingang gegenüber, hinter dem Atrium liegende Zimmer. Es diente als Empfangs- und Wohnraum und war meist repräsentativ ausgestattet.

Tábor [t'a:bɔr], Stadt im Südböhm. Kr., ČSSR, 28 100 Ew. T. wurde an der Stelle der Burg Kotnov als Lager der Hussiten von J. ŽIŽKA 1420 gegr. Stadtmauer mit Basteien aus dem 15./16. Jh. sowie ein Tor der alten Burg blieben erh. Am Žižkaplatz das ehem. Rathaus, eine Vierflügelanlage, 1440 im got. Stil gebaut (heute Mus.), im Kongreßsaal achteckige Pfeiler und Netzgewölbe, Schlußsteinreliefs (1515/16). Die spätgot. Pfarrkirche (1440–1515) wurde mehrmals umgebaut (Ende 19. Jh. ›regotisiert‹), die Fassade blieb im Renaissancestil. Augustinerkloster (1642–66) und -kirche (1666) mit reicher Innenausstattung wurden im Barockstil gebaut. T. hat außerdem mehrere Bürgerhäuser aus dem 15./16. Jh., z. T. mit Renaissancegiebeln und Laubengängen.

Täbris, Tabriz [tæbr'i:z], Hauptstadt der Prov. Ost-Aserbaidschan, NW-Iran, 598 600 Ew.; seit 1263 vielfach Sitz der Ilchane; seit 1387 gehörte T. zum Reich Timurs und seiner Nachfolger, im 16. Jh. zw. Türken und Safawiden umkämpft. Die Zitadelle von T. erhebt sich an der Stelle der Großen Moschee des Wesirs ALI SCHAH (1312–20), von der nur die SW-Seite mit einer Michrab-Apsis erh. ist. Die Blaue Moschee (1465 errichtet, 1967/68 restauriert) ist stark zerstört, nur die vielfältige, vorwiegend blaue Fliesenverkleidung blieb erh.

Tabularium [lat.] *das,* röm. Bezeichnung für ein Gebäude zur Aufbewahrung von Urkunden. Das bedeutendste T. war das offizielle Archiv des röm. Staates im NW des Forum Romanum aus spätrepublikan. Zeit (KARTE Rom im Altertum); Reste des T. von 78 v. Chr., ein zur Forumseite zweigeschossiger Bau, der sich in 2 Arkadenreihen mit je 11 Bögen öffnete, sind am SO-Hang des Kapitols erh. (Untergeschoß, eine Arkadenreihe).

Taburett [frz.] *das,* Sitzmöbel ohne Rücken- und Armlehnen.

Tabwa, Volksgruppe südwestlich und südlich des Tanganjika-Sees, zählt künstlerisch zu den südöstl. Ausläufern des Luba-Komplexes (→Luba). Herstellung bed. figürl. Plastik sowie von Helmmasken und naturalistisch gestalteten Büffelmasken.

Täby [t'ɛ:by:], Gem. im nördl. Vorortbereich von Stockholm, 45 200 Ew.; in der ma. Kirche (13. Jh.) gut erh. Wandmalereien von ALBERTUS PICTOR (um 1480) und ein spätmittelalterl. Altarschrein.

TAC Abk. für The Architects Collaborative [ðɪ 'ɑ:kɪtekts kəl'æbəreɪtɪv, engl.], unter der Leitung von W. GROPIUS 1946 gegr. Gruppe von jüngeren Architekten in Cambridge (Massachusetts), deren Ziel die gleichberechtigte Zusammenarbeit i. S. des Teamworks ist. Die 7 Studentenwohnheime des Harvard Graduate Center in Cambridge (1949/50), gruppiert um ein Gemeinschaftszentrum, sind ein solches Werk.

Pietro Tacca: Reiterdenkmal Philipps IV. in Madrid; 1636–40

Tacca, Pietro, ital. Bronzegießer, Bildhauer, *Carrara 6. 9. 1577, †Florenz 26. 10. 1640, arbeitete 1592 bis 1605 in der Werkstatt von GIAMBOLOGNA, als dessen Nachfolger er 1609 Hofbildhauer der MEDICI wurde. In seinen durch kräftige plast. Modellierung und geschlossene Umrisse gekennzeichneten Werken leitet er vom Manierismus zum Frühbarock über.

HW: 4 Mohrensklaven am Denkmal Ferdinands I. (1620–23, Livorno); Grabmäler Cosimos II. und Ferdinands I. (1626 beg., Fürstenkapelle an S. Lorenzo, Florenz); 2 Bronzebrunnen mit Meerungeheuern (1627, Florenz, Piazza dell'Annunziata); Reiterdenkmal Philipps IV. (1636–40, Madrid; 1. Denkmal mit galoppierendem Pferd); Vollendung des von Giambologna begonnenen Reiterdenkmals Philipps III. in Madrid.

Tachikui [-tʃi-], Töpferdorf in Japan, südlich von Sasayama auf Honshu. Die Dorfstruktur ist geprägt durch langgestreckte Stufenöfen, die für die traditionelle Brenntechnik der Tamba-Keramik (Tamba-yaki) benutzt werden; diese zeichnet sich durch relativ dunkle Glasuren aus.

Tachismus [-ʃ-], in Paris entstandene Richtung der →Informellen Kunst nach dem 2. Weltkrieg, die ihren Namen um 1950 von dem Kritiker M. SEUPHOR erhielt. Wichtige Begründer des T. waren H. HARTUNG und WOLS. Die Tachisten (H. MICHAUX, G. MATHIEU, G. BRYEN u. a.) suchten seel. Regungen unmittelbar in Farbflecken (frz. taches ›Fleck‹) auszudrücken und lehnten bewußte Formgestaltung ab. Diese die Krisensituation nach dem 2. Weltkrieg spiegelnde Konzeption wurde angeregt vom →Automatismus und entstand parallel zum →Action Painting in den USA.

Tacht-e Suleiman, zarathustr. Feuerheiligtum (›Ador Guschnasp‹) in Aserbaidschan (NW-Iran, KARTE Alter Orient), ein bed. relig. Zentrum, v. a. sassanid. Zeit. Auf einem schon im 4. Jh. v. Chr. besiedelten Sinterhügel liegen an einem hl. See die Reste von Tempeln und Palästen, hauptsächlich aus sassanid. Zeit (dt. Grabungen seit 1959). Ein hohes Maueroval mit Türmen und gut erh. S-Tor umgibt das aus 2 Bezirken bestehende Heiligtum: ein südl. Mauerquadrat umgab den See, ein nördl. Quadrat enthielt den aus vielen Räumen bestehenden Feuertempel. Das ewige Feuer brannte in einem Kuppelsaal mit zugehöriger Bethalle. Daneben wurde eine große dreischiffige Halle für die Opferhandlungen ausgegraben, zu der 3 weitere Kuppelsäle mit Feueraltären gehörten; außerdem wurden Magazine und Priesterwohnungen freigelegt. Im 13. Jh. erbauten mongol. Fürsten in den Ruinen des Heiligtums ein Jagdschloß mit prachtvollen Pavillons und richteten auch den Tempel wieder her.

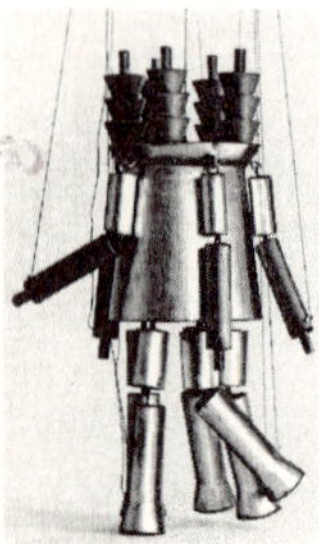

Sophie Taeuber-Arp: Soldat und Armee zugleich; Marionette, 1918

Tada, Dorf in W-Nigeria am Ufer des mittleren Niger im Nupe-Gebiet. In T. wurden einige der bedeutendsten und größten Bronzeskulpturen Schwarzafrikas gefunden; meist als Tsoede-Bronzen bezeichnet (→Tsoede).

Taddeo di Bartolo, ital. Maler, *Siena um 1362/1363, †ebd. zw. dem 26. 8. 1422 und dem 13. 5. 1423, tätig in Siena, Lucca, Pisa, S. Gimignano, Perugia u. a.; einer der schöpferischsten sienes. Maler um 1400.

HW: Altartafel der Himmelfahrt und Krönung Mariä, mit Selbstporträt T.s di B. als Hl. Taddäus (1401, Montepulciano, Dom); Freskenzyklus der Marienlegende und antikisierender Allegorien (1414, Siena, Palazzo Pubblico).

Tadema, Sir Lawrence, →Alma-Tadema.

Taeuber-Arp [t'ɔɪ-], Sophie, schweizer. Malerin, Bildhauerin, *Davos 19. 1. 1889, †Zürich 13. 1. 1943, nahm 1916–20 mit H. ARP (mit ihm ⚭ seit 1921) an der Dada-Bewegung in Zürich teil. Ihre Bilder und Reliefs sind bestimmt durch die strukturelle Koordination geometr. Grundformen in kräftigen Farben; entwarf u. a. auch Wandmalerei, Mosaiken, Figuren für Puppentheater.

Tafel, Malerei: gebräuchl. Ausdruck für Tafelbild. Im MA. wurden ganze Schnitzaltäre mit Flügeln und Auszug auch als T. bezeichnet.

Tafel|aufsatz, reichverziertes Prunkgeschirr zum Schmuck des festlich gedeckten Tisches, das sowohl Gebrauchsgerät als auch reines Schaugerät sein kann. Von der Gotik bis zum Ende des 18. Jh. wurde der T. hauptsächlich in Edelmetallen ausgeführt (BILD Goldschmiedekunst); seit dem 18. Jh. auch in Porzellan. Zu den bekanntesten gehört der Merkelsche T. (um 1549, nach dem früheren Besitzer) von W. JAMNITZER und Arbeiten von J. M. DINGLINGER.

Tafelbild, Malerei: auf ein →Malbrett gemaltes Bild.

Tafel|leim, Maltechnik: Warmleim, der in Tafelform in den Handel kommt.

Tafelmalerei, i. Ggs. zur Wandmalerei jede Art freier Malerei auf Holztafeln, Holzfaserplatten, Kupfer, Elfenbein, Pappe, aber auch Pergament, Papier, Leinwand und anderen Geweben. Die wichtigsten Arten der T. sind Tempera, Ölmalerei und Kombinationen sowie Lackmalerei und im Altertum Enkaustik, aber auch Pastell-, Aquarell- und Gouachemalerei. Die ersten Tafelbilder waren die Mumienporträts aus dem 2. Jh. v. Chr. Während diese Tradition in der Ostkirche durch die Ikonen fortlebte, wurde im W die T. lange nicht mehr gepflegt. Sie wurde hier erst wieder im 11. und 12. Jh. bei Antependien angewendet und wurde in der Gotik, auf Goldgrund, häufig kombiniert mit Holzskulpturen, die übliche Altarform. Im N wurden v. a. Eichenholz, in Mitteleuropa Linde, im S Pappel als Brettafeln verwendet. Schon bei GIOTTO im 14. Jh. wuchsen die Formate der T. über 6 m^2. Bei CARRACCI und dessen Zeitgenossen traten beim Übersteigen von 9 m^2 unüberwindbare holztechn. Schwierigkeiten auf. Infolgedessen war man gezwungen, für große Bildformate nur noch aufgespanntes Gewebe zu benutzen. Schon bei TINTORETTO (1518–94) erreichten diese z. B. im Dogenpalast in Venedig über 200 m^2 Bildfläche. Solche Abmessungen wurden in neuerer Zeit nur gelegentlich übertroffen. Neuerdings hat das über 150 cm breite Rollenpapier auch der Aquarellmalerei wesentlich größere Formate als bisher erschlossen. In den meisten Epochen der Kunstgeschichte hat die Tafelmalerei i. d. R. Mittelformat. In der zeitgenöss. Kunst werden extrem große Formate bevorzugt.

Täfelung, Vertäfelung, Verkleidung von Innenwänden und Decken mit Stab- und Faserbrettern, Rahmen und Füllung, mit Holzspanplatten und Holzfaserplatten sowie Sperrholzplatten. Die T. wird meist auf Latten oder Leisten befestigt.

Tagore, eigtl. **Thakur,** Abanindranath, ind. Maler, *Kalkutta 7. 8. 1871, †ebd. 5. 12. 1951, wirkte in Kalkutta, begründete mit seinem Bruder Gaganendranath (*1867, †1938) die ›Bengalische Schule‹, in der eine von Europa kaum beeinflußte, sich an landeseigene Vorbilder anschließende moderne ind. Malerei entwickelt wurde. Ihr Vetter Rabindranath T., Dichter und Philosoph (*1861, †1941), begann etwa 1928 mit der Malerei und zählt zu den ›3 Tagores‹ der ind. Kunst.

Tagwerk, Malerei: Fläche, die der Maler beim Fresko in einem Tag bis zur Vollendung bringen kann. Bei größeren Flächen erkennt man die jeweils neu angeputzten T. als Nähte.

Tahiti, Insel in Zentral-Polynesien (Gesellschaftsinseln); durch die frühen Expeditionen von J. COOK und L. A. BOUGAINVILLE (18. Jh.) sowie P. GAUGUINS Umsetzung seiner Eindrücke vom Leben auf T. bedeutend für das europ. Verständnis von Ozeanien. In der traditionellen Kunst von T. waren kleine Formate in der Skulptur (Stein und Holz, z. B. Bootsaufsätze) bevorzugt. Die wenigen erh. Holzskulpturen zeigen kub. Formen; Gliedmaßen, Oberkörper, Schulter und Beckengürtel sowie der Kopf sind kantig voneinander abgesetzt. Bei den Steinfiguren dominieren eher fließende Formen. Daneben spielten zusammengesetzte Priesterkostüme aus feinen Muschelschalengehängen und Tapa-Kleider eine bed. Rolle.

D. OLIVER: Ancient Tahitian society, 3 Bde. (Honolulu 1974).

Tahull [ta'uʎ], Dorf im Bohí-Tal an den S-Hängen

Tahull: San Clemente

der Zentralpyrenäen (Spanien); in den roman. Kirchen S. Clemente und S. María befanden sich bed. Freskenzyklen (um 1123, ihre Reste sind im Mus. für katalan. Kunst in Barcelona). Der Maler der Hauptapsis von San Clemente (BILD Maiestas Domini) gehört zu den führenden Meistern der roman. katalan. Wandmalerei.

Tai Chin [-dʒin], chines. Landschaftsmaler, *Ch'ient'ang (Prov. Chekiang 1388, †1462, begann als Hofmaler, fiel in Ungnade und kehrte in seine Heimat zurück, wo er die Tradition des lyr., momenthafte atmosphär. Stimmungen wiedergebenden Landschaftsstils der Süd-Sung-Akad. (MA YÜAN, HSIA KUEI) in der ›Che- (Chekiang-)Schule‹ fortsetzte und neu belebte. Texturzeichnung von Felsen, Baum- und Laubpartien setzte er kontrastreich und betont graphisch ein. (BILD S. 261)

Taikan, Taikwan, Familienname **Yokoyama,** japan. Maler, *Mito 19. 8. 1868, †Tokio 26. 2. 1958, Altmeister der modernen japan. Malerei im traditionellen Stil (Nippon-ga). Mitbegründer (1898) und langjähriges Oberhaupt der 1. unabhängigen Künstlervereinigung ›Nippon Bijutsu-in‹ zur Förderung traditioneller japan. Künste. Seine Landschafts-, Tier- oder Pflanzenbilder in Tusche und leichten Farben verschmelzen, bes. in seinen Frühwerken, japan. Tradition mit westl. Techniken.

Tainan, T'ainan, älteste Stadt und alte Hauptstadt von Taiwan, an der südl. W-Küste der Insel, 558 600 Ew. Neben dem ehem. niederländ. Fort (1624) liegen der Tempel des Cheng Ch'eng-kung (Koxinga) aus der Ch'ing-Zeit und der Konfuziustempel. Mit seinen maler. engen Gassen und einer Vielzahl buddhist. und

Tai Chin
Heimkehrendes Boot im Regensturm; Hängerolle, Tusche, leichte Farben auf Seide (Taipei, Palast-Museum)

taoist. Tempel, deren Kulte und relig. Praktiken sich uneingeschränkt entfaltet haben, vermittelt T. einen authent. Eindruck von einer traditionellen chines. Stadt.

Taipei, T'aipei, Taipeh, Taibei, Hauptstadt von Taiwan, in N der Insel, 2,16 Mio. Ew. Das im N der Stadt im Palaststil errichtete Ku-kung-Mus. (Palast-Mus.) beherbergt die wertvollsten und reichhaltigsten Samml. chines. Kunst der Welt (Malerei, Kalligraphie, Sakralbronzen, Jade, Lack, Keramik, Porzellan, Textilkunst); 1949 aus den Beständen des ehem. Pekinger Palast-Mus. sowie des Zentral-Mus. von Nanking nach Taiwan gebracht. Das histor. Mus. im SW der Stadt zeigt neben Sonderausstellungen prähistor. Funde und Sakralbronzen aus den Beständen des ehem. Honan-Prov.-Mus. sowie Dokumentationen der materiellen Kultur der aus dem Raum des Südpazifik stammenden Ureinwohner der Insel. Der älteste Tempel der heute vorwiegend modernen, im Internat. Stil bebauten Stadt ist der Kuan-yin und Ma-tzu (Retterin der Seeleute) geweihte Tempel Lung-shan-ssu (1738–41, 1950 erneuert) im alten Wan-hua-Distrikt.

Tairọna, vorkolumb. Indianerkultur (1200/1600 n. Chr.) am N-Rand der Sierra Nevada de Santa Marta, von der die bedeutendsten Gebäudereste früher Kulturen in Kolumbien stammen (größere Ortschaften, Häuser mit kreisrundem Grundriß; Tempel, meist in der Mitte der Siedlung auf einer gestuften, steinverkleideten Plattform, Straßen- und Terrassenanlagen). Größte Fundstätte ist Pueblecito. Keramikfunde umfassen

Graburnen, Depotgefäße und viele, meist schwarz polierte, modellierte Gefäße. Polierte Anhänger aus Stein zeigen die für T. bei Figurendarstellungen typischen Flügelformen. Die Goldarbeiten sind meist Anhänger in Menschengestalt mit fächerförmigem Kopfputz oder zeigen stilisierte Vögel, Raubtierköpfe oder -schnäbel.

T'aishan [-ʃ-], **Taishan,** einer der 5 hl. Berge des alten China, im O des Berglandes von Shantung, 1524 m hoch; gilt als beseelt und mit den Kräften des Himmels in Verbindung stehend (seit dem 2. Jh. v. Chr. kaiserl. Himmelsopfer; seit dem 7. Jh. Glaube an die Rückkehr der Seelen zum T. und Totengericht). Am Fuß des T. der T.-Tempel; in seiner Konzeption ahmt er, wie der Konfuziustempel in Ch'üfu, eine große Palastanlage nach. Seitlich des Stufenaufgangs zum obersten Gipfel (›Himmelspfeiler‹) zahlreiche taoist. Tempel, auf dem Gipfel Tempel der ›Prinzessin der bunten Wolken‹ aus der Sung-Zeit (960–1279) und Südl. Himmelstor.

T'aiyüan, amtlich chines. **Taiyuan,** Hauptstadt der chines. Prov. Shansi, in der fruchtbaren T.-Ebene. Als Tor nach SO-China war T. von strateg. Bedeutung und wurde im Laufe der Geschichte mehrmals von den Armeen der nördl. Nachbarn Chinas eingenommen. Im Prov.-Mus. v. a. archäolog. Funde. Im Tempel Ch'ungshan-ssu wertvolle Samml. von z. T. illustrierten Sutren der Sung-, Yüan- und Ming-Zeit. Westlich von T. in Hsiaoweiying der Tempel des Kriegsgottes Kuan-ti, im 12./13. Jh. im Stil der früheren Anlage wiederaufgebaut, mit 3 m hoher Bronzestatue des Gottes (Sung- oder Yüan-Zeit).

25 km südöstlich von T. liegt an einer Quelle am Fuß des Berges Hsüanwengshan der Tempelkomplex Chintz'u (zw. 550 und 577 gegr.). Zu den ältesten Bauten zählt die ›Halle der Hl. Mutter‹, Sheng-mu-tien, (1023–32 erb.), eines der seltenen erh. Beispiele sungzeitl. Architektur. Im Innern wird die Statue der Hl. Mutter an den Seitenwänden rechts und links flankiert von 44 lebensgroßen Tonskulpturen (11./12. Jh.) aufwartender Frauen (farbige Fassung in grellen Farben aus späterer Zeit). 26 km südlich von T. die Höhlentempelanlagen des →T'ienlungshan.

Tajín [tax'in], Fundort in Mexiko, →El Tajín.

Taj Mahal: Grundriß

Taj Mahal [tadʒ-], Grabanlage in Agra, benannt nach der 1631 verstorbenen Lieblingsfrau des Moghulkaisers Shah Jahan, etwa 1648 voll. Die N-S-Ausdehnung der mehrere Mausoleen und Moscheen einschließenden Anlage mißt 567 m, die O-W-Ausdehnung 305 m. Die Hauptanlage ist durch ein 43 m hohes, v. a. aus rotem Sandstein errichtetes Hauptportal betretbar, hinter dem sich ein symmetr. 288 m im Geviert messender Garten erstreckt, an dessen N-Seite das aus weißem Marmor erbaute Grabmal, der eigtl. T. M., steht. Der Baukörper, ein an den Ecken abgestumpftes Quadrat, erhebt sich auf einem Unterbau, an dessen Ecken je ein Minarett steht. Nach seinem Tode (1666) wurde Shah Jahan neben seiner Gattin beigesetzt. Sowohl die in einer unterird. Krypta befindl. Sarkophage als auch die unter der Innenkuppel ruhenden Kenotaphe sind wie

Taj Mahal; etwa 1648 vollendet

ein die Kenotaphe umschließendes Marmorgitter mit Einlegearbeiten aus Edel- und Schmucksteinen verziert.

Takahashi [-ʃi], gut erh. Burgstadt in Japan, nordwestl. von Okayama auf Honshu, mit dem Schloß Bitchu-Matsuyama (1683 erbaut); Burganlage mit Türmen und Schloßturm sind weitgehend erh.

Takamaki-e [japan. ›Hohes Streubild‹], →Lackkunst.

Takamatsu, Stadt in Japan, im NO der Insel Shikoku, 316700 Ew.; als Burgstadt 1588 gegr., 1642–1868 Residenz der Matsudaira-Familie. Von der Burganlage unmittelbar neben dem Hafen sind die Wall- und Grabenanlagen, 3 Türme und ein Tor erh. Der Ritsurin-Landschaftsgarten, einer der berühmtesten Japans, 76 ha, im 17. Jahrhundert angelegt, wird von Kiefern (matsu) in mannigfaltigen Arten und Formen beherrscht.

Takamatsu, Jiro, japan. Künstler, *Tokio 8. 2. 1936, lebt ebd.; malte um 1965 ›Schatten‹ als Bilder der ›Nicht-Existenz‹, näherte sich dann mit zerkleinerten, in ihrer Gesamtform rekonstruierbaren Stein- und Holzpartikeln der Prozeßkunst und konstruierte in den 70er Jahren elementare Eisenskulpturen als Ausdruck physikal. Gesetze.

Takayama, Stadt auf Honshu in den Japanischen Alpen, 64000 Ew.; eine ehem. Burgstadt, die 1585 von dem kaiserl. Regenten Toyotomi Hideyoshi als Kontrollpunkt angelegt wurde. In den ehem. Bürgerquartieren haben sich bes. viele schöne Bürgerhäuser (Machiya) aus dem 17./18. Jh. erh., meist relativ große Kaufmannshäuser in der traditionellen Holzarchitektur. Kunsthandwerks-Mus. (Minzoku-Kan). Im Tempel

Kokubun-ji (gegr. 1588) die Holzskulpturen eines sitzenden Yakushi-Buddha und eines stehenden Kannon. 1,5 km westlich von T. befindet sich ein Freilicht-Mus. mit Bauernhäusern der Umgebung aus dem 18./19. Jh. In T. werden Lackwaren (Shunkeinuri), Baumwollstoffe und Japanpapier hergestellt.

Takayoshi [-joʃi], Familienname **Fujiwara** [-dʒi-], Feudalfürst der Prov. Mikawa und japan. Hofmaler der späten Heian-Zeit am Kaiserhof in Kioto, *vor 1078, †nach 1156. Von T. stammen Gemälde verschiedenster Richtungen, z. B. das Porträt des Ex-Kaisers Toba, Türbilder in Tempeln und Untergrundmalerei für Werke der Lackkunst (Maki-e). Die neuere Forschung schreibt ihm auch die Genji-Monogatari-Querrollen von 1147 zu (Bildfragmente aus 4 Querrollen, Tokugawa-Reimeikai Foundation, Tokio, und Goto Art Mus., ebd.).

Take|uchi [-tʃi], Seiho, japan. Maler, *Kioto 11. 1. 1864, †ebd. 23. 7. 1942. Vom naturkopierenden Stil der Shijo-Schule ausgehend, nahm er in Motivwahl und Komposition auch europ. Einflüsse auf. Seine Bilder gehören zu den Meisterwerken des traditionellen Stils der japan. Malerei in der 1. H. des 20. Jh.

Takis, eigtl. T. **Vassilakis,** grch. Bildhauer, *Athen 29. 10. 1925, lebte 1954 bis in die 1970er Jahre meist in Paris; schuf kinet. Plastiken, deren Wirkungsprinzip auf elektromagnet. Kräften beruht, z. B. flexible Stäbe, deren vibrierende Bewegung durch an ihrer Spitze befindl. Elektromagneten erzeugt wird.

Takistan, Ort in der Nähe von Kaswin, Iran; Pir-Mausoleum aus der Seldschukenzeit (wahrscheinlich Ende 11. Jh.), ein kleiner, überkuppelter Rechteckbau aus Ziegeln mit Stuckwerk im Innern.

Takwa, Ruinenstadt auf der Insel Manda, Lamu-Archipel, Kenia; Blütezeit 16.–19. Jh.; vermutlich wegen Wassermangels verlassen. Der Grundriß der von einer Mauer umgebenen Stadtanlage mit nach N (Richtung Mekka) geöffneten Steinhäusern und -palästen ist gut erkennbar; im Zentrum die ›Pfeilermoschee‹ (in der Mitte der Nordwand erhebt sich ein schornsteinartiger Pfeiler); schönes Säulengrab (mit 6 m hoher Säule; 1683). T. ist Nationaldenkmal.

Talatat [arab. ›Dreier‹], genormte Steinblöcke von einer Handspanne Höhe und 2 Handspannen Breite, vom ägypt. König Echnaton (Amenophis IV.) statt der bisher üblichen monumentalen Blöcke für seine Bauten verwendet, v. a. in Karnak; hier wurden über 100 000 dekorierte und undekorierte T. der Echnaton-Zeit in späteren Bauten als Füllmaterial wieder benutzt.

Talavera de la Reina [talaβ'era ðe la rr'ɛjna], span. Stadt etwa 70 km westlich von Toledo, am Tajo, 55 400 Ew.; S. María la Mayor (15. Jh.) mit Bauplastik im Mudéjar-Stil (Fensterrose aus Backstein); Sanktuarium de la Virgen del Prado mit Azulejos-Retabel (1571); Keramikmus. Ruiz de Luna (Erzeugnisse vom 16. Jh. bis heute); 35-bogige Brücke über den Tajo.

Tal Coat [talkɔ'at], Pierre, frz. Maler, *Clohars-

Carnoët (Finistère) 12. 12. 1905, †Saint-Pierre-de-Bailleul (Eure) 12.6. 1985, malte lyrisch abstrahierte Bilder mit warmen Lichtakzenten.

Tal der Könige und **Tal der Königinnen,** arab. **Biban el-Moluk** und **Biban el-Harim,** 2 Täler des Wüstengebirges auf dem westl. Nilufer von Theben, im Neuen Reich Begräbnisstätte ägypt. Könige und ihrer engsten Angehörigen. Die Reihe der königl. Felsgräber im Tal der Könige (KARTE ägyptische Kunst) begann mit THUTMOSIS I. um 1500 v. Chr. und endete mit RAMSES XI. (1099–1070 v. Chr.); im Tal der Königinnen wurden bereits seit etwa 1600 v. Chr. vereinzelt Prinzen und Prinzessinnen bestattet, seit etwa 1300 v. Chr. auch Königinnen. In einigen Fällen erhielten auch bes. verdiente Beamte ein einfaches Schachtgrab ohne Dekoration im Tal der Könige, wo insgesamt 62 Gräber bekannt sind. Die Anlagen der 18. Dynastie zeigen noch sehr bescheidene Ausmaße und sind nur zum Teil mit Malerei ausgeschmückt (Götterszenen und Darstellungen aus dem Jenseitsführer); König HAREMHAB ging um 1330 v. Chr. zur Dekoration im Relief über, und seit SETHOS I. wurden die Königsgräber durchgehend mit farbig bemalten Reliefs ausgeschmückt, wobei das Bildprogramm ständig um neue Götterszenen, Beschreibungen von Himmel und Unterwelt aus dem Jenseitsführer und später auch um Sprüche aus dem Totenbuch erweitert wurde. Parallel dazu wurden von Regierung zu Regierung die Grabanlagen vergrößert sowie neue Räume und zusätzl. Pfeiler hinzugefügt; die jüngeren Grabanlagen zeichnen sich durch breitere und höhere Korridore aus und führen nicht mehr so steil in die Tiefe. Maße und Bildprogramm sind sorgfältig abgestuft; die Gräber der Königinnen hatten kleinere Dimensionen, und statt der Jenseitsführer wurden Darstellungen und Texte aus dem Totenbuch benutzt.

Durch die Akten (Papyri und Ostraka) aus der nahegelegenen Handwerkersiedlung Deir el-Medina lassen sich Einblicke in die Arbeitsvorgänge gewinnen, von erh. Grabplänen und der Auswahl des Platzes bis zum Beleuchten und Bemalen der Gräber. Seit der späten 18. Dynastie wurden die Korridore und die anderen Grabräume mit großer Präzision aus dem Felsen geschlagen und mit einem dünnen Verputz überzogen, auf dem die Vorzeichner die Umrisse der Figuren und Schriftzeichen anbrachten, bevor Bildhauer und Maler das Werk vollendeten. Die großen Sarkophage aus Quarzit oder Granit wurden schon vor dem Begräbnis an ihren Platz in der unteren Pfeilerhalle gebracht, beim Begräbnis folgten mit der Mumie die reichen Beigaben, von denen nur der Grabschatz des TUT-ENCH-AMUN einen vollständigen Eindruck gibt; aus den übrigen Königs- und Königinnengräbern sind nur vereinzelte Reste der Grabausstattung erh. Dekoration und Beigaben sollten den Verstorbenen beim Wiederaufleben im Jenseits unterstützen; das Bestreben ist deutlich, den toten König mit dem Sonnengott und dessen tägl., aus der Totenwelt wieder emporführenden Lauf zu vereinen; so besteht die Dekoration vorwiegend aus Schilderungen des nächtl. Sonnenlaufs durch die Unterwelt.

Aus Sicherheitsgründen wurden die Königsmumien

nach dem Ende des Neuen Reichs in 2 Verstecken zusammengetragen, wo sie erst 1881 und 1898 wiederentdeckt wurden. Von den Gräbern standen viele schon im Altertum offen, wurden von Griechen und Römern besucht und von christl. Mönchen bewohnt. Die neuzeitl. Wiederentdeckungen begannen mit der Expedition Napoleons und gipfelten im Fund des Tut-ench-Amun-Grabes durch H. CARTER 1922. Durch den Reichtum, den Erhaltungszustand und die Qualität der farbigen Reliefs ragen im Tal der Könige v.a. die Gräber von Haremhab und Sethos I. hervor, im Tal der Königinnen das der Nefertari (BILDER ägyptische Kunst).

E. HORNUNG: Tal der Könige (1982).

Talenti, Francesco, ital. Baumeister, *um 1300, †Florenz nach 1369, wird 1325 in der Dombauhütte von Orvieto genannt, war als Nachfolger von A. PISANO in Florenz an der Vollendung des von GIOTTO beg. Campanile tätig; vermutlich ab 1351 Leiter der Florentiner Dombauhütte.

Talha Dourada [t'aʎa dor'aðа], Bez. für die im 18. Jh. in portug. Kirchen verbreitete Innendekoration aus kunstvoll geschnitztem, üppig vergoldetem Holz, mit dem Wände und Decken überzogen wurden.

Talkum [aus arab.], Maltechnik: Magnesiumsilikat, wird als Poliermittel aber auch als nicht färbender Zusatz zum Eindicken von Ölfarben verwendet.

Tallboy [t'ɔ:lbɔɪ, engl.], engl. Bez. für Kastenmöbel des 17.–18. Jh., das aus einem unteren Kommodenteil (chest of drawers) oder einem →Lowboy und einem aufgesetzten Oberteil mit Schubladen besteht.

Taller de Arquitectura [taʎ'ɛr ðe arki-, span. ›Architekturwerkstatt‹], span. interdisziplinäre Planungsgruppe für Architektur, die 1963 von den Geschwistern RICARDO BOFILL, Architekt, und ANNA BOFILL, Architektin, gegr. wurde. Weitere Mitgl.: S. CLOTAS, Literaturkritiker; R. COLLADO, Ingenieur; J. A. GOYTISOLO, Schriftst.; P. HODGKINSON, Architekt; M. NÚÑEZ, Dramaturg; J. ROMEO, Wirtschaftsfachmann. Typ. Merkmale der Gebäude sind ein geometr. Ordnungsprinzip und ein hoher Wohnwert, der durch die Anwendung traditioneller Prinzipien des span. Wohnungsbaus gesteigert wird (Innenhof, Wohnstraße). Die Monumentalität der jüngsten Entwürfe läßt diese Nutzerfreundlichkeit zugunsten eines strengen Formalismus zurücktreten.

HW: Wohnungskomplex La Muralla Roja, Sitges (1964–69); Wohnbebauung Barrio Gaudí in Reus, der Geburtsstadt A. Gaudís (1964–68); Wohnbebauung Walden Seven, Barcelona (1970–75); Monument für die Autonomie Kataloniens, nahe der spanisch-frz. Grenze (1976).

R. BOFILL: L'architecture d'un homme (Paris 1978).

Tallinn, amtl. estn. Name der Stadt →Reval.

Talud-Tablero [tal'uð taβl'ɛrɔ], Konstruktionselemente der Stufenpyramiden in Mesoamerika, die (ab etwa 150 v. Chr.) zuerst in Teotihuacán (auch an Plattformen) verwendet wurden: über einem geböschten Wandteil (spanisch ›talud‹) folgt eine vorspringende, senkrechte, ringsum von einem Gesims umrandete Flä-

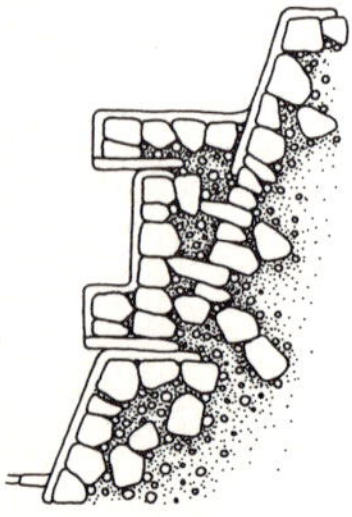

Talud-Tablero

che (spanisch ›tablero‹). Diese Anordnung wurde im zentralen Hochland von Mexiko (Cholula; BILD Xochicalco) wie auch im Maya-Gebiet (Chichén Itzá) und im Hochland von Guatemala (Kaminaljuyú) verwendet.

Tamamushi-Schrein, Tamamushi-zushi [-ʃi, japan. ›Prachtkäfer-Tabernakel‹], um 600 entstandener, 2,33 m hoher, schwarzlackierter Holzaltar im Horyuji bei Nara mit durchbrochenen Metallbeschlägen, die urspr. mit irisierenden Insektenflügeln unterlegt waren. Die gut erhaltene, farbige Malerei in Lack- oder Bleioxid-Technik (Mitsuda-Technik) zeigt Szenen aus dem Leben Buddhas. In der Form einer stark in die Höhe gestreckten Tempelhalle mit geschwungenem Dach übertrifft er in Konstruktion, Malerei und Dekor alle Kunstwerke der Asuka-Zeit. Im Innern befinden sich Buddhafiguren aus vergoldeter Bronze.

Tamayo [tam'ajo], Rufino, mexikan. Maler, *Oaxaca 26. 8. 1900. Sein u.a. vom Surrealismus und Kubismus beeinflußtes Werk besteht aus großfigurigen Gemälden, die polit. Visionen des mexikan. Lebens in harmon. Farbgebung darstellen. Er schuf auch dem Muralismo nahestehende Wandbilder, dessen revolutionäre Thematik er jedoch ablehnt (UNESCO-Gebäude, Paris, 1958). – T.-Mus. in Mexiko-Stadt.

Tambour [tãb'u:r, frz.] *der,* **Trommel,** Baukunst: der zylindr. oder polygonale, meist von Fenstern durchbrochene Unterbau einer Kuppel.

Tamegrout [-r'ut], Ort in S-Marokko, →Zagora.

Tamesmida, Tal in W-Tunesien, 45 km nördlich von Gafsa; ausgedehntes antikes Ruinenfeld, darin fast völlig erhaltenes röm. Kastell mit 2 rechteckigen und 2 achteckigen Türmen.

Tami, Schnitzstil an der NO-Küste der Huon-Halb-

Rufino Tamayo: Der Sänger; 1950 (Paris, Centre Pompidou)

insel, NO-Neuguinea, benannt nach der vorgelagerten Insel T., deren Bewohner in Kerbschnitt- und Relieftechnik sparsam verzierte Holzschalen und Nackenstützen schnitzen. Allen T.-Formen von Gesichtsdarstellungen ist eine Betonung der Nasenkante (Symmetrielinie) und der mandelförmigen Augen gemeinsam. Masken zeigen eine vorspringende Stirnkante, figürl. Darstellungen, gedrungene Proportionen und eine blockhafte Ausformung von Schulter- und Hüftband (letzteres mit aufgestützten Händen). Eingekerbte Muster sind häufig mit Kalk weiß inkrustiert; gelegentlich sind erhabene Teile rot bemalt.

Tanagra: Sitzende mit Taube; 3. Jh. v. Chr. (Berlin-Ost, Staatl. Museen)

Tamm, Franz Werner, Maler, *Hamburg 6. 3. 1658, †Wien 20. 7. 1724, 1685–95 in Rom, dann Hofmaler LEOPOLDS I. in Wien; malte Porträts, dann v. a. nach niederländ. Vorbild Blumen-, Früchte- und Jagd-Stilleben.

Tampa [t'æmpə], Stadt in W-Florida, USA, 271 500 Ew. Das T.-Mus. enthält Sammlungen vorkolumb. Skulpturen und Indianerkunst sowie Werke des frz. Impressionismus.

Tamsweg, Marktgem. an der Mur, Salzburg, Österreich, 5400 Ew.; barocke Dekanatskirche (1738–41); spätgot. Wallfahrtskirche St. Leonhard (1433 gew.) mit wertvollen Glasmalereien (zw. 1433 und 1450), bes. kostbar das ›Goldfenster‹ in Gelb und Blau.

Tạnagra, altgrch. Stadt in Böotien, östlich von Theben; in Kammergräbern einer Nekropole bei T. wurden seit 1968 zahlreiche gut erh. Tonsarkophage (Larnakes) aus spätmyken. Zeit (um 1200 v. Chr.) gefunden. Die Sarkophage (im Mus. von Theben) sind mit Friesen trauernder Frauen, jagender und wagenfahrender Männer bemalt. T. war im späten 4. und 3. Jh. v. Chr. Herstellungsort bemalter Terrakottastatuetten: Mädchenfiguren in anmutiger Haltung **(T.-Figuren),** deren Urbilder in Athen geschaffen wurden und die in T. nach- und umgebildet wurden.

Tạna|is, antike Stadt an der Mündung des Don, der im Altertum die Grenze zw. Europa und Asien bildete, von grch. Kolonisten aus Pantikapaion (→Kertsch) gegr.; auf einem Felsplateau bei Nedwigowka am nördlichsten Donarm wurden Überreste der gegen 300 v. Chr. angelegten engräumigen, von quadrat. Mauern umgebenen Stadt freigelegt, die um 250 n. Chr. restlos zerstört wurde.

Tananarive [-r'i: v], →Antananarivo.

Tan-e [japan. ›Orange-Bild‹], der in Japan zw. 1660 und 1718 übl. handkolorierte Holzdruck (→Farbholzschnitt).

T'ang, chines. Dynastie (618–906), →chinesische Kunst; über die T'ang-Gräber →Ch'ienhsien.

Tanga, Hafenstadt in NO-Tansania, 144 000 Ew. 17 km südlich bei Tongoni die Ruinenstadt Mtangata; im 15./16. Jh. von Persern erbaut. Weiter südlich in Kigombe sind die Häuser der Sisalarbeiter mit szenenhaften Wandbildern bemalt.

Tange, Kenzo, japan. Architekt, Stadtplaner, Architekturschriftst., *Imabari (Shikoku) 4. 9. 1913. In

Kenzo Tange: Schwimmhalle im Olympia-Stadion in Tokio; 1962–64

seinen frühen Bauten (Friedenszentrum in Hiroshima, 1946–56; Rathaus in Tokio, 1952–57, nur teilweise ausgeführt) spiegelt sich die Auseinandersetzung mit europ. und amerikan. Vorbildern. Seit etwa 1955 wird die Konzeption T.s eigenständiger und führt zu strenger, disziplinierter Struktur wie auch zu monumentalen Dimensionen (Präfekturgebäude in Takamatsu, 1955–58; Sogetsu-Kunstzentrum in Tokio, 1955–58; Rathaus in Kurashiki, 1958–60). Seit 1960 kommt T. zu einer neuen Phase größerer Freiheit und zu dynam. Formen (Olympiahallen in Tokio, 1962–64) und steht damit auf dem Höhepunkt der internat. Entwicklung. Die Erscheinung seiner jüngsten Bauten erinnert an Industrie-Design (daher ›Urban Design‹). Als Stadtplaner schloß sich T. dem →Metabolismus an (Wiederaufbau von Skopje seit 1965; Gesamtplanung und Realisation der Weltausstellung in Osaka, 1970).

K. T. Architektur und Städtebau, hg. v. U. KULTERMANN (1978).

Tanger [span. t'aŋxɛr], arab. **Tandja** [t'andʒa], Hafenstadt in N-Marokko, 260 000 Ew.; von Phönikern gegr. (**Tingi**). In der maler., ummauerten Medina (mit Kasba, 15. Jh.) liegen die Große Moschee (Ende 17. Jh.; 1815 erweitert) mit Schmuckportal (Flechtbänder, Fliesenmosaik, bemaltes Schnitzvordach) und quadrat. Minarett (vielfarbiger geometr. Fliesendekor, Blendarkaden), die merenid. Hasan-Ali-Medrese (1331–54), die Span. Kathedrale und der Renaissancepalast Dar Niaba. In der Kasba der ehem. Sultanspalast Dar el-Makhzen (Ende 17. Jh.; im 19. Jh. mehrfach umgebaut), heute Volkskunst- und Altertümer-Mus., ferner die Kasba-Moschee mit achteckigem Minarett (polychrome Fliesenverkleidung). Außerhalb der Medina die Sidi-Bou-Abid-Moschee (1917; Minarett mit polychromem Fliesenschmuck).

Tangermünde, Stadt in der Altmark an der Elbe, Dt. Dem. Rep., 12 300 Ew.; ehem. Hansestadt mit gut erh. Stadtbefestigung und mehreren Toren, bes. reich das Neustädter Tor (um 1450); Stephanskirche (1185 gegr., 14.–15. Jh. Umbau), spätgot. Backstein-Hallenkirche mit wuchtiger Doppelturmfassade. Das Rathaus (15. Jh.) ist mit seinem überaus reichen Schmuckgiebel ein HW der märk. Backsteingotik.

Tang-e Sarwak, Felsreliefs östlich von Ahwaz (SW-Iran, KARTE Alter Orient) in einer schwer zugängl. Bergschlucht. Auf mehreren einzelnen Felsblöcken ist König ORODES (ein Vasall der Parther, um 100 n. Chr.), umgeben von langen Reihen seiner Höflinge, dargestellt, auf dem Thron, zu Pferde bei der Löwenjagd oder am Opferaltar. Die Inschriften in elymäischer Schrift nennen die Personen und ihre Titel. Die hier in vielen Beispielen erh. Bildwerke parth. Reliefkunst zeigen den Übergang von der Profildarstellung der achaimenidisch-hellenist. Epoche zu der von den Parthern bevorzugten Frontalansicht.

Tanguy [tãg'i], Yves, Maler, *Paris 5. 1. 1900, †Woodbury (Connecticut) 15. 1. 1955, begann 1923 als Autodidakt zu malen, schloß sich 1925 in Paris dem Surrealismus an, emigrierte 1939 in die USA. Seine traumhaften Darstellungen weiter Ebenen, die mit einem unendl. Himmel zusammenzufließen scheinen, geben ein phantast. Bild der Unendlichkeit. Er bevölkert diese Landschaften mit weichen, an Organisches oder Technoides erinnernde, scheinbar schwebende Gebilde, die harte Schatten werfen. (BILD Surrealismus)

Y. T., Ausst.-Kat., Baden-Baden (1982).

T'ang Yin, chines. Maler, *Suchou 1470, †ebd. 1523, führte ein Leben als Bohemien in Suchou, verkehrte in den Kreisen der Wu-Schule, pflegte jedoch einen konventionelleren Stil als SHEN CHOU und WEN CHENG-MING. Komposition und Texturzeichnung vieler seiner Werke zeigen den Einfluß des LI T'ANG.

Taniguchi [-tʃi], Yosa Buson, urspr. Familienname des japan. Malers Yosa →Buson.

Tanis, ägypt. **Djanet,** altägypt. Stadt im Nildelta (KARTE ägyptische Kunst). RAMSES II. errichtete hier einen großen Amun-Tempel (geringe Reste); wertvolle Funde in den Königsgräbern der 21. und 22. Dynastie. Die Vermutung, T. sei mit Auaris, der Hyksos- und Ramessidenresidenz, identisch, scheint durch neuere Grabungsergebnisse in Tell el-Dab'a widerlegt.

Tanjore [tændʒ'ɔ:r, engl.], →Thanjavur.

Tankei, japan. Holzbildhauer der Kamakura-Zeit, *1173, †1256, Sohn und Schüler des großen Meisters UNKEI, mit dem er in Kioto und Nara wirkte, bes. bei den 1001 tausendarmigen Kannonstatuen im Sanjusangendo in Kioto, dessen zentraler, 3,3 m hoher, sitzender Kannon von 1254 alleiniges Werk des damals 81jährigen Künstlers ist.

Tantra-Kunst, inhaltlich bes. Richtung der ind. Kunst im Dienst des auf esoter. Schriften (Tantras) und Geheimlehren basierenden, durch Meditation und Riten auch erot. Prägung gekennzeichneten Tantrismus seit der Mitte des 1. Jahrtsd. Zentrale Bed. haben Darstellungen der →Shakti, Mithuna-Paare und synkretist.

Bildwerke, in denen hinduist. und buddhist. Inhalte verschmelzen (→Tantrayana). In abstrakten Darstellungen, Mandalas und Yantra-Diagrammen, wie auch in der Verbindung von Linga und Yoni, wurden kosmolog. Prinzipien symbolhaft gestaltet.

Tantrische Kunst des Buddhismus, Ausst.-Kat., Berlin-West (1981).

Tantrayạna, auch **Vajrayạna** [vadʒ-], esoter. Richtung des Buddhismus, in der 2. H. des 1. Jahrtsd. aus dem Mahayana entstanden, v. a. in Kaschmir und NO-Indien bis zum Untergang des Buddhismus im 12. bis 13. Jh. sowie in Nepal und Tibet (sog. Lamaismus). Anstelle des histor. Buddha Shakyamuni und seiner Legendendarstellungen traten Skulpturen und Mandalas der 5 Tathagatas (›Dhyanibuddhas‹), der Tara und Dakinis als Meditations- und Initiationsbilder in den Vordergrund. Hinduist. Götter wie Shiva, Ganesha und Hayagriva, ferner lokale Gottheiten und Dämonen wurden adaptiert und als Schutzgötter dienstbar gemacht. Bes. Kultsymbole des T. sind Vajra und Ghanta.

Tanyu, auch **Tannyu,** Familienname **Kano,** japan. Maler, *Kioto 1602, †Edo 1674, ein Hauptmeister der Kano-Schule (→Kano), der z. T. auch als **Kano Morinobu** oder, zw. 1638 und 1665, auch mit dem buddhist. Titel **Hogen** (Auge des Gesetzes) signierte. T. war in Edo für den Shogun tätig, aber auch führend an der Ausmalung der Paläste in Kioto (meist Farbmalerei auf Goldgrund, häufiges Motiv: Tiger) und von Klöstern (v. a. monochrome Tuschmalerei) beteiligt. Er galt als einflußreichster Künstler seiner Zeit, dessen Werk noch 2 Jh. nach seinem Tod die Malerei beeinflußte.

Tanzaufsatz, Aufsatzmaske, →Maske.

Tao-chi [-dʒi], chines. Mönchsmaler, →Shih-t'ao.

Taormịna, ital. Stadt an der O-Küste Siziliens, 200 bis 300 m ü. M. auf einer Terrasse des zum Meer abfallenden Monte Tauro, 10 000 Ew. Die Stadt mit Dom (urspr. 12. Jh.) u. a. Kirchen sowie Palästen des MA. wird von einem Kastell überragt. Das grch. Theater mit dem in den Felshang gebauten, amphitheatralisch ansteigenden Halbrund des Zuschauerraums und Blick auf die sich hinter den Ruinen des Bühnenhauses erstreckende Meeresbucht mit dem Ätna wurde im 3. Jh. v. Chr. errichtet und wohl im 2. Jh. n. Chr. von den Römern erweitert. Aus röm. Zeit stammen Reste eines Odeons, eines Zisternenbaus u. a.

T'ao-t'ieh [chines. ›Vielfraß‹], beherrschendes Motiv auf den chines. →Sakralbronzen der Shang- und frühen Chou-Zeit. Die Bez. T. geht auf die Gelehrten der Sung-Zeit zurück (12., 13. Jh.); die Deutungen dieses dämon. Tieres sind jedoch sehr vielfältig. Das T.-Gesicht erscheint immer in Frontalansicht, seitlich rechts und links Körperansätze mit Klaue und Schwanz im Profil, über den Augen häufig C-förmige Hörner. (BILD S. 272)

Tapa, aus Rindenbast gefertigte Stoffbahnen. In Polynesien dienten kunstvoll verzierte T.-Streifen nicht nur als Kleidungsstücke der Lebenden und Toten, als

Tapa: Detail (Berlin-West, Museum für Völkerkunde)

T'ao-t'ieh: Zeichnung nach einer Darstellung auf einer Sakralbronze

zeremonielle Gabe (in Form von bis zu 45 m langen Bahnen) bei Heiraten, Gedenkfeiern u. a., sondern auch als Hülle der Kultfiguren. Technik und Art der Verzierung unterschieden sich deutlich von Inselgruppe zu Inselgruppe; figürl. Darstellungen fehlen.

T. in Melanesien wurde neben der beschränkten Verwendung als Kleidung (Schamschurze für Männer) in größeren Abmessungen nur zum Bespannen von Masken und Tanzaufsätzen hergestellt, z. B. bei den schwarz und gelb bemalten, formal äußerst vielfältigen T.-Masken der Baining (BILD Neubritannien), bei den schwarz, weiß und rot bemalten der Elema am →Papua-Golf, bei denen der Pasum (Bergland der Huon-Halbinsel) wie auch bei anderen Gruppen im östl. zentralen Hochland von Neuguinea. Kleine T.-Masken, auf denen Augen, Nase, Mund und Ohren aus Kokosschalen, beschnitzten Holz- und Palmblattstengelteilen angenäht wurden, stammen aus Neuirland (bes. Lihir-Inseln), von den Vitu-Inseln (Neubritannien) sowie aus dem Stilgebiet Tami. Einzigartig sind die bemalten T.-Tücher für den Totenbrauch am →Sentani.

S. KOOIJMAN: T. in Polynesia (Honolulu 1972).

Tapẹl, eine →Maske auf Bali.

Tapẹte [spätlat. tapetum ›Wandteppich‹], Wandbekleidung aus gewebten oder gewirkten Stoffen (→Bildwirkerei), Leder oder Papier. Schon das Altertum kannte Wandbehänge; neben Bildteppichen wurden bereits im frühen MA. Stoffbahnen zur Wanddekoration verwendet. In der Renaissance wurden die Räume ganzflächig mit Samt, Damast oder Brokat ausgeschlagen. Im 18. Jh. verdrängten zunächst Bespannungen mit Leinen, Wolle und Wachstuch, dann Papier-T. diese kostspieligen Dekorationen. Handgemalte Papier-T. wurden zuerst in China als Wandschmuck benutzt und schon im 16. Jh. durch die Ostind. Handelskompanien nach Europa eingeführt.

Das Verfahren des um 1750 technisch hochstehenden Stoffdrucks übertrug man in England und Frankreich auf das billigere Papier. Im Biedermeier wurde die T. allg. verwendet. Sehr beliebt waren 1800–50 die handgedruckten Bild-T., die mit Szenerien aller Art die Wände eines Raumes bedeckten. Druck- und Papiermaschinen, im Betrieb seit 1840–50, führten zur industriellen Fertigung der T. Ende des 19. Jh. setzten sich in England W. MORRIS und W. CRANE mit dem von ihnen gegr. →Arts and Crafts Movement für eine künstler. Belebung des Kunsthandwerks ein, in Dtl. folgten um 1900 H. VAN DE VELDE, O. ECKMANN, P. BEHRENS, W. LEISTIKOW u. a.; auch die Künstler des →Bauhauses lieferten Entwürfe für T. i. S. der von ihnen vertretenen

›Sachlichkeit‹. – Das Dt. Tapeten-Mus. in Kassel besitzt die bedeutendste T.-Samml. der Welt.

LUISA HAGER: Alte Wandbespannungen u. T. (1954); Dt. T.-Mus., Kassel-Wilhelmshöhe, Katalog (1955); E. A. ENTWISLE: A literary history of wallpaper (London 1960); J. LEISS: Bild-T. aus alter u. neuer Zeit (1961); T., 3 Bde., hg. v. H. OLLIGS (1969/70); FRANÇOISE TEYNAC u. a.: Die T., Gesch., Material, Herstellung (a. d. Frz., 1982); E. W. MICK: Dt. T.-Mus. Kassel (1983).

Tàpies, Antoni(o), eigtl. **A. T. Puig** [-pu'iɣ], span. Maler, Graphiker, *Barcelona 23. 12. 1923, lebt ebd., war 1948 Mitbegründer der Gruppe ›Dau al Set‹, für deren gleichnamige, v. a. surrealist. Ztschr. er Illustrationen schuf. Seine anfänglich von J. MIRÓ und P. KLEE beeinflußten Collagen und Bilder nutzen die Strukturen der versch. Materialien (z. B. fixierten Sand oder gefärbten Zement als Bildgrund). Seine Assemblagen und verfremdeten Objekte erlangen z. T. myst. Charakter.

W. SCHMALENBACH: A. T., Zeichnungen (1974); A. FRANZKE u. M. SCHWARZ: A. T. (1979/80); M. GALFETTI u. K. VOGT: A. T. Das graph. Werk, 2 Bde. (1980); A. T. Opere dal 1946 al 1982, hg. v. C. BENINCASA (Mailand 1982).

Antonio Tàpies: Relief in Ziegelfarbe; Mischtechnik auf Leinwand, 1963 (Düsseldorf, Kunstsammlung Nordrhein-Westfalen)

Tapisserie [frz., zu tapis ›Teppich‹], gewirkte oder gestickte Bildteppiche (→Bildwirkerei).

Tappert, Georg, Maler, Graphiker, *Berlin 20. 10. 1880, †ebd. 17. 11. 1957, gründete 1906 eine Kunstschule in Worpswede. Mitbegründer und Organisator der ›Neuen Sezession‹ in Berlin 1910 und der ›Novembergruppe‹ 1918, seit 1913 Lehrer an der Kunstschule Berlin, seit 1933 Lehr- und Malverbot. T. malte v. a. expressive Akte und ausdrucksstarke Figurenbilder und ging im Spätwerk zu beruhigteren Landschaften über.

G. WIETEK: G. T. (1980).

Taq-e Bostan, Felsreliefs nördlich von Kermanschah (W-Iran, KARTE Alter Orient). In einem Jagdgehege sassanid. Könige ließen 3 Herrscher in einer Felswand und in Grotten Felsreliefs anbringen: ARDASCHIR II. (379–83) seine Investitur durch 2 Götter, SCHAPUR III. (383–88) sein Bild und das seines Vaters und PEROZ (459–85) das bedeutendste – in einer großen Grotte seine fast 4 m hohe Reiterstatue (der König mit Helm, Panzerhemd, geschulterter Lanze und Schild), darüber im Tympanon seine gleich große Statue im Purpurmantel, umgeben von 2 Göttern; an den Seitenwänden Flachreliefs mit figurenreichen Darstellungen von Jagden (BILD sassanidische Kunst), wahrscheinlich Nachbildungen von Wandgemälden, bed. als frühe Landschaftsbilder und wegen der minutiösen Eingravierung der Seidenstoffmuster sowie der meisterhaften Darstellung der Tiere (Elefanten, Wildschweine, Hirsche, Enten, Fische). An der Außenseite über dem Öffnungsbogen der Grotte 2 große, geflügelte Genien.

Tara [skt.], buddhist. Göttin, die Shakti des Avalokiteshvara, auch der Tathagatas, wobei sie deren jeweilige ikonograph. Kennzeichen übernimmt. Als ›Erlöserin‹ wirkt T. in eigenständiger Bedeutung. In Nepal und Tibet wird sie als Weiße oder Grüne T. dargestellt.

Tarascon [tarask'ɔ̃], Stadt im frz. Dép. Bouches-du-Rhône, am linken Ufer der Rhône, 10 700 Ew.; im MA. ein wichtiger Rhôneübergang; Residenz Königs RENÉ I. VON ANJOU, der 1447–49 die urspr. roman. Schloßanlage vollendete. Die Kirche Ste. Marthe (12. bis 15. Jh.), die mit einem Teil der Altstadt 1944 stark zerstört worden war, ist wiederaufgebaut (in der Krypta 2 Grabmäler für die Hl. Martha aus dem 16. und 17. Jh.).

Tarasp, Gem. im schweizer. Kt. Graubünden, 380 Ew. Das Schloß auf steilem Felsenkegel stammt aus dem 12.–13. Jh. (Wohnturm und Burgkapelle mit roman. Fresken erh.), späterer Ausbau, v. a. im 16. und 17. Jh., starke Veränderungen im Innern.

Tarazona [taraθ'ona], span. Stadt etwa 75 km nordwestlich von Saragossa; die ehem. Kathedrale (12. bis 16. Jh.) besitzt ein prachtvolles N-Portal im Platereskenstil (1550) und einen Kreuzgang im Mudéjar-Stil mit üppigem Backsteindekor (1. Drittel 16. Jh.); ehem. Palast der Könige von Aragón (heute Bischofspalast; 14./15. Jh.) mit Artesonadodecke und reicher Gemäldesamml. im Innern; am Rathaus (16. Jh.) Steinreliefs mit der Darstellung der Kaiserkrönung Karls V.

Tardieu [tardj'ø], frz. Kupferstecherfamilie. Nicolas-Henri, der bedeutendste der Familie, *Paris 18. 1. 1674, †27. 1. 1749, Schüler von G. AUDRAN, wurde v. a. durch feinempfundene Stiche nach A. WATTEAU bekannt. Sein Sohn Jacques-Nicolas, *Paris 27. 9. 1716, †ebd. 9. 7. 1791, schuf Stiche nach C. LEBRUN (Spiegelgalerie in Versailles) u. a. zeitgenöss. Künstlern und stach auch Porträts wie sein Vetter Pierre-Alexandre, *Paris 2. 3. 1756, †ebd. 3. 8. 1844.

Tarent, ital. **Taranto,** ital. Hafenstadt und Erzbischofssitz in Apulien, am Golf von T., 245 400 Ew. Die ma. Altstadt liegt auf einer Insel zw. der Lagune Mar Piccolo und der Hafenbucht Mar Grande; Dom (1071 auf frühchristl. Kirche des 4. Jh. neu erbaut, mehrmals umgebaut, Barockfassade); Kastell (Neubau 1480; auf byzantin., normann. und stauf. Grundlagen); aus der Antike (T. wurde im 5. Jh. v. Chr. die bedeutendste Handelsstadt der Magna Graecia, 123 v. Chr. röm. Kolonie) geringe baul. Reste, aber reiche Einzelfunde, bes. der Kleinkunst (heute im Nat.-Mus.).

Tarnów [t'arnuf], Hauptstadt der Wwschaft T., SO-Polen, 101 000 Ew., während der Renaissance Sitz der mächtigen Fam. Tarnowski. Zentrum der im MA. entstandenen Stadt ist der quadrat. Marktplatz, umgeben von Patrizierhäusern aus dem 16.–18. Jh.; auf dem Platz das Rathaus (heute Mus.) aus dem 14./15. Jh., später (1674) im Renaissance-Stil erweitert mit poln. Backstein-Attika. Die got. Kollegiatskirche (seit 1785 Kathedrale), um 1400 gebaut, wurde im 16./18. Jh. erweitert, 1889–97 restauriert; im Innern Renaissance-Grabsteine, spätgot. Gestühl. Am Domplatz ›Mikołajewski-Haus‹ (1524), heute Diözesan-Mus. Im ehemal. Zisterzienserkloster (Kirche von 1468, im 19. Jh. umgebaut) ist heute ein Mus. Ein Zisterzienserinnenkloster (vor 1680) mit Kirche (1752–76), ferner Holzkirchen (15./16. Jh.) und Reste der Stadtmauern (14. Jh.).

Tarnowo, Tirnowo, →Weliko Tarnowo.

Taroudant, Tarudant, Stadt in SW-Marokko, 25 000 Ew., 68 km östlich von Agadir, ehem. Hauptort des Sous-Gebiets; 1030 Hauptstadt eines Schiiten-Fstt., Blüte im 16./17. Jh. Die maler. Stadt ist von einer fahlroten gezinnten Mauer (Anf. 18. Jh.) mit gleichmäßig gestalteten Basteien in regelmäßigen Abständen und 5 Toren (Doppeleingangstor) umgeben; im Innern mächtige Kasba und merinidische Mauern um einzelne Viertel (Anf. 14. Jh.). Reiches Kunsthandwerk, v. a. Steinbildhauerei, Berberschmuck, silberverzierte Waffen.

Tarquinia, ital. Stadt und Bischofssitz in der Prov. Viterbo, 5 km vom Tyrrhen. Meer, 13 200 Ew. T. hat weitgehend ma. Gepräge mit Geschlechtertürmen, mehreren Kirchen (S. Maria di Castello, S. Pancrazio) und dem Palazzo Vitelleschi (1436–39), in dem das Mus. Nazionale Tarquiniese mit bed. etrusk. Funden untergebracht ist.

Östlich von T. lag das antike **Tarquinii,** eine der Hauptstädte des etrusk. Zwölferbundes (besiedelt seit der Villanovazeit), später röm. Municipium. Auf dem heute nicht mehr besiedelten Stadthügel Reste der Mauern des 5./4. Jh. v. Chr. sowie Fundamente eines Tempels, zu dem ein Tonrelief mit Flügelpferden (Mus. T.) gehörte. Erh. sind v. a. die Nekropolen, deren größte, die Monterozzi-Nekropole, sich etwa 5 km lang im SO der modernen Stadt erstreckt. Den Tumulusgräbern des 7. und frühen 6. Jh. v. Chr. (›Grab des Kriegers‹, ›Bokchorisgrab‹) folgten von der Mitte des 6. bis ins 2. Jh. v. Chr. in den Fels eingetiefte Kammergräber. Die hier gefundenen Fresken, z. T. noch in den Gräbern, z. T. in den Archäolog. Museen von T. und Florenz, sind für die Kenntnis der etrusk. Kunst von grundlegender Bedeutung (Höhepunkte in archaischer Zeit und im späten 4. Jh. v. Chr.); sie bilden den größten erh. Komplex antiker Wandmalerei (BILD etruskische Kunst).

Zur Grabausstattung gehörten seit dem 4. Jh. v. Chr. Steinsarkophage mit der Liegefigur des Verstorbenen auf dem Deckel und Reliefs an den Kastenwänden.

Tarragona [-γ'ona], span. Provinzhauptstadt und Erzbischofssitz in Katalonien, am Mittelmeer, 101 600 Ew. T., im Altertum **Tarraco,** wurde von den Römern 218 v. Chr. erobert und Hauptstadt der Prov. Hispania Citerior, später der Prov. Tarraconensis. Von den Westgoten, den Mauren und zuletzt im span. Unabhängigkeitskrieg von den Franzosen z. T. zerstört. Erh. sind gewaltige Befestigungsmauern aus iber. und röm. Zeit sowie Ruinen eines Amphitheaters und Prätorenpalastes aus augusteischer Zeit (Fundgegenstände im Archäolog. Mus., das zu den besten Spaniens gehört) und eine 1923 bei Grabungen entdeckte frühchristl. Nekropole des 4. Jh. (heute Mus. mit Mosaiken und Sarkophagen dieser Zeit). Die dreischiffige Kathedrale (12.–14. Jh., anstelle eines Jupitertempels) im romanisch-got. Übergangsstil besitzt qualitätvolle Bauplastik (v. a. an Portalen und W-Fassade sowie figürl. Kapitellschmuck im Innern und im Kreuzgang des 12./13. Jh.) und zahlreiche prächtige Altarretabel; Diözesan-Mus. (Gobelins, Skulpturen, Gemälde- und Keramiksamml.). – Nördlich von T. röm. Aquädukt; nordwestlich von T. der Hof Centcelles mit den Resten einer nicht fertiggestellten röm. Prunkvilla, deren zentraler Kuppelsaal in der Mitte des 4. Jh. n. Chr. in ein Mausoleum (des Constans?) umgewandelt wurde (Kuppelmosaiken).

Etwa 20 km nordöstlich der röm. Triumphbogen Arco de →Bará.

Tarrasa, katalan. **Terrassa,** span. Stadt in der Prov. Barcelona, 161 700 Ew., mit 3 urspr. westgot. Kirchen. Von der Basilika S. María (6. Jh., im 9. Jh. erneuert auf quadrat. Grundriß) sind der Chorbereich, die Taufkapelle und die Krypta mit ornamental geschmückten Kapitellen aus der 1. Bauperiode erh.; im Innern Altargemälde von J. HUGUET (um 1460) und L. BORRASSÁ (1411) sowie z. T. verblichene Fresken des 10.–13. Jh. In S. Pedro schlecht erh. Apsis-Fresken, 9. Jh.; San Miguel (7.–9. Jh., Zentralbau auf grch. Kreuz). Städt. Kunstmus. in der ehem. Kartause (1344; mit kleiner archäolog. Samml.).

Tartu, dt. **Dorpat,** russ. **Jurjew,** Stadt in der Estn. SSR, UdSSR, 106 000 Ew. Vom ma. Stadtbild der ehem. Hansestadt (13.–16. Jh.) zeugt nur noch die Ruine der bischöfl. Kathedralkirche auf dem Domberg; der urspr. roman. Bau wurde im 14. Jh. zur dreischiffigen got. Basilika umgebaut. Nach dem Brand von 1775, der große Teile T.s vernichtete, entstanden v. a. Bauwerke im Stil des russ. Klassizismus (Rathaus, 1782–84; Univ., 1804–09). Im 2. Weltkrieg stark zerstört, wurde die Stadt modern wiederaufgebaut; Kunstmus., Univ.-Mus. für klass. Altertümer.

Taschkent, Hauptstadt der Usbek. SSR, 1,82 Mio. Ew. Von den histor. Bauwerken der oriental. Altstadt sind nach dem Erdbeben von 1966 nur wenige erh., v. a. Kukeldasch-Medrese (Ziegeldachbau mit Fayencedekor) und Barak-Chan-Medrese (beide 16. Jh., später umgebaut) sowie einige Mausoleen (Schejchantaur und Junus-Chan, beide 15. Jh.; Sujundschi-Chan, 1531/32; Kaffal-Schaschi, 1541/42). Nach dem Übergang T.s an Rußland (1865) entstand im O der Altstadt die russisch-europ. Neustadt mit Museen (Lenin-Mus., 1970) und Theatern (Oper, 1938–47, W. Schtschussew).

Tashgimout [taʃgim'ut], mächtige Almoraviden-Festung in S-Marokko, 48 km südöstlich von Marrakesch, 1125 auf steil abfallendem Felsplateau erbaut. 3,5 km lange und 2 m dicke Umfassungsmauer mit Doppelwall im SO und 15 gewaltigen, auskragenden Vierkantbasteien. Im NO das Kernwerk mit basteibestückten Toren und Türmen.

Tassaert [t'asa:rt], Jean-Pierre-Antoine, Bildhauer, getauft Antwerpen 19. 8. 1727, †Berlin 21. 1. 1788, ausgebildet in Antwerpen und London, ging 1744 nach Paris und wurde 1775 von Friedrich d. Gr. als Hofbildhauer nach Berlin berufen. Hier war T. Leiter des königl. Bildhauerateliers (v. a. mytholog. Genreplastik) und Rektor der Akad. Sein Werk steht an der Wende vom Rokoko zum Klassizismus; sein späterer Realismus bestimmte die weitere Stilentwicklung der →Berliner Bildhauerschule. T. war Lehrer von G. Schadow.

HW: Venus, Amor stillend, und Venus, die Waffen Amors verbrennend (zerstört, ehem. Berlin, Schloß); Marmorstandbilder von Seydlitz (1781) und Keith (1786; beide im Original Berlin-Ost, Staatl. Museen); kleines Modell für ein Reiterdenkmal Friedrichs d. Gr. (nicht ausgeführt, 1783; Berlin-Ost, Dt. Akad. der Künste).

Abbilder – Leitbilder, Ausst.-Kat., Berlin-West (1978).

Tassel [aus mlat.] *das,* Scheibenfibel an der Schnur, die den Mantel über der Brust zusammenhielt; im 13./14. Jh. getragen.

Tassel, Jean, frz. Maler, *Langres 20. 3. 1608, †ebd. 6. 4. 1667, gehört zu den frz. Provinzmalern des 17. Jh., verarbeitete Anregungen aus Italien (Romaufenthalt 1634–47), in seiner Frühzeit von Caravaggio, später von G. Reni; schuf Porträts, mytholog., bibl. und Genreszenen.

Tassili N'Ajjer [-nadʒ'ɛr], schluchtenreiches Schichtstufen-Bergland mit extrem wüstenhaftem Hochplateau in der alger. Sahara, nordöstlich des Hoggar, bis 2158 m hoch, mit zahlreichen →Felsbildern.

Tassilo-Kelch;
um 777, 26 cm hoch
(Kremsmünster,
Benediktinerstift)

Tassilo-Kelch, der bedeutendste erh. Kelch (26 cm hoch) des frühen MA., vergoldet mit niellierten Silberplatten (Benediktinerstift Kremsmünster). Eine Inschrift auf dem Kelchfuß nennt den bayer. Herzog Tassilo III. (748–788) und seine Gemahlin als Stifter. Tiergeflecht, Flechtwerk und Palmetten bilden den reichen ornamentalen Rahmen für figürl. Darstellungen in Ovalfeldern: auf der Kuppa Christus und die 4 Evangelisten, auf dem Kelchfuß 4 Heilige. Ornamentik und Figurenstil verweisen auf insulare Vorbilder. Jedoch ist der T. wahrscheinlich in einem kontinentalen Tochterkloster entstanden, dessen Zentrum im salzburg. Raum vermutet wird.

E. Widder: Der Kelch des Herzogs Tassilo (1976).

Tata, große Oase in S-Marokko, am S-Fuß des Anti-

Atlas, mit 30 Festungsdörfern aus rosa Stampflehm vom Typ des →Ksar.

Tata [t'ɔtɔ], Stadt im NW von Budapest, Ungarn, 22600 Ew. Die got. Burg aus dem 13. Jh. (mehrmals umgebaut, v. a. im 14. und 19. Jh., 1970–74 restauriert) beherbergt heute ein Mus.; die Kreuzwegkapelle entstand durch Umbau (1755) aus dem Chor der um 1350 errichteten got. Johanneskirche; T. hat ferner barockes Schloß der Esterházy mit mehreren Nebengebäuden (Mitte 18. Jh., heute Krankenhaus).

Tate Gallery [teɪt g'ælərɪ], Mus. für internat. moderne Kunst in London, als Stiftung von Sir Henry Tate (*1819, †1899) 1897 mit seiner Samml. als Grundstock eröffnet, mehrfach erweitert (Neubau 1979). 1917 wurde die T. G. um die Sammelgebiete ›Moderne Kunst anderer Länder‹ (**Nat. Gal. of Modern Foreign Art** [næʃnl g'ælərɪ ɔv m'ɔdən f'ɔ: rən ɑ: t]) und ›Brit. Kunst seit dem 16. Jh.‹ (**Nat. Gal. of British Art** [-br'ɪtɪʃ-]) erweitert.

Tathạgata [Skt.], Bez. des histor. Buddha, v. a. aber der Meditationsbuddhas (›Dhyanibuddhas‹) des Tantrayana: Akshobhya, Ratnasambhava, Amitabha, Amoghasiddhi und Vairochana. Im kosmolog. Mandala beherrschen sie die 4 Himmelsrichtungen (im Uhrzeigersinn von O ausgehend) und das Zentrum.

Tạtlin, Wladimir Jewgrafowitsch, russ. Künstler, *Moskau 28. 12. 1885, †ebd. 31. 5. 1953, Begründer des Konstruktivismus in der UdSSR, besuchte 1909–11 die Moskauer Kunstschule und schuf bis 1914 einige Gemälde. Um 1913/14 ging er zu ›malerischen Reliefs‹, ›Eckreliefs‹ und ›Hängeplastiken‹ über und wurde schließlich Vorkämpfer einer ›Ingenieurkunst‹, die in dem nicht ausgeführten ›Denkmal der III. Internationale‹ (1919/20, Modell nicht erh., rekonstruiert), einem über 400 m hohen Turm, gipfelte. Seit 1918 lehrte T. an neugegr. Kunstschulen in Moskau, Leningrad

Wladimir Tatlin: Denkmal der III. Internationale; Rekonstruktion (Paris, Centre Pompidou)

und Kiew; in den letzten Lebensjahren befaßte er sich v. a. mit flugtechn. (Segelflugzeug ›Letatlin‹, russ. letat' ›fliegen‹) und Materialstudien; arbeitete auch als Bühnenbildner.

W. T., Ausst.-Kat., München (1970); J. MILNER: Vladimir T. and the Russian Avant-garde (London 1983).

Tatti, Jacopo, ital. Baumeister, →Sansovino 2).

Tat'ung, Datong, Stadt im N der chines. Prov. Shansi, ehemals Hauptstadt des turkstämmigen Toba-Wei-Reiches (Nördl. Wei-Dynastie, 385–535). In dieser Zeit wurde mit der Anlage der nahegelegenen Höhlentempel →Yünkang beg.

Aus der Liao-Zeit stammen der Obere und Untere Hua-yen-Tempel. Die Halle Ta hsiung pao tien des Oberen Hua-yen-Tempels, unter der Kitan-(Liao-) Dynastie gegr. und unter der Dschurdschen-(Chin-) Dynastie wiederaufgebaut, ist die zweitgrößte Tempelhalle Chinas (Fassade 69,50 m = 9 Interkolumnien; Seitenwände 33,70 m = 5 Interkolumnien). Typisch für den Architekturstil der Liao-Zeit ist die ungeschwungene, in gerader Linie nach unten verlaufende Schräge des Walmdachs; von den 9 Interkolumnien sind 3 als Zugänge offen, alle übrigen, auch die der Seitenwände, sind mit einer Ziegelmauer ohne jeglichen Dekor geschlossen. Das Bibliotheksgebäude (1038) des Unteren Hua-yen-Tempels hat geschnitzte Schrankwände (Aufbewahrung der Sutren); die für die Architekturgeschichte sehr aufschlußreiche Darstellung zeigt 2 doppelstöckige Pavillons, die im oberen Stockwerk durch eine geschwungene, einen Pavillon tragende Bogenbrücke verbunden sind.

Tatzu, amtlich chines. **Dazu,** Stadt im SO der chines. Prov. Szechwan. In der Umgebung 19 Höhlentempelanlagen (9.–13. Jh.). Die Mehrzahl der in den Fels gehauenen Skulpturen entstammt der Sung-Zeit (11./12. Jh.) und zeigt den für diese Epoche charakterist. weichen, realist. Stil. Dargestellt sind Szenen aus dem Leben des Buddha, Jataka-Darstellungen und Themen aus versch. Sutren (z. B. Höllendarstellungen).

Tauberbischofsheim, Stadt an der Tauber, Bad.-Württ., 12000 Ew., war 1285–1802 kurmainz. Amtsstadt. Das ehem. Schloß besteht aus Türmersturm (13. Jh.), Kapellenerker (1490) und maler. Fachwerkgruppe des 15./16. Jh. Zweigeschossige got. Sebastianskapelle (1474); in der Pfarrkirche (1910–14) wertvolle alte Ausstattungsstücke. Mus. mit kirchl. Kunst, u. a. Holzbildwerke der Riemenschneider-Werkstatt.

Taufe Christi, die von Johannes dem Täufer (→Johannes 2) an Jesus vollzogene Taufe im Jordan (›Bußtaufe des Johannes‹). – In der frühchristl. Kunst steht Johannes der Täufer, meist mit einem Lendentuch bekleidet, neben Christus und legt eine Hand auf sein Haupt; über ihnen schwebt die Taube des Hl. Geistes. An ihre Stelle kann seit dem 6. Jh. ein Engel treten, der die Kleider Christi hält. Monumental sind die Darstellungen auf den Mosaiken der beiden Baptisterien in Ravenna. Im 6. Jh. wird die Stimme des Herrn durch die Hand Gottes verbildlicht (Rabula-Codex); später erscheint Gottvater in Halbfigur über der Szene. Diese

Taufstein: T. in der Kirche von Bro, Gotland; um 1170

Ikonographie aus dem byzantin. Kunstkreis wurde von der abendländ. Kunst des MA. aufgenommen. Seit dem 14. Jh. taucht hier Christus nicht mehr im Jordan unter, sondern Johannes gießt aus einer Schale Wasser über sein Haupt. Diese Darstellung entspricht dem Wandel in der Spendung des Taufsakramentes.

Taufkirche, Baukunst: →Baptisterium.

Taufstein, Taufbecken, Taufbrunnen, rundes oder viereckiges Gefäß aus Stein, Holz oder Metall für das Taufwasser. In altchristl. Zeit und im frühen MA. wurden eigens Taufkirchen (→Baptisterium) mit einem großen Taufbecken in der Mitte errichtet. Seit dem 11. Jh. beschränkte man sich bis auf wenige Ausnahmen auf einen T., der i. d. R. in der Kirche in der Nähe des Eingangs (später in ev. Kirchen im Chor) aufgestellt wurde. Der T. hatte schon in roman. Zeit sehr versch. Formen (runder oder polygonaler Kessel, Kelch, Schale) mit ornamentalem Schmuck oder figürl. Symbolik, die sich auf den Taufritus bezieht, z. B. Darstellung des Lebensbaums oder -brunnens, der 4 Paradiesflüsse, der Taufe Christi mit Vorbildern des A. T. (→Reiner von Huy). Im 12. Jh. wurde oft die Überwindung dämon. Mächte verbildlicht (Freckenhorst, Freudenstadt). Die Gotik bevorzugte bronzene Taufbecken (Halberstadt, Dom und St. Martin; Hildesheim, Dom). Ein HW der ital. Frührenaissance ist der Taufbrunnen im Baptisterium zu Siena (1437 voll.). Im Barock wurden die überlieferten Formen mannigfaltig abgewandelt. Heute werden häufig Taufschalen aus Edelmetall verwendet.

Taus, tschech. **Domažlice** [d'ɔmaʒlitsɛ], Stadt im Westböhm. Kr., ČSSR, 9100 Ew. Die unter Denkmalschutz stehende Stadt wurde um 1260 an der Stelle einer Fürstenfestung aus dem 10. Jh. gegr. Auf ma. Grundrissen baute man Häuser im Renaissance-, Barock- und Empirestil. In der Burg (Neubau im 18. Jh.) Mus. mit volkskundl. Samml. Die got. Kirchen aus dem 13. Jh. wurden im 18. Jh. umgebaut (u. a. die Marienkirche unter Mitwirkung von K. I. DIENTZENHOFER im Barockstil). Hinter der z. T. erh. Stadtmauer die got. Allerheiligenkirche (1648 erneuert, 1896 umgebaut).

Tauschieren [ital. aus arab. taushija ›Färbung‹], **Damaszieren,** das Verzieren der Oberfläche von unedlen Metallgegenständen (Eisen, Bronze) durch Einlagen andersfarbiger Drähte aus meist edlem Metall, eine Art von Intarsia in Metall. Das Ornament wird mit dem Grabstichel in die Metalloberfläche eingraviert und das Edelmetall in die sich verbreiternde Nut fest eingehämmert; teilweise wurde die Vertiefung auch eingeätzt. Nach einem einfacheren Verfahren werden die Drähte (oder Plättchen) des Schmuckmetalls auf der aufgerauhten Oberfläche festgehämmert. Schon im Altertum war die Bronzetauschierung bekannt, in Europa in der jüngeren Bronzezeit. In Dtl. wurden im 16. Jh. u. a. in Nürnberg und Augsburg Prunkwaffen und -harnische tauschiert.

In der islam. Kunst finden sich erste Beispiele tauschierter Arbeiten im 12. Jh. in Chorasan. Im 13. Jh. wurde mit den →Mosulbronzen ein künstler. Höhe-

Tauschieren: Kassette mit Tauschierung; Mitte 15. Jh. (?), Herzog-Max-Burg (München, Bayer. Nationalmuseum)

punkt erreicht, im 14. Jh. wurden tauschierte Gegenstände auch reliefiert, im 15. Jh. mit Schwarzlack kombiniert.

Tau|stab, 1) rundes Profil in Form eines gedrehten Taues, das zuerst in der normann. Baukunst und, von da abgeleitet, auch in der übrigen roman. Baukunst vorkommt. In Portugal erscheint der T. wieder um 1500 im Emanuelstil. **2)** →Bischofsstab.

Taut, Bruno, Architekt, *Königsberg (Preußen) 4. 5. 1880, †Ankara 24. 12. 1938, seit 1908 in Berlin, Organisator der →Gläsernen Kette, wie sein Bruder Max (*1884, †1967), ebenfalls Architekt, Mitgl. des →Ring, 1921–24 Stadtbaurat in Magdeburg, 1931/32 Prof. an der TH Charlottenburg, ging 1932 nach Moskau, wirkte seit 1933 in Japan und seit 1936 an der türk. Kunstakad. in Istanbul. T. schuf Ausstellungsbauten (Leipzig 1913; Köln 1914), die den Baustoffen Stahl und Glas neue Formen abgewannen. Er wirkte wegweisend für die Reform der Wohnung in Siedlungen (Zehlendorf, 1926 bis 1931) und bemühte sich um die Farbe als Gestaltungselement im Stadtbild.

W. Pehnt: Die Architektur des Expressionismus (^{2}1981); I. B. Whyte: B. T. – Baumeister einer neuen Welt (a. d. Engl., 1981).

Tautenhayn, Josef d. Ä., Medailleur, Bildhauer, *Wien 5. 5. 1837, †ebd. 1. 4. 1911, wurde 1874 Leiter der Graveurakad. des k. k. Hauptmünzamtes in Wien und war 1881–1905 an der Wiener Akad. Lehrer für Graveur- und Medaillenkunst. T. schuf Bauplastik, Porträtmedaillen und Denkmünzen.

HW: Geburt der Athena (Wien, Giebelgruppe an der Fassade der Univ.).

Taxco [t'asko], Stadt im Staat Guerrero, Mexiko, etwa 50 000 Ew. Die an Hügeln gelegene alte Silberminenstadt mit geschlossenem kolonialzeitl. Stadtbild mit maler. Gassen, kleinen, mit roten Ziegeln gedeckten Häusern, steht seit 1928 unter Denkmalschutz. Sie wird überragt von der rosafarbenen Pfarrkirche S. Prisca (1751–59) mit achteckiger, mit blauen und gelben Azulejos gedeckter Kuppel, Fassade mit gewundenen Säulen. Estípite-Pfeilern und Rokoko-Ornamenten; sie ist ein HW des mexikan. Barock. Im Innern prunkvoll geschnitzte, vergoldete und bemalte Retabel (mit Figuren, Blumen und Früchten; um 1765). In der Casa Humboldt (18. Jh., mit Fassade im Mudéjarstil) übernachtete 1803 A. v. Humboldt.

Taxila, Skt. **Takshashila,** Ruinenfelder im altindischen Gandhara, dem heutigen NO-Pakistan. Umfangreiche Grabungen förderten Ruinen von 3 Städten zutage: Der Bhir-Hügel enthielt Siedlungsreste aus der Mauryazeit und der Zeit davor (5.–2. Jh. v. Chr.), gefolgt von **Sirkap,** einer umwallten Stadtanlage mit rechtwinkligen Straßenzügen aus den Epochen der Baktrier, Sakas und Parther um die Zeitenwende, übernommen von den Kushanas, die schließlich als 3. Stadt Sirsukh anlegten. In Sirkap wurde der apsidiale Grundriß einer buddhist. Chaityahalle freigelegt; nahebei lagen buddhist. Klöster sowie der Dharmarajika-Stupa, im Kern bis z. Z. Ashokas zurückreichend, im 1. bis 4. Jh. überbaut und mit einer quadrat. profilierten Terrasse versehen.

J. Marshall: T., 3 Bde. (Cambridge 1951).

Taza [taz'a], Provinzhauptstadt in N-Marokko, 55 000 Ew. Städtebaul. Blüte als jeweils kurzzeitige Dynastie-Hauptstadt unter den Almoraviden (11./12. Jh.), den Almohaden (12./13. Jh.), den Meriniden (13./14. Jh.) und den Aliden (17./18. Jh.). Um die Medina 3 km lange basteiverstärkte Mauer (frühes 12. Jh.) mit almohad. und merinid. Toren, großer Kasba mit der Festung ›Bestioun‹ (Ende 16. Jh.) und dem halbrunden ›Sarazenenturm‹ (12. Jh.). In der almohad. Großen Moschee (12. Jh.) prachtvoll ornamentierte Michrab-Kuppel (1291–94): versetzte Überführung vom Viereck über ein Achteck in ein Sechzehneck mit 32 Kreuzrippen, durchbrochener Arabeskenstukkatur und Mukarnasspitze, ferner merinid. Minbar (Elfenbeinintarsien) und großer ziselierter Bronzelüster (514 Öllampen). Merinidische Medrese (1323) mit Schmuckportal, Mosaikboden im Sahn, zweiseitigen Riwaks und schönem Michrab.

Tazza [ital.], flache Schale auf hohem, häufig balusterförmigen Schaft und breitem Fuß. Seit dem 16. Jh. v. a. in Glas, Gold und Silber hergestellt.

Tbilissi, georg. und amtl. Name für →Tiflis.

Team X [ti:m ten, engl.], Gruppe von Architekten versch. Nationalität, die sich 1956 im Rahmen der Vorbereitung des CIAM X (→CIAM) in Dubrovnik bildete. Mitgl. u. a.: J. B. Bakema, G. Candilis, G. de Carlo, A. E. van Eyck, Alison und P. Smithon. Unterschiedl. Auffassungen über die Ziele der CIAM-Bewegung führten zur Spaltung und Bildung des T. X. Die Forderung des T. X nach intellektueller Klarheit und Strenge führte auch beim folgenden Kongreß 1959 in Otterloo zu heftigen Kontroversen. Die nach Meinung des T. X nach dem 2. Weltkrieg verfälschte Architektur des Funktionalismus sollte im →Brutalismus eine zeitgemäße Erneuerung finden.

Tebessa, Stadt in NO-Algerien, 67 200 Ew.; T., das antike **Theveste,** von etwa 75 bis Anf. des 2. Jh. röm. Legionslager, wurde unter TRAJAN zur Kolonie erhoben; 2. Blüte in justinian. Zeit; bed. Baureste röm. und byzantin. Zeit: Quadrifrons zu Ehren Caracallas; Minervatempel (Anf. 3. Jh. n. Chr., in der Cella heute Mus. mit röm. Statuen, Sarkophagen, Mosaiken); außerhalb des von einer byzantinischen Stadtmauer umschlossenen Bezirks der Komplex des Pilgerheiligtums der Märtyrerin Crispina mit Ruinen einer Basilika (4. Jh.) auf hohem Podest, vielen Nebengebäuden, Garten und Kreuzgang.

Teboursouk [təburs'uk], Stadt in NW-Tunesien, 52 km südlich von Beja, an der Stelle des antiken **Thibursicum Bure:** im NO fünfeckige byzantin. Burg mit röm. Pilastertor, im S röm. Friedhof, im W alter arab. Dolmen-Friedhof.

Teehaus, japan. **Sukiya** oder **Chashitsu** [tʃaʃitsu], für die Teezeremonie vorgesehener schlichter Pavillon oder Raum mit einer etwa 7,5 m^2 großen Grundfläche, d. h. viereinhalb Matten (Tatami), aus Lehmwänden mit edlen, naturbelassenen Holzpfosten. Zum T. gehört die Tokonoma (Bildnische), Mizuya (Vorbereitungsraum hinter schmaler Trennwand) und Feuerstelle. Durch Shoji (papierbespannte Schiebetüren) und Veranda(en) besteht Verbindung zum Garten, durch den vom Warteraum (Yoritsuki) her ein schmaler Pfad (Roji) führt, vorbei an steinernem Wasserbecken (Chozubachi) zur Reinigung von Händen und Mund vor Betreten des T.

Teerfarben, Anilinfarben, Maltechnik: aus Teer gewonnene künstl. Farbstoffe und Pigmentfarbstoffe. 1837 wurde die erste T. entdeckt, heute lassen sich nahezu alle Töne als T. herstellen. T. haben ein außerordentlich hohes Färbevermögen und sind für versch. Zwecke (Malfarben, Textilfärbung, Holzbeizen u. a.) herstellbar. Azo- und Indanthrenfarbstoffe u. a. sind bes. lichtechte Qualitäten.

Tegea, antike Stadt in Arkadien, Griechenland, südöstlich von Tripolis, mit Heiligtum der Athena Alea. Ausgrabungen legten die Fundamente des Tempels frei. Der architekturgeschichtlich bed. Bau wurde um 350 v. Chr. unter Leitung von SKOPAS VON PAROS in lakon. Marmor errichtet. Er übertraf an Größe und Ausführung alle anderen peloponnes. Tempel, v. a. durch die Gestaltung der Cella (die übliche Dreischiffigkeit war durch Wegrücken der Säulenreihen an die Wände – hier als Halbsäulen vorgeblendet – aufgegeben). Der Skulpturenschmuck (Metopen, Giebelfiguren, Reste im Mus. von T. und in Athen, Nat.-Mus.) zählt zu den bedeutendsten Werken des Skopas.

Tegernsee, Stadt am SO-Ufer des Tegernsees, Oberbayern, 4900 Ew. Die Kirche der einst bedeutendsten bayer. Benediktinerabtei (746 gegr.) ist im Kern gotisch (15. Jh.) und wurde nach Gesamtplan von 1678 in überquellendem, italienisch beeinflußtem Barockstil umgestaltet; Deckengemälde von H. G. ASAM. Die roman. Doppelturmfassade (die älteste in Bayern, vor

1012) wurde 1823/24 klassizistisch durch L. v. KLENZE überarbeitet, der auch den Umbau der Klosteranlage zum Schloß leitete.

Teheran, Tehran, Hauptstadt Irans (seit 1796), mit 4,5 Mio. Ew. größte Stadt Vorderasiens. Schah FATH ALI baute in der 1. H. des 19. Jh. mehrere Moscheen und den Gulistan-Palast. Bed. ist das ›Iran Bastan-Mus.‹ (Archäolog. Mus.) mit archäolog. und islam. Samml., ferner das Teppich-Mus.

Teigdruck, im 15./16. Jh. verwendetes graph. Verfahren des Hochdrucks, bei dem man eine geschnittene Metallplatte mit einer reliefartigen Darstellung wie einen Stempel in eine als Brei auf Papier gestrichene Teigmasse (z. T. mit Blattgold überzogen) drückte. So entstand ein zarter reliefartiger Abdruck. Wegen der Empfindlichkeit des Materials sind nur wenige Beispiele erhalten.

Teke, Bateke, Bantu-Volk um Kinshasa, Rep. Kongo; zählt mit seinen 5 Stämmen (Tsaya, Fumu, Teo, Lali, Bali) zum Komplex des Stanley Pool. Vermutlich haben nur die Tsaya Masken verwendet, scheibenartige, mit farbigen geometr. Mustern verzierte Gebilde, die vom Kidumu-Geheimbund, der nur etwa bis Anfang dieses Jh. existierte, getragen wurden. Dagegen gibt es bei allen T.-Stämmen Zauber- und Schutzfiguren (→Fetisch) in großer Zahl. Diese ›Butti‹-Figuren tragen ihre Medizin (magische Substanz) meist in einem von Lehm und Stoff umgebenen Kästchen auf dem Leib. Manche der Figuren haben weiche Linien und deshalb große Stilähnlichkeiten mit denjenigen der benachbarten →Bembe 1); andere tragen die typischen, strengen Züge mit den kantigen Gesichtern und den parallelen Tatauierungen im Gesicht.

Tektonik [grch.], Baukunst: Zusammenfügung von Teilen zu einem Gebilde der Baukunst in einer Weise, die mit künstler. Mitteln die Funktion jedes Teils für das Ganze anschaulich macht; auch für das architekturgleich Gefügte: T. einer Statue, eines Bildes.

Telamon, Stützfigur in der Baukunst, →Atlant.

Tela rensa [mlat. ›benetztes Tuch‹], →Tüchleinmalerei.

Tel Aviv-Jaffa, Stadt in Israel an der Mittelmeerküste, die aus →Jaffa und Tel Aviv besteht, 353 800 Ew. In Tel Aviv versch. Museen: Haus der Bibel, Histor. Mus., Helena Rubinstein Mus. für moderne Kunst, Tel Aviv Mus., und das Israel. Landesmus. mit dem Mus. für Völker- und Volkskunde, Glasmus., Museen für Münzkunde, Keramik, Wissenschafts- und Schriftgesch.

Telč [tɛltʃ], Stadt in der ČSSR, →Teltsch.

Telemach, grch. Mythos: Sohn des Odysseus und der Penelope. Nach der ›Odyssee‹ (deren Bücher 1–4 T. gewidmet sind und als ›Telemachie‹ bezeichnet werden) fährt der heranwachsende T. auf der Suche nach seinem Vater nach Pylos und Sparta und unterstützt dann den heimkehrenden Odysseus in der Auseinandersetzung mit den Freiern der Penelope. Darstellungen des T. finden sich seit klass. Zeit häufig in Zyklen des Odysseus, v.a. zus. mit Penelope (Skyphos des Penelopemalers, 5. Jh. v. Chr., Chiusi, Etrusk. Mus.) und bei der Besiegung der Freier (Relief am Heroon von →Gölbaşi).

Telephos, grch. Mythos: Sohn des Herakles und der Auge, König von Mysien. Als die Griechen auf der Fahrt nach Troja in Mysien landeten, verwundete Achill den T. mit der Lanze und heilte mit deren Rost oder Spänen nach dem Mißerfolg dieser 1. Fahrt die Wunden. Die Lebensgeschichte des T. ist auf dem Fries im Innenhof des Pergamonaltars dargestellt.

Telesterion [grch.], das Heiligtum zur Feier der Mysterien in →Eleusis.

Telford [t'elfəd], Thomas, brit. Bauingenieur, *Westerkirk (Dumfries) 9. 8. 1757, †London 2. 9. 1834, baute Kanäle, Brücken, Straßen und Wasserwerke, so u. a. den Ellesmere-Kanal (1793/1805), die eiserne Brücke über den Severn bei Buildwas (1795/98), den Caledonia-Kanal (1803–22), die Hängebrücke über die Enge von →Menai Strait und die Conway-Castle-Brücke in Wales (Spannweite 127 m).

Tell, Tall [arab. ›Hügel‹], Ruinenhügel in Vorderasien aus übereinander abgelagerten Siedlungsresten verschiedener Zeitstufen.

Tell Abu Schachrein, Ruinenstätte von →Eridu.

Tell Açana [-atʃ'ana], Ruinenstätte von →Alalach.

Tell Agrab, Ruinenhügel im Gebiet des Diyala, rd. 50 km östlich von Bagdad; sumer. Befestigungsanlage der frühdynast. Zeit (um 2500 v. Chr.) und klosterartig abgeschlossener Kultbezirk des Gottes Schara, aus dem viele Beterfiguren stammen.

Tell Ahmar, Tell Achmar, Ruinenstätte des aramäischen **Til Barsip** in N-Syrien (KARTE Alter Orient). Bereits im 3. Jahrtsd. v. Chr. besiedelt (Kammergrab mit Beigaben), im 1. Jahrtsd. v. Chr. Sitz des aramäischen Fstt. Bit-Adini, 857 v. Chr. vom assyr. König SALMANASSAR III. erobert. Ausgrabungen im Palast legten Torlaibungslöwen der aramäischen Periode frei, ferner Teile von urspr. rd. 100 m Wandmalerei in roten, blauen, weißen und schwarzen Farben: Tributzug und eine Seeschlacht aus assyr. Zeit (Kopien im Louvre); ferner wurden Stelen assyr. Könige hier gefunden.

Tell Arpatschija, kleine Ruinenstätte nordöstlich von Ninive, Irak (KARTE Alter Orient); eine dörfl. Siedlung in 15 Schichten, deren älteste in das frühe Chalkolithikum zurückreicht. Bes. zahlreich ist die bemalte Keramik des Halaf-Typs (4. Jahrtsd. v. Chr., Schichten VI bis X) und auch der südl. Samarra-Ware (ab Schicht VII). In T. A. wurden runde Stampflehmgebäude mit längsrechteckigem Zugangsraum aufgedeckt.

Tell Asmar, Ruinenhügel von →Eschnunna.

Tell Billa, Ruinenhügel südöstlich von Chorsabad. N-Irak (KARTE Alter Orient), das alte **Schibaniba**, Fundort einer frühhistor. Keramik (›Ninive-V-Keramik‹), die monochrom mit geometr. und stilisierten figürl.

Tell Brak: Augenidol; um 3000 v. Chr.

Mustern bemalt ist und nach der ersten Besiedlung dieses Tells in den Beginn der frühdynast. Zeit Sumers (rd. 2700 v. Chr.) datiert wird.

Tell Brak, Ruinenhügel in N-Syrien (Khabur-Gebiet, KARTE Alter Orient); durch Ausgrabungen wurde ein Tempel (um 3500–3300 v. Chr.) aufgedeckt, mit zahlreichen kleinen, 2,5 bis 5 cm großen schematisierten Figürchen aus Alabaster, bei denen v. a. die Augen betont sind (›Augenidole‹), wahrscheinlich Weihgaben; ferner ein festungsartiger Palast des Akkade-Fürsten NARAMSIN (um 2270 v. Chr.).

Tell Chuera, Ruinenhügel in N-Syrien, zw. den Euphratnebenflüssen Khabur und Balikh (KARTE Alter Orient), eine befestigte Stadtanlage (wohl zw. 2800 und 2300 v. Chr.) mit gewaltigen Kultanlagen. Beterstatuetten sumer. Typs, Rollsiegel und Siegelabrollungen verbinden seine Kultur mit der gleichzeitigen sumer. Mesilim-Zeit in Mesopotamien, zeigen jedoch auch charakterist. Besonderheiten.

Tell el-Amarna, Ruinenstätte der altägypt. Residenz Achet-Aton, →Amarna.

Tell el-Dab'a, Ruinenstätte im östl. Nildelta, 1966 bis 1969 und seit 1975 von einer österr. Expedition ausgegraben, wohl identisch mit Auaris, der Residenz der Hyksoskönige (um 1650–1540 v. Chr.), später von RAMSES II. nach 1290 v. Chr. als neue Hauptstadt ausgebaut (›Ramses-Stadt‹). Nach dem Ende des Neuen Reiches (um 1070 v. Chr.) wurden viele Denkmäler von dort in das nahegelegene →Tanis verschleppt. Die Grabungen deckten Reste von Palästen, Tempeln, Wohnhäusern und Gräbern auf und erbrachten den frühesten Nachweis der Pferdehaltung in Ägypten.

Tell el-Obeid, Ruinenhügel nordwestlich von Ur, S-Irak (KARTE Alter Orient), mit charakterist. Keramik des Chalkolithikums: braune und schwarze Bemalung auf oft grünlichem Grund, häufig wenig sorgfältig ausgeführt, die den letzten vorgeschichtl. Perioden Mesopotamiens (Mitte bis Ende des 4. Jahrtsd. v. Chr.) den Namen **Obeid-Zeit** gab. Aus der frühdynast. Zeit Sumers (etwa 2700–2400 v. Chr.) wurde eine Zikkurat mit doppeltem ovalem Zingel freigelegt. Reste des Tempels der Göttin Ninchursanga mit Architekturschmuck: Kupferrelief mit Imdugud und 2 Hirschen, ein Mosaikfries aus Kalkstein, Muscheln, Schiefer (›Melkerfries‹) und Statuetten.

Tell el-Oheimir, Ruinenstätte von →Kisch.

Tell es-Sawwan, prähistor. Stadt in N-Babylonien, nördlich von Samarra am Tigris, Irak (KARTE Alter Orient). Die älteste der 5 Schichten datiert etwa 5500 v. Chr.; die Siedlung war durch Gräben bewehrt. In den Kultbauten und Gräbern wurde eine Fülle weibl. Statuetten und Gefäße aus Alabaster gefunden; älteste steinerne Menschenbilder Mesopotamiens.

Tell Halaf, Ruinenhügel in NO-Syrien an der Quelle des Chabur (KARTE Alter Orient), im A. T. **Gosan.** Die hier erstmals gefundene Buntkeramik (geometr. Muster, Stierköpfe, Axt- und Kreuzmotive) gab der **Tell-**

Tell Halaf: Bemalte Keramikschale, 5000–4500 v. Chr.; Fundort Arpatsinije, nördlich von Ninive (Bagdad, Iraq Museum)

Halaf-Kultur, die sich im 5./4. Jahrtsd. v. Chr. weit über N-Mesopotamien erstreckte, den Namen. Auch einfache Tonplastik wurde gefunden, Anfänge der Kupferverarbeitung konnten nachgewiesen werden. Im 9. Jh. v. Chr. war hier die Residenz eines aramäischen Kleinfürsten (→Guzana).

Tell Hariri, Ruinenstätte von →Mari.

Tell Harmal, kleine Ruinenstätte im südöstl. Stadtgebiet von Bagdad, Irak, das alte **Schaduppum(?).** Die Stadt, in der 1. H. des 2. Jahrtsd. ein Verwaltungszentrum des Staates von Eschnunna, war mit einer starken Mauer umgeben; sie besaß u. a. 2 Doppeltempel babylon. Typs mit apotropäischen Torlöwen aus Ton.

Tell Hassuna, Ruinenhügel in N-Irak (KARTE Alter Orient), südlich von Mosul; nach der hier gefundenen dünnwandigen, glänzend polierten Keramik mit eingeritzten Mustern wird diese Zeit des Chalkolithikums (etwa 4500–3700 v. Chr.) **Hassuna-Periode** genannt.

Tell-i Malyan, Ruinenhügel in S-Iran (KARTE Alter Orient), nahe Schiras, der mit der seit 2500 v. Chr. genannten Stadt **Anschan (Anzan)** identifiziert wird. Dort wurde ein Palast mit Wandmalereien aus der Zeit um 3300 v. Chr. aufgedeckt sowie ein Tempel einer elam. Gottheit der Zeit um 1300 v. Chr. Anschan war Hauptstadt der östl. Hälfte des Königreichs Elam (3300–640 v. Chr.) und wurde anschließend von Persern besiedelt, die in der Nähe die Residenz Persepolis errichteten.

Tell Inghara, Ruinenhügel von →Kisch.

Tell Kamid el-Loz, Ruinenhügel am O-Rand der Beka-Ebene zw. Libanon und Antilibanon (KARTE Alter Orient), bereits in der Amarna-Korrespondenz ägypt. Pharaonen mit mesopotam. Herrschern (1. H. 14. Jh. v. Chr.) als **Kumidi** erwähnt; dt. Ausgrabungen seit 1963; spätbronzezeitl. Tempel und Palast des Königs von Kumidi; Fundort einiger Keilschrifttafeln und Ostraka mit einer frühen Alphabetschrift, Reste einer Stadtmauer.

Tell Mardich, Ruinenstätte von →Ebla.

Tell Mukajir, Tell Muqayir, Ruinenstätte von →Ur.

Tello, Ruinenstätte der Residenz →Girsu.

Tell Qannas, →Habuba Kabira.

Tell Rimah, Ruinenhügel der assyr. Stadt Karana, westlich von Mosul in N-Irak (KARTE Alter Orient). Bemerkenswert ist eine Tempelanlage (19. Jh. v. Chr.) mit einer Zikkurat, deren Fassade durch gedrehte Rundstäbe und reliefierte Orthostaten geschmückt war. Aus dem 1. Jahrtsd. v. Chr. stammen ein neuassyr. Langraumtempel mit löwenköpfigen Pflock-Orthostaten am Eingang zum Kultraum und eine stark beschädigte Stele des assyr. Königs ADADNIRARIS III. (809–782 v. Chr.).

Tell Schech Hamad, Ruinenstätte von →Dur Katlimmu.

Tell Uker, Tell Uqer, Ruinenstätte nahe Djemdet Nasr, rd. 60 km südlich von Bagdad, Irak (KARTE Alter Orient), mit freigelegtem Tempel auf einer Terrasse aus der Zeit um 3000 v. Chr.; in der Cella Wandmalereien: roter Sockel, 30 cm-Streifen mit geometr. Ornament, dann Zug von Opferern und Tieren in Rot, Orange, Gelb und Schwarz auf weißem Grund; Altar mit Architekturfassade.

Tellus [lat.], altröm. Religion: die Erde, später auch wohl der Demeter angeglichen, Göttin des Saatfeldes und der Erde (Terra Mater). Dargestellt wurde T. mit Symbolen der Fruchtbarkeit (Ara Pacis) oder mit den personifizierten Jahreszeiten (Panzerreliefs der Augustusstatue von Primaporta, Vatikan).

Telmessos, lat. **Telmissus,** antike Stadt an der W-Grenze von Lykien, an der Stelle des heutigen Hafenortes Fethiye, SW-Türkei, von der lykische Felsgräber erh. sind. Die Gräber haben eine tempelähnl. Vorhalle in ion. Architekturformen.

Telouet [telu'ɛt], Großdorf in S-Marokko, 137 km südöstlich von Marrakesch im Hohen Atlas, 1800 m ü. M. Die mächtige, weitläufig gegliederte Feudalkasba Dar Glaoui war bis 1956 Residenz des Paschas von Marrakesch. Der prunkvolle Palastteil (Ende 19. Jh.) in städtisch-arab. Bauweise hat überreichen maur. Innendekor. Im glasgedeckten Zentralpatio fliesenmosaikverkleidete Säulen, Mukarnasbögen, Stalaktitblendarkaden, bemalte Stuckarabesken, prachtvolle Wandfliesenmosaike und reichgeschnitzte Zedernholzportale.

Teltsch, tschech. **Telč** [tɛltʃ], Stadt im Südmähr. Kr., ČSSR, rd. 6000 Ew. Mit dem im urspr. Zustand erh. Marktplatz, umgeben von spätgot., Renaissance- und Barockhäusern mit durchgehenden Laubengängen, gehört T. zu den schönsten Städten der ČSSR. Am Markt auch das auf got. Grundsteinen im 16. Jh. gebaute Renaissanceschloß mit wertvollen Wandmalereien und Stuckarbeiten. Spätgot. Kirche Zum Namen Jesu mit roman. Elementen (Doppelturmfront); St.-Jakob-Kirche aus dem 16. Jh. (barock umgebaut). Stadtmauer und Tore sind aus dem MA.

Temenos [grch.] *das,* der hl. Bezirk im grch. Kult (→Tempel).

Temeschburg, rumän. **Timişoara** [-ʃo'ara], ungar. **Temesvár** [t'ɛmɛʃva:r], Kreisstadt des Kr. Timiş, W-Rumänien, 281 300 Ew. Die mächtige Festung (1212 erstmals erwähnt) wurde als Residenz des ungar. Königs Karl Robert v. Anjou in der 1. H. des 14. Jh. gebaut und später ausgebaut; während der Türkenzeit zerstört, im 18. Jh. erneuert, Ende des 19. Jh. abgetragen. Ein im 15. Jh. erbautes (im 19. Jh. rekonstruiertes) Kastell beherbergt das histor. Mus. des Banat. Die heutige Stadt entstammt im wesentlichen dem 18. Jh. Das ehem. türk. Bad von 1675 wurde 1732–34 (Fassade 1933) zum Rathaus umgebaut. Der Dom (1737–73), der bedeutendste Barockbau von T., läßt Einflüsse der Wiener Architektur erkennen. Die Fassade der vieltürmigen serb. Kathedrale (1745–48) stammt von 1791.

Temmoku, japan. Sammel-Bez. für mit schwärzl. oder bräunl., in Tropfen auslaufender Glasur überzogenes chines. Steinzeug aus Chien (Prov. Fukien) und Chichou (Prov. Kiangsi). Die dunkelfarbigen schlichten Schalen eigneten sich bes. für die in der Sung-Zeit (960–1279) im Zusammenhang mit dem Ch'an-(Zen-) Buddhismus aufgekommene Teezeremonie und fanden daher in Japan, wo sie nachgeahmt wurden, hohe Wertschätzung. Der bei dieser Ware häufige Effekt flammenartiger hellbrauner Streifen auf dunklem Grund wurde dadurch erzielt, daß man auf die über der dunklen Farbschicht liegende transparente Glasur flammenförmige Streifen mit Eisenoxid aufmalte, die sich beim Brand fest mit der Glasur verbanden.

Temne, Volksgruppe im NW von Sierra Leone; ihre Schnitzkunsttradition gleicht in Bestimmung und Ausdruck derjenigen der südöstlich benachbarten Mende.

Tempel [lat. templum] *der,* das nichtchristl. Kulthaus; urspr. im röm. Kult ein von den Auguren abgegrenzter hl. Bezirk, später der in diesem Bezirk errichtete Kultbau.

Die ältesten T. waren offene Kultstätten (Hain, Höhle, Grotte u. a.); die bald entstehenden Kulthäuser – meist den profanen Wohnbauten nachgebildet – dienten als Wohnstätte der Gottheit, später auch als Versammlungsstätte ihrer Verehrer. Der Platz der T. wurde meist durch Jahrhunderte beibehalten.

Der T. im Alten Orient war Wohnsitz der Gottheit und zugleich häufig administratives und wirtschaftl. Zentrum der Stadt; anfangs ein quadrat. Einraum-T. (Eridu, 4. Jahrtsd. v. Chr.), in sumer. Zeit ein Rechteck-

Tempel: Grundriß des Lingaraja-T., Bhubaneshvar, Indien, 11. Jh. **a** Mukhamandapa, **b** Natyamandapa, **c** Mahamandapa, **d** Ardhamandapa, **e** Garbhagriha, **f** Deul

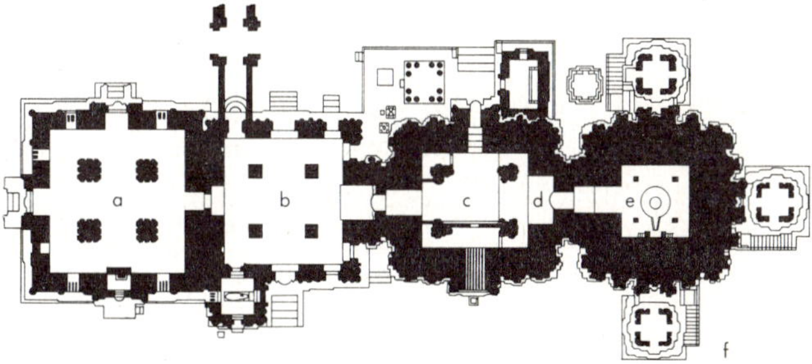

bau mit Nischengliederung der Fassade, langem Mittelhof und T-förmigem Querbau. In S-Babylonien entwickelte sich ein Hofhaus-Typ mit Innenhof, Vorzelle und Cella als Breiträume in axialer Anordnung, während T. im Osttigrisland das Heiligtum zumeist in einer Nische an der Schmalseite hatten, Eingang an der Längsseite (→Knickachstempel); in Assyrien lag oft der Eingang dem Götterbild gegenüber an der Schmalseite. Bezeichnend für Mesopotamien ist der T. auf der →Zikkurat, urspr. einer künstl. Terrasse, die im 2. und 1. Jahrtsd. v. Chr. als mehrstufiger T.-Turm (neben dem Haupt-T. in der Ebene) ausgebaut wurde. Der hethit. T. war durch Fenster (i. Ggs. zu Mesopotamien) nach außen geöffnet, der syr. T. meist durch vorgezogene Mauerwangen (Anten) und über Stufen betretbare Cella ausgezeichnet. Meist reich geschmückt und häufig renoviert, sind die T. die am besten erh. zentralen Bauwerke der altoriental. Stadt gewesen.

Hauptquelle für die Kenntnis des Salomon. T. in Jerusalem ist 1. Kön. 6, 1–37; 7, 13–51; dieser Stelle dürften Listen aus der Bauplanung oder eher der Bauabrechnung zugrunde liegen. Die Lage des T. auf dem T.-Platz ist umstritten; sicher lag er in OW-Richtung mit dem Haupteingang im O (→Jerusalem). Über dem Felsen (heute unter der Kuppel des Felsendomes) dürfte das Allerheiligste in der vorexil. Zeit mit der Lade gelegen haben. 586 v. Chr. wurde der T. durch die Babylonier zerstört (2. Kön. 25, 13–17), erst zw. 520 und 515 v. Chr. unter Serubbabel wieder aufgebaut (2. T.), unter Herodes d. Gr. seit 19 v. Chr. erneuert. 70 n. Chr. wurde er durch die Römer endgültig zerstört. – Jüd. T. mit Opferkult bestanden in nachexil. Zeit nur noch in Elephantine und Leontopolis.

In Ägypten sind Götter-T. und Toten-T. der Könige fast ausnahmslos erst aus dem Neuen Reich erh., i. a. als Prozessions-T. entlang einer geraden Achse angelegt, der Zugang häufig durch eine Sphinxallee, Obelisken und Statuen der Könige betont; es folgten Tortürme (Pylone), säulenumstandener Hof, gedeckter Säulensaal und das Allerheiligste mit dem meist sehr kleinen Kultbild sowie die übrigen Kulträume; an den Wänden reiche Reliefdekoration (Götter- und Kultszenen). Seltener waren kleine T. mit Umgang, die dem grch. Peripteros entsprachen.

In der kretisch-myken. Kunst gab es den frei stehenden T. offenbar noch nicht. Eine minoische Form des Kultbaues war ein kleines dreiteiliges Heiligtum, dessen Front als →Kultfassade gestaltet sein konnte. In der myken. Kultur hat neben kleinen Kultschreinen (Hauskapellen), die den späten minoischen ähnlich waren, auch das Megaron kult. Funktionen gedient.

Der Grundriß des griechischen T., mit Ausnahme der →Tholos, ist aus dem →Megaron der kretisch-myken. Paläste entstanden: ein rechteckiger Saal (Cella) mit einer zweisäuligen Vorhalle (Pronaos) zw. vorgezogenen Seitenwänden (Anten, **Anten-T.**, Bild Ante); beim **Doppelanten-T.** entsprach der Vorhalle eine Rückhalle (Opistodom). Durch Vorstellen einer Säulenreihe vor die Front wurde der T. zum **Prostylos** (Bild) erweitert oder zum **Amphiprostylos,** wenn die Säulenreihe auch vor die Rückseite gestellt wurde. Die Cella wurde in 2, später in 3 Schiffe gegliedert. Die vorherrschende T.-Form seit dem 6. Jh. v. Chr. war der **Peripteros** (BILD); bei ihm ist die Cella von einem Säulenkranz (Peristasis) umgeben, der sich auf einem dreistufigen Unterbau (Krepis) erhebt und das Dach trägt. Der Peripteros ist die Vollendung aller dem grch. T. zugrunde liegenden Bauideen: Symmetr. Geschlossenheit sowie der Gegensatz zw. blockhafter Cella und offenem Säulenring tragen zu einer monumentalen und lebendigen Wirkung des Baus nach außen bei; beim **Pseudoperipteros** sind die Säulen den Langseiten der Cellawand vorgeblendet, der Umgang fehlt. Einige große T. in der östl. Ägäis besaßen eine doppelte Peristasis **(Dipteros);** dieser Grundriß wurde in hellenist. Zeit durch Fortlassen der inneren Säulenreihe zum **Pseudodipteros** mit doppelt weitem Umgang entwickelt. Den oberen Abschluß aller Grundrißformen bildete ein flaches Satteldach, dessen Giebelfronten oft mit Skulpturen geschmückt waren. Zwei Architekturstile (›Ordnungen‹, →Säulenordnung), die kraftvolle dorische und die weniger monumentale ionische mit ihrer Variante, der korinth. Ordnung, bestimmten den Aufbau des grch. T.

Der italisch-etrusk. T., von VITRUV als ›tuskischer T.‹ beschrieben, war auf einem hohen Steinpodium über nahezu quadrat. Grundriß errichtet **(Podium-T.),** die Vorhalle mit weit auseinandergerückten Säulen war fast ebenso tief wie die 3 nebeneinanderliegenden Cel-

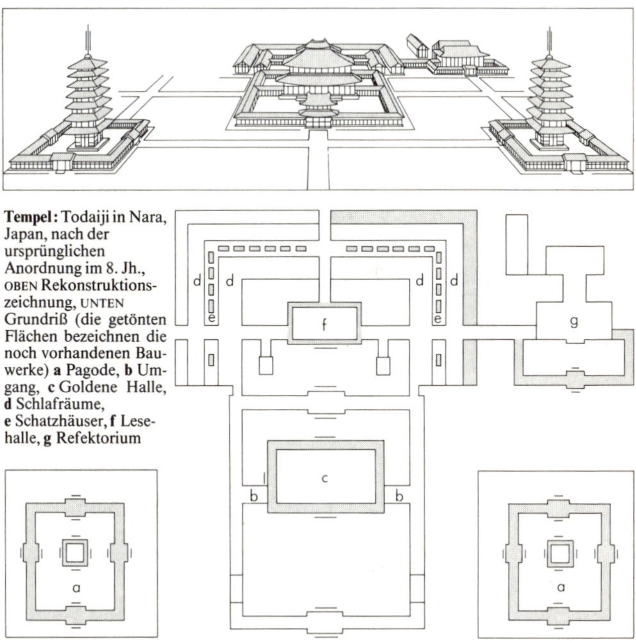

Tempel: Todaiji in Nara, Japan, nach der ursprünglichen Anordnung im 8. Jh., OBEN Rekonstruktionszeichnung, UNTEN Grundriß (die getönten Flächen bezeichnen die noch vorhandenen Bauwerke) **a** Pagode, **b** Umgang, **c** Goldene Halle, **d** Schlafräume, **e** Schatzhäuser, **f** Lesehalle, **g** Refektorium

len. Der Oberbau behielt bis in die hellenist. Zeit die altertüml. Holzbauweise mit Lehmziegeln bei. Das weit vorragende Dach war reich mit farbigen Tonplatten und -figuren geschmückt, der Dachfirst trug manchmal Tonstatuen, die Schlußziegel waren verziert (Antefix). Der Giebel war offen, erst in etrusk. Spätzeit wurde er durch vielfigurige Tonplatten geschlossen. Der italisch-etrusk. T. gab mit seinen gedrungenen Proportionen, der Grundrißform, der überladenen Dekoration und der betonten Frontalität dem frühen röm. T. wesentl. Impulse. Dieser hatte ein Podium mit Freitreppe, eine tiefe Vorhalle mit meist 4 Säulen und eine einräumige Cella, die zunehmend stärker als Innenraum gestaltet wurde, da auch für politisch bedeutsame Handlungen (Priesterweissagungen) genutzt. Bei Verbreiterung der Front auf 6 Säulen wurde eine Säulenhalle an den Längsseiten bis zur Cellarückwand durchgezogen, oder Halbsäulen oder Pilaster wurden in die Cellawand eingebunden, die Ordnung der Vorhalle als Blendarchitektur weiterführend. Die Säulenordnung kam von den Griechen nach Rom.

In Indien entstanden, neben den buddhist. Stupabauten, Bodhigrihas und Kulthöhlen, mit der Entfaltung der frühhinduist. und der volkstüml. Bilderverehrung seit dem 2.–1. Jh. v. Chr. als Behausung des Götterbildes anfangs einräumige apsidiale Ziegelbauten (in Sonkh u. a.), seit der Kushana-Zeit auch quadrat., übertürmte Gebäude und spätestens im 4.–5. Jh. die ersten, noch schlichten Stein-T. der versch. ind. Religionsgemeinschaften (flachgedeckt, mit Säulenportikus: in Sanchi und Tigawa; mit Turmaufbauten, auf Plattformen: in Marhia, Bhumara, Deagarh u. a.). Ziegel-T. wurden über die Gupta-Zeit hinaus seltener (Bhitargaon, Rajgir, Sirpur). Im 6.–7. Jh. entstanden in einer Phase des Experimentierens mit unterschiedl. Bauformen unter den Chalukyas im Deccan und den Pallavas in Tamil Nadu die für den →Nagara-Stil N-Indiens und den →Dravida-Stil S-Indiens charakterist. Formen.

Nach hinduist. Theorie erhebt sich der T. über einem geomantisch ausgerichteten Quadrat (Mandala), in dessen Zentrum, der Cella (Garbhagriha), die Hauptgottheit residiert. Die Cella kann auch von einem Umwandlungsgang (Pradakshinapatha) umgeben sein (Sandhara-T.). Für Göttergruppen kann die Anlage bes. gegliedert werden (Panchayatana). Bildwerke des Gottes und zugeordneter Götter schmücken die Außenwände der Cella und der vorgelagerten Versammlungshallen (Mandapa), in den Himmelsrichtungen haben die Dikpalas Schutzfunktion, am Eingang (Torana) sind häufig die Flußgöttinnen Ganga und Yamuna dargestellt, im Architrav darüber die residierende Gottheit. Der Turm (Shikhara) über der Cella verbindet die irdische mit der himml. Sphäre gleich dem Weltberg Meru. Best. Kultformen, Prozessionen und Tänze ergaben Erweiterungen der Tempelanlagen durch mehrere Mandapas; in S-Indien entstanden seit der Chola-Zeit stadtartige, umfriedete hinduist. Anlagen, die eine vielköpfige Priesterschaft beherbergten (Madurai, Tiruvannamalai, Srirangam, Chidambaram). Sonderformen der Architektur bildeten sich seit dem 8. Jh. in Kaschmir,

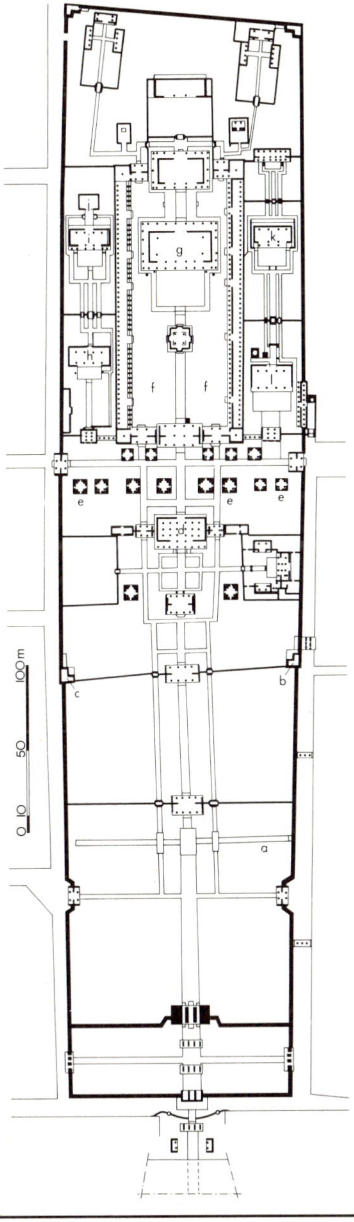

Tempel: Grundriß des konfuzianischen T. Wen-miao in Ch'iüfu, China, 2. Jh. n. Chr. beg. **a** Heiliger Bach, **b** Glockenturm, **c** Trommelturm, **d** Halle ›Hui-wen-ko‹, **e** Stelenpavillons, **f** Haupthof, **g** Haupthalle ›Ta-ch'eng-tien‹, **h** Halle der Musikinstrumente, **i** Halle des Vaters, **j** Halle der Mutter, **k** Ahnenhalle, **l** Halle der Lieder und Riten

wo an quadrat. und rechteckigen Cellabauten ohne Mandapa (die hinduist. T. von Martand, Pandrethan u. a.), die teils mit Nischenwänden umgeben wurden, Architekturelemente der Gandhara-Region aus baktr. bis sassanid. Zeit fortlebten (korinth. Kapitelle, Spitzgiebel über Dreipaßbögen der Portale). Durch die Verwendung von Holz entstanden in Kerala (SW-Indien) Dachkonstruktionen aus mehrfach gestuften, in Spitzgiebel mündenden Schrägdächern über den turmlosen Stein-T. Ähnl. Dachformen weisen die Holz- und Ziegel-T. der Himalaya-Region auf, v. a. in Nepal seit der Malla-Periode mit ihren pagodenartig zwei- bis fünffach geschichteten, von geschnitzten Holzkonsolen gestützten Pyramidendächern. In Bengalen wurden v. a. vom 17.–19. Jh. Terrakotta-T. errichtet (bes. im Distrikt Birbhum und in Bishnupur; BILD Terrakotta).

In China bestehen T. aus einer Folge von Hallen (Tien), die sich um Höfe gruppieren, die i. d. R. auf einer N-S-Achse liegen. Bei T. außerhalb der Stadt wird die Lage am Berghang bevorzugt, wo die geomantisch ungünstigere O-W-Achse vorkommen kann. Der Weg vom Eingangstor durch meist überdachte Gänge zu den versch. Hallen wird vom Glocken- und Trommelturm flankiert. Im N liegt die Haupthalle (Ch'eng-tien). Aus kosmolog. Gründen sind die Hallen meist nach S ausgerichtet. An den hinteren Höfen liegen Wohngebäude der Mönche oder Nonnen. Die Haupthalle steht auf einer steinernen Plattform, die die Form einer ein- bis dreifach gestuften, balustradenumsäumten Terrasse annehmen kann. Die Halle ist ein Holz-Skelettbau. Glatte Säulen, durch schwere Balken verbunden, bilden im Grundriß Rechtecke (Chien). Eine umlaufende Pfostenreihe vergrößert entweder den Innenraum oder schafft einen äußeren Umgang, oder ihre Stützen bilden nur an der Front eine offene Vorhalle unter dem weit vorspringenden Dach. Bei aufwendigeren Bauten ist das Dach geschwungen. Es ist ein Walmdach oder Halbwalmdach; unter diesem umzieht oft ein Dachkranz als Pultdach die Halle, so daß sie von außen zweigeschossig erscheint. Die Dachziegel sind grau, bei T. der Kaiserfamilie gelb, beim Himmels-T. blau glasiert. Während die Dächer des Nordstils an den Ecken nur leicht angehoben und mit nur einer Reihe kleiner Tiere verziert sind, enden im Südstil Grate und First in hochgebogenen Spitzen oder ornamentalen Spiralen und sind mit Drachen, Fabelvögeln, Legendenfiguren und kleinen Pagoden in bunten Ziegeln geschmückt. Die meisten T. der Frühzeit sind nicht erh.; frühestes Beispiel ist der Fo-kuang-ssu auf dem →Wut'aishan.

In Japan umfaßt eine buddhist. T.-Anlage, meist in axialer Anordnung (nach chines. Vorbild), ein zweistöckiges Torhaus (Sammon) mit den Statuen der 2 Ni-o, die Haupthalle (Hondo) oder ›Goldene Halle‹ (Kondo) mit dem Kultbild, daher z. T. auch Buddhahalle (Butsuden) genannt, eine Vortrags- oder Lesehalle (Kodo) oder eine Dharmahalle für Zeremonien. Um diese Mittelachse können sich gruppieren: ein Glokkenturm (Shoro), ein Trommelturm, ein Reliquiar (meist in Form einer mehrstöckigen →Pagode), eine Stifterhalle mit dem Bildnis des Gründers, eine Meditationshalle (Zendo), Bibliothek, Schatzhaus und einige Nebengebäude. Abgeschlossen wird die Anlage durch die Wohngebäude für Abt und Mönche, meist in oder an einem Garten gelegen, das Gästehaus und die Wirtschaftsgebäude. Das Gelände ist von einer Mauer umfriedet. Ältester T. ist der →Horyuji bei Nara.

Im vorkolumb. Amerika stand der T. sowohl in Mesoamerika als auch im Andengebiet auf einer erhöhten Plattform, meist auf einer stufenförmigen Pyramide; im Andengebiet sind beide heute oft nicht mehr erh. Die Pyramiden in Mesoamerika haben häufig eine beträchtl. Höhe; die T. mit vielfach nur kleinen Räumen sind mit ihren Öffnungen meist nach dem Vorplatz ausgerichtet, die Eingänge waren oft mit Reliefs geschmückt. Die Azteken errichteten Doppel-T. wie den von den Spaniern zerstörten in Tenochtitlán.

G. GRUBEN: Die T. der Griechen ([2]1976); H. STIERLIN: Die Welt der T. und Pagoden (1980); H. KÄHLER: Der grch. T. (1982); ders.: Der röm. T., Raum und Landschaft (1982).

Tempel, Abraham Lambertsz. van den, niederländ. Maler, *Leeuwarden um 1622, begraben Amsterdam 8. 10. 1672; elegante Porträts unter dem Einfluß von B. v. d. HELST, auch histor. und allegor. Kompositionen.

Tempelgang Mariä, der Gang Mariens zum Tempel in Jerusalem als Kind, seit dem 8. Jh. als Erwachsene (Diptychon im Mailänder Domschatz), in der mittelbyzantin. Kunst von Jungfrauen begleitet (Mosaik des 11. Jh. in Daphni), in Spätgotik und Renaissance oft mit Szenen vor und in dem Tempel.

Tempelgrab, in Knossos (Kreta), südlich des Palastes, 1931 von A. EVANS aufgedeckte Anlage, die unter den Grabbauten des minoischen Kreta in Form und Aufwand bisher einmalig ist. Die Bez. T. hat das offenbar für die herrschende Familie um 1600 v. Chr. erbaute, später wiederbenutzte Grab bekommen, weil es auch für Zwecke des Totenkults gedient hat. Das ostwestlich orientierte T. besteht aus einem überdachten Vorraum, einem offenen Hof, dem anschließenden zweistöckigen Kultbau und der in den Fels gehauenen, quadrat. Grabkammer.

Tempel|oval, architekton. Anlage Mesopotamiens in frühdynast. Zeit (1. H. des 3. Jahrtsd. v. Chr.), bei der die Tempelterrasse einschließlich Wirtschaftsgebäuden von einem ovalen Mauerring umgeben ist, z. B. in Chafadji (mit 2 Mauerringen), Tell el-Obeid, Girsu.

Tempelturm, →Zikkurat.

Temperamalerei, Maltechnik mit Tempera, einem Emulsionsbindemittel mit einer wässerigen und einer fetten oder harzigen Komponente. Nach Vorrang im Mengenverhältnis unterscheidet man u. a. Kasein-, Ei-, Öl-, Gummi-Tempera u. a. Je nachdem, welcher Anteil der Emulsion überwiegt, muß mit Wasser oder mit Emulsion vermalt werden. Temperafarben härten zwar erst mit der Zeit, trocknen aber schnell, weshalb sie auch in der Ölmalerei v. a. des 16.–18. Jh. verwendet wurden; als Untermalung gestatten sie ein rasches Überarbeiten, als Höhung erlaubt die kurze Temperafarbe (→kurz) reizvolle Effekte. Vor Einführung der Ölmalerei im 15. Jh. wurde hauptsächlich mit Temperafarben gemalt, eine Technik, in der die Italiener höchste Meisterschaft erlangten. Da sich die Temperafarbe nicht wie Ölfarben naß in naß verreiben läßt, wurden feine Schattierungen und Übergänge mit vielen Lagen parallel geführter feinster Striche über dunklem Grund erreicht (Tratteggio). Manchen Richtungen der Malerei des 20. Jh. kommen Eigenschaften und Wirkung der T. entgegen, daher Wiederbelebung seit A. BÖCKLIN.

Temperantiaschüssel, häufig kopiertes HW (um 1585) des frz. Zinngießers F. →Briot mit der Darstellung der Temperantia, der Symbolfigur der Mäßigung.

Tempesta, 1) Antonio, ital. Maler, Kupferstecher, *Florenz 1555, †Rom 5. 8. 1630, lernte in Florenz u. a. bei SANTI DI TITO und ging jung nach Rom, wo er als Freskenmaler und v. a. als Radierer tätig war.

Graphik in Folgen und Einzelblättern: Jagd- u. Schlachtenszenen, relig. Darstellungen, Buchillustrationen.

2) eigtl. Pieter **Mulier** [myl'i:r], holländ. Maler, *Haarlem um 1637, †Mailand 29. 6. 1701, kam mit rd. 30 Jahren nach Italien, wo er sich **Cavaliere T.** nannte; malte effektvoll beleuchtete Sturmlandschaften mit figürl. Staffage.

Templin, Stadt in der Uckermark, am Templiner See, Dt. Dem. Rep., 12 400 Ew.; bis zu der starken Zerstörung 1945 ein gutes Beispiel für den planmäßigen Grundriß ostdt. Gründungsstädte. Stadtmauer (13./14. Jh.) und Tore fast vollständig erh.; Maria-Magdalenenkirche (15. Jh.), nach Stadtbrand (1735) in barocken Formen wiederhergestellt (1749), Sakristei spätgotisch erh.; in der spätgot. Georgskapelle (14./15. Jh.) Holzplastik des Hl. Georg mit dem Drachen (16. Jh.).

Tenayuca, archäolog. Fundort im Hochtal von Mexiko, 10 km nördlich von Mexiko-Stadt, mit einer gut erh. Tempelpyramide; die Grundfläche wurde bei 7 Überbauungen (zw. 1064 und 1500) von 31 × 12 m auf 76 × 68 m, die Höhe von 8 m auf 18 m vergrößert. Allen Bauphasen gemeinsam ist der Grundplan: 2 Tempel auf der obersten Plattform, zu der 2 Treppen hinaufführen, die von Balustraden gerahmt werden. Die Pyramide ist auf 3 Seiten von einer Schlangenmauer umzogen. Die Schlangenleiber sind aus Mörtel und Feldsteinen geformt, mit Stuck überzogen und waren urspr. bemalt.

Teneberleuchter [lat. tenebrae ›Finsternis‹], ein 15armiger Leuchter für das lat. Stundengebet der Karwoche, ohne Schmuck in Dtl., in reicherer Form in Spanien (gegliederter Fuß, dem eine ornamentale Zone folgt, dann in Dreieckform die Kerzenhalter); bed. der ›tenebrario‹ im Dom von Burgos in Formen der ital. Renaissance und der bronzene T. im Dom von Sevilla (16. Jh., etwa 7 m hoch).

Tenebrismo, Tenebrismus [von span. tenebroso ›finster‹, ›dunkel‹], Bez. für die in der Nachfolge CARAVAGGIOS in der span. Malerei des 17. Jh. geläufige Helldunkelmanier (u. a. bei D. VELÁZQUEZ). Als **Tenebristi** werden bisweilen auch die ital. Caravaggisten des frühen 17. Jh. bezeichnet.

David Teniers d. J.: Der verlorene Sohn; 1644 (Paris, Louvre)

Tenerani, Pietro, ital. Bildhauer, *Torano bei Carrara 11. 11. 1789, †Rom 14. 12. 1869, Schüler von A. CANOVA und Gehilfe von B. THORVALDSEN, schuf in klassizist. Stil kirchl. Bildwerke, Grabmäler, Porträtbüsten.

Teniers [tən'i:rs], **1)** David d. Ä., fläm. Maler, Vater von 2), *Antwerpen 1582, †ebd. 1649, malte relig. Bilder in der Art von A. ELSHEIMER, zu dessen Kreis er in Rom gehörte.

2) David d. J., fläm. Maler, Sohn und Schüler von 1), getauft Antwerpen 15. 12. 1610, †Brüssel 25. 4. 1690. Seit 1632/33 war er Meister in der St.-Lukas-Gilde zu Antwerpen, 1645 deren Dekan, seit 1651 in Brüssel Hofmaler und Verwalter der Kunstsammlungen des Erzherzogs Leopold Wilhelm, nach 1656 des span. Statthalters Don Juan de Austria. 1662 gehörte er zu den Gründern der Kunstakad. in Antwerpen. – T. schulte sich in Kompositionsschema und maler. Behandlung an Bildern etwa von J. BRUEGEL D. Ä. und P. BRIL, v. a. aber an den Bauernszenen des A. BROUWER, dessen toniges Kolorit er sich auch aneignete.

In seinem kaum überschaubaren Werk kleinformatiger Genrebilder und Landschaften schilderte er das fläm. Volksleben auf Markt und Straße, in Schenken und Wachstuben. Neben häufig allegorisch deutbaren Genreszenen mit adeligen, bürgerl. und bäuerl. Figuren hat T. auch Hexen- und Spukszenen, bibl. Themen, seltener Stilleben, Landschaften und Porträts gemalt. Kulturhistorisch bes. interessant sind seine Innenansichten von Gemäldegalerien und Kopien der Gemälde der erzherzogl. Samml. in Kleinformat, die als Stichvorlagen zu einem Prachtkatalog, dem ›Theatrum Pictorium‹ (1660), dienten.

HW: Bauernfest am Wirtshaus (1637; Madrid, Prado); Die Wachstube (1641; Amsterdam, Rijksmus.); Der verlorene Sohn (1644; Louvre); Die Versuchung des Hl. Antonius (1647; Brüssel, Musées Royaux des Beaux-Arts); Der Erzherzog auf dem Vogelschießen in Brüssel (1652; Wien, Kunsthistor. Mus.); Die Galerie des Erzherzogs in Brüssel (ebd.).

Tenniel [t'enjəl], John, engl. Cartoonist, *London 28. 2. 1820, †ebd. 25. 2. 1914, zeichnete für den ›Punch‹ polit. Cartoons, darunter ›Dropping the Pilot‹ (›Der Lotse [Bismarck] geht von Bord‹, 1890); kongeniale Illustrationen zu L. CARROLLS ›Alice's adventures in wonderland‹ und ›Through the looking-glass‹.

Tennin [japan. ›Himmelswesen‹], in Japan engelähnl., schwebend dargestellte myth. Wesen, deren Vorstellung auf die ind. Apsaras zurückgehen. Häufig in Buddhanimben dargestellt, aber auch als vereinzelte Holzfigürchen (z. B. im Byodoin bei Uji) oder in Bronzefiligranarbeit auf der 4flügeligen Bekrönung der Pagode des Yakushi-Tempels in Nara.

Tenochtitlán [aus aztek.; span. tenotʃ-], die Hauptstadt der Azteken, seit 1325 auf einer Insel im Texcoco-See errichtet. Nach der span. Eroberung (1519–21) wurde auf ihren Ruinen die Stadt Mexiko gebaut. Berichte des 16. Jh. und Ausgrabungen (1978–82) geben Aufschluß über die kreuzförmig, mit sich rechtwinklig schneidenden Straßen angelegte Stadt. Von einer Mauer mit Schlangendekor umgeben, lag in der Mitte der Stadt der Haupttempelbezirk mit der Hauptpyramide (mit Doppeltempel der Götter Tlaloc und Huitzilopochtli), dem Schädelgerüst, kleineren Tempeln und Plattformen. Außerhalb dieses Bezirks lag der Herrscherpalast mit vermutlich um Höfe gruppierten Räumen. Die Hauptpyramide als ganzes ist siebenmal überbaut worden, die Vorderseite doppelt so oft; mit der Ausdehnung der Herrschaft wurden immer imposantere Fassaden gestaltet. – Funde: Steinskulpturen und fast 6000 Objekte aus Opferniederlegungen.

Tensta, Gem. im Län Uppsala, mit einer der größten Landkirchen Schwedens, Ende 13. Jh. unter holländ. Einfluß errichtet; das urspr. Holztonnengewölbe ist über dem Sterngewölbe (15. Jh.) erh.; bemerkenswerte Kalkmalereien (1437).

Teos, antike Stadt in Kleinasien, südwestlich von Izmir, beim heutigen türk. Dorf Sigacık, von Griechen aus Böotien gegr.; Reste des Dionysos-Tempels (im 2. Jh. v. Chr. von HERMOGENES errichtet, in röm. Zeit erneuert), eines hellenist. Theaters, eines Odeions und Gymnasions wurden freigelegt.

Teotenango, Ruinenstätte im südl. Hochtal von Toluca, Mexiko, mit deutl. Einflüssen von Teotihuacán, z. B. im Talud-Tablero-Stil der Pyramiden, jedoch mit ausgeprägterem Kranzgesims. Neben Steinskulpturen wurden Muschel-, Obsidian- und Bergkristallarbeiten gefunden. Die rot-, schwarz-, weiß- und cremefarbige Keramik zeigt geometr. Muster in eleganten Formen, meist einem Krug ähnlich.

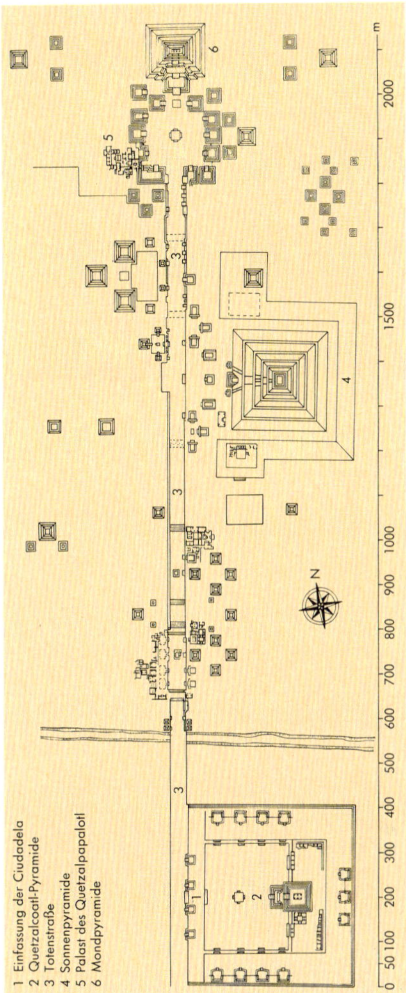

Teotihuacán: Lageplan des Stadtzentrums

Teotihuacán [teotiuak'an], eine der größten vorkolumb. Stadtanlagen Amerikas, die sich (40 km nördlich der Stadt Mexiko) zur Zeit ihrer größten Blüte (300 bis 650) über 22 km² erstreckte. Zentralachse der Anlage ist die von N nach S verlaufende, fast 2 km lange, 50 m breite Zeremonialstraße (›Totenstraße‹), die sich in mehreren Stufen um 27 m senkt, an der Mondpyramide beginnt und an der Sonnenpyramide und der Quetzalcoatl-Pyramide (mit reichem Skulpturenschmuck: Fe-

Teotihuacán: Sonnenpyramide (von der Mondpyramide aus)

derschlangen und Tlaloc-Masken) vorbeiführt. Die Pyramiden weisen die für T. typ. Talud-Tablero-Konstruktion auf, die schon ab 150 v. Chr. angewandt wurde. Die 1. Bauphase wird in die Zeit zw. 1 und 150 datiert. Die Sonnenpyramide übertrifft in der Größe mit einer Grundfläche von 222 × 225 m und 65 m Höhe die übrigen Bauwerke. Baumaterial waren luftgetrocknete Lehmziegel, Bruch-, Hausteine und Mörtel. In T. gibt es Palastarchitektur in 2 Typen: Gruppen von Wohngebäuden um einen Hof, in dessen Mitte meist eine weitere Plattform steht oder sich aneinander drängende Gebäude ohne Hof. Die Vorhallen der Paläste sowie die Fassaden der anderen Bauwerke waren oft mit Wandmalereien geschmückt, als Farben wurden diverse Rottöne, gelb, braun und grün verwendet; dargestellt sind Menschen und Götter, geometr. Muster sowie Szenen mit relig. Inhalt. Fein geschnittene Masken aus Stein (Basalt, Serpentin) oder Ton kennzeichnen die Kleinkunst. Typisch für die Keramik sind zylindr. Gefäße mit 3 hohlen Füßen und oft einem Deckel mit Griff. Der Dekor ist entweder eingeschnitten oder auf eine aufgetragene Stuckschicht gemalt. Bis zum Ende des 6. Jh. hatte T. weitreichenden kulturellen Einfluß auf andere Kulturzentren Mesoamerikas (u. a. Monte Albán, Kaminaljuyú, Acanceh), der sich in dem dortigen Kunstschaffen niedergeschlagen hat. Um 650 wurde T. teilweise zerstört und gegen 750 verlassen.

I. Bernal: T. (Mexiko 1963); A. G. Miller: The mural painting of T. (Washington 1973).

Tepe, türkisch und persisch für Ruinenhügel.

Tepe Gaụra, Tepe Gawra, Ruinenhügel in Irak, nordöstlich von Ninive (Karte Alter Orient), seit dem Ende des Neolithikums besiedelt (Rundbauten); in den 26 Fundschichten u. a. Keramik der Tell-Halaf- und der Obeid-Kultur sowie frühe Tempelbauten (einräumige Rechteckanlagen).

Tepe Gijạn, Ruinenhügel in W-Iran (Karte Alter Orient), rd. 120 km südlich von Hamadan, in der untersten der 5 Schichten prähistor. Keramik der Tell-Halaf-Stufe mit Tierstilmotiven. In den beiden oberen Schichten Bronzegegenstände vom Luristan-Typ.

Tepe Hissar, Ruinenstätte in N-Iran (KARTE Alter Orient), mit Architekturresten; Keramik, zunächst (4. Jahrtsd. v. Chr.) bemalt, dann bis um 2000 v. Chr. monochrom grau. Südwestlich der Ruinenhügel, Reste eines Sassanidenpalastes (frühes 6. Jh. n. Chr.) mit Hof, Iwan und Kuppelsaal; Reste von Stuckdekorationen.

Tepe Jahja, Tepe Yahya, [-jaxj'a], Ruinenhügel in SO-Iran (KARTE Alter Orient), rd. 200 km südlich von Kerman, mit mindestens 6 Schichten aus der Zeit zw. 4500 v. Chr. und 500 n. Chr. Bereits in einer der ältesten Schichten (VI D) wurde eine weibl. Kleinfigur (28 cm hoch), urspr. mit Einlagen, gefunden. In Schicht IV (um 3000 v. Chr.) protoelam. Tontafeln, Zylindersiegel und Steingefäße, die auf regen Handel mit Mesopotamien deuten.

Tepe Sialk, doppelter Ruinenhügel bei Kaschan, Zentraliran (KARTE Alter Orient). Die Keramik des 5. Jahrtsd. v. Chr. zeigt auf rotem und beigem Grund Flechtmuster und figürl. Dekor, der an die mesopotam. Ware aus Samarra und Tell Halaf erinnert; um 3000 v. Chr. protoelamische Schrifttäfelchen. Neubesiedlung nach der Mitte des 2. Jahrtsd. v. Chr. durch unbekannte Population. Außerhalb der Siedlung Friedhof mit neuer geometr. Keramik.

Tepl, tschech. **Teplá** [t'ɛpla:], Kleinstadt im Westböhm. Kr., ČSSR, östlich von Marienbad. – Neben einer Grenzwachtburg gründeten Prämonstratenser 1193 ein Kloster. Die roman. Basilika (1197) wurde unter Beteiligung von K. I. DIENTZENHOFER barock (ab 1714) umgebaut. Im Konvent des 17. Jh. (1902–10 umgebaut) Bibl. und Mus. mit Werken böhm., dt. und fläm. Maler.

Teplitz, tschech. **Teplice** [t'ɛplitsɛ], Stadt im Nordböhm. Kr., ČSSR, Kurort am Fuß des Erzgebirges an schon früh bekannten Thermalquellen, 52 300 Ew. An

Tepe Jahja

der Stelle eines 1160 gegr. Benediktinerklosters (durch Hussiten zerstört) entstand 1585–1634 ein Schloß, das im 18./19. Jh. im Empirestil umgebaut wurde (heute bed. Mus.). Die barocke Johanneskirche (um 1700) hat wertvolle Ausstattung (Grabmäler, Gemälde von P. J. Brandl, W. L. Reiner u. a.).

Tepotzotlán, kolonialzeitlich geprägte Stadt in Mexiko, in der Nähe der Hauptstadt, 12000 Ew. Das ehem. Jesuitenkollegium (1582 gegr., im 17. und 18. Jh. ausgebaut) ist heute Mus. v. a. für Sakralkunst. Die Klosterkirche (1620–1762) gilt als Meisterwerk der mexikan. Barockkunst, die Fassade ist ein HW des churrigueresken Stils (Estípites, Nischen, Skulpturen, reliefierte Medaillons, zweistöckiger Turm); innen 7 vorwiegend holzgeschnitzte vergoldete Altäre, Kapellen mit großartigen Retabeln, Gemälden und Skulpturen; an die Loreto-Kapelle schließt sich ein achteckiger Raum (Camarín) an, der ebenfalls prächtig ausgestaltet und durch Alabasterfenster erhellt ist.

Tepoztlán, Ort im Bundesstaat Morelos, Mexiko, mit bed. festungsartigem ehem. Dominikanerkloster (1559–88), Kirche mit Portal im Platereskenstil.

Teppich [spätlat. tapetum ›Wandbehang‹], gewebter, gewirkter oder geknüpfter, meist gemusterter Wandbehang (→Bildwirkerei) oder auch Bodenbelag (→Orientteppiche).

Die frühesten Zeugnisse handgeknüpfter T. in Europa (Europ. T., Okzident-T.) sind: das spätantike Knüpffragment mit einer Herkulesdarstellung (ehem. im Kunstgewerbe-Mus. in Berlin; 3. bis 4. Jh. n. Chr.) sowie Textilreste mit deutl. Knüpftechnik (Ghordesknoten) aus dem Fürstengrab der Goten in Pilgramsdorf, Ostpreußen (4. Jh. n. Chr.). Im MA. überwog bei der Anfertigung von Bild-T. das Wirkverfahren (Bildwirkerei), jedoch gab es auch geknüpfte Bild-T. Die frühesten Beispiele sind die Knüpffragmente im Dom-Mus. zu Halberstadt (12. Jh.) und die 5 Fragmente des im Quedlinburger Stift geknüpften Bild-T., von der Äbtissin AGNES II. (†1203) gestiftet (7,40 m × 5,90 m). Der Auftraggeber dürfte in den meisten Fällen die ikonograph. Darstellung bestimmt haben.

Neben den roman. Bild-T. entstanden im weiteren Verlauf des 13. Jh. ornamentale Knüpf-T., v. a. in Spanien und Frankreich. Hier entstanden durch enge Verbindungen zum Islam Werkstätten, die nach oriental. Vorbildern arbeiteten. Erst im 15. Jh. finden sich wieder T. mit europ. Motiven, die der zeitgenöss. Samt- und Brokatweberei entnommen sind. Von Spanien aus gelangte die Knüpfkunst nach England, wo sie bis ins 16. Jh. oriental. Einflüssen folgte. In Frankreich wurden →Savonnerie-Teppiche hergestellt, die in viele Länder Europas exportiert wurden. Sowohl im privaten Bereich wie auch in gewerbl. Werkstätten lebt die Technik der handgeknüpften T. bis heute in Europa fort.

H. HAACK: Echte T., Einführung in die Orientteppichkunde ([9]1980); T. der Bauern und Nomaden in Anatolien, Ausst.-Kat., Frankfurt a. M. (1981); T. der Welt, hg. v. J. BENNETT (a. d. Engl., 1981); E. ASCHENBRENNER: Pers. T. (Nachdr. 1983).

Ter Apel, Ort in der niederländ. Prov. Groningen mit

spätgot. Kreuzherrenkloster. In der Kirche (1501 gew.) skulptiertes Doxale aus Kalkstein, im Chor steinernes Priestergestühl mit Reliefs und geschnitztes Gestühl; in den 2 erh. Flügeln der Klostergebäude Mus. (Baufragmente, Grabsteine, roman. Taufbecken).

Terborch, Ter Borch [tɛrb'ɔrx], Gerard, niederländ. Maler, *Zwolle Ende Dezember 1617, †Deventer 8. 12. 1681, Schüler seines Vaters Gerard T. d. Ä. (*1584, †1662) und 1633–35 P. MOLYNS in Haarlem. T. bereiste England, Italien, Spanien, Flandern und Frankreich, arbeitete dann als Porträtmaler in Amsterdam und 1646–48 in Münster, wo er Diplomatenporträts schuf und die Zeremonie des Friedensschwurs zw. Holland und Spanien in einem Historienbild überlieferte (London, Nat.-Gal.). Nach Aufenthalten u.a. in Amsterdam, Haarlem, Den Haag wurde T. 1654 in Deventer ansässig.

Gerard Terborch: Die väterliche Ermahnung; um 1654 (Amsterdam, Rijksmuseum)

Seine frühen Genrebilder, meist Soldatenszenen, orientieren sich an P. CODDE; in seinem reifen Werk malte er bes. die häusl. Welt des städt. Patriziats. Er konzentrierte sich dabei auf die Darstellung der menschl. Figuren in kostbaren, in Feinmalerei ausgeführten Stoffen. Das anekdot. Moment tritt in seinen Gemälden zugunsten von Form und Farbe zurück. T. hat u.a. G. METSU, P. DE HOOCH, J. VERMEER, C. NETSCHER und F. VAN MIERIS D. Ä. zu thematisch und künstlerisch verwandten Darstellungen angeregt. Nach 1660 schuf T. v.a. kleinformatige Porträts, häufig Ganzfigurenporträts.

WW: Die väterl. Ermahnung (um 1654; Amsterdam, Rijksmus.; Wiederholung in Berlin-West, Staatl. Museen); Junges Paar beim Wein (Amsterdam, ebd.); Das Konzert (1675; Berlin-West, Staatl. Museen); Briefschreibender Offizier (Dresden, Gemäldegal.); Selbstporträt (Den Haag, Mauritshuis); Briefschreiberin (ebd.); Knabe floht seinen Hund (München, Alte Pinakothek).

G. T., Ausst.-Kat., Den Haag/Münster (1974).

Ter-Brugghen, Terbrugghen [tɛrbr'yxə], Hendrick, niederländ. Maler, *bei Deventer 1588, begraben Utrecht 1. 11. 1629, lernte bei A. BLOEMAERT, arbeitete 1604–14 in Italien. Er war der erste und bedeutendste unter den Utrechter Nachfolgern von CARAVAGGIO (›Utrechter Caravaggisten‹), der ihn bes. durch seine Farbgebung angeregt hat. T. malte relig. Darstellungen und genrehafte Halbfigurenbilder. Er verbindet klar geordnete Komposition mit lichtbestimmter tonreicher Farbgebung.

HW: Die vier Evangelisten (1621; Deventer, Rathaus); Flötenspieler (1621; Kassel, Gemäldegal.); Dornenkrönung (1620; Kopenhagen, Statens Mus. for Kunst); Hl. Sebastian (1625; Oberlin/Ohio, Allen Memorial Mus.); Schlafender Mars (Utrecht, Centraal Mus.).

Terem [russ. ›Dachstube‹], russ. Form des Palastbaus im 17. Jh. Typisch sind der stufenförmige Aufbau des meist rechteckigen Baukörpers, starke Durchfensterung und plastisch-farbige Belebung der Fassaden. Auf der oberen Terrasse steht meist ein einräumiger Bau (**Teremok**) mit abgewalmtem Satteldach. Wichtigstes Denkmal ist der T.-Palast (1635/36) im Moskauer Kreml.

Terenz-Handschriften, Gruppe von 13 Hss. aus dem frühen 9.–12. Jh. mit den Komödien des röm. Dichters PUBLIUS TERENTIUS AFER (um 190–159 v. Chr.). Sie sind größtenteils mit Federzeichnungen illustriert und zeichnen sich durch erstaunl. Antikennähe aus (Szenen der Komödien mit Schauspielern mit ihren Masken). Die getreueste und älteste Kopie der verlorenen antiken Vorlage ist eine T.-H. von 820 in Rom (Bibl. Vaticana); sehr bekannt ist eine weitere in Paris (Bibl. Nat., 2. H. 9. Jh.).

Termeno, ital. für →Tramin.

Termes, Termez, Stadt im SO der Usbek. SSR nahe der afghan. Grenze, 57 000 Ew.; gegr. von dem gräkobaktr. König Demetrios im 2. Jh. v. Chr. Seit der Kushana-Zeit stand T. unter dem Einfluß der Gandhara-Kunst, wie Stein- und Stuckfiguren aus dem buddhist. Kloster →Kara-Tepe belegen.

B. STAWISKI: Kunst der Kuschan (1979).

Termessos, antike Stadt in Pisidien, SW-Kleinasien, nordwestlich von Antalya, mit hellenist. und röm. Ruinen: Agora mit Säulenhallen, Theater, Stoa, Odeion, mehrere Tempel, ein Wohnhaus röm. Typs; im SW liegt die Gräberstadt mit zahlreichen Sarkophagen, im NW Felsgräber, z. T. mit Reliefdarstellungen.

Terminus ante, Terminus post [lat.], eigtl. **Terminus ante quem** [›Zeitpunkt, vor dem‹], **Terminus post quem** [›Zeitpunkt, nach dem], in der Kunstgesch. Fachausdruck für die Datierung eines Kunstobjekts, bei dem eine genaue zeitl. Bestimmung nicht möglich ist. Auf Grund von Urkunden oder gesicherten histor. Ereignissen läßt sich nur der Zeitpunkt benennen, vor dem (Terminus ante) oder nach dem (Terminus post) das betreffende Werk entstanden sein muß.

Terni, ital. Stadt und Bischofssitz in Umbrien, 112 900 Ew. Vom röm. Ursprung zeugen u. a. die Ruinen des Amphitheaters (32 n. Chr.). Kern der Kirche S. Salvatore ist ein röm. Zentralbau, der im 12. Jh. durch einen rechteckigen W-Bau erweitert wurde. Der Dom mit Resten des vorangegangenen roman. Baus (Hauptportal, Krypta) wurde 1635 neu erbaut. In got. Zeit entstanden die Kirchen S. Francesco (1265, später erweitert; in der Cappella Paradisi, Fresken der 1. H. des 15. Jh.) und S. Pietro (14. Jh.). Im Palazzo Carrara (17. Jh.) Bibliothek und Mus. (mit Pinakothek).

Terpentin, Maltechnik: Balsam versch. Pinusarten.

Terpentin|öl, Maltechnik: ätherisches Öl, das durch Destillieren aus Terpentinbalsam gewonnen wird. T. wird u. a. zum Lösen von Harzen, Verdünnen von Malölen und als Malmittel benutzt.

Terracina [-tʃ'i:na], ital. Stadt und Bischofssitz in der Prov. Latina, am Golf von Gaeta, 36 800 Ew. – T., urspr. eine Stadt der Volsker **(Anxur),** wurde 329 v. Chr. röm. Kolonie **(Tarracina);** auf dem ehem. Forum wurde der 1074 gew. Dom erbaut (spätere Veränderungen; Kanzel und Osterleuchter mit Cosmatenarbeit). Auf einem Vorsprung des Monte S. Angelo über T. Reste eines Tempels des Jupiter Anxur (1. Jh. v. Chr.).

Terra di Pozzuoli [ital.], **Pozzuoli|erde,** Maltechnik: eisengefärbte, rote Erdfarbe aus den heute erschöpften Gruben von Pozzuoli, die v. a. in der Wandmalerei geschätzt war.

Terra di Siena [ital.], **Siena|erde,** Maltechnik: ein früher bei Siena in der Toskana, heute noch an anderen Stellen gegrabene ockerähnl. Erdfarbe. Gebrannt ergibt T. d. S. einen lasierenden rotbraunen Ton. Die vielgebrauchte Farbe ist in allen Techniken verwendbar.

Terragni [terr'aɲi], Giuseppe, ital. Architekt, *Medea (bei Mailand) 18. 4. 1904, †Como 19. 7. 1943, war 1926 an der Gründung des ›Gruppo 7‹ beteiligt, der sich später der Rationalen Architektur anschloß. T.s HW ist die 1932–36 erbaute Casa del Fascio (heute Casa del Popolo) in Como.

B. Zevi: G. T. (Bologna 1980).

Terrakotta [ital. ›gebrannte Erde‹], künstler. Gegenstände (Plastiken, Reliefs, Architekturteile, Bauplastik, Geräte) aus gebranntem, unglasiertem Ton.

Die Abgrenzung zur →Tonplastik ist nicht klar zu ziehen. Sie begründet sich weniger auf Unterschiede in der Herstellung (gebrannt oder luftgetrocknet) als auf Sprachgewohnheiten in der Fachliteratur der jeweiligen Kultur. Die Bez. T. ist v. a. für Tonplastiken des Altertums, der Mittelmeerländer sowie für Afrika gebräuchlich.

T., bes. geeignet für kleine Gegenstände, gab es bereits in prähistor. Zeit; in der kretisch-myken. Kultur (Bild kretisch-mykenische Kunst) wurden Menschen- und Tierstatuetten sowie Idole aus Ton hergestellt. Die grch. T.-Kleinplastik erreichte in Grabbeigaben, Weihgeschenken, später auch in häusl. Zierat große Qualität; Hauptwerkstätten der archaischen und der klass. Epoche lagen auf Samos, Rhodos, Kreta, in Athen, Korinth, Böotien, Sizilien und Unteritalien; dargestellt wurden Tiere, Menschen, Gottheiten. Die T.-Kleinpla-

Terrakotta: ›Shyam Rai‹-Tempel in Bishnupur, Bengalen; 1634

stik hellenist. Zeit blühte in →Tanagra (4./3. Jh. v. Chr.), →Myrina (2./1. Jh. v. Chr.) und Alexandria (3. Jh. v. Chr. bis 4. Jh. n. Chr.); beliebt waren bes. weibl. Gewandfiguren, Niken, Eroten, Gestalten und Szenen aus dem Volks- und Schauspielerleben. Monumentale T.-Plastik gab es in Griechenland v. a. in archaischer Zeit, auf Zypern und in Italien bis ins 1. Jh. v. Chr. Im Alten Orient, in der ägäischen Kultur und in Kleinasien (Klazomenai) wurden auch Sarkophage aus T. hergestellt. In Griechenland und Italien diente T. auch am Tempel als Dachziegel (bes. reliefgeschmückte oder bemalte Stirnziegel), als Metopen und Friese; etrusk. Tempel waren mit freiplast. lebensgroßen T.-Figuren dekoriert (→Veji), röm. Villen mit T.-Reliefplatten (→Campana-Reliefs). – Bed. T.-Werke wurden wieder in Italien im Quattrocento von DONATELLO, B. ROSSELINO, BENEDETTO DA MAIANO geschaffen, meist bemalt. Diese Plastiken wurden oftmals weiß, z. T. auch bunt glasiert. Die reiche, stark farbig glasierte Produktion der Werkstatt der DELLA ROBBIA wird daher auch ›Fayence-Plastik‹ genannt. Große vielfigurige T.-Gruppen schufen G. MAZZONI und A. BEGARELLI in Modena. Der Realismus dieser lebensgroßen Figuren (Kreuzabnahmen, Beweinung Christi, Krippen) wurde außer in der Emilia (T.-Gruppen des NICCOLÒ DELL'ARCA in S. Maria della Vita, Bologna) bes. in Unteritalien geschätzt. (BILDER etruskische Kunst, italische Kunst)

Die frühesten Zeugnisse in Afrika stammen aus →Nok (seit 500 v. Chr.), das möglicherweise die bed. T. von →Ife (10.–13. Jh.) beeinflußt hat. Weitere archäolog. Funde mit T.-Plastik aus Nigeria wurden an der Grenze nach Kamerun, östlich von Dikwa (Daima mound; laufende Tiere; nach 5. Jh.), in Yelwa (Staat Sokoto; Figuren, Köpfe; 2.–7. Jh.), →Igbo Ukwu (vermutlich 9. Jh.), bei Wukari (O-Nigeria; Kopf, undatiert) und in Owo (nördlich Benin City; Köpfe, Figurenfragmente; frühes 15. Jh.) gemacht. In Südafrika fand man in →Lydenburg 7 T.-Köpfe (etwa 500 n. Chr.; BILD afrikanische Kunst). Die T.-Figuren der

→Sao am Tschadsee werden zw. das 10. und 16. Jh. datiert. Aus dem 12.–16. Jh. stammen die T. der ›Kultur des Niger-Binnendeltas‹ in Mali (→Djenné). In S-Ghana und in der angrenzenden Elfenbeinküste (Krinjabo) wurden zahlreiche Plastiken entdeckt (überwiegend Köpfe, weniger Figuren, häufig mit idealisierendem Ausdruck und meist fein ausgearbeiteten Frisuren), die auf Gräber von Mitgliedern der Herrscher-Klane gestellt wurden und die bis in das frühe 17. Jh. zurückreichen. T. aus jüngerer Zeit sind von mehreren Volksgruppen bekannt, u. a. von den Akan, die z. T. noch heute Gedenkköpfe oder -figuren auf die Gräber stellen, von den Tiv, Ibo und Yoruba in Nigeria, von den Ethnien des Kameruner Graslandes (Pfeifenköpfe als figürl. Plastiken), von den Galla (Ahnenfigürchen, Dachaufsätze) in Äthiopien und von den Shilluk (Pfeifenköpfe) in Sudan.

In Indien sind rotgebrannte Tonfiguren, v. a. weibl. (Muttergottheiten?) und Tiere, bereits aus der Harappa-Kultur überliefert. Nach 1000jähriger Fundlücke treten dann im 4.–3. Jh. v. Chr. graue handgeformte Figuren mit gleicher Thematik auf, bald in großer Zahl mit gemodelten Gesichtern und appliziertem Schmuck. Stilistisch lassen sich lokale Schulen (Mathura, Patna u. a.) und Epochen (Maurya, Shunga, Mitra u. a.) entsprechend der nun einsetzenden Steinplastik unterscheiden. Als figuraler und dekorativer Tempelschmuck erreichte die T. in der Guptazeit ihren Höhepunkt, eine Spätblüte in den Terrakottatempeln Bengalens.

R. A. HIGGINS: Greek terracottas (London 1967); ELISABETH ROHDE: Grch. Terrakotten (1969); B. DE GRUNNE: Terres cuites anciennes de l'Ouest Africain (Louvain-la-neuve 1980).

Terrakottarelief, beliebter und wegen seiner Reproduzierbarkeit verbreiteter Typ der Kleinkunst in Mesopotamien und Syrien, bes. seit dem 2. Jahrtsd. v. Chr. Die aus dem Model in Ton gepreßten Darstellun-

Terrakotta: Luca della Robbia, ›Madonna im Rosengarten‹ (Florenz, Bargello)

Terra sigillata: Kelch aus Besançon; Werkstatt des Cornelius (Arretium), frühes 1. Jh. n. Chr. (Mainz, Römisch-German. Zentral-Museum)

gen wurden gelegentlich weiter bearbeitet (deutlicher modelliert, verziert, auch bemalt) und oft gebrannt. Die Größe schwankt zw. 6 und 50 cm (Burney-Relief). Da die Themen meist dem Kult angehören (Götterdarstellungen, Hl. Hochzeit), sind die meisten T. wohl als Devotionalien zu deuten. Es gibt aber auch Genreszenen, bes. in altbabylon. Zeit, die sich dieser Deutung entziehen.

Terra sigillata [lat. ›mit Reliefs verzierte Erde‹], Keramik der röm. Kaiserzeit mit eingestempelten Fabrikantenzeichen; die mittels Formschüsseln hergestellte dünnwandige Keramik aus rotem Ton war, mit eingeschnittenen oder gestempelten Mustern und/oder Reliefs verziert, von kaiserzeitl. Tafelsilber beeinflußt. Die T.s. erlebte ihre höchste Blüte in den dünnwandigen, scharfprofilierten, glänzenden, reliefierten Gefäßen aus dem urspr. Produktionszentrum, den Werkstätten von Arretium, dem heutigen Arezzo (Vasa arretina, Arretinische Gefäße) seit etwa 30 v. Chr.; auch bed. Werkstätten in S-Frankreich und im Rheingebiet; Nachläufer und östl. Mischformen sind bis ins 4. Jh. und später nachweisbar.

Terrasse [frz.] Baukunst: künstlich geebnete Fläche um ein Gebäude oder davor. Als die frühesten belegten **Terrassenbauten** gelten die →Hängenden Gärten in Babylon. T. spielen in der neueren Architektur eine bed. Rolle, etwa zur Ausnutzung natürl. Hänge oder Halden, in ebenem Gelände als ›Hügelhäuser‹. Die wichtigsten der ausgeführten Bauten sind: Hügelhäuser in Marl/Westf., 1964 und 1966/67, und die Hangsiedlung in Halen bei Bern, 1959/61, von der Architektengruppe ›Atelier 5‹, Bern.

Terrazzo [ital.] *der,* Fußbodenbelag aus Kalk und Steinsplittern, der vor Ort aufgetragen und nach dem Abbinden geschliffen wird. Mit der urspr. venezian. Technik wurden Schmuckfußböden mit reichen, mehrfarbigen Mustern gestaltet; wieder bes. beliebt in der Architektur der 2. H. des 19. Jh.

Terrine [frz.], tiefe bauchige Suppenschüssel mit Deckel und 2 Henkeln, die nach Verfeinerung der Tischsitten in der 1. H. des 17. Jh. aufkam; häufig als Prunkgefäß aus Fayence, Porzellan und Silber oder als →Formgeschirr hergestellt.

Teruel, span. Provinzhauptstadt und Bischofssitz im O-Teil des Iber. Randgebirges, 24400 Ew.; Reste der ma. Stadtbefestigung und viele Kirchen im Mudéjar-Stil (S. Pedro, S. Martín, El Salvador) mit charakterist. wuchtigen Backsteintürmen, die mit Ornamenten und farbigen Azulejos verziert sind. Im Span. Bürgerkrieg z. T. erheblich zerstört, wurde die Stadt vorbildlich wiederaufgebaut. Die Kathedrale des 13. Jh. wurde im 15./16. Jh. umgestaltet; im Innern prächtige Artesonado-Decke (14. Jh., z. T. bemalt mit höf. Szenen). Im Bischofspalast (16. Jh.) das Diözesanmus. mit kleiner archäolog. Samml.; plátereskes Rathaus (16. Jh.).

Terzi, Filippo, ital., in Portugal tätiger Baumeister, Militäringenieur, *Bologna um 1520, †Lissabon 10. 4. 1597, wurde in Pesaro und Urbino als Festungs- und Zivilbaumeister ausgebildet, 1576 am päpstl. Hof in Rom, ab 1577 in Portugal tätig, wo er seit 1580 im Dienst PHILIPPS II. stand. Sein HW ist die 1582 beg. Kirche S. Vicente de Fora in Lissabon; daneben vollendete er den von D. DE TORRALVA beg. Kreuzgang (›Claustro dos Filippos‹) des Christusklosters von Tomar.

Teschebaini, urartäische Festung, heute Ruinenstätte von →Karmir-Blur.

Teschen, poln. **Cieszyn** [tsj'ɛʃin], Stadt in der Wwschaft Bielsko-Biała, an der Olsa, Polen, 32000 Ew. T. wurde 1920 zw. Polen und der ČSSR aufgeteilt, wobei Polen die histor. Innenstadt rechts der Olsa zuerkannt wurde. – Vom ma. Schloß auf dem Burghügel ist nur der Turm (14.–15. Jh.) erhalten, unweit die roman. steinerne Rundkapelle mit Apsis (11. Jh.); am Marktplatz das Rathaus (18. Jh.) und Laubenhäuser aus dem 15.–19. Jh.; Kirchen, u. a. got. Dominikanerkirche aus dem 13. Jh. (Gewölbe und Turm 1789), Dreifaltigkeitskirche (gotisch 1594, 1659 umgebaut). Im Larisch-Palais (1796) Museum.

Tessai, Familienname **Tomioka,** japan. Maler, Japanologe, Shintopriester, *Kioto 15. 1. 1836, †ebd. 31. 12. 1924, letzter eigenwilliger Vertreter der Literatenmalerei, zu der er über das Yamoto-e kam. T. betrachtete die Malerei als Ergänzung zum Geschriebenen, wählte Themen aus alten Gedichten oder buddhist. Texten, die er auf das Bild kopierte. Europ. Einflüsse sind bei seiner Malerei kaum spürbar.

Tessenow [-o], Heinrich, Architekt, *Rostock 7. 4. 1876, †Berlin 1. 11. 1950, lehrte in Wien, Dresden, seit 1920 an der TH in Berlin-Charlottenburg. T. bemühte sich seit 1906 um eine Baureform der Mittelstands- und Arbeiterwohnung (Wohnhäuser in der Gartenstadt Dresden-Hellerau). Sein HW war das Festspielhaus ebd. (1910–12). Seine Arbeiten (auch Möbel) sind der Tradition verbunden und von größter Schlichtheit.

Geschriebenes von H. T. Aus den Schriften des Architekten 1903–1950, hg. v. O. KINDT (1982).

GERDA WANGERIN u. G. WEISS: H. T. (1976); WALTRAUD STREY: Die Zeichnungen des H. T. (1982).

Tessin, 1) Nicodemus d. Ä., schwed. Baumeister, Vater von 2), *Stralsund 7. 12. 1615, †Stockholm 24. 5. 1681, seit 1636 in Schweden, bereiste 1651–53 Italien, Frankreich und Holland. T. prägte die Form des schwed. Landschlosses im Übergangsstil von der Renaissance zum Barock. Sein HW ist Schloß →Drottningholm.

2) Nicodemus d. J. Graf (1714) von, schwed. Baumeister, Sohn von 1), *Nyköping 23. 5. 1654, †Stockholm 10. 4. 1728, Hof- und Stadtbaumeister ebd. Nach langen Studienaufenthalten in Italien, Frankreich und Rom vollzog er den Anschluß der schwed. Architektur an den röm., in der Raumaufteilung den frz. Hochbarock. Sein HW, das Schloß in Stockholm (1697 ff.), zeigt den monumentalen Eklektizismus T.s mit Zügen von G. L. BERNINI, J. HARDOUIN-MANSART und A. SCHLÜTER, aber auch einen unverkennbar nord. Charakter.

HW: Eigener Palast (1696–1700); Projekte für den Neubau des Pariser Louvre (1705 und 1714) und für Schloß Amalienborg bei Kopenhagen.

Tessiner Architektur, Neue Tessiner Architektur, auch **Tessiner Schule,** Begriff der Architekturtheorie seit den 70er Jahren des 20. Jh. Anders als die Vertreter des Regionalismus wollen die Architekten der T. A. den Kontrast zw. gebauter Geometrie und Landschaft herausstellen und das Verständnis für das Zusammenwirken von Natur und Technik wecken. Die T. A., beeinflußt von →Funktionalismus und →Rationaler Architektur, bildet die Grundlage für zahlreiche Bauten in dieser begrenzten Region. Die Allgemeingültigkeit ihrer Thesen ließ Vertreter der T. A. auch in anderen Teilen Europas tätig werden. Hauptvertreter: M. BOTTA, E. GISEL, B. REICHLIN und F. REINHART; D. SCHNEBLI, L. SNOZZI.

E. BONFANTI u. a.: Architettura razionale (Mailand 1973); Tendenzen, Neuere Architektur im Tessin, hg. von der Eidgenöss. Techn. Hochschule Zürich (1975); E. BATTISTI u. a.: Mario Botta (Mailand 1979).

Testa, Pietro, gen. **il Lucchesino** [-lukkes'i:no], ital. Maler, *Lucca 1612, †Rom 1650, war seit etwa 1629 in Rom, zunächst Schüler von DOMENICHINO, dann seit 1630 in der Werkstatt von PIETRO DA CORTONA. Für den Kunstsammler Cassiano del Pozzo lieferte er Zeichnungen nach röm. Antiken; daneben auch als Radierer tätig. Durch seine Freundschaft zu N. POUSSIN wurde er zu kunsttheoret. Überlegungen angeregt (Notizen zu einem ›Trattato della Pittura‹).

Testour [tɛst'ur], Stadt in N-Tunesien, 81 km südwestlich von Tunis, Anfang 17. Jh. von span. Mauren als planmäßige Renaissance-Stadtanlage span. Typs gegr. Die Große Moschee weist Elemente des span. Barock auf: Minarett mit quadrat. Unterbau in toledan. Mauertechnik, darüber 2 versetzte achteckige Aufbauten mit kleinen Obelisken und Zwillingsfenstern, neunschiffiger Gebetssaal mit antiken Säulen, Michrabumrahmung im Stil span. Renaissance-Altäre (Tympanon, Obelisk-Akroterien). Am Minarett der Moschee Abd El-Tif geometr. Backsteinreliefs im aragones. Mudéjar-Stil. Die schöne Zawija des Sidi Naceur El-Karouahi (1733) ist heute Kunsthandwerkzentrum.

Tête-à-tête [tɛ:t at'ɛ:t, frz. ›Kopf an Kopf‹], Sitzmöbel, →Confident.

Tetela, Batetela, Volksgruppe im Zentrum Zaires, etwa 300000 Menschen. Der Stil ihrer Kunstwerke zeigt den Einfluß der Luba- (im SO) und der Kuba-Kultur (im W). Während die Masken sich ›kubist.‹ Formen annähern und in ihrer Oberflächendekoration (Zickzack-Muster, graph. Gestaltung) den Masken der Kuba ähneln, zeigen die Figuren, bes. die oft janusförmigen Zauberfiguren (›Kabeja‹), sehr stark den Einfluß der Luba.

Teterow [-o], Stadt im Bez. Neubrandenburg, Dt. Dem. Rep., 11200 Ew.; got. Backsteinkirche (2. H. 13. Jh.–15. Jh.), im Chor Gewölbemalereien (um 1350), mit qualitätvollem Schnitzaltar (Anf. 15. Jh.) und

Mondsichelmadonna (Holzrelief, 2. H. 15. Jh.). 2 Backstein-Torbauten (15. Jh.) erh.

Tétouan [tetu'ã, frz.], Stadt in Marokko, →Tetuán.

Tettnang, Stadt im Bodenseekreis, Bad.-Württ., 15000 Ew., war 1260–1780 Montfortsche Residenz. Altes Schloß (1667) mit Staffelgiebeln (heute Rathaus); Neues Schloß, eine stattl. Vierflügelanlage mit schräg gestellten Ecktürmen (1712 beg.), nach Brand 1755–70 großzügig im Rokokostil mit Stukkaturen von J. A. FEUCHTMAYER, J. G. DIRR u. a. ausgestattet. Im got. Torschloß (1464) das Montfort-Mus.

Tetuán [span.], **Tétouan** [tetu'ã, frz.], Stadt in NW-Marokko, 318000 Ew.; über der antiken Berberstadt **Tamuda** (3. Jh. v. Chr.–2. Jh. n. Chr.) und einem befestigten Römerlager (2.–4. Jh.) von den Meriniden neu gegr. (Kasba 1286; Medina 1313), 1399 durch die Spanier zerstört; im frühen 16. und im frühen 17. Jh. Aufschwung durch Niederlassungen span. Muslime, Blüte im 17./18. Jh. unter den Aliden. In der an 3 Seiten von einer weißen gezinnten Stadtmauer (17. Jh.) mit 7 Toren (Bab Sebta, Bab el-Okla, Bab er-Rouah) umgebenen und von 70 Minaretten überragten Medina liegt der prunkvolle Kalifenpalast (17. Jh., 1948 restauriert) in spanisch-maur. Baustil. Unter den zahlreichen Moscheen, Zawijas, Medresen und Mausoleen ragen v. a. die Sidi-Ben-Messaoud-Moschee mit reichverziertem maur. Schmucktor hervor sowie die Sidi-es-Saidi-Moschee (Minarett mit Ziegelflechtwerk über glasiertem Fliesenmosaik). Malerische Mellah (Judenviertel) mit überwölbten Gassen. Archäolog. Mus. (Funde aus Lixus) und Mus. für marokkan. Kunst.

Tewkesbury [tj'u:ksbərɪ], Ort nördlich von Gloucester in Mittelengland mit bed., um 1100 gegr. Abtei. Die Kirche St. Mary (1121 gew.), eine ehem. flachgedeckte roman. Querhausbasilika mit Umgangschor und Vierungsturm, erhielt um die Mitte des 14. Jh. ein Netzgewölbe. Bereits in der 1. H. des 14. Jh. war der Chor mit dem Kapellenkranz durch Kürzung der roman. Rundpfeiler und einen neuen Obergaden mit innerem Laufgang und fünfbahnigen Maßwerkfenstern i. S. des späten Decorated Style umgestaltet worden.

Textilkunst, Sammelbegriff für die künstler. Gestaltung textilen Materials tier., pflanzl. und synthet. Herkunft in den verschiedensten Techniken, wobei z. B. durch Maschenstoffbildung (Einhängen, Verschlingen, Verknoten, Häkeln, Stricken), durch Fadenverkreuzen (Flechten, Bildwirken, Weben) oder durch Knüpfen textile Flächen oder Formen entstehen. Unter den Begriff T. fallen auch die Techniken der Stoffverzierung wie Sticken, Steppen, Applikationsarbeit, Durchbrucharbeit, das Bemalen und Bedrucken von Textilien und das Färben mit Hilfe von Reservetechniken wie Tritik, Plangi, Batik und Ikat.

In Europa sind die ältesten Materialien der T. Wolle, Flachs, Baumwolle und Bast. Die Verarbeitung von Wolle oder Flachs zu Geweben ist seit der Jungsteinzeit bekannt, wie zahlreiche Funde tönerner Spinnwirtel und auch vereinzelt Originalreste von Textilien oder ihr Abdruck in Tonarbeiten (bes. aus Ägypten sowie aus den alpenländ. Pfahlbauten der späten Jungsteinzeit) beweisen. Spätestens in der Hallstattzeit konnten in Mitteleuropa gemusterte Stoffe gewebt werden. Seidengewebe gelangten von China bes. über die Seidenstraße nach Westen. Seit der Antike kamen mit Metallfolien aus Gold und Silber umwundene Garne hinzu. Erst vom 17. Jh. an gewann die Baumwolle in Europa an Bedeutung. Sie kam wohl über Indien schon im 12. Jh. in die islam. Welt. Im 20. Jh. wurden diese Materialien durch Chemiefasern ergänzt und z. T. verdrängt. Das Kunsthandwerk der Gegenwart verwendet bei textilen Arbeiten auch textilfremde Materialien.

Im frühen MA. wurden kunstvolle Seidengewebe v. a. aus Byzanz und dem Orient importiert. In Gotik und Renaissance entstanden in Italien und Spanien Herstellungszentren, im 17. und 18. Jh. wurde Frankreich führend. Die Stickerei gelangte in ganz Europa im MA. zu hoher Blüte. Die ›Kölner Borten‹ (Webereien) waren vom 14. bis 16. Jh. ein begehrter Exportartikel.

Erst die Gobelins aus Flandern und Frankreich eroberten seit dem 15. Jh. den damaligen ›Weltmarkt‹. Noch heute pflegen Kunsthandwerk und Industrie nahezu alle Techniken der T., wobei der →Zeugdruck, der schon für das 12./13. Jh. belegt ist und um 1900 einen bemerkenswerten Aufschwung erlebte, in der Textilproduktion die breiteste Anwendung erfährt. Mit der Erneuerung des Kunstgewerbes am Ende des 19. Jh. erfuhr auch die T. neue Impulse.

Bed. dt. Samml. histor. Textilien bewahren u. a. die Dome von Aachen, Bamberg, Brandenburg, Halberstadt und die Klöster Lüne, Wienhausen, die Kunstgewerbemus. von Berlin, Hamburg, Köln, Stuttgart u. a., das German. Nat.-Mus. Nürnberg, das Bayer. Nat.-Mus. München und das Dt. Textil-Mus. Krefeld.

Afrika. In Schwarzafrika werden neben →Raphia und Bast (→Baststoffe) v. a. Baumwolle, in jüngerer Zeit auch Kunstfasern, zu gewebten Textilien verarbeitet. Metalle, wie Gold, Silber, sehr selten auch Blei, werden zur Verschönerung des gewebten Materials in Form von Draht, Perlen o. ä. in das Gewebe integriert, v. a. in Nigeria, O-Afrika und Madagaskar. In Veredelungstechniken sind neben der weit verbreiteten Indigo-Färberei verschiedene Reservetechniken, wie Abbindetechnik (Plangi, ›tie-dye‹) und Batik, aber auch Ikat (Baule), das Bemalen mit Erdfarben und Bedrucken mit Stempeln und Matrizen, beliebt sowie das Besticken (Nigeria) und die Herstellung von Velours-Effekten (Zaire).

Amerika. Aus dem vorkolumb. Amerika sind wegen der Klimabedingungen Zeugnisse der T. v. a. aus der extrem trockenen Küstenregion Perus erhalten. Es sind Totenhemden und -tücher, mit denen Mumien bekleidet oder eingewickelt waren. Obwohl mit Hilfe des einfachen Webgerätes (Hüftgurt-Webstuhl) nur Stoffbahnen bis zu einer bestimmten Breite gefertigt werden konnten, wurden nahezu alle Techniken (u. a. Schleier-, Kelim-, Doppelgewebe) beherrscht. Als Rohmaterialien dienten Baumwolle, Lama-, Alpaka- und Vicuñawolle. Neben den natürl. Farben dieser Materialien wurden bis zu 190 Farbtöne zum Färben verwendet.

Neben der Musterung durch Einweben, Broschieren, Ikat-Technik und Bemalen wurden die Gewebe in den verschiedensten Sticharten bestickt. Motive sind Mischwesen, dämonenartige Gottheiten und Fabelwesen, diverse Tiermotive und geometr. Muster. Die hochwertigsten und schönsten Werke der T. stammen aus der Paracas-Kultur (BILD Andine Hochkulturen).

Aus Mesoamerika sind zwar kaum alte Textilien erhalten, aber in Mexiko und Guatemala greift die Volkskunst der Indianer mit Weberei und Stickerei auf alte Traditionen zurück.

In Nordamerika gehören zu den besten Arbeiten der T.: bei den Nordwestküsten-Indianern die Chilkatdekken und die ›Button blankets‹ (mit Mustern aus aufgenähten Perlmuttknöpfen verzierte Tücher); bei den Navajo gewebte Decken; mit Stickerei, Applikationen und →Quillwork verzierte Kleidungsstücke und Gebrauchsgegenstände vieler anderer Stämme.

Asien. Neben Hanf und Leinen war Seide das wichtigste Textilerzeugnis in Ostasien. Sie verbreitete sich von China über Korea nach Japan, auf dem Landweg nach Indien, von dort nach Persien und Zentralasien. Das bisher älteste bekannte Seidenfragment wurde 1958 bei Wuhsing in der chines. Prov. Chekiang ausgegraben (um 2750 v. Chr.). Die Existenz spezialisierter Werkstätten zur Herstellung von Seide ist durch Funde bei Anyang (um 1300 v. Chr.) bezeugt. Im 5. Jh. v. Chr. spielte die Seide bereits eine wichtige Rolle als Exportartikel (damastartige Gewebe, Brokate, durchbrochen gearbeitete Seiden; v. a. mit mehrfarbigen Rombenmustern oder gestreiften Rechtecken). Aufschluß über die Vielfalt der Seidengewebe und Stickarten der Han-Zeit geben u. a. die Funde in Noin Ula (Mongolei) und die im Grab der Markgräfin von Tai in Ch'angsha ausgegrabenen Gewänder (2. Jh. v. Chr.). In Tunhuang konnten Wandbehänge mit buddhist. Motiven und buddhist. Banner der T'ang-Zeit geborgen werden. Die Kunst der einzigartigen K'o-ssu-Weberei erlebte einen ersten Höhepunkt in der Sung-Zeit: Gewebte Bilder (Landschaften, bed. Werke der Kalligraphie, Blumen- und Vogelmotive, die die Thematik der gleichzeitigen Akademiemalerei aufgreifen) wurden vom Künstler signiert und waren als Kunstwerke geschätzt (viele Stücke im Palast-Mus. Taipeh). Zu Beginn der Ming-Zeit waren alle Web- und Stickarten bereits voll entwikkelt, und die vielen Textilprodukte der Ming- und Ch'ing-Periode (in Farben, Symbolen, Dekormotiven streng hierarchisch klassifizierte Kaiser- und Mandarinroben u. a.) weisen in techn. Hinsicht keine Neuerungen auf.

Die Völker Indonesiens beherrschen seit Jahrhunderten die Kunst komplizierter Web- und Färbetechniken (bes. Reservetechniken) bei der Herstellung von Gebrauchstüchern und v. a. kultisch verwendeter Gewebe aus Baumwolle oder Seide. Auf Java und z. T. auf Sumatra dominiert neben Tritik und Plangi der →Batik (BILD indonesische Kunst), während auf einem Großteil der Inseln, bes. auf Bali, v. a. die Ikat-Technik angewendet wird, entweder bei den Kett- oder bei Schußfäden oder bei beiden (Doppel-Ikat, hergestellt nur im

Dorf Tenganan Pageringsingang auf Bali). Die Fülle von Motiven liegt im Bereich altmalaiischer Symbolik, vielfach im Zusammenhang mit Totenkult und Ahnenverehrung, auf Java und Bali auch aus Indien übernommener relig. und epischer Thematik (BILD Ikat). – Eine Besonderheit sind die bis ins 19. Jh. hergestellten Zeremonialtücher (z. T. Schiffstücher gen.) aus Kroe (S-Sumatra), die in erhabener Webstruktur symbol. Motive im Zusammenhang mit der Ahnenverehrung (›Lebensbaum‹, ›Totenschiff‹ u. ä.) zeigen.

In Ozeanien dominieren mehrfarbige, in der Verzierung Schachbrett- und Linienmuster kombinierende Maschenstoff-Taschen (v. a. N- und Zentral-Neuguinea, dort auch mit Fäden, die mit hellen Orchideenstreifen umwickelt werden; ferner Australien) sowie geflochtene oder gewobene Matten mit geometr. Mustern (Mikronesien, O-Melanesien, Polynesien); ferner →Tapa. Lokale Spezialitäten sind die Perlenstoffe (Prunkschurze) der Admiralitätsinseln, die mit Federn verzierten Schulterumhänge aus Hawaii und Neuseeland sowie die aus dem Zwirnbinden abgeleitete effektvolle ›taaniko‹-Ziertechnik der Maori mit mehrfarbigen Zickzack-, Dreieck-, Rauten- und Spiralmustern.

⇒ Bildwirkerei · Orientteppich · Teppich

S. M. MEAD: The art of taaniko weaving (Wellington 1968); RENÉE BOSER-SARIVAXÉVANIS: Les tissus de l'Afrique Occidentale (Basel 1972); BRIGITTE MENZEL: Textilien aus Westafrika, 3 Bde. (1972/73); MECHTHILD LEMBERG u. BRIGITTA SCHMEDDING: Abegg-Stiftung in Riggisberg: Textilien (1973); IRMGARD WEITLANER-JOHNSON: Design motifs on Mexican Indian textiles, 2 Bde. (Graz 1976); ANNEMARIE SEILER-BALDINGER: ›Hängematten-Kunst‹: Textile Ausdrucksform bei Yagua- und Ticuna-Indianern NW-Amazoniens (1979); Documenta Textilia, hg. v. MECHTHILD FLURY-LEMBERG u. KAREN STOLLEIS (1981).

Tezcatlipoca, Schöpfergott der Azteken, urspr. Symbol des Nachthimmels und verbunden mit Sterngottheiten und Göttern mit negativem Aspekt (Tod, Zerstörung u. a.). Sein Name (Nahuatl ›rauchender Spiegel‹) ist auch sein Erkennungszeichen, das am Fuß oder an der Stirn erscheint.

thailändische Kunst. Die seit dem Ausgang der prähistor. Periode vielseitig beeinflußte Kultur von Thailand (früher Siam) spiegelt sich in den bis heute unterschiedlich geprägten Kunstrichtungen wider. Die umfassenden archäolog. Ausgrabungen der letzten Jahrzehnte im Menamdelta, im Hochland von Korat und den Bergen des Nordens lassen erkennen, daß das einigende Band der nebeneinander bestehenden eigenständigen Kunstformen der Buddhismus ist, der im Gefolge der Indisierung Mittel- und S-Thailands im 3. nachchristl. Jh. eingeführt wurde. Die Ausgrabungen des Handelsplatzes von Oc-Eo legen Zeugnis ab für die frühen Kontakte mit Indien und der Mittelmeerwelt: Terrakotta, Schmuckperlen aus Stein, Glas und Gold, in ihrem Dekor an die Andhra-Kunst erinnernde Plaketten aus Kalkstein und Schiefer sowie römisch-hellenist. Gemmen, Ringe und Münzen.

Das künstler. Schaffen der den Khmer stammesverwandten →Mon, die die Fstt. von Dvaravati (›Dvaravati-Kunst‹) im S (U Thong) und Haripunjaya (Lamphun) im NW Thailands gründeten, zeigt unverkennba-

thailändische Kunst: Schreitender Buddha; Bronze, aus Sukhothai, 14. Jh., Höhe 48 cm (Bangkok, Privatsammlung)

thailändische Kunst: Großer Stupa von Nakhon Pathom westlich von Bangkok; 115 m hoch, etwa 7. Jh. n. Chr., renoviert und Nebenbauten 1853 und unter König Tschulalongkorn (1888–1919)

re Züge einer von indischen Einflüssen geprägten Kultur des Hinayana-Buddhismus.

Die Buddha-Statuen aus Stein oder Bronze sowie die wenigen erh. Basreliefs sprechen für die Eigenständigkeit der über weite Gebiete Mittelthailands verbreiteten Mon-Kultur. Die ikonograph. Merkmale schließen sich eng an die künstler. Traditionen der frühen buddhist. Kunst Indiens an, der dargestellte Menschentyp indessen verkörpert die einheim. Bevölkerung (breitgesichtig, kraushaarig, dicklippig). Charakterist. Zeugnisse der Dvaravati-Architektur sind die stark zerfallenen Architekturreste bei Pong Tük und Nakhon Pathom. Die massiven Ziegelbauten werden durch in Stuck ausgeführten Dekor und in Terrakotta gearbeitete Plastiken belebt. Das Kunsthandwerk setzt ältere Traditionen fort. Neben der Keramik existieren zahlreiche kleine, mittels Modeln hergestellte Figurinen (›Phra phim‹), die im Buddha-Kult Verwendung fanden.

Während des 11.–13. Jh. wurde die Menamebene Provinz des Khmer-Reiches, deren Hauptstadt →Lopburi einen Mittelpunkt der Kultur und Kunst bildete. Neben Buddha-Skulpturen und Baudenkmälern, die reine Khmer-Schöpfungen sind, setzten sich in der Schule von Lopburi lokale Formelemente und ikonograph. Eigenheiten durch. Im Reich von Sukhothai entwickelte sich ein einzigartiger, genuiner Kunststil, in den eine Vielfalt charakterist. Merkmale einheim. und fremder Kunstrichtungen (Khmer, Mon, Ceylon und Südbirma) einging, z. B. neben traditionellen Körperhaltungen des Erleuchteten (sitzend, stehend und ruhend) erstmals der vollplast., schwerelos schreitende Buddha mit langgezogenem Kopf und schwungvoll dekorativer Linienführung seines Gewandes, ferner die formenreichen, neu- und umgestalteten Sakralbauten in Sukhothai und Si Sacchanalai mit ihren Klöstern, Turmheiligtümern (›Prang‹), die einen kennzeichnenden Bautyp der Ayutthaya- und Bangkok-Periode darstellen, mit ihren Versammlungshallen, Bibliotheken,

Wandelhallen und Galerien, deren Holzaufbauten meist nicht mehr erhalten sind. Bes. beliebt war im indochines. Raum und in Indonesien die nach chines. Verfahren und Motivschmuck in Sukhothai und Si Sacchanalai hergestellte Keramik.

Ein weiteres Kunstzentrum entstand in dem Ende des 13. Jh. von MANGRAI, einem laot. Fürsten, auf dem Gebiet des letzten Mon-Staates von Haripunjaya im N Thailands gegründeten Reich von Lan Na. Die auch nach der Stadt Chieng Sen benannte Kunst zeigt einen starken Einfluß der ind. Pala-Sena-Schule, der birman. Künstlern zuzuschreiben ist. Auch die Tempel und Klö-

Karte zur **thailändischen Kunst**

ster von Lan Na sind wesentlich von der birman. Architektur von Pagan inspiriert.

Die Kunst im Großreich von Ayutthaya vereinte in sich in feiner Ausprägung frühere Stilformen, ohne eine erkennbare Originalität zu entwickeln. Die Verbindung lokaler Elemente mit jeweiliger Bevorzugung von Dvaravati-, Khmer- und Sukhothai-Traditionen zeitigte in der Plastik deutlich unterscheidbare Stilgruppen (U-Thong-Stil A, B, C). Die vom 16. Jh. an spürbare Tendenz zur Stilisierung und zur ornamentalen barockverspielten Überladenheit der Skulpturen (Buddha im Königsschmuck) leitete den Degenerationsprozeß der Ayutthaya-Kunst ein. Die Architektur folgte den Vorbildern der Sukhothai-Kunst, verbunden mit einer Rückbesinnung auf den monumentalen Baustil von Angkor: großräumige Tempelanlagen und graziös aufschwebende ›Prang‹ (z. B. der 82 m hohe Wat Arun in Bangkok), Grabmäler, terrassierte Säulenhallen und von kleinen Stupas umgebene Zentralstupas. Chines. Einflüssen begegnet man in den übereinandergelegten Stapeldächern mit glasierten Dachziegeln (blau und grün), in der stark graphisch orientierten Wand- und Tuchmalerei (Jataka-Erzählungen), in den Lackarbeiten in Schwarzgold, in der mit geprägtem Dekor versehenen Keramik aus China eingewanderter Handwerker sowie in eigens für Siam hergestelltem, pentachromem chines. Porzellan. Kontakten mit China sind auch die Intarsienarbeiten mit Perlmutt und die auf hohem Niveau stehende Seidenweberei zuzuschreiben.

K. Döring: Buddhist. Tempelanlagen in Siam (1920); ders.: Kunst u. Gewerbe in Siam (1925); R. Le May: Culture of South-East Asia (London 1954); H. Härtel u. Jeannine Auboyer: Indien und Südostasien. Propyläen Kunstgeschichte, 16 (1971); J. Boisselier: Kunst in Thailand (a. d. Frz., 1974); Piriya Krairiksh: Das Heilige Bildnis, Ausst.-Kat., Köln (1979); A. Clarac: Thailand, Kunst- und Reiseführer (a. d. Frz., 1979); Johanna Dittmar: Thailand und Burma, Tempelanlagen und Königsstädte ... (1981).

Thalbürgel, ehem. Kloster, →Bürgel.

Thamusida, Ruinen eines röm. Feldlagers (2. Jh.) in NW-Marokko, 12 km nördlich von Kenitra. Prätorianertor zw. 2 auskragenden Türmen; weitläufiges Prätorium mit Tempel, Basilika (mit Apsis) und Gerichtssaal; im zivilen Teil Doppelthermen und mächtiger Tempel (Großquaderwerk) mit Portikus und 3 Cellae im ummauerten Tempelhof (30 m Seitenlänge). Funde (v. a. schöne Bronzefiguren) im Archäolog. Mus. in Rabat.

Thanatos, grch. Mythos: der Göttern und Menschen verhaßte Tod, urspr. ohne Kult, Sohn der Nyx (oder Gaia), finsterer Zwillingsbruder des Hypnos, später als Erlöser von Leiden mit freundl. Zügen, die auch in der Kunst in Erscheinung treten. Als geflügelter Jüngling mit gesenkter lodernder oder erloschener Fakkel wurde er v. a. auf weißgrundigen att. Lekythen, etrusk. Spiegeln und grch. und röm. Reliefs dargestellt.

Thangka, Tanka [tibet. ›ebener Körper‹] *der,* ein lamaist. Rollbild, das als Meditationsobjekt zu bestimmten Anlässen in Tempeln, Hausaltären und bei Prozessionen aufgehängt wurde. Dargestellt sind, meist in starker Stilisierung und konzentr. Anordnung um den Buddha oder den kosm. Baum, Gottheiten und Lamas, weiterhin symbol. Diagramme wie das →Mandala. Meist sind sie auf appretierte Leinwand in leuchtenden Farben gemalt, seltener gestickt oder als Applikationsarbeit. (BILD tibetische Kunst)

Thanjavur [tændʒ'ɑ:vʊə], **Tanjore** [tændʒ'ɔ:], Stadt in Tamil Nadu, S-Indien, im Kaveri-Delta, 140 500 Ew. T. war vom 9. bis 13. Jh. Residenzstadt der Chola-Dynastie. Der shivait. Brihadishvara-Tempel (um 1010 voll.) ist einer der bedeutendsten Bauten dieser Dynastie. Über dem zweigeschossigen Vimana, der durch Figurennischen gegliedert ist, erhebt sich der 50 m hohe Turmaufbau, gekrönt von einem kuppelförmigen, etwa 80 t schweren Schlußstein. Im Tempelinnern sind seltene Reste von Wandmalereien erh. Dem Tempel vorgelagert ist ein Pavillon mit der Steinplastik des liegenden Stiers Nandin, Symboltier des Gottes Shiva.

Thann, Stadt im Oberelsaß, 8500 Ew., mit dem spätgot. Münster St. Theobald (1320–1516; reiche dekorative Bauplastik, v. a. am Hauptportal); Reste der Stadtbefestigung (Hexenturm) und die Ruine der Engelsburg (12. Jh.) erhalten; ehem. Kornhalle (16. Jh., heute Mus. und Bibliothek).

Thap-Mam, Tempelkomplex der späten →Cham-Kunst (11./12. Jh.) in Vietnam (KARTE Cham-Kunst), wurde im 14. Jh. als Ruine einer nicht fertiggestellten Anlage gefunden. Bemerkenswert sind dekorative Stilisierungen der Reliefs und noch qualitätvolle Plastiken bes. von Tänzerinnen.

Thasos, Thassos, Insel in der nördl. Ägäis, Griechenland. Die antike Stadt T. (heute **Limin**), eine Gründung von Paros, war im 6. und 5. Jh. v. Chr. durch ihre Metall-, bes. Goldbergwerke sehr wohlhabend. Teile der Stadt (Theater, mehrere Tempel, Agora, Akropolis mit 2 weiteren Tempeln, Stadtmauer), meist aus hellenistisch-röm. Zeit, wurden ausgegraben.

Thaulow [-o], Frits, norweg. Maler, *Oslo 20. 10. 1847, †Volendam (Niederlande) 5. 11. 1906, lebte in den 1870er Jahren in Paris, wo er Anregungen der Freilichtmaler und Impressionisten aufnahm, wurde in Norwegen ein Vorkämpfer des Realismus. T. malte Stadtbilder und Landschaften, oft verschneit, mit feiner Behandlung der Licht- und Farbwirkung.

Thayekhettaya, ehem. Hauptstadt in Birma, →Shri Kshetra.

Theater [grch.], Gebäude für Darbietungen der darstellenden Künste. Der Ursprung des antiken grch. T.-Baus läßt sich nur hypothetisch rekonstruieren, da früheste Anlagen (6./5. Jh. v. Chr.), wohl aus Holz, nicht erh. sind. Vermutlich liegen die Anfänge des T. in einem attischen Dionysoskult, für den eine kreisrunde Tanzfläche (Orchestra) mit Altar (Thymele) erforderlich war; nach Aufrichten einer Hintergrundwand für das Spiel (Bühnengebäude, Skene) wurden die Zuschauer auf der gegenüberliegenden Seite, womöglich auf einem ansteigenden Berghang, plaziert: Die Dreiteilung

Bühne – Orchestra – Zuschauerraum des antiken T. war entstanden; sie blieb für das grch. wie das röm. T. bestimmend. – Der Zuschauerraum (Theatron oder Koilon) war durch horizontale Umgänge (Diazomata) in Ränge gegliedert und vertikal zur Orchestra gerichtete Treppen unterteilt; man saß auf lehnenlosen, steinernen, in Reihen angeordneten Sitzen; die Ehrenplätze lagen in der untersten Reihe. Der Zuschauerraum des grch. T. umfaßte etwas mehr als einen Halbkreis; vom Bühnengebäude war er durch seitl. Zugänge (Parodoi) getrennt. Dem Bühnengebäude wurde gegen Ende des 5. Jh. v. Chr. eine über die Orchestra erhöhte Spielfläche (Proskenion) vorgelagert. Die Skene wurde bald in mehrstöckiger Höhe mit dreigeteilter Front errichtet. Die 3, selten auch 5 Türen hatten eine bestimmte Spielbedeutung: Sie führten zum Palast, aufs Land, in die Stadt. Sowohl zw. den Stützen des Proskenions als auch in den Öffnungen des Bühnengebäudes konnten bemalte Tafeln angebracht werden (oft drehbar), die eine Illusion wechselnder Szenerien ermöglichten (Skenographie). Die bekanntesten grch. T. finden sich in Athen am S-Hang der Akropolis (Dionysos-T.), in Epidauros (eines der am besten erh. grch. T.; BILD Epidauros) sowie in Pergamon und Priene.

Auch das röm. T. (BILD römische Kunst) bestand in seiner Frühzeit aus Holzkonstruktionen; PLINIUS D. Ä. berichtet von erstaunlich aufwendigen und großen Bauten. Vorbild für alle in Stein errichteten T. wurde der Bau, den POMPEIUS im Jahre 55 v. Chr. in Rom fertigstellte. Die Dreiteilung des grch. T. findet sich, mit einigen Änderungen, auch hier: Der Zuschauerraum (Cavea) mit halbkreisförmig angeordneten Sitzreihen ist meist nicht an den Hang gebaut, sondern frei hochgemauert; in den Substruktionen sind die Treppen und Tunnel der Zugänge verborgen. Auch die seitl. Parodoi sind überwölbt; über ihnen liegen die Ehrenlogen. Das Bühnengebäude, durch mehrere Stockwerke erhöht, erhielt eine riesige und komplizierte Fassade (Scaenae Frons) mit Fenstern, Nischen, Säulenstellungen und vielfältigem Statuenschmuck. Die einheitl. Höhe von Zuschauerraum und Bühnengebäude ließ das röm. T. zu einer architekton. Einheit, zu einem umbauten Innenraum werden. Röm. T. sind in großer Zahl erh., v. a. in Kleinasien und N-Afrika; bes. gut erh. sind die T. von Orange, Aspendos und Sabratha. Das röm. → Amphitheater diente v. a. Gladiatorenkämpfen.

Die Mysterienspiele des MA. fanden in Kirchen und auf Plätzen statt, ohne eigene Architekturformen zu entwickeln. Ihre auf- und abschlagbaren Simultanbühnen waren vom stehenden Publikum umgeben. Im 16. Jh. entstand in England ein eigener T.-Typ mit hölzernen Einbauten und z. T. überdachtem Zuschauerraum. Im Zusammenhang mit der Wiederaufnahme antiker Theaterstücke wurde im 15./16. Jh. in Italien die Grundlage des höf. T. geschaffen mit durch Pfeiler abgeteilten, mit Kulissen versehenen Bühnen und halbkreisförmig ansteigendem Zuschauerraum. Den ersten durchgebildeten T.-Bau der Neuzeit schuf A. PALLADIO mit dem Teatro Olimpico in Vicenza (beg. 1580), ausgestattet mit Auditorium, Orchester, Proszenium, Bühne.

Das barocke T. ist bestimmt von dem nach Rängen, Tribünen, Logen und Stehplätzen aufgeteilten vergrößerten Zuschauerraum (Teatro Tordinone, Rom, 1675 von C. FONTANA). Im 18. Jh. war das T. eine virtuos entwickelte höf. Bauaufgabe. Die geschlossenen Logen wurden von offenen Balkons abgelöst, die die Schwingungen des Raumes begleiten (Markgräfl. Opernhaus Bayreuth, 1745–48 nach Plänen von J. SAINT-PIERRE, T.-Raum von G. und C. GALLI DA BIBIENA; Residenz München, 1750–53 von F. DE CUVILLIÉS D. Ä.). Während bis zum Ende des 17. Jh. nur zu bestimmten Anlässen T. gespielt wurde, brachte das 18. Jh. das stehende T. mit festem Spielplan und Ensemble; gleichzeitig beteiligte sich das Bürgertum immer stärker am T.-Leben. Das Opernhaus Berlin (1741–43 von G. W. v. KNOBELSDORFF) wurde als erstes Hof-T. außerhalb des Schlosses erbaut. Die Bestrebungen zur Schaffung eines dt. National-T. führten zur Umbestimmung des Frz. Schauspielhauses in Berlin (1774–76 von J. BOUMANN D. Ä.). Mit dem Schauspielhaus Berlin (1818–24) formulierte K. F. SCHINKEL beispielhaft den Typ des klassizist. T. mit Foyer, versch. Sälen und aufwendigem Treppenhaus. Beim Dresdner Hof-T. (1838–41, 1869 ausgebrannt und abgetragen) ist zum erstenmal im T.-Bau die innere Aufteilung in runden Zuschauerraum und Bühnenhaus nach außen konsequent zum Ausdruck gebracht. In der 2. H. des 19. Jh. wurde das T. zu einer der bedeutendsten öffentl. Bauaufgaben. Auf Grund des techn. Fortschritts im Bühnenbau, der Brandvorsorge und in der Akustik übernahmen spezialisierte Architektenbüros die Aufgabe des T.- und Festspielhausbaus (z. B. F. FELLNER und H. HELLMER, Komische Oper Berlin, Stadt-T. Wiesbaden, T. in Odessa). Nach Überwindung des Wilhelminischen Prunk-T. wurde auch im T.-Bau experimentiert (z. B. das Große Schauspielhaus Berlin als rangloses Volks-T., 1918–19 von H. POELZIG). Der T.-Bau der Zeit nach dem 2. Weltkrieg ist bestimmt von prägnanter plast. Außengestaltung, typisch das Opernhaus in Sydney (1957–66 von J. UTZON).

Theben, 1) ägypt. **Weset** oder **Nut,** Stadt des Altertums in Oberägypten, auf beiden Seiten des Nil, gewann seit der 11. Dynastie Bedeutung. Unter der 18. Dynastie (seit 1552 v. Chr.) war T. Hauptstadt des ägypt. Reiches und entwickelte sich zu einer weithin ausstrahlenden Weltstadt (bei HOMER das ›hunderttorige T.‹). Die Pharaonen errichteten gewaltige Palastanlagen und riesige Tempelbezirke (beim heutigen →Karnak und →Luxor). Der urspr. Ortsgott, der falkenköpfige Month, wurde seit Beginn des 2. Jahrtsd. v. Chr. durch den Reichsgott Amun zurückgedrängt. T.s polit. Bedeutung begann abzunehmen, als die 19. Dynastie um 1300 v. Chr. die Residenz ins Nildelta verlegte, behielt aber seine Stellung als relig. Mittelpunkt Ägyptens. Von der Zerstörung durch den Assyrer ASSURBANIPAL, 663 v. Chr., erholte sich T. nicht mehr; unter röm. Herrschaft wurde T. 30/29 v. Chr. endgültig zerstört. – Auf dem W-Ufer des Nil lag die Totenstadt der einstigen Metropole T. mit den großen Totentempeln, v. a. des MENTUHOTEP, der HATSCHEPSUT (→Deir el-Bahari), des AMENOPHIS III. (Memnonskolosse), des SETHOS I., der Ramessiden (→Ramesseum,

→Medinet Habu), und den Felsgräbern im →Tal der Könige und Tal der Königinnen.

2) grch. **Thebai** [neugrch. θ'ivɛ], Stadt in Böotien (Griechenland), 15 900 Ew., an deren Bedeutung in der grch. Sage und Geschichte nur noch wenig erinnert. In der myken. Epoche wurde T. von der im Südteil der Stadt gelegenen Burg, der Kadmeia, beherrscht. Ausgrabungen haben einige Räume des myken. Palastes freigelegt. Die Funde umfassen Fresken (14. Jh. v. Chr.), Werkstätten (Rohmaterial), Elfenbeinschnitzereien, Tontäfelchen und Tongefäße. Myken. Gräber wurden im nächsten Umkreis von T. gefunden. Aus dem 6./5. Jh. v. Chr., als T. eine Vormachtstellung in Mittelgriechenland einnahm, sind fast keine Reste erh.; Mus. mit Funden aus Böotien.

The Eight [ðɪ 'eɪt, engl.], →Ashcan School.

Thek [θi:k], Paul, amerikan. Künstler, *Brooklyn (New York) 2. 11. 1933, Vertreter der Individuellen Mythologie; er stellte in den 1960er Jahren poet. oder schockierende Wachsobjekte her, denen die Fiktion seines Todes zugrundeliegt. Seine Environments sind Kulträume von mag. Wirkung mit Symbolen aus der Mythologie.

Thelepte, weitläufiges röm. Ruinenfeld in W-Tunesien, 31 km südwestlich von Kasserine: röm. Theater (600 m breit) und ausgedehnte Thermen; große fünfschiffige christl. Basilika, mächtige byzantin. Rechteck-Zitadelle (Ecktürme, Säulenreihen).

Thelot, Johann Andreas, Goldschmied, Zeichner, Kupferstecher, *Augsburg 10. 4. 1655, begraben ebd. 25. 6. 1734, schuf spätbarocke Treibarbeiten, Kannen, Pokale, Reliefplatten und Hausaltärchen.

HEIDI PRAEL-HIMMER: Der Augsburger Goldschmied J. A. T. (1978).

Themar, Stadt bei Hildburghausen, an der Werra, Dt. Dem. Rep.; spätgot. Stadtkirche (beg. 1488), im Chor Netzgewölbe mit Pflanzenornamenten, bes. qualitätvolle Ausstattung, u. a. Marienaltar des Bamberger Schnitzers H. NUSSBAUM (um 1500), Kanzel (17. Jh.).

Themis, grch. Mythos: Tochter des Uranos und der Gaia, Gemahlin des Zeus, die Göttin der Sitte und Ordnung, Schützerin des göttl. Rechts, selbst gegenüber der Gottheit. T. ist schon auf grch. Vasen des 5. Jh. v. Chr. nachweisbar, auch großplast. Darstellungen sind literarisch mehrfach bezeugt. Erh. hat sich u. a. eine Statue des →Chairestratos.

Theoderich-Grabmal, →Ravenna.

Theoderich von Prag, Hauptmeister der →Böhmischen Malerschule, zuerst 1359 als Maler Kaiser KARLS IV. erwähnt, †Prag vor dem 11. 3. 1381, malte für die Kreuzkapelle der Burg Karlstein (geweiht 1365) 133 ausdrucksstarke Tafelbilder (Brustbilder von Heiligen, Kreuzigung, Schmerzensmann) in schwer wirkender, farbiger Modellierung.

Theodoros von Phokeia, grch. Architekt, um 400 v. Chr. tätig; er gilt, weil er laut VITRUV über die Tholos von Delphi (Rundtempel mit 20 dorischen Säulen, um 400 v. Chr.) schrieb, als deren Erbauer; möglicherweise identisch mit →Theodotos.

Theodoros von Samos, grch. Bildhauer, Gemmenschneider, um 560–530 v. Chr., der zus. mit RHOIKOS den Erzguß erfunden haben soll. In der Überlieferung werden ihm eine Reihe sehr unterschiedl. Werke zugeschrieben: ein riesiger Silberkrater, vom Lyderkönig Kroisos nach Delphi gestiftet, ein goldener Ring für den Tyrannen Polykrates von Samos, eine Statue, sein Selbstporträt, mit Feile in der Hand; auch am großen Tempel im Heraheiligtum von Samos soll T. v. S. mitgearbeitet haben.

Theodotos, grch. Architekt (1. H. 4. Jh. v. Chr.), laut Bauinschrift Erbauer des Asklepios-Tempels in Epidauros, eines gedrungenen dorischen Peripteros; möglicherweise identisch mit →Theodoros von Phokeia.

Theophanes der Grieche, russ. **Feofan Grek,** byzantin. Maler, *um 1340, †um 1410, seit etwa 1370 in Rußland tätig, wahrscheinlich Lehrer von A. RUBLJOW. Erhalten sind v. a. die Fresken der Erlöserkirche an der Iljastraße in Nowgorod (1378); ihm werden Ikonen der Ikonostase in der Verkündigungskathedrale des Moskauer Kreml (1405, mit Rubljow) und einige Einzelikonen zugeschrieben.

V. N. LAZAREV: T. d. G. und seine Schule (a. d. Russ., 1963).

Theophilus Presbyter, ein wohl dt. Geistlicher um 1100, verfaßte das bedeutendste Hb. der Kunsttechniken im MA. (›Schedula diversarum artium‹), ein Rezeptbuch mit Anweisungen u. a. zur Herstellung von Miniatur-, Fresko- und Glasmalereien und zu Elfenbein-, Stein- und Metallarbeiten. Die Frage der Identität mit →Rogerus von Helmarshausen bleibt umstritten.

C. DODWELL: Theophilus, De diversis artibus (Toronto 1961); W. HANKE: Kunst und Geist... (1962).

Theotokopulos, Domenikos, der span. Maler El →Greco.

Thera, ngrch. **Thira** [θ'ira], seit dem MA. auch **Santorin,** die südlichste der Kykladen-Inseln (Griechenland), Rest eines bei einem gewaltigen Ausbruch (um 1500 v. Chr.) gesprengten Vulkankegels. Die Insel ist mit bis zu 40 m hohen Bims-Asche-Schichten bedeckt. – Die Ausgrabungen seit 1967 beim Dorf Akrotiri erweisen, daß auf T. eine bed., der minoischen Kultur Kretas nahestehende spätbronzezeitl. Siedlung bestand, die durch den Vulkanausbruch zerstört wurde. Art und Ausmaß der Abhängigkeit dieser Stadt von dem etwa 100 km entfernten Kreta und das Verhältnis zum myken. Griechenland können noch nicht näher definiert werden.

Ihren Reichtum bezeugen die mehrstöckigen Häuser, deren Wände z. T. mit Freskomalerei aus der 2. H. des 16. Jh. v. Chr. geschmückt waren. Technisch und stilistisch ähneln die qualitätvollen Fresken den kretischen der ersten spätminoischen Periode. Hinsichtlich ihres guten Erhaltungszustandes und der reichen Themenauswahl erweitern sie das aus Kreta Bekannte we-

Thera: Fischerfresko aus T. (Athen, Nationalmuseum)

sentlich: Gazellen, Boxkampf, Fischer, Blumen pflükkende Frauen, ›Schiffsfries‹ (im Westhaus) mit heimkehrenden Schiffen in einer Insellandschaft mit Fluß, Bergen und Meer, 2 Städten, Hafen und Menschen. Die Schwalben auf einem bes. gut erhaltenen Fresko mit Lilien auf Felsen (›Frühlingsfresko‹) kehren entsprechend in der aus der gleichen Zeit stammenden Vasenmalerei von T. wieder. Künstler. Selbständigkeit lassen auch die anderen Zeugnisse der theräischen Fresko- und Vasenmalerei erkennen. Aus durch verbranntes Holz entstandenen Leerräumen in der erkalteten vulkan. Schicht gewannen die Ausgräber durch Gipsausgüsse versch. Möbelstücke (Liege, Schemel). Kostbare Kleinfunde wurden in Akrotiri wohl deshalb nicht gemacht, weil transportable Wertsachen vor der Katastrophe von den Bewohnern in Sicherheit gebracht worden waren. Auch das Fehlen menschl. Skelette zeigt, daß die Zerstörung nicht unerwartet kam. Auch ließen sich Sicherheitsvorkehrungen der Bewohner und Spuren einer vorübergehenden, primitiven Nachbesiedlung feststellen. Ein Zusammenhang zw. dem Vulkanausbruch von T. (um 1500 v. Chr.) und den um 1450 v. Chr. datierten Zerstörungen von Palästen und Siedlungen auf Kreta (die nicht nur in Küstennähe lagen) läßt sich auf Grund der Keramikchronologie (Zeitabstand von 50 Jahren), eine zweite Eruption oder ein nachträgl. Einsturz der Caldera aber aus vulkanolog. Gründen nicht aufrechterhalten.

Die Insel, an ihrer SO-Küste Anfang des 1. Jahrtsd. v. Chr. durch dorische Griechen neu besiedelt, bekam bes. in hellenist. Zeit als ptolemäischer Flottenstützpunkt Bedeutung; Ausgrabungen legten Häuser, Tempel, Theater u. a. der antiken Stadt T. (am Kap Mesawuno) aus dieser Zeit frei; reiche Einzelfunde aus archaischer Zeit.

S. MARINATOS u. M. HIRMER: Kreta, T. und das myken. Hellas ([3]1977).

Therbusch, Anna Dorothea, geborene **Lisiewska,** Malerin, *Berlin 23. 7. 1721, †ebd. 9. 11. 1782, wurde 1767 Mitgl. der Akad. in Paris, 1768 der Akad. in Wien. Ihre frühen Bilder zeigen den Einfluß von A. PESNE, A. WATTEAU und J.-H. FRAGONARD, ihr eigener Stil entfaltete sich dann aus dem Eindruck der fläm. und holländ. Malerei. Bed. sind ihre genau beobachteten Porträts, bes. auch in der maler. Sorgfalt des Stofflichen (Selbstporträt, um 1775; Berlin-Ost, Staatl. Museen).

Theresia von Jesus, Theresia von Ávila [-'aβila], span. **Teresa de Jesús** [-xes 'us], Karmeliterin, *Ávila 28. 3. 1515, †Alba de Tormes 4. 10. 1582; dargestellt im Gewand ihres Ordens mit Taube (Hinweis auf ihre Pfingstvision) und Schriftband, oft nach dem Vorbild des Gemäldes von JUAN DE LA MISERIA im Karmeliten-Konvent zu Sevilla (1576), später meist jugendlich (J. DE RIBERA, 1. H. 17. Jh., Valencia; G. B. TIEPOLO, 1722); die Durchbohrung ihres Herzens durch einen Engel von L. BERNINI (1646; Rom, S. Maria della Vittoria).

Thermen, antike Badeanlagen, in Griechenland seit dem 5. Jh. v. Chr. (Olympia) nachweisbar, mit Sitzwannen für Warmwasserbäder, Schwitzbad und offenem Schwimmbad. Im Römischen Reich steigerte sich die Bedeutung der T. im Lauf der Jahrhunderte (u. a. durch Fußboden- und Wandbeheizung seit dem 1. Jh. n. Chr.); als große Baukomplexe entwickelten sie sich zu Stätten des sportl. Trainings, der Erholung und Zerstreuung und wurden gesellschaftl. Treffpunkt. T. sind seit dem 2. Jh. v. Chr. als private und öffentl. Anlagen in Pompeji nachweisbar; es entwickelten sich versch. Typen, von denen der Reihentypus (Aneinanderreihung der Räume in einer Fluchtlinie) und der Ringtypus (ringförmige Abfolge der Räume) in vielfachen Variationen über das gesamte Röm. Reich verbreitet wurden. Die T. hatten i. d. R. Umkleideraum (Apodyterium),

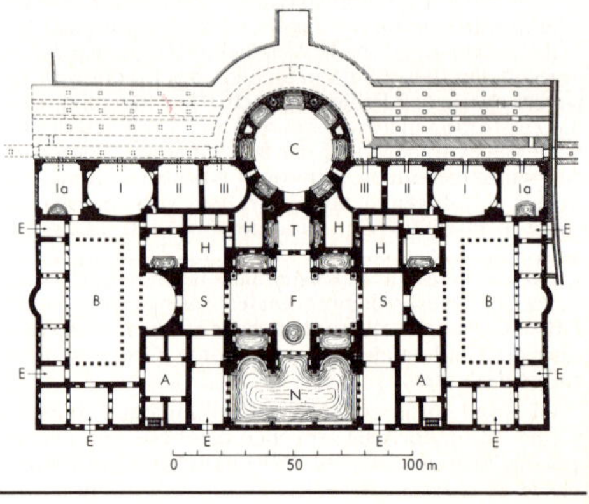

Thermen: Caracalla-Thermen, Rom; Plan der Badeanlage. A Apodyterium, B Palästra, C Caldarium, E Eingänge, F Frigidarium mit Seitenräumen S, H Höfe, N Natatio, T Tepidarium, I, I a, II und III beheizte Baderäume

Säulenhof (Palästra), Warmluftraum (Sudatorium), Warmwasserbad (Caldarium), Abkühlraum (Tepidarium), Kaltwasserbad (Frigidarium), Freibad (Natatio). Die größten T. sind in Rom (KARTE Rom im Altertum) die des CARACALLA (337 × 328 m) und des DIOKLETIAN (356 × 316 m); in Baiae entstanden im 2. Jh. n. Chr. ebenfalls umfangreiche Anlagen; private T. hatte der Palast von Piazza Armerina (4. Jh.). Außerhalb Italiens sind u. a. in Trier, Timgad, Lambesi, Leptis Magna, Cherchel, Arles bed. T. entstanden.

Thermo|lumineszenz-Methode, Verfahren zur Altersbestimmung von frühen Keramiken. Durch das Brennen von Ton werden Atomstrukturen auf eine Weise verändert, die eine ungefähre Datierung des Brennvorgangs zuläßt. Zur Untersuchung müssen mehrere Gramm Materie nach besonderen Regeln von dem Objekt entfernt werden. Sekundäre Erwärmung (u. U. schon durch Ausbohren) oder Röntgenbestrahlung der Probe machen die Anwendung der T.-M. unmöglich.

Thermos, grch. Heiligtum in Ätolien (Griechenland), östlich des Trichonis-Sees, mit Resten mehrerer Tempel, u.a. eines Baus mit elliptisch umlaufenden Holzsäulen (mykenisch?), archaischer Anlagen und eines Apollontempels (Ende 7. Jh. v. Chr.) mit Holzsäulen in der Mittelachse und bemalten Tonmetopen.

Thesauros, grch. für →Schatzhaus.

Theseion, nicht erh. Tempel des Theseus in Athen, mit Gemälden von MIKON und POLYGNOT. Wegen der Darstellung der Theseus-Taten an den Langseiten-Metopen wurde lange Zeit der auf einem Hügel westlich der Agora gelegene Tempel als T. bezeichnet, heute als Tempel des Hephaistos und der Athena identifiziert (→Hephaisteion).

Theseus, grch. Mythos: attischer Nationalheros, dessen Sage z. T. in die minoisch-myken. Zeit zurückreicht. Den Athenern, die ihn kultisch verehrten, galt er als Begründer der Demokratie. T., Sohn des Königs Aigeus oder des Poseidon und der Aithra, kämpfte gegen viele Ungeheuer und barbar. Unmenschen, v. a. aber tötete er mit Ariadnes Hilfe im Labyrinth von Knossos den →Minotaurus. Der Raub der Unterweltsgöttin Persephone mißlang ihm. Er entführte Helena, heiratete die Amazonenkönigin Antiope, später Phädra. Die Tötung des Minotaurus, eine der am häufigsten dargestellten mytholog. Szenen in der antiken Kunst, ist seit dem 7. Jh. v. Chr. v. a. auf Vasen zu finden. T.-Zyklen lassen sich seit dem 6. Jh. v. Chr. (Françoisvase) nachweisen und treten auch in der Bauplastik in Erscheinung wie an den Metopen des Athenerschatzhauses in Delphi (6. Jh. v. Chr., Delphi, Mus.) und am Hephaisteion (5. Jh. v. Chr., Athen); T.-Sagen waren auch auf Wandbildern im Theseion (Athen) dargestellt. Die Idealisierung des Helden in klass. Zeit wurde in der hellenist. und röm. Kunst und auch in der Neuzeit (N. POUSSIN, A. CANOVA, O. KOKOSCHKA) beibehalten.

Thessalonike, →Saloniki.

Thetis, grch. Mythos: Meeresnymphe, Tochter des

Nereus, Mutter des Achill. Dem nachhomer. Mythos zufolge freite Zeus um sie, ließ aber davon ab, als er erfuhr, daß T. einen Sohn gebären werde, der stärker als sein Vater werden solle. T. wurde daraufhin mit Peleus vermählt. Nach dem urspr. Mythos gewann Peleus T. im Ringkampf, bei dem diese sich in versch. Tiere verwandelte. V. a. der Ringkampf mit Peleus (chalkid. Hydria, 6. Jh. v. Chr., München, Staatl. Antikensamml.), die Auflauerung durch Peleus, ihre Hochzeit (Françoisvase), T. bei Hephaistos u. a. mit Achill in Zusammenhang stehende Szenen sind häufig dargestellte Themen schon der griechisch-archaischen Kunst. Später, v. a. auf röm. Sarkophagen, wurde T. als liebende Mutter in den Vordergrund gestellt.

Theux [tø], Städtchen in der belg. Prov. Lüttich. Die Pfarrkirche stammt im Kern aus dem 9. Jh., das Schiff mit quadrat. Stützen und flacher Decke (im 17. Jh. bemalt) ist noch karolingisch, die Apsis gotisch; roman. Taufbecken.

Theveste, röm. Stadt in N-Afrika, →Tebessa.

Thieme-Becker, Kurzbez. für das von U. Thieme und F. Becker herausgegebene ›Allg. Lexikon der bildenden Künstler von der Antike bis zur Gegenwart‹, 37 Bde., 1907–50 (Nachdr. 1960–62). Das Lexikon behandelt etwa 150 000 bildende Künstler aller Kunstepochen, auch außereurop. Meister. Fortsetzung ist das ›Allg. Lexikon der bildenden Künste des 20. Jh.‹, hg. v. H. Vollmer, 6 Bde. (1953–62).

Thierhaupten, Marktgem. nördlich von Augsburg, Bayern, mit ehem. Benediktinerkloster; die roman. Pfeilerbasilika des 12. Jh. wurde 1762–65 durch F. X. Feuchtmayer zurückhaltend barockisiert.

Thiersch, 1) August, Architekt, Archäologe, Bruder von 2), Vater von 4), *Marburg 28. 11. 1843, †Zürich 1. 1. 1917, seit 1875 Prof. an der TH in München, bed. als Theoretiker (›Proportionen in der antiken Baukunst‹, 1883). In München baute T. in historisierendem Stil (nach dem Vorbild der Frührenaissance in Florenz) die Ursulakirche.

2) Friedrich Ritter von (1897), Architekt, Maler, Bruder von 1), *Marburg 18. 4. 1852, †München 23. 12. 1921, ebd. seit 1882 Prof. an der TH und der Akad., schuf Kaufhäuser, Kirchen, Brücken und öffentl. Großbauten in historisierendem Stil (mit Eisenkonstruktion), v. a. den Justizpalast in München (1887–97) in neubarocken (die Erweiterung von 1902 in neugot.) Formen und das Kurhaus in Wiesbaden (1904–07).

W. Nerdinger: F. v. T. 1852–1921 (1977).

3) Ludwig, Maler, Onkel von 1) und 2), *München 12. 4. 1825, †ebd. 10. 5. 1909, schuf in spätnazaren. Art kirchl. Wand- und Deckenmalereien sowie Altarbilder in Wien, München, St. Petersburg, Griechenland.

4) Paul, Architekt, Sohn von 1), *München 2. 5. 1879, †Hannover 15. 11. 1928, seit 1915 von bed. Einfluß als Direktor der Handwerker- und Kunstgewerbeschule in Halle (seit 1922 auf Burg Giebichenstein).

Thignica, Ruinenstadt in Tunesien, →Ain Tounga.

Tholen [t'o:lə], Städtchen in der niederländ. Prov. Seeland mit z.T. erh. regelmäßiger Befestigung mit 7 Bastionen; Liebfrauenkirche, eine kreuzförmige dreischiffige Basilika in Brabanter Gotik (Langhaus 1460 beg., Chor um 1520), bes. reizvoll die S-Fassade; Rathaus (nach 1452) mit skulptiertem Giebel.

Tholey, Gem. im Kr. St. Wendel, Saarland, 12100 Ew. Die Kirche des Benediktinerklosters (634 gen.) ist eine frühgot. gewölbte Pfeilerbasilika (2. H. 13. Jh.); auf dem wuchtigen W-Turm origineller barocker Haubenhelm (um 1740). Geschnitztes barockes Chorgestühl (1704) und aufwendiger Orgelprospekt (um 1740). Einfache barocke Abteigebäude (1722–25).

Tholos

Tholos *die*, auch *der*, **Tholoi** *Mz.*, der grch. Rundbau, meist flach gedeckt. In Delphi baute THEODOROS, in Epidauros vermutlich POLYKLET D. J. eine T., deren Zweck ungeklärt ist; hellenistische T. sind das Philippeion in Olympia und das Arsinoeion auf Samothrake.

Tholosgrab, über rundem Grundriß frei auf dem Boden errichtetes Grab aus Steinen, entweder mit Steingewölbe oder mit flacher Holzdecke gedeckt; Vorkommen seit dem Ende des 3. Jahrtsd. v. Chr. als Sippengrüfte mit vielen Beigaben auf Kreta (Messara), kleine Beispiele auf den Kykladen (Syros). Ein T. von 16 m ∅ (bisher bekannte T. höchstens 13 m ∅) wurde 1982 auf der Peloponnes (bei dem Ort Pellana) entdeckt (16. Jh. v. Chr.). Das T. ist die Vorform des myken. →Kuppelgrabes.

Thoma, Hans, Maler, *Bernau (Schwarzwald) 2. 10. 1839, †Karlsruhe 7. 11. 1924, Schüler von J. SCHIRMER, lernte in Paris die Werke G. COURBETS und der Schule von Barbizon kennen, lebte seit 1870 in Mün-

Hans Thoma: Schwarzwaldlandschaft; 1867 (Bremen, Kunsthalle)

chen (W. LEIBL und seinem Kreis nahestehend), seit 1876 in Frankfurt am Main, 1899–1916 in Karlsruhe (Direktor der Kunsthalle und Prof. der Akad.). – T. malte frische Porträts seiner Familie, bäuerl. Figurenbilder und stimmungsvolle Landschaften, bes. aus dem Schwarzwald und vom Oberrhein. Seine mytholog., allegor. und relig. Bilder nach dem Vorbild von A. BÖCKLIN wirken dagegen problematisch. Bed. unter den graph. Arbeiten T.s sind die Lithographien.

HW: Schwarzwaldlandschaft (1867; Bremen, Kunsthalle); Porträts der Mutter und Schwester (1868; Essen, Mus. Folkwang); Schwarzwaldlandschaft (1872; Berlin-West, Staatl. Museen); Der Rhein bei Säckingen (1873; ebd.); Gesang im Grünen (um 1875; Hannover, Landesmus.); Taunuslandschaften (1881 u. 1890; München, Neue Pinakothek); Der Angler (1888; Bonn, Städt. Kunstsammlungen); Der Bach im Tal (1906; Mainz, Mittelrhein. Landesmus.); Folge von 12 Monats-, 8 Planeten- und 10 Christusbildern (1906–08; Karlsruhe, Kunsthalle).

H. T., Ausst.-Kat., Karlsruhe (1974).

Thoman(n), Johann Valentin, Baumeister, Ingenieur, *Mainz 30. 10. 1695, †ebd. 29. 12. 1777, Schüler von M. v. WELSCH, verband in seinen Bauten den rheinisch-fränk. Barock mit Formen des frz. Klassizismus.

HW: Palais Kesselstatt, Trier (1740–45, im 2. Weltkrieg zerstört, Fassade wiederhergestellt); Osteiner Hof, Mainz (1747–52); St. Peter, Mainz (1752–76, im 2. Weltkrieg ausgebrannt, 1959/60–71 wiederhergestellt).

Thomas, einer der 12 Apostel, der an der Auferstehung Jesu zweifelte (›ungläubiger T.‹), in der frühchristl. Kunst jugendlich, ohne Bart dargestellt (noch auf der Staurothek Fieschi-Morgan, um 700; New York, Metropolitan Mus.), seit dem 13. Jh. – wohl in Angleichung an die Darstellung Christi – mit Bart (frz. Kathedralplastik). Die Szene des ›ungläubigen T.‹ findet sich seit dem 8. Jh., später etwa bei A. DEL VERROCCHIO (1476–80; Florenz, Bronzegruppe in Or San Michele) und auf einem Gemälde von P. P. RUBENS (1613 bis 1615). – Wie alle →Apostel hat T. als Attribut Buch und Schriftrolle, als Hinweis auf sein Martyrium Lanze und Schwert, auf seinen legendären Beruf als Baumeister das Winkelmaß.

Thomas von Aquino, der bedeutendste Theologe und Philosoph des MA., *Roccasecca bei Aquino um 1225, †im Kloster Fossanuova 7. 3. 1274, schon vor seiner Heiligsprechung (1323) von SIMONE MARTINI dargestellt (um 1320; Pisa, Mus. Civico). Seine Abbildungen folgen meist der Beschreibung durch WILHELM VON TOCCO (†nach 1323). Seine Attribute sind die Taube als Zeichen der Inspiration (Tafelbild von H. PLEYDENWURFF, Nürnberg, German. Nat.-Mus.), die Monstranz als Hinweis auf die von T. v. A. verfaßten Texte und Gesänge zum Fronleichnamsfest und eine goldene Kette mit Sonnenscheibe (Magisterkette). Mit den allegor. Bildern der Tugenden zeigen ihn die Medici-Fresken der Strozzi-Kapelle von S. Maria Novella in Florenz (um 1357); oft wird seine Verherrlichung dargestellt (F. DE ZURBARÁN, 1631; Sevilla, Provinzialmus.).

Thomkins, André, schweizer. Zeichner, *Luzern 11. 8. 1930, †Berlin (West) 9. 11. 1985, seit 1971 Prof. an der Akad. Düsseldorf; beschäftigte sich mit Thematik und Zeichenstil des Manierismus, Dadaismus und Surrealimus. In seinen meist kleinformatigen Zeichnungen entstehen aus Wortspielen Räume mit Landschaften und Figuren. Er verwendet hierbei sowohl ornamentale Grundmuster als auch realist. Darstellungsmittel.

A. T., Ausst.-Kat., Zürich (1982).

Thomon [tɔm'ɔ̃], Thomas de, frz. Architekt, Maler, Graphiker, *Nancy 21. 12. 1754, †St. Petersburg 4. 9. 1813, schulte sich in Paris (bes. an Arbeiten von C.-N. LEDOUX) und wurde nach Aufenthalt in Rom (1785/86) und Exil in Wien und Ungarn (ab 1789) 1802 Hofarchitekt Kaiser ALEXANDERS I. in St. Petersburg. Hier baute er in strengem, von der frz. ›Revolutionsarchitektur‹ und der ägypt. Kunst beeinflußtem Stil die Börse (1805–16) und gestaltete deren Umgebung städtebaulich neu; ferner schuf er Theater, Privatpalais und Speicherbauten.

Thon, Ton, Konstantin Andrejewitsch, russ. Baumeister, *St. Petersburg 6. 11. 1794, †ebd. 6. 2. 1881, entwickelte einen historisierenden ›pseudoruss.‹ Stil, der für die Staatsbauten der Zeit NIKOLAUS' I. verbindlich wurde.

HW: Erlöserkathedrale in Moskau (1837–83; 1932 abgerissen); Großes Palais (1839–49) und Rüstkammer-Mus. (Oruschejnaja Palata, 1844–51) im Moskauer Kreml.

Thon Buri, Stadtteil von Bangkok, rechts des Menam (bis 1973 selbständige Stadt); war Hauptstadt des Thai-Reiches von 1767 (Vernichtung Ayutthayas) bis 1782 (Verlegung nach Bangkok). Der Tempel Wat Arun, beg. 1792, hat eine schimmernde Oberfläche aus Porzellan- und Keramikscherben.

Thonet, Michael, Tischler, Industrieller, *Boppard 2. 7. 1796, †Wien 3. 3. 1871. Ihm gelang 1830 die Erfindung, Holz unter Einwirkung von Dampf zu biegen; seit 1843 in Wien, stellte er nach diesem Verfahren Stühle, 1861 den ersten Schaukelstuhl, her.

K. MANG: T. Bugholzmöbel (1982).

Michael Thonet: Bugholz-Stuhl (Wiener Kaffeehausstuhl)

Thöny, 1) Eduard, Zeichner, Maler, *Brixen 9. 2. 1866, †Holzhausen (Ammersee) 26. 7. 1950, seit 1897 Mitarbeiter des ›Simplicissimus‹, schilderte die elegante Gesellschaft, bes. dt. Offiziere, auch das bayer. Bauerntum.

2) Wilhelm, österr. Maler, *Graz 10. 2. 1888, †New York 1. 5. 1949, lebte ebd. seit 1938; malte Landschaften, Städte- und Figurenbilder sowie Porträts im spätimpressionist. Stil und näherte sich später dem Expressionismus; auch Buchillustrationen.

Thora [hebr. ›Lehre‹] *die,* die 5 Bücher Mose. **Sefer-T.,** Buch des Gesetzes, die geschriebene Rolle **(Thorarolle)** aus Pergament, auf 2 Holzstäbe gewickelt. Diese tragen an ihren Enden Querscheiben, die von **Thoraaufsätzen,** silbernen Hohlkörpern, oft in Form von Türmen (mit Glöckchen), an Festtagen von der **Thorakrone** (in Form einer Königskrone mit Edelsteinen) geschützt sind. Der **Thoramantel** um die Thorarolle aus Samt oder Seide ist kostbar bestickt. Der **Thoraschild** aus Edelmetall, mit silbernen Ketten an den Stäben befestigt, rechteckig oder in Form einer Kartusche, trägt auswechselbare Täfelchen für den Namen des jeweiligen Festes.

Die Thorarolle mit dem Gerät steht im **Thoraschrein,** in einer architektonisch betonten Nische der östl. Wand der Synagoge.

Thorak, Josef, österr. Bildhauer, *Salzburg 7. 2. 1889, †Hartmannberg bei Rosenheim (Oberbayern) 26. 2. 1952, wurde mit seinen monumental übersteigerten Denkmälern (Aktfiguren von ›nordischen Helden‹) ein repräsentativer Künstler des Nationalsozialismus.

Thorikos, antike Stadt an der O-Küste Attikas (Griechenland). Siedlungsspuren und Nekropolen reichen bis in mittelhellad. und myken. Zeit zurück (4 Kuppelgräber, 1 Kammergrab). In der klass. Zeit Griechenlands war T. Mittelpunkt eines bed. Bergwerkgebietes. Durch Ausgrabungen wurden ein Theater, Werkstätten, Wohnhäuser, Erzwäschereien, Reste der Stadtmauern und von Hafenanlagen freigelegt.

Thörl, Dorf bei Arnoldstein, Kärnten, Österreich, an der ital. Grenze. Die spätgot. Pfarrkirche (15. Jh.) mit mächtigem Turm (1503) birgt umfangreiche Fresken, ein HW des THOMAS VON VILLACH (um 1475/80).

Thormaehlen, Ludwig, Bildhauer, Kunsthistoriker, *Hanau 24. 5. 1889, †Bad Ems 3. 5. 1956, war bis 1933 an der Berliner Nationalgal. tätig, dann in Kassel, seit 1938 freier Bildhauer in Berlin. T. schuf Porträts (Stefan George) und Denkmäler, deren Formensprache vom kräftig Skizzenhaften bis zu klassizist. Verfeinerung reicht.

Thorn, 1) poln. **Toruń** [t'ɔrujn], Hauptstadt der Wwschaft Toruń, Polen, 166 000 Ew. – An der Stelle einer alten Befestigung am rechten Weichselufer legte der Dt. Orden 1231 einen Stützpunkt an und baute die Burg (1454 zerstört; z. T. rekonstruiert). Neben der Ordensburg entwickelte sich eine Siedlung, die 1232 Stadtrechte erhielt; nordöstlich von ihr die 1264 angelegte ›Neustadt‹ (1454 mit der Altstadt vereinigt). T. war eine bed. Handelsstadt (seit etwa 1280 Mitgl. der Hanse) und künstler. Zentrum. – Erhalten sind Backsteinmauern (13.–15. Jh.) mit Türmen, u. a. Schiefer Turm (Anf. 14. Jh.), und Toren (Klostertor, Anf. 14. Jh., Brückentor 1432, Seglertor, 1. H. 14. Jh.). Das got. Rathaus (heute Mus.), eines der größten und schönsten Rathäuser des MA., wurde 1393 ausgebaut, 1602/03 umgebaut (Turm 1259; 1385 erhöht). Neben dem Rathaus Kopernikus-Denkmal (1853), zahlreiche got. Bürgerhäuser (aus dem 13.– 15. Jh.). Kirchen: St. Johannes, eine got. Halle (nach 1250, Sakristei 1410–20; frühgot. Fresken, barokke Ausstattung); St. Jakob, eine got. Basilika (1309–50; Kapellen 1359–1424, got. Fresken und Innenausstattung. 14.–18. Jh.); St. Marien (nach 1276; 1350–70, Fresken aus dem 14. Jh., frühbarocke Kapelle – Mausoleum der Anna Wasa, 1636); barocke Heiliggeistkirche (1735–56). – Mehrere Barockhäuser mit reichem Stuckdekor; Palast der Bischöfe von Kujawien (1693); klassizist. Zeughaus von 1824 (heute Mus.).

2) Gem. in der niederländ. Prov. Limburg, das ›weiße Städtchen‹, da seine Häuser (17.–19. Jh.) jedes Jahr neu getüncht werden. Die got. ehem. Stiftskirche (v. a. 14. Jh.) mit O- und W-Chor und 2 Krypten birgt einen prachtvollen barocken Hochaltar (1769), spätgot. Skulpturen und einige barocke Seitenaltäre und Gemälde (17. Jh.).

Thornhill [θ'ɔ:nhɪl], Sir (1720) James, engl. Maler, *Melcombe Regis (Dorset) 25. 7. 1675, †Thornhill (Dorset) 13. 5. 1734, entwarf, von PAOLO VERONESE, den Mitgliedern der Familie CARRACCI, N. POUSSIN und C. LEBRUN beeinflußt, barocke Dekorationszyklen.

HW: Deckenfresko in der großen Halle des Greenwich Hospital (1707–17); Kuppelbilder aus dem Leben des Hl. Paulus, St. Paul's Cathedral (Grisaillen, 1715–21), beide London.

Thorn-Prikker, Jan, niederländ. Maler, *Den Haag 5. 6. 1868, †Köln 5. 3. 1932, lehrte seit 1904 in Dtl. (Krefeld, Hagen, Essen, Köln). Außer Gemälden und kunsthandwerkl. Arbeiten schuf er in einer von Jugendstil und Symbolismus ausgehenden Formensprache monumentale Wandbilder, Mosaiken und bes. Glasmalereien, die zur Erneuerung der christl. Kunst beitrugen.

Thornton Abbey [θ'ɔ:ntən 'æbɪ], Augustinerabtei in der engl. Cty. Lincolnshire. Von der 1139 gegr. Anlage ist neben den Grundmauern der Kirche (1264 beg.) und der Ruine des 1282–1308 erbauten oktogonalen Chapter House nur das als Abtresidenz dienende Torhaus erhalten, dessen gestaffelter Baukörper von polygonalen Treppentürmen eingefaßt ist.

Thorvaldsen [t'ɔrvalsən], Bertel, dän. Bildhauer, *Kopenhagen 19. 11. 1770, †ebd. 24. 3. 1844, Sohn eines isländ. Bildschnitzers, studierte an der Kopenhagener Akad. und lebte seit 1798 in Rom, wo er zum klassizistisch reinen Stil seiner Werke fand. Aus seiner Werkstatt gingen Bildwerke jugendl. Gestalten, Büsten, Reliefs, Grab- und Denkmäler hervor, die harmonisch gestaltet, kühl und glatt in der Behandlung der Formen sind. 1838 kehrte er nach Kopenhagen zurück, wo für seine Werke ein eigenes Mus. gebaut wurde (1839–47 von G. BINDESBØLL).

HW (meist in mehreren Exemplaren vorhanden): Jason (1802); Amor und Psyche (1804); Ganymed (1805); Selbstbildnis (1810); Alexanderfries (1812; Rom, Quirinalspalast). – Reliefs: Der Tag (1815) und Die Nacht (1815); Ganymed mit dem Adler (1817); Ster-

Bertel Thorvaldsen: Ganymed mit dem Adler; 1817 (Kopenhagen, Thorvaldsen-Museum)

Thot

bender Löwe, für die 1792 in Paris gefallenen Schweizer (1818; Luzern); Büsten Metternichs (1820) und Ludwigs I. (1822); Grabmal Pius' VII. (1824; Rom, St. Peter); Maximilian I. (1827; München); Byron (1831; Cambridge); Gutenberg (1833; Mainz); Schiller (1835; Stuttgart); Christus und die 12 Apostel (beg. 1821; Kopenhagen, Frauenkirche, größtenteils von Mitarbeitern ausgeführt).

J. B. HARTMANN: Antike Motive bei T. (1979); B. T., Ausst.-Kat., Köln (1979).

Thot, ägypt. Gott des Mondes, der Schreibkunst und der Wissenschaft, auch Götterbote und Seelenführer; Erscheinungsformen: Menschengestalt mit Ibiskopf, auch ganz als Ibis oder Pavian. Den Griechen erschien er dem Hermes ähnlich. Hauptkultort war Hermopolis.

Thouret [tur'ɛ], Nikolaus Friedrich von (1808), Baumeister, *Ludwigsburg 2. 6. 1767, †Stuttgart 17. 1. 1845, wandte sich – angeregt von F. WEINBRENNER – 1793 in Rom der Architektur zu und war dann im Dienst FRIEDRICH EUGENS von Württemberg. Auf Empfehlung J. W. v. GOETHES wurde T. 1798 nach Weimar (zum Wiederaufbau des Schlosses) berufen. Sein Baustil ist klassizistisch.

HW: Vollendung der Anlage des Schlosses Hohenheim (1796); einige Zimmer im Schloß Weimar; Ausbauten von Schloß Monrepos bei Ludwigsburg (1804) und des Lustschlosses Solitude/Stuttgart; Kursaal in Cannstatt (1825/26).

thrakische Kunst, die Kunst der Thraker im Balkanraum; sie ist v.a. durch Grabfunde seit dem Neolithikum belegt (Nekropole bei Warna mit Werken der Toreutik, v.a. Schmuck, aus 40 Gräbern). Der Fund von Waltschitran (13./12. Jh. v. Chr., Mus. Sofia) enthält Meisterwerke thrak. Goldschmiedekunst (Gefäße und Deckel mit Silberinkrustation) in einfachen klaren Formen, myken. Arbeiten nahestehend. In der Blütezeit der t. K. (6.–3. Jh. v. Chr.), die sich zu einer luxuriösen Hofkunst entwickelt hatte, wurden die toreut. Werke immer prunkvoller; lokale Traditionen wurden mit grch., skyth. und pers. (Tierstil) Elementen verschmolzen (Schatzfunde von Letniza, Borowo, Wraza, →Panagjurischte). Zeugen thrak. Baukunst sind monumen-

thrakische Kunst: LINKS Dreiteiliges Gefäß; 13.–12. Jh. v. Chr., Gold, Breite 23,9 cm, (Sofia, Archäolog. Museum). RECHTS Rhyton mit Sphinxprotom; 1. Hälfte des 4. Jh. v. Chr., Silber z. T. vergoldet, Höhe 20,2 cm (Russe, Histor. Bezirksmuseum)

tale Tumulusgräber (Mesek, Kasanlak, 4. Jh. v. Chr.) und archäologisch erschlossener Städtebau (Königsstadt Seuthopolis, heute vom Stausee bei Kasanlak überflutet, Anlage nach dem hippodamischen System, 4. Jh. v. Chr.). Die Wandmalerei von Kasanlak ist von frühhellenist. Kunst beeinflußt.

J. VENEDIKOV u. T. GERASSIMOV: T. K. (a. d. Bulgar., 1973); Gold der T., Ausst.-Kat., Köln (1979).

Thron [grch.] *der,* **Cathedra** [grch.-lat.] *die,* erhöhter, kunstvoll gearbeiteter Stuhl, ein Sinnbild der Herrschaft. In den Kulturen des Altertums Sitz der Götter und Könige. – Archäologisch sind 3 Grundformen zu unterscheiden: der **Hocker-T.,** der **T.-Stuhl** mit Rükkenlehne und der mit Armlehnen versehene **T.-Sessel.** Assyr., nordsyr. und ägypt. T. zeigen oft tiergestaltige Elemente (bei Lehnen und Füßen: Sphinx, Löwe, Stier), z. T. auch der T. Salomos (auf den Außenseiten Löwenreliefs), der mit Goldblech überzogen war und Elfenbeinschmuck trug. Im A. T. ist der T. Zeichen der Macht des Königs wie auch Gottes. Daher gehört der T. auch zum Inventar der ältesten Synagogen (3. Jh. n. Chr.): die ›Cathedra des Moses‹. – Das Vorhandensein thronartiger Sitze aus Holz ist in der kretisch-myken. Kultur mehrfach aus dem archäolog. Befund repräsentativer Räume in den Palästen von Knossos (BILD kretisch-mykenische Kunst), Pylos, Tiryns u. a. erschlossen worden. Die Form dieser hölzernen Sitze ist im Alabaster-T. im Thronsaal des Palastes von Knossos aus dem späten 15. Jh. v. Chr. überliefert (hohe Rückenlehne, keine Armlehnen). – Die Griechen archaischer und klass. Zeit hatten T. als Göttersitz, z. B. der T. des Apollon in Amyklai und des Zeus in Olympia, beide reich mit plast. Schmuck verziert. Im MA. gab es sowohl den steinernen T. als Sitz des Herrschers in Pfalzen und bed. Kirchen (T. in der Empore des Aachener Münsters, im Westwerk in Corwey) als auch den bewegl. Faltstuhl wie den Dagobert-T. (BILD merowingische Kunst). Über den T. des Bischofs →Bischofsstuhl.

In Afrika hatten die nichtislamisierten und -christianisierten Herrscher meist sakrale Funktion (sakrales Königtum), die oft eine öffentl. Hofhaltung nicht zuließ, wodurch der T. keine repräsentativen Aufgaben erfüllte. Nur in wenigen Fällen sind T. prunkvoll ausgestattet (BILD Bamum; →Nyamwezi).

In Indien wurde unter den Mogul-Herrschern der ›Pfauenthron‹ angefertigt; ein goldener, mit Edelsteinen besetzter T., überragt von 2 emaillierten, mit Juwelen bestückten Pfauen (1739 von Delhi nach Persien überführt).

In China war der kaiserl. T. ein kastenförmiger Stuhl vor einem ein- oder mehrteiligen Stellschirm. Früheste Beispiele sind nur aus Malereien bekannt. Ein Lack-T. mit Perlmutteinlagen aus dem 3. Viertel des 17. Jh. mit dreiteiligem Stellschirm befindet sich im Ostasiat. Mus., Berlin (West).

Thuburbo Majus, röm. Ruinenstätte in Tunesien, rd. 60 km südwestlich von Tunis, 146 v. Chr. von den Römern erobert; Blüte im 2. und 3. Jh. n. Chr.; Baureste bes. aus dem 2. Jh. n. Chr. von Kapitol, Forum, Tempeln, Palästra, Thermen u. a.

Thuburnica, ausgedehntes antikes Ruinenfeld in NW-Tunesien, 30 km westlich von Bulla Regia; großes Mausoleum, 2 Triumphbogen, Juno- und Merkurtempel, 4 große Zisternen, Thermen, byzantin. Festung.

Thugga, röm. Stadt in N-Afrika, →Dougga.

Thulden [t'uldə], Theodoor van, fläm. Maler, *Herzogenbusch 9. 8. 1606, begraben ebd. 12. 7. 1669, Schüler von P. P. Rubens, 1621–43 in Antwerpen, dann in seiner Vaterstadt tätig; malte in der Art seines Lehrers, doch mit gedämpfteren Farben, relig. und mytholog. Bilder großen Formats, radierte 1642 die von Rubens entworfene Festdekoration zum Einzug des Statthalters Ferdinand in Antwerpen.

Thumb, Baumeisterfamilie aus dem Bregenzer Wald, mit der Familie →Beer Hauptvertreter der →Vorarlberger Bauschule. Michael (*Bezau um 1640, †ebd. 19. 2. 1690) arbeitete zus. mit C. Beer. Nach Michaels Plänen baute sein Bruder Christian (*Bezau um 1645, †Au 4. 6. 1726) die Wallfahrtskirche Schönenberg bei Ellwangen (1682/83), mit F. Beer Kirche und Kloster Obermarchtal (1686–92). Sein eigenes Werk ist die ehem. Propsteikirche Hofen (Friedrichshafen, Schloßkirche, 1695–98). Michaels Sohn Peter (*Bezau 18. 12. 1681, †Konstanz 4. 3. 1766) trat das künstler. Erbe F. Beers an. Seine HW sind St. Peter im Schwarzwald, ehem. Klosterkirche (1724–27), Birnau, Wallfahrtskirche St. Marien (1746–49, Innenausstattung von J. A. Feuchtmayer und J. B. Götz); Stiftskirche St. Gallen (1755 ff.) mit Bibl. (1758–67).

Thun, Stadt im schweizer. Kt. Bern, 36 700 Ew., mit maler. Stadtbild, geprägt von Lauben und in der Oberen Hauptgasse von hoch über dem Straßenniveau über vorspringenden Kellergeschossen gelegenen Gehsteigen. Über der Stadt Burg (um 1190, heute Histor. Mus.), daneben Amtsschloß (1429) des bernischen Schultheißen; Stadtkirche (Neubau 1738). In der Kirche in Scherzligen Fresken (13.–15. Jh.). Im Park von Schloß Schadau (1846–52) ein reizvolles Panorama von T. und Umgebung (1808–14) von M. Wocher (*1760, †1830). Städt. Kunstsamml.

Thurah, Laurids Lauridsen de, dän. Baumeister, getauft Århus 6. 3. 1706, †Kopenhagen 6. 9. 1759, einer der bedeutendsten Vertreter des dän. Spätbarock, baute u. a. den Turm der Erlöserkirche in Kopenhagen (1747 bis 1752). T. gab 1746–49 ›Den danske Vitruvius‹ heraus, eine Darstellung der dän. Architektur mit 300 Kupferstichen.

Thurber [θ'ə:bə], James (Grover), amerikan. Schriftst., Zeichner, *Columbus (Ohio) 8. 12. 1894, †New York 2. 11. 1961, schuf, zuerst für die Ztschr. ›New Yorker‹, humoristische, oft satirische Geschichten und Karikaturen in vereinfachender volkstümlicher Art.

HW: Is sex necessary (mit E. B. White, 1929; dt. Warum denn Liebe?); My life and hard times (autobiogr., 1933; dt. Man hat's nicht leicht); The Thurber carnival (1945; dt. Rette sich, wer kann!); Thurber's dogs (1955; dt. So spricht der Hund); Further fables for our time (1956; dt. 75 Fabeln für Zeitgenossen); Thurber and Company (1966).

Thüringisch-sächsische Malerschule, spätroman. Hss.-Gruppe des 13. Jh., benannt nach den Herrscherhäusern der Auftraggeber der beiden Hss., dem thüring. Landgrafen HERMANN (†1217; →Landgrafen-Psalter, Stuttgart, Landesbibl.) und dessen Schwiegertochter ELISABETH (›Elisabeth-Psalter‹, Cividale, Mus.). Stilistisch und ikonographisch machen sich Beziehungen zur gleichzeitigen sächs. Kunst bemerkbar. Ein wesentl. Merkmal der T.-s. M. ist der **Zackenstil,** für den spitz-splittrig verlaufende, weit abstehende Gewandsäume und zackig gebrochene Binnenfalten charakteristisch sind. Sie verleihen der Gewandstruktur der Figuren eine ornamentale Eigendynamik, die sich vom Körper ablöst.

WW: Evangeliar im Rathaus von Goslar (um 1230–40); Brandenburger Evangelistar (Anf. 13. Jh., Brandenburg, Domstiftsarchiv); Evangelistar des Braunschweiger Domes (2. H. 13. Jh., Braunschweig, Mus.).

Thyrsos|stäbe [grch.], die in einem Pinienzapfen auslaufenden, mit Efeu und Weinlaub umwundenen Stäbe des Dionysos und, in seinem Gefolge, der Mänaden, der Ariadne, der Satyrn, der Silene u. a.

Thysdrus, röm. Stadt in N-Afrika, →El-Djem.

Thyssen-Bornemisza [-sɔ], Heinrich Baron, Kunstsammler, *Mülheim a. d. Ruhr 31. 10. 1875, †Lugano-Castagnola 26. 6. 1947, Sohn des Großindustriellen August Thyssen, begann seine Samml. auf Schloß Rohoncz (Burgenland), von wo er sie 1937 nach Lugano-Castagnola überführte. Sein Sohn Hans Heinrich (*1921), der die Samml. fortführt, machte die Pinacoteca T.-B. in einem Gal.-Anbau an die Villa Favorita der Öffentlichkeit zugänglich. Sie enthält v. a. ital. und niederländ. Malerei des 14.–18. Jh., frz., span. und die Malerei des 14.–19. Jh. sowie europ. Plastik des 12.–19. Jh.

Tiahuanaco [tiaʊan'ako], Zeremonialzentrum aus vorkolumb. Zeit, südlich des Titicacasees im Hochland von Bolivien; danach Bez. für eine Kultur und ihren Stil, die im gesamten Titicacabecken nachzuweisen sind und deren klass. Epoche von 600–1000 datiert wird. Zentraler Komplex ist die ›Kalasasaya‹ genannte Anlage, von der nur wenige Grundmauern erhalten sind; sie ist umgeben von einer Mauer aus unregelmäßig verteilten hohen Pfeilern, dazwischen Steinquadern, die von allen Seiten geglättet sind und ohne Mörtel verlegt wurden, sie hat breite Steintreppen und ein monolith. Eingangstor mit Reliefdekor. Dieses ›Sonnentor‹ ist aus einem Andesitblock gemeißelt, 3 m hoch und fast 4 m breit. Auf der Rückseite ist es in Nischen und Wandfelder gegliedert, das Flachrelief der Vorderseite ist auf eine in der Mitte über der relativ kleinen Türöffnung thronende Figur im Hochrelief ausgerichtet, von deren Antlitz nach allen Seiten Strahlen ausgehen. In 3 übereinander liegenden Friesreihen sind Figuren mit gebeugtem Knie und Menschen-, Adler- oder Kondorköpfen dargestellt. Erhalten sind weitere Tore, Gebäude, Megalithblöcke, außerdem zahlreiche Stelen und Statuen, zum größten Teil rechteckige Pfeiler, aus denen oft nur Kopf und Beine der dargestellten menschl. Figuren stärker herausgearbeitet sind; die

Tiahuanaco: Stele aus Sandstein mit Flachreliefs, Höhe 5,50 m (heute in La Paz aufgestellt)

Muster der Gewänder sind in der Reliefierung bes. betont. Die Keramik kennt nur relativ wenige Formen; es sind meist Becher, oft plastisch in Form von Jaguaren und Pumas, die auf rotem Untergrund polychrom bemalt sind (ferner →Keru).

Tianlongshan [-ʃan], →T'ienlungshan.

Tiara *die,* **Triregnum** [lat. ›dreifache Krone‹] *das,* die hohe, mit 3 parallel übereinander gesetzten Kronen geschmückte Kopfbedeckung des Papstes; findet sich auf Darstellungen als allegor. Zeichen der Kirche.

Tibaldi, auch **Pellegrini,** Pellegrino, **Pellegrino de'Pellegrini** gen., ital. Baumeister, Bildhauer, Maler, *Puria (Valsolda, Prov. Como) 1527, †Mailand 27. 5. 1596, in Rom Schüler des DANIELE DA VOLTERRA, beherrschte zugleich mit G. ALESSI die oberital. Baukunst der Spätrenaissance durch einen trockenen, doch wuchtigen Manierismus. 1587 berief ihn PHILIPP II. als Bauintendanten an den Escorial. Seine kraftvolle, virtuose, MICHELANGELOS Formen vermittelnde Malerei wirkte in Bologna schulbildend.

HW: Bologna: Cappella Poggi an S. Giacomo Maggiore (1552; mit Fresken, 1562); Palazzo Poggi (heute Univ.; Fassade, Hof und Fresken von T., nach 1554). Mailand: S. Fedele (1569–79); Krypta, Baptisterium u. Chorschranken des Domes (1570 ff.); S. Sebastiano (1577). Pavia: Collegio Borromeo (1564) und Domturm.

Tiberias, hebr. **Tevarya,** Stadt in Israel, am W-Ufer des Sees Genezareth, 26 000 Ew., bei ihrer Gründung (20 n. Chr.) von HERODES ANTIPAS nach dem röm. Kaiser TIBERIUS benannt. Erhalten sind Reste des bibl. Hammath (Synagoge des 2./3. Jh. u. a.), versch. Gräber jüd. Gelehrter vom 1. bis zum 12. Jh. (v. a. MOSES MAIMONIDES) und Teile der 1740 erbauten Stadtmauer.

tibetische Kunst, die Kunst im Hochland von Tibet (seit 1965 als Autonome Region der VR China angeschlossen). Zu den ältesten architekton. Zeugnissen gehören die Königsgräber und Verteidigungsbauten im südtibet. Yarlung-Tal. Steinkreise und Megalithe wurden in W- und Zentraltibet gefunden. Noch undatierbare Schmuck- und Amulettfunde ähneln dem Tierstil der

tibetische Kunst: Tilopa (Lehrer des Lamaismus), vergoldete Bronze, Höhe 13,5 cm, 16. und 17. Jh. (Stuttgart, Linden-Museum)

Steppenkunst. Mit der Königszeit Groß-Tibets (617 bis 842) beginnt die eigtl. Kunstgeschichte Tibets, die ganz im Zeichen des Lamaismus steht. Lamaist. Klöster wurden zu kulturellen Zentren des Landes, deren älteste in der Umgebung der Hauptstadt Lhasa liegen. Das Pantheon des Lamaismus umfaßt eine kaum übersehbare Vielzahl an Gestalten, die einem hierarch. Aufbau eingegliedert sind. Hauptgestalten sind die Tathagatas, Buddhas und Bodhisattvas, die in unterschiedl. Form visualisiert und bildnerisch realisiert werden. Daneben gibt es Schutzgottheiten der Religion (Dharmapala), der Weltgegenden (Lokapala), Schutz- und Initiationsgottheiten (Yidam, Dakini) u. a. Die meisten dieser Gottheiten, denen jeweils auch bestimmte kosm. und psych. Eigenschaften, Elemente, Attribute und Farben symbolisch zugeordnet sind, können einen friedvollen und einen zornvollen Aspekt verkörpern. Häufig ist die geschlechtl. Vereinigung männl. und weibl. Gottheiten dargestellt, die den Gedanken der Polarität und ihrer Aufhebung in der Vereinigung symbolisieren. Ihre Bilder als Plastiken oder Malereien dienen als Verehrungsobjekte und Meditationshilfen. Letztere sind bes. die →Thangkas, deren →Mandalas die Parallelität von Mikro- und Makrokosmos symbolisieren. Sowohl die Malereien, als Thangka oder Wandmalerei, als auch die Bronzeplastiken (in der Technik der ›verlorenen Form‹; meist feuervergoldet) und versch. Kultgegenstände sind stilistisch in der Anfangszeit (etwa 7.–12. Jh.) deutlich von der Kunst Zentralasiens und Indiens geprägt, während danach der nepales. Einfluß stärker wurde. Künstler aus dem nepales. Volksstamm

tibetische Kunst: Mandala, ›Das Rad der Zeit‹, Thangka; 19. Jh. (Zürich, Samml. B. C. Olschak)

Newar begannen, in Tibet selbst zu arbeiten und Tibeter zu unterweisen. Etwa vom 17. Jh. an sind chines. Stilelemente, bes. in dekorativen Einzelheiten der Malereien, nachzuweisen. – Die Stupas (Chöten, tibet. mChod-rTen) finden sich in Tibet überaus häufig an heiligen Wegen und Orten; sie symbolisieren in ihren aufeinandergesetzten Baukörpern 5 Silben, Farben, Elemente und Tathagatas. – Seit der chines. Besetzung Tibets (1959) scheint ein Großteil der Klöster den folgenden Wirren zum Opfer gefallen zu sein. Die wichtigsten Kloster- und Tempelanlagen waren Samye (bSamyas), 8. Jh., südlich von Lhasa, Ga-den (dGa'-lDan), gegr. 1409, in O-Tibet, Dre-pung ('Bras-sPrung), gegr. 1416, bei Lhasa, Se-ra, gegr. 1419, bei Lhasa, Tashilhunpo (bKras-shis lhun-po), gegr. 1447, westlich von Lhasa, Kumbum (sKu-'bum), gegr. 1578, in O-Tibet.

BLANCHE C. OLSCHAK: Mystik und Kunst Alttibets (1972); L. S. DAGYAB: Tibetan religious art, 2 Bde. (Wiesbaden 1977); D. I. LAUF: Eine Ikonographie des tibet. Buddhismus (1979); M. HEUSS: Tibet. Die Kulturdenkmäler (1981); Ikonographie und Symbolik des tibet. Buddhismus, hg. v. K. SAGASTER, Asiat. Forschungen Bde. 77 und 78 (1982).

Tiddis, Ruinenstätte des röm. **Castellum Tidditanorum** in Algerien, rd. 30 km nördlich von Constantine. Die Stadt war auf 3 übereinanderliegenden Terrassen angeordnet, Blüte im 2. und 3. Jh. n. Chr.; Baureste von Forum, Thermen und einem Wasserreservoir; inschriftl. Zeugnisse eines Mithras-Kultes (Felsgrotte).

Tidemand [-man], Adolph, norweg. Maler, *Mandal (S-Norwegen) 14. 8. 1814, †Christiania (heute Oslo) 25. 8. 1876, studierte in Kopenhagen, dann in Düsseldorf, wo er seit 1845 meist lebte. T. malte v. a. norweg. Volksszenen und war in den 1850er Jahren ein Hauptvertreter der norweg. Nationalromantik.

Tidö, Schloß südlich der mittelschwed. Stadt Västerås, 1625–45 von S. DE LA VALLÉE und N. TESSIN D. Ä. für Reichskanzler A. Oxenstierna in frühbarockem Stil erbaut; von der urspr. Einrichtung sind u. a. die vielen mit Intarsia und Schnitzereien geschmückten Türen erh.

Tieck, Christian Friedrich, Bildhauer, Bruder des Dichters L. TIECK, *Berlin 14. 8. 1776, †ebd. 12. 5. 1851, seit 1794 ebd. Schüler von G. SCHADOW, 1798 im Atelier von J.-L. DAVID in Paris (Porträtbüste Caroline v. Humboldts), 1802–05 in Weimar (Bauplastik für das Schloß ebd.). In Rom (1805–09) lernte er C. D. RAUCH kennen, mit dem er (seit 1819) in Berlin ein gemeinsames Atelier unterhielt. 1809 arbeitete T. in München an 21 Porträtbüsten für die Walhalla bei Regensburg (Marmorausführung 1812–19 in Carrara). 1821 schuf T. 2 Schlachtgenien für das Kreuzbergdenkmal in Berlin und arbeitete dann nahezu 3 Jahrzehnte an der Bauplastik für das Schauspielhaus am Gendarmenmarkt in Berlin. 1830 wurde T. Direktor der Skulpturen-Galerie des Berliner Mus. – T. war ein Hauptmeister des Berliner Klassizismus. In seinen Werken verbindet sich die Tradition Schadows und Rauchs mit einer von David übernommenen kühlen Formgebung.

WW: Statue J. Necker (1816–18; Schloß Coppet bei Genf); Marmorsitzbild A. W. Ifflands (1824–27; Berlin-Ost, Schauspielhaus);

Rossebändiger (1826; Berlin-Ost, auf dem Alten Mus.). Porträtbüsten von J. W. v. Goethe (1801, 1820; Weimar), K. F. Schinkel (1819; Berlin, Nat.-Gal., u. a.).

Lit.: →Berliner Bildhauerschule.

Tiefdruckverfahren, alle →Druckverfahren, bei denen die druckenden Stellen der Druckform vertieft sind, wie z. B. bei →Kupferstich und →Radierung. Beim Druck nimmt das aufgepreßte Papier die Farbe aus den vertieften Rillen der Druckform auf.

Tiefenbronn, Gem. im Enzkreis, am NO-Rand des Schwarzwaldes, Bad.-Württ., 3450 Ew. Die Pfarrkirche, eine got. Pfeilerbasilika (14./15. Jh.), birgt den Magdalenenaltar von L. MOSER (→Moser 3), ferner einen Schnitzaltar von H. SCHÜCHLIN (1469), Glasmalereien (um 1390), eine wertvolle silberne Turmmonstranz (1512/13) und Grabdenkmäler des 15.–18. Jh.

G. PICCARD: Der Magdalenenalter des Lucas Moser in T. (1969).

Tiefenlicht, Maltechnik: in unteren Malschichten reflektiertes Licht. Bindemittel mit glatter Oberfläche (Öle, Harze u. a.) sind transparent, sie erlauben dem Licht, zu tieferen Schichten vorzudringen, wodurch auch deren Farben bildwirksam werden. Matt auftrocknende Farben (z. B. Leimfarben) haben kaum T., sie können es aber durch Firnissen erhalten und wirken dann dunkler und satter.

Tiefschnitt, Technik des Glasschnitts, bei der der Dekor in die Glasoberfläche eingeschnitten wird.

Tiefschnittschmelz, Technik der →Emailkunst.

Tiefurt, Schloß bei →Weimar.

Tiel, Stadt am Waal in der niederländ. Prov. Gelderland; Grote Kerk in niederrhein. Spätgotik mit eingebautem Turm (1440), im Innern Schnitzarbeiten der Spätgotik und Renaissance; Amtmannshaus (16. Jh.) mit Ausstattung im Louis-quatorze- und Louis-quinze-Stil; Fischmarkt mit klassizist. Säulengalerie (1789).

Tienen [t'i: nə], frz. **Tirlemont** [tirləm'ɔ̃], Stadt in der belg. Prov. Brabant, 32700 Ew. Von der Liebfrauenkirche (1345–1460) in Brabanter Gotik wurden nur Chor und Querschiff gebaut; am Querschiff reich gegliedertes Portal (1360), im Innern got. Madonnenskulptur (1365). St. Germanuskerk mit W-Fassade im Stil der maasländ. Romanik (13. Jh.). Patrizierhäuser im fläm. Renaissancestil (17./18. Jh.).

T'ienlungshan, Tianlongshan [-ʃan, ›Berg des himml. Drachens‹], buddhist. Höhlentempel in der chines. Prov. Shansi, etwa 26 km südlich von T'aiyüan. Skulpturen und Wandreliefs in den Höhlen 1 bis 6 repräsentieren den typ. Linearstil der Nördl. Ch'i-Dynastie (2. H. des 6. Jh.). Die Höhle 7 mit Amitabha auf neunstufigem Thron ist ein Beispiel für die zurückhaltende, unbewegte Strenge des Sui-Stils (Ende 6./Anf. 7. Jh.); Kopf, Rumpf und Gliedmaßen sind aus zylindr. Grundformen entwickelt und wirken säulenartig. Die übrigen Höhlen (7.–10. Jh.) repräsentieren den realistisch-körperbetonten internat. Stil der T'ang-Zeit.

Tiẹpolo, 1) Giovanni Battista (Giambattista), ital.

Giovanni Battista Tiepolo: Deckenfresko im Kaisersaal der Würzburger Residenz; 1750–53

Maler, Vater von 2), *Venedig 5. 3. 1696, †Madrid 27. 3. 1770, der letzte überragende Meister der venezian. Kunst. Unter dem Einfluß von G. B. PIAZZETTA und S. RICCI ausgebildet und an röm. wie bolognes. Vorbildern geschult, trat er seit 1716 mit eigenen Leistungen hervor und schuf eine Fülle von Altarbildern und Fresken für Kirchen, Schlösser, Paläste und Villen in Venedig (u. a. Chiesa degli Scalzi, Ca' Rezzonico, Palazzo Labia) und an anderen Orten Oberitaliens, u. a. in Udine (1726/30; u. a. im Dom), Mailand (1731, 1737 und 1740; u. a. im Palazzo Dugnani), Bergamo (1732; u. a. in der Colleoni-Kapelle), Vicenza (1734 und 1757; u. a. Villa Valmarana), Montecchio Maggiore (Fresken in der Villa Cordellina-Lombardi, 1742) und Stra (Fresken in der Villa Pisani, 1761). 1750–53 malte er die Fresken im Kaisersaal und im Treppenhaus der Würzburger Residenz. 1762 siedelte er nach Madrid über, wo er mit seinen Söhnen Giovanni Domenico und Lorenzo (*1736, †1776) die Fresken im Königsschloß ausführte. Während der 1720er Jahre wichen in T.s Werken die erdigen, stumpfen Töne der Frühzeit einer leuchtenden, transparenten Farbenpracht, wobei die Palette sich derart aufzuhellen begann, daß die Schatten durchsichtig wurden. Die 1730er und frühen 1740er Jahre zeigen sein Streben zunächst nach kühnen Verkürzungen und kraftvollen Lichteffekten, später nach repräsentativer Großartigkeit und klassisch geklärter Komposition. Seit 1750 weisen v. a. die Tafelbilder einen unruhigen Duktus auf.

WW: Gemälde: Triumph der Amphitrite (um 1740; Dresden, Gemäldegal.); Maria und weibl. Heilige (1740; Venedig, Gesuati);

Kommunion der Hl. Lucia (um 1748; ebd., SS. Apostoli); Neptun bietet Venedig die Reichtümer des Meeres an (um 1748/50; ebd., Dogenpalast); Die Heiligen der Familie Grotta (um 1753; Frankfurt, Städelsches Kunstinstitut); Anbetung der Könige (1753; München, Alte Pinakothek). – 35 Radierungen in 2 Folgen: Vari Capricci und Scherzi di Fantasia. – Rötelzeichnungen, lavierte Federzeichnungen.

A. MORASSI: A complete catalogue of the paintings of G. B. T. (London 1962); A. RIZZI: Ausst.-Kat., Udine (1971); F. BÜTTNER: G. B. T. (1980).

2) Giovanni Domenico (Giandomenico), ital. Maler, Sohn von 1), *Venedig 30. 8. 1727, †ebd. 3. 3. 1804, Schüler und Mitarbeiter seines Vaters, radierte auch nach Gemälden seines Vaters und eigenen Entwürfen. Sein eigener realist. Stil kommt in den satir. Genreszenen zum Ausdruck (Fresken mit Szenen aus dem bäuerl. Leben im Gästehaus der Villa Valmerana bei Vicenza, 1757, und in dem Familienwohnsitz in Zianigo, um 1791, letztere heute in Venedig, Ca' Rezzonico).

Ti|erradentro, Berglandschaft zw. Río Magdalena und Río Cauca in Kolumbien. Neben Steinstatuen (etwa 10.–14. Jh.), die denen von San Agustín ähnlich sind, wurden Grabanlagen entdeckt, die oberhalb der Erde keine Markierungen zeigen; sie sind aus dem weichen Gestein natürl. Hügel herausgehauen (etwa 500 v. Chr. bis 500 n. Chr.). Zu den runden oder ovalen Grabkammern führen Stufen und Wendeltreppen hinab; an den Wänden sind Nischen und Bänke angebracht. Wände und Stützpfeiler sind rot, schwarz und gelb bemalt mit sich kreuzenden Parallelen, Rhomben, Kreisen u. a. geometr. Mustern, z. T. auch stilisierten Menschenfiguren.

Tierstil, Dekoration in Form von Tiermotiven, in Osteuropa, Zentral-, Nord- und Ostasien (von Ungarn bis Japan), v. a. auf Goldschmiedearbeiten und Textilien seit dem 6. Jh. v. Chr. weit verbreitet. Es kommen einzelne oder miteinander kämpfende Tiere und Fabelwesen vor. Bei ihrer Darstellung wird ein möglichst geschlossener Umriß angestrebt und die Tierform naturfremd zum ›Rolltier‹ gestaltet mit angewinkelten Beinen und zurückgebogenem, auf den Rücken gelegtem Kopf. Die Hinterbeine können nach oben gebogen sein, so daß eine S-Form entsteht. Ohren, Augen und Gelenke werden durch Kreise oder Herzen, oft mit Steineinlagen, wiedergegeben; Krallen, Schwanz oder Hirschgeweih können zu Vogelköpfen umgestaltet werden. Manchmal werden auf der Körperfläche weitere Tiere abgebildet. Der T. lebte bis ins 8. Jh. n. Chr. fort; er wurde von der Forschung anfangs mit dem Volk der Skythen verbunden, ist aber viel weiter verbreitet. Vorformen scheinen im westiranisch-syr. Raum (Mitanni, Luristan) bis in das 2. Jahrtsd. v. Chr. zurückzugehen. Daneben spielt er – als eine völlig eigenständige Ausprägung – bei den Germanen des frühen MA. in N-, W- und Mitteleuropa eine dominierende Rolle. Anregungen durch spätröm. Kerbschnittbronzen führten zu Beginn des 5. Jh. in N-Europa zu Metallarbeiten mit scharf geschnittenen Reliefs. Bald wurden vereinfacht stilisierte Tierfiguren, zerlegt in genormte Teile, flächendeckend dargestellt. Von S-Skandinavien verbreitete sich dieser T. seit dem 5. Jh. über Mitteleuropa bei fast allen Germanen. Im N lebte der T. noch bis ins hohe MA. fort; im mittleren Europa zeigen ihn noch die Goldschmiedearbeiten der Merowinger, bis er bald nach 700 erlosch.

Tietz, Ferdinand, Bildhauer, →Dietz.

Tiffany [t'ıfənı], Louis Comfort, *New York 18. 2. 1848, †ebd. 17. 1. 1933, amerikan. Kunsthandwerker des Jugendstils, Juwelier und Maler, gründete 1879 die ›T. Glass and Decorating Company‹ und stellte seit etwa 1893 das mehrfarbig irisierende ›Favrile-Glas‹ her, dessen Lüstrierung in einem Spezialverfahren durch Metalldämpfe gelang. 1902 übernahm er von seinem Vater das Juweliergeschäft Tiffany & Co. in New York. (BILDER Glasmalerei, Jugendstil)

A. DUNCAN: T. windows (New York 1980); H. F. MCKEAN: L. C. T. (a. d. Amerikan., 1981).

Tiflis, georg. **Tbilissi,** Hauptstadt der Georg. SSR, 1,08 Mio. Ew., in einem engen Talkessel beiderseits der Kura. Im SO, rechts der Kura, unter den Ruinen der Festung Narikala (4.–17. Jh.), liegt die oriental. Altstadt mit engen, steilen Gassen, 2–3stöckigen Häusern (mit geschnitzten Holzbalkons) und alten Baudenkmälern: Zionskathedrale (urspr. 6./7. Jh., im MA. und zuletzt 1710 umgebaut) und Antschischati-Basilika (urspr. 6. Jh., Veränderungen im MA.; Glockenturm 1675); am linken Ufer der Kura erhebt sich die Metechi-Kirche (1278–93) aus der georg. Altstadt; nach N schließt sich die großzügig angelegte, überwiegend klassizist. Neustadt an.

Tigawa, Ort bei Jabalpur, Madhya Pradesh, Zentral-Indien, mit einem der frühesten hinduist. Steintempel (5. Jh.). Der relativ schlichte, flach gedeckte Bau besitzt einen Portikus mit 4 Säulen. Den Eingang flankieren Reliefs der Flußgöttinnen Ganga und Yamuna.

Tiglatpileser III., assyr. König (744–727 v. Chr.), der die neuassyr. Großmacht reorganisierte und Babylon eroberte, wo er als ›Pulu‹ ebenfalls regierte. Er residierte in Assur und in Kalach, wo er einen Palast (›Central Palace‹) mit reichem Reliefschmuck errichtete. Auf ihn geht wohl auch der Ausbau des Statthalterpalastes in Til Barsip (Tell Ahmar) zurück.

Tigzirt [-z'irt], Badeort an der Küste N-Algeriens, 37 km östlich von Algier. Von der röm. Stadt **Iomnium** sind u. a. erh.: Tempel (3. Jh.), Thermen, Forum sowie eine große dreischiffige christl. Basilika (5./6. Jh.) mit Narthex, halbrunder Apsis, ionischen und korinth. Säulen mit Monolitharchitraven (christl. Symbolskulpturen) und angebautem kleeblattförmigem Baptisterium (rundes Taufbecken unter 4 Säulen). Als afrikan. Stilvariante findet sich in T. eine Zwillingskombination von Quadratpfeiler mit vorgesetzter Rundsäule.

Tihany [t'ihɔnj], Ort im Bez. Veszprém, Ungarn, am Ufer des Plattensees, auf einer Halbinsel mit mächtiger Erdburg aus der frühen Eisenzeit. Auf dem Hügel die 1055 gegr. Benediktinerabtei, deren Bauten als Festung im Krieg gegen die Türken dienten und mehrfach zerstört wurden. Die heutige Kirche und das Kloster sind durch den Barockstil geprägt (nach 1719 gebaut); er-

halten blieb die roman. Krypta aus dem 11. Jh.; in der Kirche barocke Schnitzarbeiten.

Tikal

Tijen [t'ɛjə], Willem van, niederländ. Architekt, *Wormerveer 1. 2. 1894, †Zandvoort 28. 5. 1974, wirkte v. a. durch die z. T. mit H. A. MAASKANT, L. C. VAN DER VLUGT und J. A. BRINKMAN ausgeführten Wohnhochhäuser in Rotterdam (Bergpolder 1933/34 und Plaslaan 1937/38) bahnbrechend für eine neue Konzeption des scheibenförmigen Hochhauses auf Stützen.

Tikal, Zeremonialzentrum der vorkolumb. Maya-Kultur im Tiefland des Petén, N-Guatemala, das von etwa 200 v. Chr. bis 900 n. Chr. bestand. Auf einem rd. 16 km^2 großen Areal wurden etwa 3000 Gebäude (Pyramiden, Tempel, Plattformen, Paläste u. a.) festgestellt. Der zeremonielle Mittelpunkt, der Hauptplatz, wird im O und W begrenzt von den auf hohen (weitgehend restaurierten) Pyramiden stehenden Tempeln I und II, deren Dächer über den Rückwänden hohe Dachkämme tragen; die nördl. ›Akropolis‹ ist eine große Plattform mit dicht gedrängten Ruinen von vielfach überbauten Pyramiden und Tempeln, während auf der zentralen ›Akropolis‹ im S mehrere Paläste um Höfe gruppiert sind. Unter Tempel I wurde das Grab eines Herrschers (†um 690) gefunden mit der für T. typ. Kleinkunst (geschnitzte Knochen mit Szenen und Hieroglypheninschriften). Vor der nördl. ›Akropolis‹ stehen viele Stelen und Altäre, z. T. mit Reliefs und Hieroglypheninschriften, mit denen bes. kunstvoll auch die geschnitzten Türstürze der Tempeleingänge verziert sind (heute in Museen in Basel und London). Charakteristisch für T. ist neben den extrem hohen Tempelpyramiden (bis 68 m hoch) der Komplex der Zwillingspyramiden, der insgesamt 7 mal gefunden wurde: An der O- und W-Seite eines Hofes liegt je eine Pyramide, oben mit einer Plattform, zu der auf allen 4 Seiten Treppen führen; an der S-Seite des Hofes ein Palast, an der N-Seite eine rechteckige Ummauerung mit Stele und Altar.

M. D. COE: T. A Handbook of the ancient Maya ruins (New York 1977).

Tiki: hei-Tiki, Anhänger der Maori aus Nephrit mit Perlmutt-Einlage, 12,5 cm hoch; 19. Jh. (München, Staatl. Museum für Völkerkunde)

Tikar, kleine Volksgruppe im NO des →Kameruner Graslandes. Die T. gelten als Kulturbringer für diese Region, fertigen aber heute nur noch wenige Kultgegenstände. Der eigene Stil der T., wohl von den benachbarten Mambila (Nigeria) beeinflußt, drückt sich v.a. in Ahnenfiguren sowie in massiv gearbeiteten Tanzaufsätzen in Gestalt lebensgroßer Köpfe aus (mit scheibenförmigem oder tiara-ähnl. Kopfputz).

Tiki, in Polynesien der Name eines Halbgottes, der den ersten Menschen schuf; später polynes. Bez. für Götterbilder allg. Neben steinernen Götterfiguren für rituelle Zwecke (Gesellschafts-Inseln, Marquesas-Inseln) wurden als T. v. a. kleine Nephrit-Anhänger aus Neuseeland (→Maori) bekannt, die von ausgewählten Frauen um den Hals getragen wurden **(hei-Tiki,** hei ›hängen‹). Sie sind im Flachrelief gearbeitet, meist mit untergeschlagenen Beinen und großem, zur Seite geneigtem Kopf, der Mund in Form einer Acht, die Augen sind häufig mit Muscheleinlagen betont. (WEITERES BILD Marquesas)

Til Barsip, Hauptstadt eines aramäischen Fürstentums, →Tell Ahmar.

Tilgner, Victor Oskar, Bildhauer, *Preßburg 25. 10. 1844, †Wien 16. 4. 1896, schuf in Wien viele Porträtbüsten, Denkmäler, Brunnenanlagen und Grabmäler.

WW: Porträtbüsten Charlotte Wolter (1873 prämiert), H. Makart und A. Bruckner (1891–92; Wien, Stadtpark). – Brunnenanlagen (1880; Wien, Volksgarten und Jagdschloß Lainz); Mozart-Denkmal (1896; Wien, in neubarockem Stil).

Tillja-Tepe, Ruinenhügel bei Schibirghan (N-Afghanistan); bei dem Versuch, bronzezeitl. Monumentalbauten freizulegen, wurden Fürstengräber einer baktr. Dynastie des 1. Jh. n. Chr. aufgedeckt, aus denen etwa 20000 Goldobjekte geborgen wurden, v.a. Schmuck und kostbare Waffen sowie mit Goldplättchen übersäte Gewänder. Neben hellenist. Meisterwerken finden sich Schöpfungen des skyth. und sarmat. Tierstils.

Tilmen Hüyük, Ruinenhügel in der SO-Türkei, 10 km östlich von Islahiye; freigelegt wurde eine befestigte Stadtanlage mit Palast aus dem 18./17. und 15./14. Jh. v. Chr.; unter dem Innenhof wurde ein Kammergrab der späten Frühbronzezeit (23./22. Jh. v. Chr.) aufgedeckt.

Tilmun-(Dilmun-)Kultur. Tilmun, nach sumer. Anschauung das ›Land des Paradieses‹, ist historisch durch Handelsbeziehungen seit etwa 2500 bis 544 v. Chr. bezeugt. Nach dän. Ausgrabungen im Bereich des Pers. Golfs (auf den Inseln Bahrain und Failaka sowie auf Teilen des Festlands) vermutet: dort riesige Gräberfelder mit Tumuli sowie eine eigenständige Keramik; wenige ummauerte Städte, ovale Tempelanlagen; unter den Funden der Kleinkunst v.a. charakterist. Stempelsiegel. Die Ausgrabungsergebnisse lassen eine eigenständige Kultur unter mesopotam. Einfluß erkennen. Verbindungen durch Fernhandel auch zur Induskultur.

Tilsit, russ. **Sowjetsk,** Stadt im Gebiet Kaliningrad,

Russ. SFSR, an der Memel, 41 000 Ew. T. entstand als Marktflecken um eine Burg (1404–09, nach 1805 verfallen) des Dt. Ordens und erhielt 1552 Stadtrecht. Bis zu den Zerstörungen im 2. Weltkrieg waren neben der Lutherkirche (1598–1602) v. a. Bauten aus dem 18. und 19. Jh. erhalten, u. a. Litauische Landkirche (1757) und Rathaus (1752–55).

Tilson [t'ılsən], Joe, engl. Künstler, *London 24. 8. 1928, steht der engl. Pop Art nahe, von der er sich durch geometr. Formenbau abhebt. T.s Motive entstammen v. a. den Reklamefassaden der Großstadt. Seine Bilder, Siebdrucke, Holzreliefs, Objekte u. a. demonstrieren oft das Verhältnis von Wort und Bild.

Timanthes, grch. Maler der 2. H. des 5. Jh. v. Chr. In der antiken Überlieferung, die von einem Wettstreit mit PARRHASION berichtet, wird unter seinen nicht erhaltenen Werken v. a. die ›Opferung der Iphigenie‹ genannt und in diesem Bild der differenzierte Ausdruck des Mitleidens der Umstehenden gerühmt.

Timbuktu, frz. **Tombouctou** [tɔ̃bukt'u], Stadt in Mali, 6 km nördlich des Niger, etwa 25 000 Ew. Die um 1100 gegr. Stadt war im 14.–16. Jh. der südlichste Kultur- und Handelsmittelpunkt des islam. Westafrika; Moscheen aus dem 13., 14. und 15. Jh.; geschlossenes Stadtbild in sudanes. Lehmbauweise.

Timgad, Ruinenstätte des antiken **Thamugadi,** rd. 40 km östlich von Batna (Algerien). T., von TRAJAN 100 n. Chr. als röm. Kolonie gegr., war im 3. Jh. eine der bedeutendsten Städte Numidiens, später ein Hauptsitz der Donatisten (Anhänger einer Sonderkirche in N-Afrika); im 7. Jh. wurde es von den Arabern zerstört. – Die Stadt, im Typus röm. Militärlager angelegt, wuchs schnell über die Befestigungsmauern hinaus. Innerhalb lagen das Forum, ein Theater und einige Tempel, außerhalb wurden schon im 2. Jh. das Kapitol, die Thermen sowie neue Wohnquartiere mit unregelmäßigen Straßenzügen und handwerkl. Betriebe errichtet. Der byzantin. Epoche gehören die Kathedralen und das Baptisterium, ein christl. Friedhof mit Kirche und, außerhalb der Stadt, ein Kastell an. Zahlreiche Ausgrabungsfunde im Mus. von T.

Timimoun [-m'un], Oasenstadt in Zentral-Algerien, in maler. Hanglage am S-Rand des Westl. Großen Erg; rund- und quadratpyramidale rotbraune Lehmziegelbauten im sudanesisch-nigerian. Stil sowie spitzkuppelige weiße Marabuts. Das Sudan-Tor ist einem sudanes. Grabmal nachgebildet. Der ›Timimoun-Dekor‹, eine Mischung altberber., spanisch-maur. und lokaler Ornamentik, überzieht Wände, Bogenlaibungen, Pfeiler und Decken fast aller Gebäude: In eine etwa 5 cm dicke, weiße Gipsschicht werden in freiem Wurf geometrisch-abstrakte Muster mit flächenhafter Rhythmisierung und mehrachsiger Bewegungsrichtung eingeschnitten.

Timişoara [timiʃo'ara], →Temeschburg.

Timm, Wassilij Fjodorowitsch (Wilhelm Georg von), Zeichner, Lithograph, *Gut Sorgenfrei (bei Riga) 21. 6. 1820, †Berlin 7. 4. 1895, studierte an der Kunstakad. in St. Petersburg, 1851–62 Hg. des ›Russ. Kunstblatts‹, lebte seit 1867 in Berlin, wo er sich v. a. mit keram. Arbeiten und Majolikamalerei beschäftigte.

Timotheos, grch. Bildhauer des 4. Jh. v. Chr., wahrscheinlich aus Epidauros, war Mitarbeiter am Skulpturenschmuck des Asklepiostempels von Epidauros (um 370) und des Mausoleums von Halikarnassos (um 350). Ob eine in kaiserl. Kopien überlieferte Statue der Leda auf T. zurückgeführt werden kann, ist umstritten.

Timuriden, die Nachfolger des Mongolenfürsten TIMUR (*1336, †1405). Obwohl zu ihnen bed. Herrscher mit kulturellem Verantwortungsbewußtsein gehörten, bes. Timurs Sohn SCHAH ROCH (1407–47) mit seinen Söhnen BAI SONKOR (†1433) und ULUGH BEG (ermordet 1449), zerfiel das von Timur gegr. inner- und vorderasiat. Reich bereits seit 1470; die Residenz Herat blieb bis 1506 kultureller Mittelpunkt. Alle Zweige der Kunst erlebten unter Timur und den T. eine reiche Entfaltung; die Residenz →Samarkand erhielt prachtvolle Grabmoscheen und Moscheen, deren Außen- und Innenbau mit vielfältigen Verkleidungsformen geschmückt waren. Auch die →Miniaturmalerei erlebte in Schiras, Täbris, Herat mit →Behsad Blütezeiten, ebenso das Kunstgewerbe. Das schon unter den Ilchanen einsetzende Vordringen asiat. Elemente verstärkte sich unter den T., v. a. durch Aufnahme chines. Motive.

Tinguely [tɛ̃gl'i], Jean, schweizer. Maler, Bildhauer, *Freiburg i. Ü. 22. 5. 1925, lebt seit 1953 in Frankreich, schloß sich dem Nouveau Réalisme an. Er entwickelte z. T. monumentale, kinet. Montagen aus Schrott-Teilen. Diese ›Meta-Mechanismen‹ können u. a. akust. Wirkungen erzielen oder das Informel ironisierende abstrakte Bilder herstellen. Die ›Hommage à New York‹ (1960), eine sich selbst zerstörende Plastik, zeigt die Berührungspunkte T.s zur Happening-Bewegung. Mit NIKI DE SAINT-PHALLE (die er 1961 heiratete) und P.

Jean Tinguely: Baluba III; 1959 (Köln, Museum Ludwig)

O. ULTVEDT (*1927) schuf er 1966 die begehbare Monumentalplastik ›Hon‹ (›Sie‹) in Stockholm.

K. G. P. HULTÉN: J. T. Meta (a. d. Frz., 1972); J. T., Werkkatalog, hg. v. CHRISTINA BISCHOFSBERGER (1982); J. T., Eisenplastiken, Ausst.-Kat., Zürich (1982).

Tingvoll, norweg. Gem. südwestlich von Trondheim; die ma. Steinkirche (Mitte 12. Jh.) birgt eine reiche einheitl. Ausstattung im Renaissancestil.

Tinmal, Tinmel, Ruinenstadt in S-Marokko, 105 km südlich von Marrakesch im Hohen Atlas; Ahnsitz der Almohaden-Dynastie, 1125 gegr., 1276 zerstört. Reste mächtiger Umfassungsmauern (Stampflehm über Bruchsteinen) mit Viereckbasteien. Die 1153/54 vollendete, gut erhaltene Hauptmoschee (48 × 46,3 m) im T-förmigen Bauschema hat 9 Schiffe zu je 4 Jochen, Querschiff vor der Kiblawand, breiteres Mittelschiff und 2 beidseitige Doppelriwaks zu je 4 Jochen um den Rechtecksahn. Wohlproportionierte maur. Bögen (→maurischer Stil): Lambrequinbögen (erstmals im Maghreb) um den Michrab, polylobe Bögen in den Längsschiffen, gekielte Hufeisenbögen in den Jochen. Prachtvolle Michrabgestaltung mit geometr. Sternmuster seldschukisch-pers. Ursprungs im Alfiz; die Kuppel vor dem Michrab ist ein Meisterwerk der Almohadenkunst (versetzte Überführung eines Fünfecks in ein Achteck durch ein Netzwerk von Bögen, großen und kleinen Stalaktiten bis zu den Kuppelrippen). Das quadrat. Minarett (hier Michrab und Minbar-Nische enthaltend) mit gegliedertem Arabesken-, geometr. und Schriftdekor ist direkter Vorläufer der großen maur. Minarette von Marrakesch, Rabat, Sevilla, Tlemcen und Mansoura.

Tino di Camaino: Caritas; Marmor (Florenz, Museo Bardini)

Tino di Camaino, ital. Bildhauer, *Siena um 1285, †Neapel um 1337, Schüler G. PISANOS, seit 1315 dessen Nachfolger als Leiter der Dombauhütte in Pisa. Nach Aufenthalten in Siena und Florenz wurde er 1323 von den Anjou nach Neapel berufen. Sein Stil geht von Pisano aus, zeigt aber in der Vorliebe für geschlossene Oberflächen und elegante Linienrhythmen typ. Kennzeichen der sienes. Kunst im Trecento.

HW: Grabmäler für: Kaiser Heinrich VII. (1315, Grabmal im Dom, Einzelfiguren im Camposanto, Pisa); Erzbischof Petroni (1318–20, Siena, Dom); Bischof Orso (1321, Florenz, Dom); Katharina von Österreich (1323, Neapel, S. Lorenzo Maggiore); Maria v. Ungarn (1325, ebd., S. Maria Donnaregina); Maria von Anjou (1329, ebd., S. Chiara); Karl von Kalabrien (1332/33, ebd., S. Chiara).

Tinten [zu lat. tingere ›färben‹], wäßrige Lösungen von Farbstoffen zum Schreiben, Zeichnen und Färben. Seit dem 3. Jh. v. Chr. ist die Eisengallustinte bekannt; ma. Schriften enthalten Rezepte für verschiedenfarbige T. Gelbe und braune T. wurden aus der Rinde versch. Steinobstgewächse, z. T. mit Eisenvitriol hergestellt, bunte aus den verfügbaren Farbstoffen (z. B. Indigo, Färberröte). Seit Erfindung der Teerfarben sind die natürl. Produkte verdrängt. (→Tusche)

Tintern Abbey [t'ıntən 'æbı], Zisterzienserkloster, 1131 nordöstlich von Cardiff in S-Wales von WALTER FITZRICHARD gegr. Der ergrabene Ursprungsbau, ein kreuzförmiger Saal mit Rechteckkapellen an den Querhausarmen, wurde zw. 1220 und 1287 durch einen nur als Ruine erhaltenen got. Neubau mit ersten Anklängen an den Decorated Style ersetzt.

Tintoretto [ital. ›der kleine Färber‹], eigtl. Jacopo **Robusti,** ital. Maler, *Venedig Ende Sept./Anf. Okt. 1518, †ebd. 31. 5. 1594, beeinflußt von TIZIAN, später von MICHELANGELO, tätig in Venedig, schuf nach seinem ersten großen Erfolg ›Befreiung des Sklaven durch den Hl. Markus‹ (1548; Venedig, Accademia) bes. großformatige relig. Gemälde. Seine ausdrucksstarken, oft kühn verkürzten Gestalten fügen sich zu rhythmisch bewegten Kompositionen, in denen sich große Tiefenwirkung mit flächenhafter Gebundenheit zu spannungsgeladener Gesamtwirkung verbindet (BILD Perspektive). Anfangs malte er in glühenden, von Schwarz und von braunen Tönen durchsetzten Farben, dann mehr tonig gebrochen. In der Spätzeit wurde die Farbe zu einer oft fahlbleichen Lichterscheinung, die das Stoffliche vergeistigt und das dramat. Geschehen ins Unwirkliche hebt. Sein HW sind die Wand- und Deckengemälde in der Scuola di S. Rocco in Venedig (Christus vor Pilatus, Kreuztragung und Kreuzigung in der Sala dell'Albergo, 1565/66; alt- und neutestamentl. Szenen in den großen Sälen des Unter- und Obergeschosses, 1575–82). Auch als Porträtmaler gehört T. zu den bedeutendsten der Zeit.

Die überlieferten Zeichnungen zeigen v.a. Bewegungsstudien. – Sein Sohn Domenico (*Venedig 1560, †ebd. 1637) führte die Werkstatt des Vaters fort, seine Tochter Marietta (†Venedig um 1596) war Porträtmalerin.

WW: Christus u. die Ehebrecherin (vor 1545; Dresden, Gemäldegal., weitere Fassung um 1546; Rom, Gal. Nazionale d'Arte Antica); Fußwaschungen (um 1545; Escorial); Venus u. Vulkan (um 1550; München, Alte Pinakothek); Abendmahl (um 1560; Venedig, S. Trovaso); Anbetung des Goldenen Kalbes u. Jüngstes Gericht (um 1560; Venedig, S. Maria dell'Orto); drei Szenen aus der Markuslegende: Rettung eines Sarazenen, Bergung des Leichnams (seit 1562; Vene-

Tintoretto: Abendmahl; 1592–94 (Venedig, S. Giorgio Maggiore)

dig, Accademia), Auffindung des Leichnams (Mailand, Brera); Hochzeit zu Kana (1562; Venedig, S. Maria della Salute); Abendmahl (um 1565 bis 1570; Venedig, S. Paolo); Madonna von drei Kämmerern verehrt (1566; Venedig, Accademia); Gemälde im Dogenpalast (seit 1578; vier mytholog. Deckenbilder im ›Anticollegio‹; Venedig als Beherrscherin der Meere, Deckenbild im Senatssaal, 1581–84; Das Paradies, Sala del Gran Consiglio, 1588); Michaels Drachenkampf (Dresden, Gemäldegal.); Abendmahl (1592–94; Venedig, S. Giorgio Maggiore). – Porträts: N. Priuli (Venedig, Cà d'Oro); Dame in Trauer (Dresden, Gemäldegal.); J. Soranzo (Mailand, Castello Sforzesco); Selbstporträt (1588; Louvre).

L'opera completa del T., hg. v. C. Bernari u. P. de Vecchi (Mailand 1970); R. Pallucchini u. P. Rossi: T., 2 Bde. (ebd. 1982).

Tipasa, Stadt in Algerien, rd. 70 km westlich von Algier, 18 100 Ew., im Altertum phönik. Handelsplatz, im 1. Jh. n. Chr. röm. Kolonie; Ruinen aus röm. und byzantin. Zeit: Amphitheater, Tempel, Thermen, Forum, große, neunschiffige christl. Basilika, 2 kleinere Kirchen; Funde, v. a. Mosaiken, im Mus. von T.

Abkürzungen

Endungen oder Wortteile werden zur Raumersparnis weggelassen, wo sie ohne Schwierigkeit ergänzt werden können, z. B. abgek. für abgekürzt; Abt. für Abteilung; geistl. für geistliche(r); künstler. für künstlerische(r). An stärkeren, formelhaften Abkürzungen werden verwendet:

Abk.	Abkürzung
ags.	angelsächsisch
ahd.	althochdeutsch
Akad.	Akademie
allg.	allgemein
Am.	Amos (A. T.)
Anf.	Anfang
Apg.	Apostelgeschichte (N. T.)
Art.	Artikel
ASSR	Autonome Sozialistische Sowjetrepublik
a. St.	alten Stils
A. T.	Altes Testament
Aufl.	Auflage
Ausst.-Kat.	Ausstellungskatalog
Ausw.	Auswahl
Auton. Geb.	Autonomes Gebiet
Bad.-Württ.	Baden-Württemberg
Bar.	Baruch (A. T.)
Bd., Bde.	Band, Bände
bed.	bedeutend
beg.	begonnen
begr.	begründet
Beitr.	Beitrag, Beiträge
bes.	besonders
best.	bestimmt
Bev.	Bevölkerung
Bez.	Bezirk, Bezeichnung
Bibl.	Bibliothek, Bibliothèque, Biblioteca
Bundesrep. Dtl.	Bundesrepublik Deutschland
Chr.	Christus; Chronik (A. T.)
Cod.	Codex
Coll.	Collection
ČSSR	Tschechoslowakei
Cty.	County oder -ties
d. Ä.	der (die) Ältere
Dan.	Daniel (A. T.)
Dep.	Departamento
Dép.	Département
dgl.	dergleichen, desgleichen
d. Gr.	der Große
d. h.	das heißt
Distr.	Distrikt
d. J.	der (die) Jüngere
dt.	deutsch
Dt. Dem. Rep.	Deutsche Demokratische Republik
Dtl.	Deutschland
Dtn.	Deuteronomium (A. T.)
ebd.	ebenda
ed., Ed.	editio, Edition
ehem.	ehemalig, ehemals
eigtl.	eigentlich
Einl.	Einleitung
Enz.	Enzyklopädie
Eph.	Epheserbrief (N. T.)
Erg.	Ergänzung
erh.	erhalten
Esr.	Esra (A. T.)
Est.	Esther (A. T.)
e. V.	eingetragener Verein
evang.	evangelisch
Ew.	Einwohner
Ex.	Exodus (A. T.)
Ez.	Einzahl; Ezechiel (A. T.)
f., ff.	folgend, folgende (z. B. Seiten, Jahre)
Faks.-Ausg.	Faksimileausgabe
Fam.	Familie
Frhr.	Freiherr
frz.	französisch
Fstt.	Fürstentum
Gal.	Galerie, Galérie, Galleria; Galaterbrief (N. T.)
gegr.	gegründet
Gem.	Gemeinde
gen.	genannt
Gen.	General; Genesis (A. T.)
Gen.-Gouv.	Generalgouvernement, Generalgouverneur
Ges.	Gesetz; Gesellschaft
Gesch.	Geschichte
Ges. W.	Gesammelte Werke
gew.	geweiht
Gfsch.	Grafschaft
ggf.	gegebenenfalls
Ghzgt.	Großherzogtum
Gouv.	Gouverneur, Gouvernement
grch.	griechisch
H.	Hälfte
Hab.	Habakuk (A. T.)

Hag. .... Haggai (A. T.)
Hb., Hbb. .... Handbuch, -bücher
hd. .... hochdeutsch
hebr. .... hebräisch
Hebr. .... Hebräerbrief (N. T.)
Hg. .... Herausgeber(in)
hg. v. .... herausgegeben von
Hi. .... Hiob (A. T.)
Hl., hl. .... Heilige(r), heilig
Hld. .... Hohelied (A. T.)
Hos. .... Hosea (A. T.)
Hs., Hss. .... Handschrift(en)
HW .... Hauptwerk(e)
Hwb. .... Handwörterbuch
Hzgt. .... Herzogtum
i. a. .... im allgemeinen
i. d. R. .... in der Regel
i. e. S. .... im engeren Sinn
i. Ggs. .... im Gegensatz
i. J. .... im Jahre
internat. .... international
i. S. .... im Sinn
ital. .... italienisch
i. w. S. .... im weiteren Sinn
Jahrtsd. .... Jahrtausend
Jak. .... Jakobusbrief (N. T.)
Jb. .... Jahrbuch
Jdt. .... Judith (A. T.)
Jer. .... Jeremia (A. T.)
Jes. .... Jesaja (A. T.)
Jh. .... Jahrhundert
Jo. .... Joel (A. T.)
Joh. .... Johannesevangelium (N. T.), Johannesbrief (N. T.)
Jon. .... Jona (A. T.)
Jos. .... Josua (A. T.)
jr. .... junior, der jüngere
Jud. .... Judasbrief (N. T.)
Kap. .... Kapitel
Kat. .... Katalog
kath. .... katholisch
Kgr. .... Königreich
Klgl. .... Klagelieder des Jeremia (A. T.)
Kol. .... Kolosserbrief (N. T.)
Kön. .... Könige (A. T.)
Kor. .... Korintherbrief (N. T.)
Kr. .... Kreis
Kt. .... Kanton
lat. .... lateinisch
Lb. .... Lehrbuch
Lev. .... Levitikus (A. T.)
Lex. .... Lexikon
Lfg. .... Lieferung(en)
Lit. .... Literatur
Lk. .... Lukasevangelium (N. T.)
Lw. .... Lehnwort
MA., ma. .... Mittelalter, mittelalterlich
magy. .... magyarisch
Makk. .... Makkabäer (A. T.)
Mal. .... Maleachi (A. T.)
max. .... maximal
md. .... mitteldeutsch
Metrop. Area .... Metropolitan Area
Metrop. Cty. .... Metropolitan County
mhd. .... mittelhochdeutsch
Mi. .... Micha (A. T.)
Mio. .... Million(en)
Mitgl. .... Mitglied
Mk. .... Markusevangelium (N. T.)
mlat. .... mittellateinisch
mnd. .... mittelniederdeutsch
Mos. .... Mose (A. T.)
Mrd. .... Milliarde(n)
Mt. .... Matthäusevangelium (N. T.)
Mus. .... Museum, Musée, Museo
Mz. .... Mehrzahl
N .... Nord(en)
n. .... nach
Nachdr. .... Nachdruck
Nah. .... Nahum (A. T.)
Nat. .... National
n. Ausg. .... neue Ausgabe
n. Chr. .... nach Christi Geburt
Ndsachs. .... Niedersachsen
Neh. .... Nehemia (A. T.)
Neuaufl. .... Neuauflage
ngrch. .... neugriechisch
nhd. .... neuhochdeutsch
nhg. .... neu herausgegeben
nlat. .... neulateinisch
NO .... Nordost(en)
NÖ .... Niederösterreich
NRW .... Nordrhein-Westfalen
n. St. .... neuen Stils
N. T. .... Neues Testament
Num. .... Numeri (A. T.)
NW .... Nordwest(en)
O .... Ost(en)
Ob. .... Obadja (A. T.)
Offb. .... Offenbarung des Johannes (N. T.)
o. J. .... ohne Jahr
OÖ .... Oberösterreich
orth. .... orthodox
österr. .... österreichisch
Petr. .... Petrusbrief (N. T.)
PH .... Pädagogische Hochschule
Phil. .... Philipperbrief (N. T.)
Phlm. .... Philemonbrief (N. T.)
Präs. .... Präsident
prot. .... protestantisch
Prov. .... Provinz

Ps. .... Psalmen (A. T.)
rd. .... rund
ref. .... reformiert
Reg.-Bez. .... Regierungsbezirk
relig. .... religiös
Rep. .... Republik
Rheinl.-Pf. ..... Rheinland-Pfalz
Ri. .... Richter (A. T.)
Röm. .... Römerbrief (N. T.)
Russ. SFSR .... Russische Sozialistische Föderative Sowjetrepublik
S .... Süd(en)
S. .... San, Santo, Santa, São
Sach. .... Sacharja (A. T.)
Sam. .... Samuel (A. T.)
Samml. .... Sammlung
Schlesw.-Holst. .... Schleswig-Holstein
Schriftst. .... Schriftsteller
Sir. .... Jesus Sirach (A. T.)
Skt. .... Sanskrit
SO .... Südost(en)
Spr. .... Sprüche (A. T.)
SS. .... Santi, Santissima, Santissimi
SSR .... Sozialistische Sowjetrepublik
St. .... Sankt, Saint
Ste. .... Sainte
svw. .... soviel wie
SW .... Südwest(en)
Tb. .... Taschenbuch
TH .... Technische Hochschule
Thess. .... Thessalonicherbrief (N. T.)
Tim. .... Timotheusbrief (N. T.)
Tit. .... Titusbrief (N. T.)
Tl., Tle. .... Teil(e)
Tob. .... Tobias (A. T.)

TU .... Technische Universität
u. a. .... unter anderem(n), und andere(s)
u. ä. .... und ähnliche(s)
UdSSR .... Sowjetunion
u. d. T. .... unter dem Titel
ü. M. .... über dem Meeresspiegel
u. M. .... unter dem Meeresspiegel
Univ. .... Universität, University, Université
urspr. .... ursprünglich
USA .... Vereinigte Staaten
usf. .... und so fort
usw. .... und so weiter
u. U. .... unter Umständen
u. v. a. .... und viele(s) andere
v. a. .... vor allem
v. Chr. .... vor Christi Geburt
Verf. .... Verfasser
versch. .... verschieden(e)
Verz. .... Verzeichnis
vgl. .... vergleiche
voll. .... vollendet
Vors. .... Vorsitzender
VR .... Volksrepublik
W .... Westen
Wb. .... Wörterbuch
Weish. .... Buch der Weisheit (A. T.)
Wiss. .... Wissenschaft
WW .... Weitere(s) Werk(e)
Wwschaft .... Woiwodschaft
z. B. .... zum Beispiel
Zeph. .... Zephanja (A. T.)
z. T. .... zum Teil
Ztschr. .... Zeitschrift
zus. .... zusammen
zw. .... zwischen
z. Z. .... zur Zeit
^{3}1977 .... 3. Aufl. 1977
3(1977) .... Band 3 (1977)

Weitere Zeichen: * geboren, † gestorben, ⚭ verheiratet, Ø Durchmesser.